新潮文庫

# 黒い福音

松本清張著



1953

# 黒い福音

# 第一部

## 一

東京の北郊を西に走る或《あ》る私鉄は二つの起点をもっている。

この二つの線は、或る距離をおいて、ほぼ並行して、武蔵野《むさしの》を走っている。東京都の膨《ふく》れ上った人口は、年々、郊外へ住宅を押し拡《ひろ》げてゆくから朝夕は乗客で混み合う。しかし、二つの線の中間地帯は、賑《にぎ》やかな街にもなりきれず、田園のままでもなく、中途半端《はんぱ》な形態をとっている所が多い。

この辺《あた》りになるとナラ、カエデ、クヌギ、カシなどの雑木林が到《いた》るところに残っている。旧《ふる》い径《みち》は、その林の中に入っている。林の奥には農家の部落がひそんでいる。が、それについて行くと、部落の隣は、忽《たちま》ち新しい住宅地に変る。この辺は、古い武蔵野の田野と、新しい東京の部分とが、ちぐはぐに錯綜《さくそう》している地帯であった。

夕方の景色は、田園調で美しい。広い畠《はたけ》と、その向うに立っている林とが蒼褪《あおざ》めて黝《くろず》み、端には白い夕靄《ゆうもや》が立つ。夕焼けの広大な雲を背景にして、教会の尖塔《せんとう》が黒い影絵になって見えるところなどは、その気持のないものでも、宗教的な詩心を起す。

実際、尖塔のそびえているその教会の眺望《ちょうぼう》は、どれだけこの辺を歩く者に詩的な情感を与えているか分らないのである。昼間は、赭土《あかつち》の畠の涯《はて》に、尖塔の十字架と建物の白い壁が陽《ひ》を受けて輝く。夕方には壮麗な空を背景に、それが絵画的なシルエットとなる。

夜は——この辺はひどくもの寂しい。二つの線のどの駅からでもよいが、一本道の商店街を過ぎると、賑かな灯は跡切《とぎ》れ、暗い塀《へい》のつづく通りになる。人工的な灯火が消え、急に自然の昏《くら》いひろがりを感じるのである。

新道から切れて、旧道になると、道はいくつも曲って、畠と林の間につづく。その道も、途中でいくつかに岐《わか》れて、別の林の中に入っている。家はあるが、跡切れているから、もし、目印にしようと思えば、路傍の道祖神ぐらいであろう。

事実、ここに来る途中で道順を訊《き》いても、この道を歩くと地蔵さまに突き当るから、それを右に行けとか、左に曲れ、とか教えるであろう。

石地蔵は、草の繁《しげ》みの中に、壊《こわ》れかけている。晴れた夜だと、畠の涯にも、木立ちの裾《すそ》にも、ほの蒼白い夜の靄が刷《は》いている。雨や風の夜だと、林が騒いでいる。

しかし、その道がいつまでも続くのではない。やがて、黒くかたまった住宅地に出る。この辺は、夜は、たいてい早く雨戸を閉めるから、灯の漏れている家が少ない。外灯も疎《まば》らにしか立っていないのである。

天気のいい夜だと、この辺りから、教会の尖塔が黒い影になって見える。位置によっては、原野の中に聳《そび》えていたり、林の間に立っていたりする。月の晩だと、尖《とが》った先の十字架が、砂粒のようにきらりと光る。ふだん、信仰心のない者でも、これを眺《なが》めるときには、詩的な宗教心にうたれるに違いない。

その教会は、そこを中心にして二キロの半径内では、どこからでも眺められた。つまり、その教会の建物だけが、とび抜けて高く、あたりには、山の裾野の程度しかない低い人家だけが散在しているのであった。

近くに小学校が在《あ》った。ふえてきた人口のために余儀なく出来たといったような小学校で、運動場は田園に隣り合っていた。

その小学校の前あたりにも新開地の住宅街がある。これは、旧道から入って、さらに畔道《あぜみち》を少し拡げたような狭い道を挟《はさ》んで両側にかたまっていた。家の多くは、杉や檜葉《ひば》で垣根をつくっている。

が、まだ、木立ちがあり、百姓家があり、家と家の間には畠があった。むろん、ひっそりとしたものである。通行者も、滅多に、この路地のような中には入って来ない。落葉が溜《たま》っているようなこの道に入ってくるのは、たいていこの近所の住人であった。

江原ヤス子が住んでいる家は、このような環境の中に在った。

その家は百五十坪くらいの地所に、十五坪ばかりの建坪だった。家は道路側に近く建っているから、庭が広い。後庭の垣根は、よその畠に接しているが、ここに大きな犬小屋があった。それより小さな犬小屋が、も一つ横にもある。

家の横手も広い庭になっていた。この家は道路と隣家の境に片寄って建っているので、後ろと横の地所が空《あ》いているのである。だから、庭というよりも、雑草の生《は》えた空地《あきち》といった方が正しい。横手の空地には、ツゲ、モチ、ヒバ、カエデ、モクセイなどの植込みがかたまって繁っている。どういうものかモチの樹が多い。

門は二つあった。家の玄関に入る門と、横の空地に入る門とである。この二つとも、ふだんは厳重に内側から鍵《かぎ》がかかっていた。

江原ヤス子は、このような家に、たった一人で住んでいた。

犬が四頭いる。四頭ともセパードで、裏の広い犬小屋につながれているのが犢《こうし》ほどもある大きな牡牝《おすめす》で、それより少し小さいのが狭い犬小屋、もう一頭は家の中に寝起きしていた。

江原ヤス子は、ふだんは、この家のあらゆる戸口に内側から錠を下ろして、ひとりで暮していた。近所の者が用事があって来ても、絶対に家の内には入れなかった。声をききつけると、自分が窓から顔を出すか、或《あ》るいは入口から出て来ても、門扉《もんぴ》か杉垣を隔てて話をするのである。この場合、自分が出て来た入口の扉《とびら》は用心深く閉《し》めるのを忘れなかった。

御用聞きともそうだった。会話は、家の中と道路で交《かわ》し、品物の受渡しは、江原ヤス子が家の中から出て来て、垣根越しに行なわれた。

江原ヤス子は三十七、八歳くらいにみえた。小肥《こぶと》りの体格で、薄い眉《まゆ》と、切れ長な一重皮の瞼《まぶた》の眼と、肥えた鼻と、厚い唇《くちびる》とをもっている。決して美人ではないが、醜い顔でもない。小肥りだから、肉感的な方である。笑うと、けたたましい声を出す。

江原ヤス子は、いつも派手な色の洋服をきていた。年齢からすると、妙に原色が多くて若やいでみえるが、顔は化粧をすることもなく、艶《つや》のない、黄色い皮膚に疲れたような皺《しわ》が浮いて見えるので、不均合《ふつりあい》である。尤《もっと》も、これは外国で暮している日本人にはよく見られる型である。

江原ヤス子は、一ん日中、家の中に閉じこもって、何をしているのか分らない。訪問客は滅多にない。あっても、門の外で話を交して追っ払われる。強引な外交員や御用聞きが、一足でも無理に垣根の内に入ろうものなら、犢《こうし》のような大きなセパードに咬《か》みつかれそうになる。この家の門柱には「犬」という標識が出て、そのために断わってある。

しかし、江原ヤス子の家には訪問客が、まるきり無かったわけではなかった。いや、それは、毎日、頻繁《ひんぱん》にあったのである。が、これは日本人ではなかった。——

江原ヤス子が、もの侘びしいくらい静かなこの田園に隣り合った住宅地に来たのは、十数年前からであった。尤も、そのときは、現在の家ではなく、近くの百姓家の離れを借りていた。そのころの江原ヤス子は、今よりは血色が好《よ》く、服装も貧しいくらい地味であった。

江原ヤス子の前身については、近所の誰も知るところがない。彼女が、時おり、自分が出かけて話しこむ際の口吻《こうふん》では、関西の方の女子高等師範学校を出ていると云《い》うから、どこかの学校の教師をしていたことがあるのかもしれない。しかし、百姓家の離れを借りたころの彼女は、十数年後もずっとそうだが、近くのグリエルモ教会で聖書関係の出版物の翻訳の仕事をしているということであった。

グリエルモ教会と聞くと、人々は、すぐ近くの田圃《たんぼ》の涯に、朝な夕なに輝いている十字架の尖塔を思い出す。昼間は、青い麦畑の上に、その聖なる建物が真白にくっきりと浮き、夕方は壮麗な茜色《あかねいろ》の雲を背景に、黒い影絵となって立っている荘厳《そうごん》な教会――。

あまり好感のもてそうにないこの中年女が、聖書の翻訳に携わり、そのグリエルモ教会の熱心な信者だと聞けば、近所の人々も彼女を宗教的な人格に見直さなければならなかった。人と、あまり交際するのを好まないのも、宗教への奉仕かと思われた。

実際、彼女は、日曜日ごとの礼拝《らいはい》はもとより、毎日のように近くのグリエルモ教会に行った。近くといっても、三キロくらい離れているから、歩くのには遠すぎる。彼女は婦人用の自転車に乗って教会に通った。これは翻訳の仕事だから、それだけの必要があったのであろう。

教会からも、江原ヤス子のところへヨーロッパ人の神父が小型自動車で来るのは、彼女の仕事の性質上、不思議はなさそうだった。翻訳者との打合せがあるに違いない。ただ、毎日、それも昼夜を問わず、紅毛の神父が数回やってくるのは少々頻繁すぎる印象をうけるが、聖書類の翻訳となれば気軽にはできないから、熱心な打合せが必要なのであろう。

小型自動車で来る神父は決って一人の人物であった。彼は瘠《や》せていて、長身で、赭《あか》ら顔をしていた。頭が禿《は》げていて、耳のうしろから後頭部にかけて朽葉《くちば》色の髪が長く残っている。西洋人の年齢は、日本人には見当がつかないが、五十二、三歳くらいではないかと思われた。ルネ・ビリエ師で、グリエルモ教会では主任司祭の役をしていた。つまり、その教会では、一番偉い坊さんであった。

ルネ・ビリエ師が江原ヤス子のところに来はじめたのは、彼女がまだ百姓家の離れを借りていたころからであった。だから、彼女に対するビリエ師の個人的な指導は十数年という長い歳月にわたっていた。

江原ヤス子が、農家の離れを出たのは家主の都合によったようである。家主のその理由が、ビリエ師があまりにしばしば彼女を訪問するのを厭《いと》ったためかどうかさだかでないが、とにかく、その近所にあった現在の家を二十数万円で手に入れたのは幸運であった。

この一劃《いっかく》は、地域的に隠れ場所になりそうな所であった。昼間でも、広い道路を歩いている通行者に気づかれない。夜は、まるきり闇《やみ》の中に暗く沈み、垣根の杉が匂《にお》うだけである。

それで、一ころは、この住宅地の何軒かには、お妾《めかけ》さんが住んでいた。番地を聞いただけではちょっと分らないし、尋ねても、探《さが》し出すのに難儀する地域だった。可愛い二号さんを置くには恰好《かっこう》な土地だった。

だからといって、ビリエ師が江原ヤス子をこのような一劃に、昼となく、夜となく訪《たず》ねてくるのは、そのような汚れた特殊な雰囲気《ふんいき》のせいとは思われなかった。グリエルモ教会の信者は、誰もが主任司祭ルネ・ビリエ師を神の奉仕者として尊敬していた。また、頸《くび》にいつも銀色の十字架を懸けている江原ヤス子を、熱心な求道者として信じていた。

信者だけではない。グリエルモ教会には、七人の外国の神父たちがいたが、みんな主任司祭ルネ・ビリエを敬愛していた。彼らは、むろん、聖職に入ってからは厳《きび》しい宗律に服し、生涯、異性との邪淫《じゃいん》を拒絶して、霊魂に生きている人々であった。だから、長い間、神の道に生き抜いてきたルネ・ビリエ師が、独身者の江原ヤス子を、その自宅に、たったひとりで訪問し、かなりな時間を過すことがあっても、誰もそれを邪《よこしま》な想像に結ぶものはなかった。

近所の人も、旦那《だんな》が二号さんのところへ通ってくるように、ビリエ師と江原ヤス子の間を勘ぐる者は少なかった。少なかった、というのは、いくらかは、その疑いをもった者があったわけである。

しかし、そのことを信者に質《ただ》そうものなら、信者は眉をあげて憤《いきどお》るか、愍《あわれ》むような眼つきをして諭《さと》すかであった。

「ビリエ様と、江原さんとの間に、そのような想像を少しでもするのは神への冒瀆《ぼうとく》です。ビリエ様の眼をごらんなさい。いつも神へお祈りしている、穢《けが》れのない、澄みきった美しい瞳《ひとみ》をしてらっしゃるでしょう」

けれども、江原ヤス子の近所の者は、彼女についての数々の挿話《そうわ》を知っていた。

江原ヤス子が、農家の離れに住んでいたころは苦しい生活をしていた。そこは納屋《なや》に畳を敷いた三畳の間であった。彼女は粗末な衣類をまとって窶《やつ》れていた。

尤も、粗末な身なりは、当時の日本人の全部であった。戦争が済んだ直後で、物資のない時である。彼女の窮乏を咎《とが》めるには当らなかった。

しかし、そのころから、江原ヤス子はグリエルモ教会にお詣《まい》りしていた。彼女がバジリオ会の熱心な信者だったのはずっと以前からだということは疑いようがない。

江原ヤス子の前歴が他人に全く知られていないように、彼女が過去に結婚の経験があるかどうかということも判《わか》っていない。終戦当時、彼女は三十歳になっていなかった。或いは戦争未亡人かもしれないし、結婚相手の男は戦場に駆り出されていたのかもしれなかった。とにかく、彼女は、あまり仕合せそうではなかった。その不幸が、見かけのように真実だとしたら、そのことが動機で、信仰に入っていたのであろう。

そのじぶんから、ルネ・ビリエ師の背の高い姿が、江原ヤス子の三畳の間に、窮屈そうに現われたのであるが、当時はビリエ師はアメリカ兵が乗るようなジープを駆って来ていたのであった。グリエルモ教会から、彼女の家までジープで五分とはかからなかった。ジープは田園の道を走り、人目につかない、ひっそりとした路地を入って行く。夜だと、全く誰もその狭い路《みち》に何が入ってひそんでいるのか気がつかないのである。

そのジープは二年後には、ヒルマンに変った。

そのころは、江原ヤス子も、現在の広い空地のある十五坪の家に移っていた。その家を買い取った事実だけでも、彼女の生活が急速に向上したことを物語る。

そのヒルマンは、この路地に入ると、必ずナンバープレートを神父が取り換えるのであった。近くに住む中学生の目撃によると、最初のプレートは確かに他県のナンバーだが、それを東京都のものに替えているというのである。が、どのような理由で、ビリエ師がそんな手間をかけるのか分らなかった。

江原ヤス子が、現在の家へ、百姓家の離れから移ってきたとき、近所への引越し挨拶《あいさつ》に牛肉の罐詰《かんづめ》を配ったのである。それも横文字だけが配列してある外国製だった。断わっておくが、それが昭和二十二、三年の頃《ころ》で、日本人は芋と粥《かゆ》で食いつないでいた時代であった。

その外国製の牛罐が、グリエルモ教会から流れて来たであろうことは容易に察しがついた。グリエルモ教会の所属する宗門バジリオ会の本部はヨーロッパに在った。だから、罐詰は本部から輸送されたであろうと誰もが思う。引越し蕎麦《そば》の代りに配られた外国製の罐詰は、多分、ノッポのルネ・ビリエ師がヒルマンに積んで江原ヤス子に運んだのであろうと、何人《なんぴと》もが想像した。

近所に配ったのは牛罐だが、江原ヤス子が食べているのは、新鮮な生の牛肉という噂《うわさ》が近所に立った。むろん、肉屋が持って来たのではない。日本人の口には、まだ自由に牛肉が食えない時代であった。

これは噂だけではなく、実際に、江原ヤス子が四頭のセパードに惜しげもなく生肉を食わせているところを、垣根越しに道路からのぞき見されたのであった。それも、毎日牛肉の餌《えさ》をやっているということだった。

江原ヤス子は、なぜ、急に四頭のセパードを飼ったのであろうか。彼女の服装が、俄《にわ》かに毛唐じみて来たのも、そのころからであった。彼女が、訪ねて来るいかなる人物をも門の中に入れず、御用聞きとは垣根越しに話して用を足し、家の出入り口を悉《ことごと》く密閉して内部に籠《こも》りはじめたのも、その頃から顕著になった。彼女は必ず、気をつけて見ると、御用聞きも、三カ月とは同じ店がつづかなかった。何カ月目かには店をとり替えるのであった。

その後、自動車《くるま》は小型車のルノーに変った。

二

血色のいい神父ルネ・ビリエは、褐色《かつしょく》の縮れた髪を、耳のうしろから後頭部にかけて日本の河童《かっぱ》のように散らしている（頭の頂天が禿《は》げているので）。先の赤い鼻のつけ根の両脇《りょうわき》から深い小皺《こじわ》の線が開き、眼には鳥のように丸い茶色の瞳《ひとみ》が嵌《はま》っていた。

便利なことに、江原ヤス子の家には、自動車を忍ばせて置く恰好《かっこう》な場所があった。二つの門のうち、一つは庭ともつかぬ空地の方へ入ってゆくのだが、そこを入るとすぐに、モチ、アジサイ、モモ、ツゲ、カエデなどの庭木が鬱蒼《うっそう》と茂っている。ルノーを突込むと、その上にこれらの繁《しげ》った木の枝がさしかかり、すっぽりと蔭《かげ》をつくってくれる。昼でも、通りがかりの者には、ちょっと気がつくまい。夜は無論のこと、暗い闇《やみ》の中である。

ルネ・ビリエ神父は、ルノーをそこに置いて鍵《かぎ》をかけ、江原ヤス子の家に背を屈《かが》めて入ってゆく。

神父は、一時間くらいで帰ることもあれば、一日中、ゆっくりと過すこともあり、三、四時間でひき上げることもある。要するに、それは訪問時間の不同と同じに決っていない。

近所は昼間でも睡《ねむ》ったように、人の気配がない。しかし、ビリエ師が、全く近所の眼に触れないで出入りすることは困難である。隣もあれば、前の家もあることだ。

近所の者とビリエ師が顔を合わすときは、神父は愛想がいい。微笑を作って目礼する。間が近いと、

「今日は」

と云《い》うときもあった。ビリエ師は日本語がうまい。戦争前から日本に来ているのだ。ただに言葉だけではなく、岩波版の哲学書などは平気で読みこなす。しかし、そこまでは近所の者は知らなかった。

ルネ・ビリエ神父の微笑はやさしい。それは「神の微笑」のように思われた。真黒い洋服と、頸《くび》の白いカラーとが赭《あか》ら顔によく似合う。長い指はいつも神に祈っているような手つきであった。

しかし、ビリエ神父が、なぜ時間にかまわず、不規則に江原ヤス子の家を訪問し、短い時間にしろ、永い時間にしろ、婦人とたった二人で過すかは、近所に不思議がられた。

バジリオ会の教旨の一つに「純潔」がある。教徒は、それ故《ゆえ》に神に奉仕するビリエ神父

の人格を疑わないが、近所の俗人はそうは出来なかった。妙な眼で見たがるのである。

それを直接、江原ヤス子に訊《き》いた者があった。

家の扉《とびら》を悉《ことごと》く閉ざして、内に引込んでいる江原ヤス子も、始終、密封された状態の中に呼吸しているわけにはゆかなかった。彼女も、家に鍵をかけて近所歩きすることもある。尤《もっと》も、それは彼女の気に入る限られた家であった。

その家の者は、江原ヤス子を歓待し、

「神父さまは、何の用事で、あなたのところへいらっしゃるの？」

と訊いたのだった。

小肥《こぶと》りの江原ヤス子は、もり上った肩をしている。その肩を上げるようにして、

「それはね、わたしといっしょに聖書を共訳しているので、どうしても始終来なければいけないの」

と厚い唇《くちびる》を動かして答えた。

「へえ、そりゃ大したもんですね」

近所の者は、ビリエ師よりも、江原ヤス子の語学の才能に愕《おどろ》くのであった。彼女の腫《は》れたような眼蓋《まぶた》と、肥えた鼻翼《こばな》とを見つめて、どこにその教養がひそんでいるのかを探る眼つきになるのであった。

尤も、それは彼女の言葉にもかかわらず、信用されないことになった。或《あ》るとき、そ

の家の息子の高等学校一年生が、江原ヤス子を手近な語学教師と喜んで、英語のテキストを持ち出して教わろうとしたことがあった。そのとき、彼女は言葉を左右にして、遂《つい》に一語の解説もしなかった。

聖書を翻訳するには、ラテン語の知識を必要とするであろう。高等学校一年の英語が解《わか》らぬ者にどうしてラテン語が読めるだろうか。外国人と聖書の共訳をするなどとは、とんでもないはったりだと、その家の者はひそかに彼女を嘲《あざけ》った。この話はすぐに近隣に伝わった。

しかし、これも近所では知らないが、江原ヤス子がビリエ神父とラテン語の原典から聖書の共訳をしていたのは事実なのである。

江原ヤス子が近所づき合いをする家は、転々と変った。原因は彼女がすぐに先方に飽かれてしまうからであった。

江原ヤス子のやり方は、自分ではよその家に上り込んで遊ぶが、決して相手の家の者を自分の門の中に入れないのである。

「面倒だから今日は風呂《ふろ》をたてなかったの。お宅のを拝借したいわ」

と風呂を沸かしている家に上り込む。ビリエ神父が来訪せぬ限り、彼女はそこで長々と坐《すわ》り込んで喋舌《しゃべ》るのであった。けたたましく笑うときは歯齦《はぐき》がまる見えである。

しかし、それほど親しくても、その家の者が来たときは、江原ヤス子は門の前に仁王立ちになって対手《あいて》が玄関に入ってくるのを拒むような様子をみせるのだった。すべての話は門のところで済ませてしまう。交際は、彼女の一方通行であった。これでは誰でも腹を立てる。

なぜ、江原ヤス子は他人が家の中に入ってくるのを拒絶するのだろうか。服装からみて、あまり几帳面《きちようめん》とは思われない彼女が、ちょっと近所歩きをするのでも、厳重に家の周囲には鍵をかけるのであった。よほど、家の内を見せたくない何かの事情がありそうにみえた。

これは大きなセパードを四頭も飼っていることと共に、近所では謎《なぞ》であった。

セパードは四頭とも見事であった。少しでも妙な人間が近くを通ろうものなら、いまにも飛び出しそうに吠《ほ》え立てる。始終、鎖を引き摺《ず》る音が気味悪くしていた。平気で入って行けるのは、ルネ・ビリエ師だけであった。

その一等大きなセパードは、飼い主の江原ヤス子の言葉によると、父系も母系もチャンピオンだということだった。

「あの犬は一頭、五十万円近くもするのよ」

江原ヤス子は値段を近所の者に吹聴《ふいちよう》した。

犬の雄大さは認めるが、その値段は眉唾《まゆつば》ものだと誰でも思う。彼女はグリエルモ教会の聖書関係の翻訳部員だと云っている。それなら給料は、高いといっても知れている。一頭、五十万円もする犬を買える道理がない。それも四頭だ。誰もが彼女の言葉を信用しなかった。しかし、セパードの一頭がチャンピオン系であり、五十万円近い値段だったことも実際なのである。

一体、このような犬を江原ヤス子はどのようにして手に入れ、何を護衛させているのであろう。ひとり暮しだと云っても、彼女の身辺を守る番犬としたら大がかり過ぎる。

しかし、この犬のことにも関係があるが、江原ヤス子の家には、もう一つの謎があった。これは永年、気づかれなかったが、偶然のことから近所に判《わか》ったのである。

或るとき、どのような理由からか、区役所の衛生課員、つまり、屎尿《しにょう》のくみ取りがしばらく来なかったことがある。その一劃《いっかく》の住宅は困って、近くの農家に交渉して、くみ取りを頼んだ。そのとき江原ヤス子も困っているだろうと思って、親切な隣人が教えてやったことがあった。

「うちは結構ですわ。必要がありませんから」

なるほど江原ヤス子は一人暮しである。四、五人の家族とは違うと思って、その人は引き退《さが》った。

それから十数日経《た》って区役所からくみ取りが来て近所を廻った。一軒一軒を取って行くのだが、見ていると江原ヤス子の家には行かないのである。

「江原さんの家には、行かないのですか?」

様子を見ていた人は、衛生課員に訊いた。

「あの家は行かなくともいいんです。ここ、十年間、くみ取りに行ったことがありません。ずっと先方から来なくていいと云われてるんです」

断っておくが、この話は、江原ヤス子が其処《そこ》に移り住んで十年以上経っての時であった。

「十年間も?」

質問した人は眼をまるくした。考えられないことである。いかに一人暮しでも、十年間も屎尿を取らないで済むものだろうか。聴《き》いた者は、思わず人間の排泄《はいせつ》量を考える眼つきになる。

近所の想像は、尾籠《びろう》なことだが、当然にビリエ神父の排泄物に及んだ。つまり、異国人と日本人の生理の違いから、異物が想像されるのである。江原ヤス子は、その異物を屎尿汲取人に見られたくないため、区役所のくみ取りを拒絶するのであろうと思われた。

だが、その処理はどうするのであろう。たった一人でも十年間といえば大そうなものである。それにビリエ師も加わっていることだ。江原ヤス子の家が水洗式になったという話を聞かない。また、畑を持たない江原ヤス子が、それを野菜の肥料にしたとも思えない。便所の坑《あな》は溢《あふ》れている道理である。

しかし、江原ヤス子が一向に平気な顔をしているところをみると、何かの処理が行なわれているに違いなかった。その処理を犬に結びつけて考える者がいた。

「それは、犬に食べさせているのだろう」

勿論《もちろん》、目撃した者はない。が、それが、さもありそうなことだと考えられるようになった。犬は四頭とも犢《こうし》のように大きいのである。

噂《うわさ》をする者は論理の矛盾に気がつかない。牛肉を常食にしているセパードが人間の排泄物を食う道理がないのである。しかし、その盲点は、江原ヤス子の奇妙に秘密めいた生活に眩惑《げんわく》さ《くら》れて起るのである。

ルネ・ビリエ師は、江原ヤス子の家に入ってから何をしているのか、こそとも物音がしない。神父が来ると江原ヤス子は門の扉を閉ざし、閂《かんぬき》をかけ、入口の戸にも内側から錠を下ろすのである。

多分、内部では聖書の共訳が行なわれていることであろう。江原ヤス子が近所で吹聴した説明によると、在来の聖書は明治調の文語体で難解である。訳語も生硬である。それを現代向きの新しい口語体に翻訳し直すというのであった。

翻訳の仕事となれば、家の中が静かなのは当然である。しかし、家の周囲を密閉し、門に閂をかけるのはどのような理由であろうか。三時間も四時間も、ときには、終日、声一つ内から聴えないのだから、近所では気にかかることであった。音がするのは、四頭のセパードが鎖を曳《ひ》いて歩き廻る気配だけであった。

ルノーは、ときには、一晩中、庭樹《にわき》の茂った木蔭《こかげ》の下に置いてあることもあった。

多分、徹夜で、聖書の翻訳がすすめられているのかもしれない。

そのようなときには、ルネ・ビリエ師は未明のうちにルノーのエンジンをかけて江原ヤス子の家から教会に帰って行く。教会の朝のミサは午前六時からで、教会に寝泊りする神父たちは五時半に起床する。ルネ・ビリエ師は、ミサに間に合うように帰らなければならないのである。

けれども、江原ヤス子の家でする彼女とルネ・ビリエ師との声を、深夜に聴いた者が近所に居た。彼女の家のすぐ隣に住む中学生であった。

その中学生は、高等学校入学受験のため、毎晩、午前二時ごろまで起きていた。

この一劃の住宅は、いずれも夜が早い。滅多に人通りがないから、夜を早く感じるのか、宵を過ぎると戸閉《とじま》りして寝てしまう。それで静かなこの一劃は、よけいに静かになり、深夜になれば遠くに落ちるボタンの音まで聴えそうであった。

中学生は秋の初めから試験勉強にかかっていた。部屋は道路に面している。だから、ルノーが路地を走ってきて、傍《そば》の江原ヤス子の空地に入って停る音がするのを、一メートルくらいの近くで聴いているようなものであった。車のドアが開き、草を踏むルネ・

ビリエ師の跫音《あしおと》が聞えた。

やがて、江原ヤス子の迎える声がして、家の戸が閉り、錠をかける音がする。中学生はそれを聞きながら、問題集と取り組み、数学を解き、英語の単語を暗記していた。

それから、しばらくは静寂がつづいていた。遠くで、電車の音がするか、時折り、広い道を通る人の跫音がする以外には、近所の家からは声も洩《も》れない。電車の音も、やがて絶えてしまう。

すると、中学生の眼が輝き、耳のうしろに手を当てるのである。彼は何かを聴こうとしている。そのために、わざわざ道路に向った窓ぎわに身体《からだ》をすり寄せ、耳を澄ますのであった。

啜《すす》り泣くような女の声が、中学生の耳にかすかに伝わってくるのである。中学生が時計を眺《なが》めて落ち着きを失い、眼を光らせてきたのは、実は、この声の起るのを予期していたからであった。それは決って、ルネ・ビリエ師のルノーが江原ヤス子の庭に停っている晩に限っていた。

毎晩、試験勉強のために、遅くまで起きていた彼が自然にそのことを会得《えとく》していたのである。

啜り泣くような女の声は断続する。やがて、その声は、奇体な大声になるのである。声ともつかぬ、呻吟《しんぎん》ともつかぬものだった。それも、消えるかと思えば、突然、苦痛に触れたときのような叫びを上げ、それが萎《しぼ》むと、忍び笑いが起ってくる。それも女の声ばかりだった。

それも、永い時間を要した。三十分や一時間で終るのではない。二時間近く、声は断続して聴えるのである。

その間、少年は耳を澄ませて聴き入った。もはや、テキストも、試験問題集も、彼には霞《かすみ》のような存在になっている。

中学生の眼はぎらぎらと光っていた。顔には、うすい脂汗《あぶらあせ》がにじみ出ている。声を聴いているときは、自分の呼吸まで荒くなるのである。神経が昂《たか》ぶった。

その神経の昂奮《こうふん》は、声が鎮《しず》まってからも、容易におさまらなかった。少年は、夜が明けるまで寝つかれなかった。勉強からは心が遠のいている。夜明け前、ルノーがエンジンを立てて路地を帰ってゆくと、彼はやっと睡気《ねむけ》が出る。

中学生は疲れ果て、昼の一日中を泥のように睡りこけた。

このようなことが毎晩のようにつづいた。ルノーは、宵に来て二、三時間ぐらいで帰ることもある。昼間来て、夜は全然来ないときもある。そのときは、少年はルノーの走ってくる音を期待して耳を澄ますのであった。

中学生は寝不足が続いた。眼が充血して赤くなってくる。顔色は艶《つや》がなく蒼褪《あおざ》めた。頭の中は濁ってぼんやりしている。

「あんまり、根《こん》をつめるからじゃないの？」

受験生の母親は心配して云った。

「すこし早目に寝て、勉強を昼の間にしたらどう？」

受験生はそのつもりになった。こんなことでは合格は覚束《おぼつか》ない。やはり、あの声を聴くために、深夜まで起きている誘惑に勝てなかった。

しかし、夜が来ると、彼は早く寝ることが出来なかった。

江原ヤス子の家から聞える奇妙な叫びと呻《うめ》きは、ルノーの来る晩には判で捺《お》したように決って起るというのは、或《あ》るいは中学生の幻聴かも知れなかった。彼以外、近所の誰も聞いた者がない。が、とにかく受験生は神経衰弱になって、夕方、起きてからでも、頭をゆらゆらと振っていた。

親は、夜の受験勉強が過ぎるからだと思っていた。高校入学の問題集は一頁《ページ》もすすまない。受験生の頭からは記憶力が次第になくなっていった。

中学生は翌春の受験に失敗して、望みの高等学校には入れなかった。

親は、子供があれほど勉強していたのに、なぜ失敗したのか判らなかった。頭の悪い子ではないのである。

少年は、親に実際の原因が云えなかった。彼はそのことをひとりで胸に隠していた！

尤《もっと》も、少年はあとで実力を恢復《かいふく》した。というのは、勉強部屋に坐《すわ》っても、もはや、あの声が聴えなくなったからである。実は、江原ヤス子は寝室の位置を移していたのだ。

どういうものか、江原ヤス子は、その後も寝室の位置をしばしば変えている。

これが昭和二十五、六年ごろのことだった。

三

終戦直後から十余年間、江原ヤス子の家には、近所から眺《なが》めて、まだまだ不思議なことが多かった。

前に書いたことだけでも、

(江原ヤス子は、終戦後、どのような工面で二十数万円の家が買えたか)

(彼女は、何故《なぜ》、その家を密閉して他人を内に入れなかったか)

(彼女は、収入に不相応な高価なセパードを四頭も飼って、何を守らせていたか)

(彼女は、出入りの御用聞きを、なぜ、頻繁《ひんぱん》に取り換えたか)

(食糧のない終戦直後、彼女は大きなセパード四頭にナマの見事な牛肉を与えていたが、それはどこから手に入れていたか)

(彼女がグリエルモ教会のルネ・ビリエ神父と特別に親しかったのは、どのような理由によるのか)

などがある。が、これだけでなく、そのほかの数々の奇妙なことも、もっと挙げなければならない。

しかし、このへんで江原ヤス子の正体を読者は知る必要がある。なぜかというと、昭和三十四年の早春に起った或《あ》る殺人事件に彼女が決して無縁ではないからである。江原ヤス子は、その事件直後、来訪した新聞社の一人に、ふと洩《も》らしたものであった。

「人間はこの世に生きていると、どんな思いもかけないことに出遇《であ》うかも分らない」

この言葉は、人生の箴言《しんげん》かもしれない。それは彼女自身のことにまず当て嵌《はま》りそうである。

少々、伝記めいた云《い》い方になるが、江原ヤス子は、一九一八年（大正七年）、四国の或る県に所属する大きな島に生まれた。祖父は、明治の初年に騒動を起した有名な藩家老の家来で、廃藩になってからは旧本藩の土地に移って農業に従った。軽輩でも士族である。

江原ヤス子の父は農業を捨てて教員となり、各地を転々としていたが、近畿のN市に落ちついた。母は父と同郷のひとで、琴の師匠であった。この間に五人の子があったが、江原ヤス子は二女である。

ヤス子は子供のときから怜悧《れいり》であった。

「この児《こ》は容貌《きりよう》が悪いよって、学問か、芸ごとなとさせて、身を立てるようにさせなぁあかん」

母はヤス子の顔を見てそう云ったが、ヤス子は芸ごとを択《えら》ばずに、父の職業を志望した。彼女は高名なN女子高等師範学校に入学した。卒業すると、すぐに地方の女学校の国語科の教師となった。

そこで何年間かを勤めた。それから上京を思い立ち、適当な赴任校を探《さが》したが、思わしくないので、さし当って東京の西部にある私立輪光学園の教師となった。スペイン系の宗教団体が経営するミッション・スクールであった。

この学校に偶然のように就職したことが、後年の江原ヤス子の環境をつくった。彼女は、ここで耶蘇《やそ》の信者になった。

入信の動機は分らないが、輪光学園の信仰的な雰囲気《ふんいき》に影響されたのであろう。しかし彼女は忽《たちま》ち熱心な信者の一人となっている。

そのことは、外部の教会からミサを上げに来る一人の外人神父と無関係ではない。その神父がグリエルモ教会の、瘠《や》せて背の高いルネ・ビリエ師であった。ビリエ師に遭遇したことが、彼女の云う「人間はこの世に生きていると、どんな思いもかけないことに出遇うかも分らない」最初の一歩かも分らなかった。

ルネ・ビリエ師は日本語がうまく、日本の哲学書や文学書を読みこなすので、話にも含蓄があった。江原ヤス子はビリエ師を尊敬し、師に教えを乞《こ》うた。

「ビリエ神父さま。信仰について、いろいろ分らぬところが多うございます。どうか、疑問を解いてお教え下さい」

江原ヤス子は頼んだ。そのころ、彼女はまだ若く、二十四、五歳であった。

ルネ・ビリエ師も、まだ頭全体に茶色の柔い髪が豊かであった。彼は、江原ヤス子の若い眼をのぞいて答えた。

「信仰の道は永遠です。わたくしにも判《わか》らないところが一ぱいあります。いっしょにべんきょうしましょう」

江原ヤス子は親切で、学識の深いルネ・ビリエ師に傾倒した。師の、小鳥のようにまるい茶色の眼は澄みきって、やさしさに充《み》ちていた。

両人の、清らかな、信仰的な交情はつづいた。江原ヤス子はビリエ師にいよいよ私淑した。

ルネ・ビリエ師は交際しているうちに、江原ヤス子の文章上の才能を発見した。もともと、国語の教師だけに、彼女は文章がうまかった。

ルネ・ビリエ師には、かねてから一つの宿願があった。それは聖書を読みやすい口語体に翻訳して出版することであった。別な会にはその訳業があるが、グリエルモ教会の属する会には、まだ、それがなかった。

ビリエ神父は、江原ヤス子を、その翻訳の助手にしようと思い立った。

「江原さん。私の仕事を手伝ってくれませんか。こういうことです」

ビリエ師は江原ヤス子に計画を話した。

「それは素晴しいですわ、神父さま。ぜひ、わたしに手伝わせて下さい」

江原ヤス子は若い眼に希望を燃やした。

「ありがとう。でも、そうなると、あなたがこの学校につとめているのは、わたしに不便です。わたしのグリエルモ教会に来てください」

ビリエ師は申し出た。

「どこへでも参りますわ、神父さま」

折りから日本はアメリカ軍の爆撃をしきりに受けているときであった。その約束が実現しないうちに、外人神父たちに不幸が来た。

日本は、ドイツとイタリアを同盟国として、世界中と戦争をしていた。そのヨーロッパの同盟国が連合国に、日本より先に降伏した。

ルネ・ビリエ師たちは、その降伏した国に国籍があった。たちというのは、グリエルモ教会の神父たちが殆《ほと》んどその国の人だったからである。

神に仕える身でも、日本の官憲からみたら、神父たちは新しい敵国の人間であった。昨日までは同盟国人として優遇されていた彼らも、忽《たちま》ち捕えられて、監禁された。それから、信州の野尻湖《のじりこ》畔に軟禁された。これは、グリエルモ教会の神父たちだけではなく、他の同国人もいっしょであった。

戦争末期で、日本は食糧に極度に欠乏している時であった。外人の捕虜たちに何を食べさせていたか、およそ想像がつく。

江原ヤス子はグリエルモ教会の神父たちの身の上を心配した。尤《もっと》も、正確にはルネ・ビリエ神父だけだったかもしれない。

彼女は神父たちが、日本人よりももっと悪い食物を当てがわれていると考えた。殆んど、犬猫も食べないような浅ましいものを食べさせられているに違いないと思った。神父たちが栄養失調になり、蒼《あお》い顔をして、むくんだ身体《からだ》を力なく横たえている姿が眼に見えるようであった。もしかすると、神父たちの中に、盲目になったり、死んだりする者が出るかも分らない。戦争のためとはいえ、神に奉仕する神父たちを、このような悲惨な状態に置くのは江原ヤス子には忍びないことだった。

むろん、神の恵みが神父たちを護《まも》っていることは信じた。しかし、神父たちに、いま、必要なのは、じかに彼らの空腹を充たし、栄養を恢復《かいふく》する食物であった。そう考えたとき、江原ヤス子は「われ天上のパンを取り、主の聖名《みな》を呼び奉《たてまつ》らん」と誦《とな》え、「われ往《ゆ》きて彼を癒《いや》さん」との主の御声を自分の心としたに違いない。

江原ヤス子は献身的な決心をした。彼女は、東京から混み合う列車に乗って野尻湖の近くに行き、付近の農家を拝み倒して、鶏や卵を買いあさった。彼女は鶏を焼き、卵を茹《ゆ》でた。

それからの彼女の奉仕の行為は驚異的であった。自分のつくった食物をビリエ師や、ほかの神父たちに届けるために、夜、ひそかに野尻湖を泳ぎ渡ったのである。

この新しい敵国人の収容所は、湖畔にバラックを作り、周囲に柵《さく》が設けてあった。絶えず、警備員が巡邏《じゅんら》している。警備員は、憲兵の厳重な監督下にあった。いかなる日本人も外部から近づけないのだ。収容所は湖畔の半分近くを取り巻いており、柵の出入口には厳《きび》しい眼が光っていた。

野尻湖は、周囲十四キロ、夏の表面水温は二十三度である。折りしも、春の終りから夏の初めにかけてであった。江原ヤス子は、冷たい水を渡って、収容所に食糧を抱いて泳ぎ渡った。

彼女の献身的な努力は、神父たちを感動させた。ただ、湖水を泳いで渡るのみではない。収容所に辿《たど》りつくと、柵の周囲には、憲兵の監督下の警備員が、始終、徘徊《はいかい》しているのである。万一、彼らの眼についたならば、忽ち彼女は、スパイか、国賊と見なされ、投獄されることは必至であった。

それを冒しての彼女の献身は、殉教者への奉仕に燃えていたと云ってよい。このころの江原ヤス子の気持には、微塵《みじん》も邪悪はなかった。ひたすらに神の御恵《み》みに生きる、若い信仰者の姿であった。

神父たちが、彼女の英雄的行動によって、どのくらい胃袋に食糧の補給が出来、栄養を恢復したかはさだかでない。

むろん、戦争が済んで、彼女が高く評価されたのは、食物の供給の多寡《たか》によるものではなかった。世にも稀《まれ》な彼女のキリスト教的精神行動が、神父たちの心を打ったのであった。

戦争は終った。グリエルモ教会の神父たちは東京に帰った。日本は敗れたが、平和が訪れて来た。戦争中遠慮していた教会の尖塔《せんとう》の十字架も、再び星のように輝き出した。平和になってから、ルネ・ビリエ師は、かねて計画していた聖書の翻訳を思い立った。

「江原さん、日本も主の恵みを受けて、静かな平和を取り戻しました。今こそ、私たちの聖書の仕事を進めねばなりません。手伝ってください」

ビリエ師は江原ヤス子に頼んだ。

尤も、この頃になって、江原ヤス子のグリエルモ教会における地位は目覚ましく向上した。何といっても、彼らが収容所に軟禁されていた頃の、彼女の英雄的な行動が評価されているのである。

江原ヤス子は、ビリエ師の奨《すす》めによって、輪光学園の国語教師を辞《や》め、グリエルモ教会の翻訳部員となった。住居も、教会に近い、奥まった一劃《いっかく》の百姓家の離れを借りたのであった。ビリエ神父が、翻訳のために、彼女の間借りの家に、ジープを駆ってせっせと通いはじめた。

ルネ・ビリエ師は、夜もしばしば彼女を訪ねた。辺《あた》りは静寂だし、翻訳の仕事には打ってつけである。誰も、ビリエ師と江原ヤス子が、夜遅くまで、一間に二人だけでいるということに、疑いを挟《はさ》む者はなかった。

ビリエ師は、日本に来てからが長い。今まで一度も、婦人のことで評判を立てられたことはなかった。それは、固く禁じられている宗律の下で、当然のことではあった。しかし、今まで、中には、信者たちの疑惑を買わないでもない神父はあったのである。信者たちはその疑惑を、お互い同士では小さい声でささやき合っても、外部には絶対に云わないのである。如何《いか》なる親しい者でも、信仰者でない者に、教会に都合の悪い話を打ち明けることは罪悪であった。

後年、ビリエ師と江原ヤス子との間が、信者たちの暗い疑惑を招いていたが、外でそれが問題にならなかったのは、信者同士の、このような、問わず語らずの信仰的盟約があったからでもある。

しかし、その頃のルネ・ビリエ師と江原ヤス子とは、毫《ごう》も不潔なものはなかった。

ビリエ師がラテン語の聖書を日本語に訳し、口述するのである。すると、江原ヤス子が、それを正しい日本語の文脈に訂正し、口語訳を完成するのであった。高名なN女高師を出ているだけに、彼女は日本語の文法も正確であったし、古典にも通じている。そのことがビリエ師の満足を買ったのである。

狭い日本家屋の貧しい部屋で、ビリエ師は、当時まだ暗かった電灯の下で、分厚い原書に目を曝《さら》しながら、日本語を呟《つぶや》くのである。

たとえば、次のようにである。

「こうして、イエズスは十二人の、でしたちに、いましめをいったのち、かれらのまち、おしえた。そして、せっきょうため、ここ、出ました。ろうごくで、キリストのわざ、つたえきいたヨハネは、じぶん、弟子たちをみもとにおくって、くるべき人、あなたですか、または、待っている人、ほかにいますか、ときいた……」

ルネ・ビリエ師は、分厚い聖書に見入りながら、額のこめかみに指を当てて、考え考え呟くのである。

江原ヤス子が、それを、一応、口述通りに取るのだが、ビリエ師の日本語の逐語訳では円滑ではなかった。外国人の癖で、助詞の使用も満足とはいえない。

江原ヤス子は、在来の聖書を参照した。

(斯《かく》てイエズス十二の弟子に命じ畢《をは》り給《たま》ひて、彼等の街々《まちまち》に教へ且《かつ》説教せんとて、其処《そこ》を去り給ひしが、ヨハネは監獄《ひとや》に在りてキリストの業《わざ》を聞きしかば、其《その》弟子の二人を遣《つか》はして、彼に云はしめけるは、来《きた》るべき者は汝《なんぢ》なるか、或日《あるひ》は我らの待てる者、尚《なほ》、他《ほか》に

在るかと）

これに対する江原ヤス子の、ビリエ師の口述訳の修正は次の通りであった。

「イエズスは、十二人の弟子への訓戒をすませたのち、かれらの町々で教え、説教するために、ここをお去りになった。さて、獄舎でキリストのみわざを伝え聞いたヨハネは、自分の弟子たちをみもとにやって、『来るべきお方はあなたですか、それとも、まだ、別な人を待たねばなりませんか？』とたずねさせた」

この文章にすると、文章は滑《なめ》らかに通じ、適当な敬語が聖書の尊厳を失わず、しかも、やさしい文体になるのであった。

ルネ・ビリエ神父は、江原ヤス子の才能を称讃《しようさん》した。神父が翻訳の聖業をつづける限り、江原ヤス子は彼にとって、かけがえのない弟子であり、助手であった。

ルネ・ビリエ師が訳語を口述する。江原ヤス子がそれを筆記して、正しい日本語と優雅な文体にひき直す。この共同作業は、「共訳」といってもおかしくはなかった。

彼女が近所に、「聖書の共訳をしている」と吹聴《ふいちよう》していたのは、まさに誤りではなかったのだ。ラテン語の知識の有無を考えるのは、聴いた者の勝手な解釈なのである。

江原ヤス子はグリエルモ教会に功績を買われた。

それは、先《ま》ず、聖書の「共訳」のことよりも、戦争中、野尻湖を泳ぎ渡って、神父たちに食糧を届けた英雄的行為に対してであった。

当時、このような行動が、どのように至難で、勇気を要することか、外人の神父たちは知っていた。

ルネ・ビリエ師や、ほかの神父たちは、江原ヤス子の功績に、グリエルモ教会が報いることを、バジリオ会の日本管区長フェルディナン・マルタンに申告した。

バジリオ会は、日本布教のために、東京に三つの教会と二つの学園を持っている。そのほか、関西や、九州にわたって六つの教会があった。日本管区長フェルディナン・マルタンはこれらの教会、学園を統轄《とうかつ》し、所属の神父たちを監督する地位にある。

マルタン管区長は、グリエルモ教会の二階の管区長室に、いつも納まっていた。肥えた五十六歳の赭《あか》ら顔の権威者であった。

管区長は、ルネ・ビリエ師を初めとする神父たちの、江原ヤス子に対する行賞の請願《こうしょう》を許可した。マルタン管区長も、また、戦争中、白樺《しらかば》のある湖畔に軟禁の憂目《うきめ》に遇《あ》っていた一人であった。むろん、江原ヤス子の英雄的行為は知っている。管区長も、江原ヤス子が危険を冒して運んだ食糧を享受《きょうじゅ》した一人であった。

その功績の行賞は、江原ヤス子に新しい家を贈ることで行なわれた。教会は、神の御恵みの名にて、二十数万の家を彼女に贈ったのであった。

その家こそ、現在、江原ヤス子がひとりで住んでいる住居であった。

しかし、この家に移った当座は、江原ヤス子は、大きなセパードを四頭も飼うことはなく、家の周囲に寸時でも用心深く鍵《かぎ》を下ろすことはなかった。

不幸は、日本の敗戦が、極度に物資の不足を来《きた》し、ヤミ物資の時代が来たことであった。それに、江原ヤス子の住んでいる付近の立地条件と家屋の構造とが、彼女に思いもよらぬ環境の変化を遂げさせたのであった。

ルネ・ビリエ師が彼女の新しい家に通いはじめた。

四

ビリエ師は、彼女の新しい家に通いはじめる当然の権利がある。一方、江原ヤス子は、ビリエ神父に、口添えをしてもらった借りがある。

いや、彼女はグリエルモ教会全体に、土地と家を貰《もら》ったという負債があった。借りた側は、絶えず貸した側の意志の支配をうけがちなものである。

新しい家に移ったばかりの昭和二十二、三年ごろのことであった。ビリエ師の小型な乗用車とは別に、江原ヤス子の家に小型トラックが、深夜に入るようになった。

なにしろ、狭い道である。トラックは難儀をしながら、路地を入って行く。いつも、小型の乗用車が入る例のモチの樹林の下の空地《あきち》に、小型トラックは突込んで停った。

この近所の夜の睡《ねむ》りは早いし、深かった。小型トラックが路地を響かせて狭い道を通るのも、樹《き》の小枝を折って停止するのも、永い間、知られずに済んだ。そのころは、この近所も家が少なかった。

小型トラックが止ると、三、四人の大男が、ひらりと車から地上に下りた。暗い夜のことだから、男たちの背がひどく高いと分るだけで、顔の識別はつかなかった。ここでは、「大男」と表現する以外にない。

大男たちは、小型トラックの上から、荷を下ろして、江原ヤス子の家に運びはじめた。大きな函《はこ》もあれば、小さな函もある。彼らは、それを肩に担《かつ》いで、家の中に入るのであった。

ふしぎと庭の三頭のセパードは吠《ほ》えなかった。変な風采《ふうさい》の男が、道を通るだけで、敏感に吠え立てる犬が、このときは沈黙しているのであった。

セパードは、もう一頭、家の内にもいる。

それも吠えないのだ。小さく唸《うな》っているが、決して吠え立てることはない。その小さな唸りも、江原ヤス子の叱《しか》る声で熄《や》んだ。

小型トラックは、積荷を下ろすと、大男三人を乗せて、また走り去るのであった。このようなことが、一週間に二、三度はあった。

しかし、大男たちは、江原ヤス子の家に、トラックを持って来て、積荷を降ろすだけではなかった。

その反対に、彼女の家から荷物を運び去ることだってあった。大男たちは、その荷物を積むと、来た時と同じように、小型トラックを忍びやかに運転しながら狭い道を、大通りの方へ出るのであった。

それからのトラックの行先は誰も知らない。

江原ヤス子が、外来者を絶対に家の中に寄せつけず、寸時の外出でも家の周囲に厳重に鍵《かぎ》をかけはじめたのは、この小型トラックが来るようになったときと時期が同じであった。

猛々《たけだけ》しいセパードを彼女が飼うようになったのも、この小型トラックが出入りしはじめる少し前からだった。

しかし、トラックの荷物の正体は誰にも判《わか》らない。運搬の大男たちは、黙々としているし、江原ヤス子も絶対に他人に口外することがないのである。

が、これだけは云《い》えそうであった。江原ヤス子の生活が、急に、それから派手《はで》になったことである。

この派手さは、外面的ではなかった。彼女は、引越し蕎麦《そば》のかわりに、外国製の罐詰《かんづめ》を配った以外には、近所には何も振舞いはしなかった。が、生活が豊かになることは、当人が隠していても、外から見て分るものである。

彼女の服装が、まず派手になった。それまでは、どちらかというと地味な、黒っぽい服装だったのが、赤や、青や、黄などの原色のスーツやスカートを身につけるようになであるが、まだ、民間人のほとんどが戦時中の風俗だった。婦人たちの中には、まだ戦争のときと同じように、黒っぽい着物をきて、モンペをはいている者が居たくらいである。

尤《もっと》も、地味な服装は、当時の日本人のすべてがそうだった。

それに、原色の派手な服装をする特殊の女たちがそのころ居た。つまり、婦人たちには、派手な服装か、地味な服装の分類しかなかった。その中間というものがなかった。都会の女性は、ヤミ米を買うのに、タンスの中の手持ちの衣類を農家に運んでいた頃だった。

「江原さんは、パンパンをしているのじゃないかね？」と、近所の者は、江原ヤス子の華美な服装を見てささやいた。

しかし、彼女がパンパンをするわけは断じてない！　アメリカ兵の姿を一度も彼女の家で見たものはないのだ。

第一、彼女はグリエルモ教会の熱心な信者であった。「純潔」は、その会の大事な教旨である。彼女の家に来るのは、ルネ・ビリエ師だけだ。

尤も、これは主に通ってくるのが、ビリエ師だけという意味で、グリエルモ教会の神父たちは、ときに三、四人連れで、ときに代る代る一人で訪問することはあった。が、彼らはビリエ師ほどには、彼女の家で永く話し込まなかった。

このころ、江原ヤス子が、庭先の大きなセパード三頭に、牛肉を与えて、近所の住人の眼をまるくさせた。

パンパンの陰口について、江原ヤス子に忌《いま》わしい噂《うわさ》が立ったのは、彼女がヤミをやっているのではないか、ということだった。

江原ヤス子の家は、要塞《ようさい》のように戸締りが厳重で、神父以外、何びとも寄せつけないが、ただ、二、三人の婦人だけは例外であった。

その婦人たちは三十歳から、四十年輩であった。気品のある容貌《ようぼう》をしているところをみると、相当な家庭の主婦のようだった。江原ヤス子に云わせると、それは同じ信者だというのである。

が、江原ヤス子は彼女たちを家にひき入れたが、決して家の内には上らせなかった。用事は、すべて玄関先だった。その点では、まだ彼女の要塞は固かった。

訪問する婦人たちは、帰りには、何か風呂敷《ふろしき》包みをさげて帰るのである。包みのかたちは、ふくれて円かったり、小さな四角形だったりした。

婦人たちは、毎日のように、江原ヤス子の家を訪れた。何度、訪問しても、江原ヤス子は客を座敷に上げはしない。

連日のように往来するから、婦人たちの風呂敷包みの内容は、近所に知られた。膨《ふく》れているのは、外国製の中古洋服だった。奇妙なことに、大人ものより子供の服が多い。

四角い包みは、ミルク罐だったり、角砂糖の函だったりした。いずれも外国製である。

江原ヤス子が、どのようにして、このようなものを手に入れたか分らない。

そのうち、風呂敷包みの中に、雪のように真白い砂糖も入っていると聞いて、近所の者は仰天したものだった。当時の日本人は、砂糖の欠乏で、甘味品に飢えていた。

「江原さんはヤミをやっている」

噂は、近所で高くなった。当時、ヤミ商人の男たちは、飛行服や革ジャンパーを着こんで、長靴を穿《は》いて、跋扈《ばっこ》したものである。近所では、そのことを連想して、

「江原さんは、凄《すご》い」

ということになった。

そのころ、近所に、独身の中年婦人が、間借りをしていたが、早速、その噂を聞いて、江原ヤス子の家へ、品物を譲ってもらいに交渉に行った。彼女も、ヤミの小売りをして、生活の足しにしたかったのである。

「なにかの、お間違いでしょう」

江原ヤス子は、例の通り、門扉《もんぴ》を隔てて云った。肉づきのいい肩に、中古だが、外国製の赤いセーターを着込んでいた。顔色も、そのころはまだ艶《つや》があって、血色がよかった。

「あれは、ヨーロッパの本部から、教会の信者たちに寄贈してきた品です。わたくしが、お世話しているので、信者さんにお頒《わ》けしているだけです。それも、ほんの少しですよ。お気の毒ですが、一般のお方に、お分けするわけにはゆきません」

江原ヤス子は、厚い唇《くちびる》に、薄ら笑いを浮かべて云うのであった。

嘘《うそ》だ、と叫んでも無駄である。哀願しても、強引に押しても、びくともせぬものを、江原ヤス子の頑丈《がんじょう》な顔つきは持っていた。

それにしても、江原ヤス子は、外国製の中古衣類や、砂糖を、どこから手に入れるのであろうか。

中古衣類で思い合わされるのは、当時、日本の窮乏を救《たす》けるために、米国の宗教、教育、社会事業団体などで組織するアジア救済連盟（ＬＡＲＡ）から送られたララ物資である。品物は、ミルク、麦粉、バター、ジャム、かんづめ、靴、衣服、ヴィタミン類などで、第一回約百五十トンは昭和二十一年十一月に横浜に到着した。

以後、ララからは月二千トンずつ一年半継続して送られることになったが、内容は、食糧、衣料、医薬品などだった。これらは、児童保護、結核患者、引揚者、戦災者救済などの立場から配給計画が立てられた。むろん、委員会をつくって、公平な分配を行なった筈《はず》である。

そのララ物資が、いや、まだそれとは決められないが、それと同じような中古衣料が、江原ヤス子の家に、相当な量で有ったのは、どういうわけであろう。のみならず、ミルクや、麦粉、バターなども江原ヤス子の家に保有されていたらしいのは、如何《いか》なる仔細《しさい》であろうか。

このころ、米の配給事情は極度に悪くなり、遅配は全国で十二日平均に及んでいる。この米の遅配は、ほかの食糧にも波及して悪化させた。

それなのに、江原ヤス子の家は、ミルクや麦粉や罐詰などが、ふんだんにあるらしいのである。

殊《こと》に、大量の砂糖を、彼女はどのようにして手に入れたのか。

近所の、江原ヤス子とわりに仲のいい主婦が頼んだ。

「江原さん」

「わたしの家にも、麦粉や、罐詰を分けて下さらない？　衣料品だって欲しいわ」

「駄目ですよ、奥さま」

と江原ヤス子は、いつものように、歯齦《はぐき》まで見せて笑うのであった。

「お頒《わ》けするほどありませんよ。教会宛《あて》に、信者救済のため、僅《わず》かばかりしか来ないのを、私がお世話しているので、私のものではありません」

隣人の申立てを江原ヤス子は、はっきりと断わった。

それでいて、小型トラックは、やはり江原ヤス子の家に、夜、一週間に、二度か、三度は乗りつけて来る模様だった。「大男」たちは、相変らず、トラックの荷物を、彼女の家へ運び入れたり、逆に、その家からトラックに積んだりした。

## 五

武蔵野《むさしの》の名残《なご》りをとどめた雑木林に囲まれているグリエルモ教会の朝は早い。夏ならば、高い建物の窓硝子《まどガラス》に薄い乳色の光が射《さ》すころだし、冬だと、まだ夜が明けきれていなかった。

神父たちの寝室は、教会の棟《むね》つづきの二階にあった。廊下を中心に両側に個室がならんでいる。五時半になると、神父たちはベッドから起きる。

「イエズス・キリスト祝せられ給《たま》え」

「イエズス、マリア、ヨゼフ、この日と一生とを御手《みて》にゆだね奉《たてまつ》る」

などというのを、神父たちは、起き上ったベッドの端に立って呟《つぶや》き、祈りをするのだ。

六時からは、神父たちは一時間近くかかって、ミサをした。

ミサのときの朗読も、福音《ふくいん》も祝日によって異なった。たとえば、祭壇の前に、このように朗読するのである。

「――それなのにあなたたちは、聖なる者、義なるものをいなみ、一人の殺害者をゆるすようにと要求したのである。あなたたちは、生命の君を殺したが、神は彼を、死者の中からよみがえらせ給うた。我々は、その証人である。兄弟たちよ、あなたたちは、かしらと同様に、無智《むち》のためにそうしたのだと、私は知っている。しかし、凡《すべ》ての予言者の口をかりて……」

むろん、神父たちは、これらの祈りの言葉をラテン語で呟《つぶや》くのであった。

朝のミサが終ると、朝食になった。神父たちの食堂は、別棟から聖堂に行く途中にあった。彼らは、食事をする前に祈り、終ってからも祈った。大そう早口で祈りの言葉を呟いた。

それから、神父たちの事務がはじまった。バジリオ会の日本における管区長フェルディナン・マルタン師は二階の管区長室に入って管轄《かんかつ》下の教会や学園の事業報告を見たり、指令を出したりしなければならぬ。主任司祭ルネ・ビリエ神父は、聖書の翻訳のため江原ヤス子の家と、もう一つの事業、バジリオ会布教のため、上流婦人訪問に出かけなければならぬ。ビリエ師は、特に日本の貴婦人たちに会うのに熱心であった。

会計係パオロ・マルコーニ神父は、帳簿を立てならべた机の前に坐《すわ》り、アルベルト・ピサーノ神父は、この教会の事業である印刷工場へ、ミシェル・アミエ神父は、経営する学園の方へ、エンリコ・ブラマンテ神父は——。

要するに、グリエルモ教会の神父たちは、いろいろな仕事を分担していた。かれらは、安息日以外には大へんに忙しい。

とくに、管区長のマルタン師は多忙であった。師は、日本に来て長かったし、前には主任司祭をつとめていた。管区長室には、東京にある各教会や学園の主《おも》だった神父たちが来て出入りしていた。

とくに、渋谷の教会のアルフォンソ・ゴルジ神父は、熱心に管区長室を訪れる一人であった。

この教会は、バジリオ会の文書布教のために、さまざまなパンフレットを印刷していた。のみならず、外部からの印刷注文にも応じていた。そのために、日本人の印刷工が四人、通勤していた。工場は、教会の裏側に建っていた。印刷工は、たいていキリスト教の信者であった。

江藤一郎は、去年の暮からここに入った男で、熱心な信者だった。信者であるために、わざわざ、収入《みいり》のいい普通の印刷会社をやめて、このグリエルモ教会付属の印刷工場に入って来たのであった。彼は、信仰の上から、大きな期待をもって働きに来たのである。

しかし、神父たちは、日本人の傭《やと》い人に、あまり親切ではなかった。日曜日ごとに教会にお詣《まい》りに行くとき、にこやかな顔と、やさしい眼つきで、ものを云《い》ってくれる神父たちも、ここでは同じ人とは思えぬくらい無愛想であった。彼らは、日本人の傭い人を、どこか見下してみているようであった。

江藤一郎が工場に入ってみて、このヨーロッパ人の神父たちは、上《うわ》べでは謙虚で優《やさ》しいが、もしかすると、本当は、ひどく傲慢《ごうまん》なのではないか、と思うようになった。

そのような印象に、度々《たびたび》、出遇《であ》うのである。神父たちは、工場の日本人に対して、ひどく口喧《くちやかま》しく、そして癇癪《かんしゃく》もちだった。

神父たちは、日本人が気に入らないことをすると、肩をすくめて、

「サンタ・パーチェ」

とか、

「マンマ・ミア」

とかの短い言葉を唾《つば》のように吐いた。

江藤は、その意味が分らないので、以前から働いている機械方の山口房夫に訊《き》いてみた。

「それは、聖なる平和よ、とか、お母さん、という意味だよ」

山口房夫は機械油でよごれた顔を笑わせて云った。

「それは、ほめてくれた言葉ですか？」

「ばかだね、どちらも、畜生野郎、という意味さ」

山口は、呆《あき》れている江藤の顔を見て哄笑《こうしょう》した。

その江藤一郎が、その罵声《ばせい》を神父から、突然、浴びせられたことがあった。

ある日、彼が、倉庫の前を通っているとき、戸が開いていたので、何気なく覗《のぞ》くと、

砂糖袋のような物が、何列かに重なって、ぎっしりと天井まで積み上げられてあった。

しかし、江藤が、それを砂糖袋かどうかを眼でたしかめる前に、突然、なかから、アルフォンソ・ゴルジ師が、真赧《まつか》な顔をして現われ、江藤に手を振って、早く、あっちへ行け、と日本語で、怒鳴った。

「マンマ・ミア!」

ゴルジ神父は江藤の背中にうしろから浴びせた。

そのゴルジ神父が、いまいましそうに、彼の立ち去るのを見送った。彼は、仁王立ちになっていた姿勢をかえして、いったんは戸を閉《し》めた倉庫を開《あ》けて内に入った。

もとからの倉庫ではない。以前には作業場に使われていた所である。今は、砂糖袋が何列かに積み重なり、天井まで山を築いている。砂糖の甘い匂《にお》いが、部屋一杯に漂うくらいであった。

ゴルジ神父が中に入ると、これは、外に立っていた江藤には判《わか》らなかったことだが、内側に、もう一人の神父と日本人が立っていた。小肥《こぶと》りの、血色のいい、会計係のパオロ・マルコーニ神父とならんでいるのは、痩《や》せて背の高い日本人であった。

「日本人の傭い人がここをのぞいたので、怒ってやった」

ゴルジ神父は、マルコーニ神父に告げた。マルコーニ神父は顔をしかめ、両手をひろげ、肩をすくめた。

「日本人めは……」

と軽蔑《けいべつ》した表情で云いかけたが、すぐ横に、当の日本人がいるのに気づいて、口をつぐんだ。

「タシマ」

ゴルジ神父が、黙って立っている日本人に云った。

「話は、出来たかね?」

日本人が答える前に、会計係マルコーニ神父が首を振った。

「タシマは、強情です。われわれの云うとおりに、なかなか、なりません」

彼はゴルジ神父に告げ口のように云った。

「いけない、タシマ」

ゴルジ神父は、タシマと呼ばれる日本人に向った。

「おまえは、何を云っているのだね?」

頭からきめつけるような調子だったし、態度も横柄《おうへい》なのである。

「先方が」

日本人は、仏頂面《ぶっちょうづら》をしてゴルジ神父に向き直った。

「数量が足りないと云っているんです。神父さんたちは、トラックで運ぶものだけをわ

れわれに委《まか》していますが、われわれも、これを商売とするためには、ここに積んである
ものを、もっと自分の計画通りに運びたいのです。さきほどからマルコーニ神父さんに
頼んでいるのですが、こちらの云うことは、全然、解って貰《もら》えません」
　その男は、大きな眼を剝《む》いて、不安そうに口を尖《とが》らせた。
「それは、いけない。タシマ」
　ゴルジ神父は、赤い顎髯《あごひげ》を撫《な》でて云った。
「マルコーニ神父の云うとおりが、正しいです。おまえは、私たちの云うことをきかね
ばならない」
「しかし」
　と日本人は云った。反駁《はんばく》である。
「商売をしているのは、私たちです。神父さんには、商売の駈引《かけひ》きがよく判らない。そ
れは、はじめのように、小さな規模でやっているときはよかったのです。が、このごろ
のように膨《ふく》れて来ると、ただ、あなた方がトラックで運んでくれる分だけでは、追っつ
かないのですよ。私が商売をやっているのだから、私の意見も聞いて貰わねば困りま
す」
「教会は」
　とゴルジ神父が対手《あいて》を遮《さえぎ》っておごそかに云った。

「儲《もう》けのために、商売をしているのではない。主の御恵《み》みを、日本人にひろめるためにしていることです。教会は、もっと、もっと、発展しなければなりません。そのため、もとでがいります。金をきたなく儲ける目的ではありません。ふつうの商売とはちがう」

その説明には、傍《そば》で聞いている会計係のマルコーニ神父もタシマに眼を据えながら、うなずいたことである。もともと神父は異邦人に魂を教える教師であった。

田島という若い男は、不満そうに口を閉じた。神父たちがどのように云おうと、彼の商売は法律に触れることだった。神父たちは会のためにというが、田島自身の身になって見れば、罷《まか》り間違うと、監獄沙汰《ざた》である。その危険な「商売」をしている彼は、神父たちが、きれいな理由を並べることに、腹立ちを覚えている。

「わかったかね、タシマ」

ゴルジ神父は云った。

「おまえだけでなく、ほかの日本人は、みんなそうしている。おまえは信者だ。われわれは聖職にある。おまえは、われわれの命令をきかなければならない」

ゴルジ神父は、両腕を組み、肩を聳《そび》やかしている。

弟子タシマは魚のように黙ってその部屋を出て行った。ドアが閉《しま》り、荒々しい彼の靴音が外に消えると、二人の神父は顔を見合わせた。ゴルジ神父は短い呪《のろ》いの言葉を呟き、隅《すみ》の床に、勢いよく唾を吐いた。

グリエルモ教会に砂糖がうず高く積まれてあることは、実は、それほど奇怪ではなかった。それは彼らに「正当な」品物だったのである。

戦後の日本は、物資の困窮に喘《あえ》いでいた。海外にあるバジリオ会の教会は、日本における同会の教会に物資の援護をしたのであった。海外から送られて来るものは砂糖や、衣類や、医薬品などであった。その中には、チューインガムやチョコレートなどの甘味品も含まれていた。

これらの品物は、寄贈という形で、外国から運ばれ、日本の港に陸揚げされていた。むろん、これらのすべての輸入品には関税はかからなかった。だから、グリエルモ教会に、援護物資の砂糖が積み込まれてあっても合法的だったのである。

砂糖の倉庫は、グリエルモ教会だけではない。それは、東京中の所属の教会や学園、大阪、九州の教会にも分配されていた筈《はず》だった。

それにしても、その量が多過ぎるのである。この必要以上に多いことが、日本におけるバジリオ会の教会の復興に役立つと、神父たちは考えていた。正確には、いまの管区長フェルディナン・マルタン師が、その思想を代表していたと云える。

管区長や管下の神父たちの考え方は、バジリオ会復興という大義名分に在った。その

ために は、多少の世俗的な違反は、彼らから見れば、小鳥の羽のように軽かったかも知れない。

罪悪は、神に背《そむ》いているときだけであった。

実際、バジリオ会の履歴は、これまで、迫害の歴史と云える。彼らの祖先は、世俗的な罪悪と貧困に対する圧迫に向って勇敢に闘って来たのである。だから、フェルディナン・マルタン管区長や、その他の神父たちの、いまの思想は、その祖先の教訓に繋《つな》っていた。

彼らは、日本に来て、その布教のために長年滞在した者が多かった。それでいて、彼らは布教国の日本人をかくべつ尊敬しているわけでもなかった。少なくとも、神父たちには、日本人が、その矮小《わいしよう》な背丈《せたけ》のように、一段と低い民族と見えていたようであった。それで、教会の祭壇では厳《おごそ》かな儀式を執り行ない、それが済むと礼拝《らいはい》者たちに説教しながら愛嬌《あいきよう》を振りまく神父の表情からは窺《うかが》うことのできない別な傲《おご》り高い意識が、その内側にかくされているともみえた。

神父たちは、外出の時、穏やかな微笑を浮かべながら街頭を歩くが、行きずりの日本人を眺《なが》めているその愛想のいい笑いの眼の中には、案外、増長の嗤《わら》いが無意識に出ていたかも知れないのである。そして、彼らは外に出るときは、いかなるときでも、黒い服を纏《まと》い、いつくしみと心の平和を与える聖職者の厳かな権威を民衆に示すのであった。

さて、タシマを送り、倉庫を出たゴルジ神父と会計係のパオロ・マルコーニ神父は、日本人の傭い人には分らぬ母国語で話しあっていたが、すぐに小型の自動車を車庫からひき出した。マルコーニ神父が運転し、ゴルジ神父が横に乗った。

車は、雑木林を背景に聳《そび》え立つグリエルモ教会の尖塔《せんとう》を後に流し去り、寂しいが一直線についた道を走った。

神父たちの乗った車は、その道の途中から、小さな道に折れた。静かな狭い住宅街の中である。モチの木の茂みの下には、すでに先着者の車があったので、二人の神父たちは、車を外に置いて、密閉された家のドアをノックした。

セパードが吠《ほ》えたが、これは、マルコーニ神父の一声で熄《や》んだ。

「どなた？」

家の奥で、咎《とが》める声が聞えた。

「ゴルジです」

顎鬚を垂《た》れたゴルジ神父が近所を憚《はばか》る声で答えた。

内側の声はちょっと熄《や》んだが、

「少し、待って下さいよ」

と江原ヤス子の声が返って来た。声の調子が慌《あわ》てていた。

ゴルジ神父とマルコーニ神父とは、顔を見合わせ、意味ありげな笑いを眼もとに浮かべた。

待ってくれ、と云われたので、二人は門口に立って待った。それは、二十分とも、三十分とも思われた。とにかく、長い時間である。二人の神父は、待ちくたびれて、裏のセパードの小屋に行った。逞《たくま》しい、犢《こうし》ほどもあるセパードの牡牝《おすめす》の二頭は、先程から鎖の音を立ててじゃれ合っていた。神父二人は、何かを連想した顔で、戸の閉った母屋《おもや》を振り返った。両人は嗤い合い、眼をあらぬ方へ向けた。

明るい太陽は、やはり、モチの木の茂みや草の上に降りて、葉の色を鮮《あざや》かにしている。裏手から見える武蔵野の野面《のづら》は、新しい住宅街を点々と見せて、白い雲の下にあった。ゴルジ神父は、手を後ろに組み、その辺《あた》りを歩き廻った。会計係のパオロ・マルコーニは、所在なさそうに手を胸に組んで、聖句を誦《しよう》していた。

やがて鍵《かぎ》のあく音がした。二人の神父はそれぞれの動作を止《や》めた。

「もう、いいわ。お入んなさい」

江原ヤス子が、そのごつい肩を出し、笑い顔で呼んだ。一種の表情のある笑い顔だった。

二人の訪問者は、江原ヤス子の家に上った。狭い家であるが、内はわりと整っていた。座敷と座敷の間は襖《ふすま》で仕切られている。この襖の向うに何が積み重ねてあるか、神父たちには判っていた。

彼らは、そこに、ルネ・ビリエ師が聖書の邦訳を口述し、江原ヤス子がその傍にうずくまって口述筆記を取り、それを添削している動作を、暫《しば》く眺めていた。どういうものか、いつも泰然としているルネ・ビリエ師が、二人の前に多少落ち着きを失い、江原ヤス子は、顔を上気させ、額に薄い汗を残していた。

「神は思召《おぼしめ》しのままに、体におのおのの肢体《したい》を置かれた」

と聖書の口述筆記は進んでいた。

「もし、皆が一つの肢体なら、体はどうなるのか。肢体は多いが、体は一つである。だから、眼は手に向って、お前は要《い》らないとは云《い》えないし、頭は足に向って、お前は要らないとは云えない。体の中で最も弱く見える肢体は、却《かえ》って必要である。体の中で卑《いや》しく思える所を特に尊び、われわれの美しくない所は殊《こと》に鄭重《ていちょう》にするが、美しい所はその必要がない。神は、劣った所に殊に尊さを与えて、人の体に調和をお与えになった……」

この長い口述と添削の間、ビリエ師と江原ヤス子の耳には絶えず、衣《きぬ》ずれの音がしていた。一区切りついたので、江原ヤス子が顔を上げると、二人の神父は、黒い聖服を脱ぎ捨て、市民の服に着替えているところだった。彼らは支度《したく》が終ると、彼女とビリエ師とに笑いかけ、うきうきした調子で家を出て行った。

二人の神父たちは、江原ヤス子の家の前から再び小型自動車に乗り、静かな一劃《いっかく》を滑《すべ》り出た。

自動車は次第に繁華な町に向って行った。道は単調から複雑になり、家は住宅街から賑《にぎや》かな商店街に変って来た。商店のどの陳列窓にも、侘《わび》しい品物しか並んでいなかった。

自動車は、都心に向って広い道路を走った。幾つもの駅を越した。バスは、たいてい満員の客を乗せて、よたよたと走っていた。自家用車も、タクシーも、まだ、彼ら二人の自動車の速力を妨げるほど、多くはなかった。

その車は、更に大きな商店の続いた広い道路を走った。

ふと、ゴルジ神父が、運転しているマルコーニ神父の袖《そで》を突ついた。ネクタイをつけ、瀟洒《しょうしゃ》な紳士となっているマルコーニ神父は、ゴルジ神父が片目を閉じて合図したので、その方角に眼を向けた。

そこには、大きなトラックが一台、商店の横の空地に止っている。トラックからは、何人もの日本人が、大きな袋を地上に投げ下ろしていた。ぐるりには小型三輪車が三台止っていて、トラックの下にいる四、五人の若い日本人が、放り出される砂糖袋を三輪車の中に詰めていた。それは、物凄《ものすご》い早い作業であった。袋には大きな英字がついていた。

その光景を一瞥《いちべつ》して、マルコーニ神父は笑った。ゴルジ神父も薄笑いを浮かべている。

彼らは、トラックの作業の意味を理解していた。しかし、それが何であろうと、今の二人の神父にはかかわりのないことである。

二人は、車を海岸の方に走らせていた。そこには、本ものの大きな倉庫が幾棟《いくむね》も並んでいる筈であった。

埠頭《ふとう》に着いてから、二人の市民服の神父たちが、誰と会い、何を語ったか、判《わか》らない。彼らは、そこで一時間ばかりを過した筈である。

二人は、それから、車を廻して都心に出た。そして、彼らは、ある汚ならしいビルの前に車をつけ、暗い入口を入った。

当時のことで、ビルの内には、怪しげな会社や商店が事務所を持っていた。二人の神父は、その一つのドアをノックした。ドアが内側から開き、顔を覗《のぞ》かせたのは、三十余りの日本人の男であった。二人の神父たちは、顎《あご》をしゃくってそのドアの中に消えた。そこで、何が話され、何が取引きされたか、判らない。

三十分ばかりも経《た》って、二人の神父の姿がビルの外に現われた。彼らの車は、再び都心を走り、さらに長い時間かかってグリエルモ教会の尖塔が雑木林の間に見える静かな住宅街に戻った。

彼らは、江原ヤス子の家に入った。しばらく、ひそかな笑い声が内から起っていた。それから二十分ばかりかかって両人が出て来たときは、もとの黒い聖服に還《かえ》っていた。

車が動き出すのを見送った江原ヤス子は、道の通行人を眺《なが》めていたが、固くドアを閉じて、錠をかけた。

彼らは、グリエルモ教会に戻った。二人とも聖なる勤めを果した後のような安らかな表情であった。

彼らは、靴音を忍ばせて階段を上り、階上の管区長室のドアを叩《たた》いた。中から「お入り」という荘重な返答がある。二人の神父は、ドアを開けて中に消えた。

このとき、一人の神父が傍を通りかかった。彼は、四十歳ばかりの瘠《や》せた男で顔色が悪かった。歩いている姿にも精気がない。しかし、彼が、二人の消えたドアを見ている視線は鋭かった。単に鋭いというだけではなく、どこか、憎悪《ぞうお》をこめた、激しい眼つきであった。彼は、ドアの方に向って十字を切った。見ようによっては、あたかも、悪魔に向って神に祈っているような身振りであった。

無論、ドアの中の二人がこれを知る筈がない。

三十分の後、管区長室を出た二人のうち、ゴルジ神父は、ルノーを駆って渋谷の自分の教会に向って戻って行った。一方マルコーニ神父は、ぎっしりと数字を書き込んだ分厚い帳簿の並んでいる、会計係の机の前に坐《すわ》る。彼は、ゆっくりと帳簿を開くと、何か数字を書き込み始めた。

一方、ゴルジ神父は、三十分かかって自分の教会に入った。教会は坂道の途中に建っている。尖塔の先の十字架が、群がっている民家の家並の上に聳《そび》えていた。

「お帰りなさい」

ゴルジ神父を迎えたのは、二十二、三歳の青年だった。彼は亜麻《あま》色の髪と、碧色《みどりいろ》の眼をしていた。背が高く、整った顔つきなので、美男にみえた。神学生シャルル・トルベックという若者だった。

ゴルジ神父はうなずいて奥へ通った。歩きながら、青年をふり返って、

「トルベック君」

とよんだ。

「今日の学習は済んだかね?」

機嫌《きげん》の悪い顔ではない。若者は、ゴルジ師の顔色を読んだ。

「はい、神父さま」

と、彼は恭《うやうや》しく答えた。

「今日の学習日課は、全部終りました。いま、国の父に手紙を書き上げたところです」

神学生トルベックは、片手に持った手紙を掲げて見せた。どこか、ゴルジ神父に甘えているようなところもあった。

「なるほど」

ゴルジ神父は、赤い顎鬚《あごひげ》を撫《な》でてうなずいた。

「君の、お父さんは、大工をしていたんだったね？」

「はい」

「家族に手紙を出すことはいいことだがね、トルベック君」

ゴルジ神父は急に厳《きび》しい眼つきになって神学生に注意した。

「気をつけたがいい。それは分っているだろう？　ねえ、君」

「はい、その通りにします、神父さま」

トルベックはきれいな眼を伏せた。

むろん、その注意の意味は、この教会の神父以外には誰にも分らない。神学生トルベックは、正規の手続きを経ないで日本に来たいわゆる「密入国者」であった。

六

美青年の神学生トルベックは、渋谷の教会の所属ではなかった。彼は、ゴルジ神父を慕っていたので、ときどき此処《ここ》にやって来ていた。どういうものか、ゴルジ神父は、トルベックを特に可愛《かわい》がっている。

トルベックが学習し、生活している所は、バジリオ会の神学校であった。

バジリオ会は、各地に教会、神学校、学院、保育院などを持っていた。それは、日本における布教、伝道の手段だった。あらゆるキリスト教の会がそうであるように、このバジリオ会も、宗教的な教育に熱心だったので、そのような組織をもっていた。
神学校は、グリエルモ教会と同じような、武蔵野《むさしの》の寂しい一劃《いっかく》にあった。武蔵野といっても広漠としているが、グリエルモ教会とは別に、神学校はもっと荒野の感じのする区域に在《あ》った。

近所は、クヌギ林の自然林と芒《すすき》の野原に囲まれていた。ときたま、白い往還をバスが通う以外、都心からこの近所を訪れるものはないくらい寂しかった。近くの森林の中からは、湧《わ》き水が朽葉《くちば》の下をくぐってこぼれ出ていた。この閑寂な中で、神学校の十字架の尖塔《せんとう》は、クヌギの林の上に高々と聳《そび》えていた。

神学校の生活は厳しかった。彼ら学生は、いずれも黒い長いスータン（聖服）をつけていた。学生の数は時期によっては百名のこともあるし、百五十名のことも、七十名のこともあった。

学生たちは、十年余り、ここで「神父学」を学ぶわけである。

奇妙なことに、この神学校の応接間には、二十畳くらいの正面の壁に、日本の天皇陛下の写真が掲げられてあった。知らぬ人は、そこに、イエズス・キリストの聖画か、ローマ法王の写真を想像するかも知れないが、この天皇の写真を発見して、愕《おど》くに違いない。これは、その国の伝統に従う、いわば、郷《ごう》に入れば郷に従えの、伝道精神であった。例えば、同じ神学校の入学式には、いきなり、「君が代」を斉唱するのである。

神学生は、かりにそれが日本人の場合だと、高校卒業から入って、たいてい、三十歳をちょっと越える頃まで、約十三年の勉学を必要とするのだった。ここでは、ラテン語が主である。一人前の神父になるまでに、それだけの長い歳月を要した。

世界中のこの会の聖堂では、全く同じ形式で、同一のラテン語を使った。日曜日ごとのミサには、必ずラテン語で誦《しよう》するのである。このラテン語の祭壇での呟《つぶや》きは一時間二十分にわたった。従って、そのようにラテン語を自在に消化することは外国語に弱い日本人の神学生たちには甚《はなは》だ苦痛で、このために、どんどん落伍《らくご》して行くのである。

学習として学ぶものは、聖書や「公教要理」である。慶長年間教科書として刊行された「どちりな・きりしたん」がこれに当る。そこでは、神学、西洋哲学一般が主であった。しかし、神学校で、最も力を入れるのは、ラテン語である。

そして、ここでは、神学、哲学をさらに細かく分けて、六課目が必要とされた。しかし、外人が入学して日本人と違うのは、最初の二課目は祖国で十分に叩《たた》きこまれているので、学習には及ばなかった。例えば、トルベックの場合は、故国にいる兄が神父であった関係から、聖書や「公教要理」は、幼時から十分に教えこまれていたのである。

この二課目を省くために、二十四、五歳くらいで日本にやって来る外人神学生は、やはり三十歳前後で神父の資格をとることになるのである。

神学生の起床は早い。彼らは、まだ夜の明けきれぬ五時頃に床を蹴《け》って起き、すぐに

「朝の祈り」を唱えるのである。冬の寒い朝だと、白い息を吐きながら、裾《すそ》の長いスータンに着替える。それから、黒い表紙の祈禱書《きとうしよ》と、ロザリオとを手にして、聖堂に入って行く。そこでは、教授神父が交替して勤める司式の下に、朝のミサに与《あず》かるのである。

これが、彼らが起床してすぐの日課であった。

それが済むと、朝食が始まる。トースト、スープ、一皿のハムと卵、ミルクが、決った献立であった。しかし、昼食と夕食とは、もっとご馳走《ちそう》があった。一体に、この会の食事はひどく贅沢《ぜいたく》で美食だった。

この美食が、神父を含めて、女人を断った彼らに、生理的な不条理を与える効果となっているのである。後年起ったある殺人事件にも、このことは無縁ではないし、また、外人神父たちの異常性格も、これに繫《つな》がるといえそうである。

朝食が終って、八時から午後の四時までは、昼休みの一時間の他は、課目がぎっしりと詰まっている。神学生たちは、そのために熱心に学習にいそしまなければならない。

五時になると、夕食が出る。むろん、神学生たちにとって、一日の中で一番の愉《たの》しみである。神父たちも、神学生たちも、殆《ほと》んど世俗的な歓《よろこ》びはなかった。彼らは、映画見物もとめられているし、劇も見ることを許されなかった。街に出るときも、単独の外出は禁止されている。目的地に着いても、なるべく、用事が済み次第、すぐに学校に帰って来るように訓練されていた。

さまざまな厳しい戒律は彼らを縛り、さらに宗律が、神学生たちを締め木にかけていた。だから、美食だけが、彼らの現存の人生の唯一《ゆいいつ》の愉楽であった。

ミサに与《あず》かる前に、彼らは、こう祈る。

「主、イエズス・キリスト、われらもしカルワリオにて主の御苦難を見奉《たてまつ》りしならば、われらの腸《はらわた》かなしみのために断たるべし。今こそ祭壇にて行なわれんとする祭は、十字架の上にて献げ給《たま》いしいけにえと異ならざるものなれば、われらをしてこれに適《かの》うべき思いを起し、罪の赦《ゆる》しを蒙《こうむ》り、御旨《みむね》に従うことを得しめ給え。かつ、主のわれらに向いて茲《ここ》に復《また》新たに示し給う御苦難、御死去の功徳《くどく》をこうむらしめ給わんことをひたすら願い奉る」

まことに、主の苦難を思えば、世俗的な欲望に抵抗する忍従は、彼らの義務であった。愉しい夕食が済むと、それからの二時間は彼らの天国であった。庭球やバレーを彼らは楽しむ。そのほかは、サッカーくらいである。野球などは、何をするにしても、長い裾を引き摺《ず》るスータンが邪魔になってできなかった。

もちろん、スポーツを好まぬ学生だってある。彼らは、二人以上連れ立って、広場を何回となく、東から西へと話をしながら往復を繰り返すのだった。黄昏《たそがれ》どきの武蔵野《むさしの》の林を背景にして、落日の翳《かげ》りの中を、黒い長い裾を引いた神学生が二人、広場を横切るさまを見るならば、人々は、この世とも思えぬ聖なる光景に感動するであろう。

七時から九時までは、自室で自習した。それから、夕の祈りを聖堂に上げ、そのあと、舎監の神父の訓話を聴《き》かねばならなかった。そして、自室に帰って、すぐにベッドに横たわり、安らかな眠りに落ちるのである。これが、たいてい十時前であった。朝早いから、彼らは夜も早かった。洵《まこと》に、これらは、一糸乱れぬ規律の下に、毎日毎日、退屈を感じないで、十何年間も繰り返されるのである。

この神学生の中で、とりわけ、トルベックは優秀な成績だった。彼のきれいに澄んだ、美しい瞳《ひとみ》の中には、ひたすらに神の教えを求めてやまぬ、清純な光が漂っていた。

このような聖なる規律の下に、祈禱を祈ってやまぬ神学生たちとは別な所で、一つの法律的な違背が行なわれていた。しかも、それが、組織の中心のグリエルモ教会なのである。

尤《もっと》も、それが「邪悪」とは、当人たちには思えなかった。いや、それは逆に、天主の御心《みこころ》に添う行為だと思っていたことであろう。彼らには、バジリオ会の布教という信念があった。その信念のためには、方法は咎《とが》めるところではなかった。

グリエルモ教会へは、日曜日ごとに日本人の信仰者が集まった。教会では、ルネ・ビリエ師が司式司祭となって祭壇の前にミサを行なった。信者にとっては、充実した歓《よろこ》びに慄《ふる》える長い時間であった。

ビリエ師は、古代のローマ人が着ていたような美しい色の祭服を纏《まと》っていた。その日によって、祭服は白であったり、青だったり、黒、紫、赤と変った。白は「光栄」を現わし、青は「希望」、赤は「殉教」、黒は「死」、紫は「痛悔」の意があった。

「主よ、ひたすらに主に願い奉る。民の祈禱に深き御慈悲をもって御心を傾け給え。これ彼らがなすべきことを悟り、かつ悟りたることを果すまでに強められんがためなり」

祈禱が済み、ミサは終った。

「行けよ、ミサは終れり」

ルネ・ビリエ師は荘重な声で云う。それでも、信者たちは首を垂《た》れて動かなかった。司式司祭であるビリエ師は、祭壇の上で自分の額、唇《くちびる》、胸に十字架の印をした。それから、ヨハネ福音書の最初の十四節が読みはじめられた。人々は、嵐《あらし》の中で乗りたる舟の安全を祈る気持で、これを唱えた。

やがて、聖堂の中から、信者たちは、快い陶酔から覚めきれぬ顔つきで出て行く。が、彼らがまだ、教会の門の外に出ないうちのことである。ルネ・ビリエ師は、祭服を納める香部屋《こうべや》に取って返すと、そこで美しい祭服を脱いで、忽《たちま》ち、普段の服に着替えるのであった。そこには、パオロ・マルコーニが待ち受けていた。

急いで、何事か、打合せが行なわれた。日本人が聞いても判《わか》らない彼らの祖国語である。二人は、揃《そろ》って大股《おおまた》で廊下に出た。聖堂から最後に出た日本人信仰者が、まだ、すぐそこに歩いているくらいの時間である。

聖堂の後に、トラックが置いてあった。いつのまに積んだのか、トラックの上には荷物が満載され、上からカバーで蔽《おお》っていた。二人の神父は、トラックの運転台に上った。タシマがハンドルを握って待っていた。トラックは動き出した。信者たちが歩いている横を、車は猛烈な勢いで走り過ぎたのである。

教会の二階から、このトラックの走り去るのを見送っている一人の神父があった。顔色の悪い、病み上りのように疲れた顔をしたジョセフ神父である。

今も、神父は荷物を満載して街道を走って行くトラックの後を眺《なが》めて、忌《いま》わしそうに十字を切った。悪魔を呪《のろ》っているような身振りだった。

ジョセフ神父は怕《こわ》い顔をして、思いきって、廊下から管区長のドアを叩いた。

「誰かね?」

奥から声が洩《も》れた。

「ジョセフ神父です」

訪問者は名乗った。しばらく答がなかったが、やがて、不承不承《ふしょうぶしょう》に、お入り、という声がした。ジョセフ神父は、また十字を切ってドアを開けた。

フェルディナン・マルタン管区長はジョセフ神父を迎えた。といっても、わざわざ立ち上るわけではない。彼は、広い机の前に坐《すわ》って、頻《しき》りに事務を執っていた。管下の各事業体の報告が毎日、山のように来る。管区長は、それに一々指令を出すのに終日を費やしていた。

今も、ジョセフ神父が入って来ても、管区長は一瞥《いちべつ》もくれなかった。

「お話ししてもいいでしょうか、管区長さん？」

ジョセフ神父は云《い》った。椅子《いす》は在った。しかし、マルタン管区長は、掛けることを奨《すす》めていないのである。

「何か、用事かね、ジョセフ神父？」

管区長は、ペンを動かしながら訊《き》いた。

「お話があります」

ジョセフ神父は、その瘠《や》せた容貌《ようぼう》の通り、声も弱かった。

「待ってくれたまえ。すぐにこれが片づくから」

マルタン管区長は遮《さえぎ》った。

しかし、すぐではなかった。長い時間を、ジョセフ神父は待たなければならなかった。

ジョセフ神父は、椅子に腰かけて、神妙に待っている。こめかみに指を当てて、動かない姿勢だったし、表情も苦悩を見せていた。この様子が、逆に、マルタン管区長に、ある圧迫を感じさせたらしい。

「お待たせした、ジョセフ神父」

管区長は眇《ま》けて、椅子を回転させた。

「話というのは、何だね?」

「見ましたか、管区長さん?」

ジョセフ神父は、椅子から立ち上って窓を指した。

「私は見ました。トラックに例のものを一杯積んで、マルコーニさんとビリエさんが乗って出かけました。信者たちがまだ帰らないで歩いている横を、鹿《しか》のように大急ぎで走って行きました。管区長さんも、ここからご覧になったでしょう?」

マルタン管区長は、明らかにイヤな顔をした。見たとも、見ないとも、返事を与えなかった。

「管区長さん。私は、敢《あえ》て、あなたに諫言《かんげん》します。このようなやり方では、今のバジリオ会は滅びます。わが会は、日本に長い伝統を持っております。どうか、われわれの先輩の布教の苦難を、ここで無駄にしないでください」

「ジョセフ君」

マルタン管区長は、立ち上って、肩に手を触れんばかりに云った。

「私は、いつも主の御教《みおし》えに従っている」

管区長は、十字を切っているような眼つきをした。

「そのつもりで、行動をしている積りじゃ、ジョセフ君、決して、君の心配するようなことはしていない。バジリオ会は、今、衰微している。この教会だって、先年、火事で焼けたあと、そのままになっている。君も知っている通り、手ぜまだ。これを復興することは、私がしなければならない第一の義務だ。そのためには資金が要《い》る」

管区長は、うっかり本音を吐きかけた。

「資金は」

ジョセフ神父は、早速、云った。

「他の金を集めればよろしいでしょう。それは、暇がかかるかもしれません。しかし、気持のいい金で教会が建ちます。私は、管区長さんの方針に不賛成です。あなたも知っている通り、この教会が焼けた時、神父が二人、焼け死にましたね。それは、勇敢な、聖なる行為でした。二人の神父は、他の人間を助けようと思って、火の中に捲《ま》きこまれて死んだのです。日本人がそれを聞いて、どんなに感動したことでしょう。あの二人の神父の行為で、どれだけ信者がふえたか分りません。それを、あなたは、今、叩き壊《こわ》そうとしている。この教会の中は邪悪に満ちている。今に、不吉なことが起りそうです」

ジョセフ神父は、熱を帯びたように雄弁だった。

「ジョセフ君」

マルタン管区長は、怕《こわ》い眼つきをして遮った。

「君は、言葉が過ぎる」

「承知です」

弱々しいジョセフ神父が、強い眼で管区長を見返したものである。

「あなたは、私が気に入っていない。今に、どこかに私を左遷《させん》するかも知れませんね。あなたに気に入らなかった前任者は、朝鮮の片田舎《かたいなか》に追いやられました。その前の人は、九州の山奥に押し籠《こ》められてしまいました。私も、そうなるでしょう。しかし、私は、バジリオ会のために、あなたの方針に反対したいのです。このままだと、今に不吉なことが起る。きっと、不吉なことが起る」

ジョセフ神父は、手をあげて自分の額に十字を切った。

七

教会裏の作業所跡には、相変らず、砂糖の山である。トラックは依然として、頻繁《ひんぱん》に往来した。

ゴルジ神父も、マルコーニ神父も、頻《しき》りに管区長室を訪れていた。ドアを固く締め、誰にも知られない密談が続いた。それは、砂糖だけの相談ではなさそうだった。衣類も、他の食料品も、寄贈されたものは、そこで何でも片づけられそうだった。誰も教会内で知る者はなかった。

天気の好《よ》い、ある日のことだった。

二人連れの日本人が、ブラブラと教会の門から入って来た。中年の男だし、風采《ふうさい》の上らない連中だった。信者にはない顔である。

この教会には、ときどき、新しい入信者が来た。窓から眺《なが》めていたある神父は、彼らが、やはり、苦悩の救いを求めに来た二匹の小羊かと思っていた。

その神父は、日本語に自信があったので、にこやかに、自分が出て行った。二人連れの年嵩《としかさ》の男が名刺を出した。日本語は達者だが、生憎《あいにく》と、この神父は漢字が読めなかった。黙って笑いながら、首を振った。

「どういうご用事ですか？」

神父は、優《やさ》しく訊《たず》ねた。

「警視庁から来ましたが」

と年嵩な男は云《い》った。

「警視庁？」

意味がよく判《わか》らなかった。手に負えないと見て、そこにいた日本人の信者に頼んだ。

日本人は、警視庁から来た男に訊ねていた。

ひどく難《むずか》しい顔をして、信者は、ニコニコと笑っている神父に云った。

「この方は、信者になりに来たのではありません。警視庁の方です。つまり……」

信者は、通訳に苦しんで、

「警官です」

と額の上に、指で輪をつくった。帽章のつもりだった。

「警官？」

さっと顔色を変えたのは、その神父だった。

「ルネ・ビリエ主任司祭を呼んで来ます。あなた、あっちへ行って下さい」

折角の日本人は追いやられた。二人の刑事は立っている。午後のうらうらと明るい陽《ひ》が、その刑事の疲れたような顔と肩に当っていた。

刑事たちは、新しい世界に迷いこんだように、とまどった顔をしていた。が、それ以上に、教会側では嵐《あらし》のような混乱が起きていた。


その日の、朝のことであった。

東京の旧市内の外を、二本の環状道路が走っている。その外廻り線の或《あ》る場所だった。近くには国電のM駅があり、すぐその先には、由緒《ゆいしょ》ある有名な学校の広い敷地が一劃《いっかく》を占め、長い塀《へい》を連ねていた。付近は上品で静かな商店街である。

一台のトラックが走って来て徐行した。うしろの荷物台にはシートが深々と被《かぶ》せられてあった。

当時のことで、荷を積んだトラックは、度々《たびたび》、警官の検問を受けたものである。しかし、その都度このトラックに乗っている男は、警官に証明書を見せた。警官はうなずき、トラックは無事に関所を通過して此処《ここ》まで来た。

そのトラックは、この品のいい商店街に入ると、ある店の角を曲って停止した。

トラックに乗っているのは、三人の男だった。運転手のほかに二人いる。その一人が合図をした。この人物なら、グリエルモ教会の倉庫で、神父と交渉をしていた田島である。瘠《や》せて、背が高く、眼が窪《くぼ》んでいる。もう一人の男は、ずんぐりした身体《からだ》で背が低かった。

背の低い小肥《こぶと》りの男は、トラックが此処に着くまでの走っている間中、むっつりと不《ふ》機嫌《きげん》な顔をしていた。田島は、その男を頻りと宥《なだ》めていたのである。

「岡村」

と、田島はその男の名前をやさしく呼んだ。

「お前も、この仕事を手伝ってくれているのだから、いずれ、神父さんに云って、お前の荷を出して貰《もら》ってやるからな。まあ、今度だけは、辛抱しろよ。この次は、お前の荷は、間違いなく貰ってやるからな」

ずんぐりした男は、三十五、六くらいの赭《あか》ら顔だったが、眉《まゆ》の間に深い皺《しわ》をつくり、むつかしい顔をしている。田島の説得に、仕方なしにうなずいている恰好《かっこう》だった。

トラックが、店の角を曲った空地《あきち》に停車すると、そこには、オート三輪車が四、五台待っていた。

トラックを見て、オート三輪車の連中は、二、三人、道路に出て左右を見廻した。危険はないと思ったらしい。片手をあげて、信号をしたものである。

トラックのシートがめくられた。うず高く積み上げられた白い砂糖袋が現われた。見上げていたオート三輪車の連中は、低い歓声を上げた。

「さあ、行くぞ」

田島は、運転台を降りて、荷物の上に上った。彼は、積まれた袋に手をかけると、次々にそれを地面に落して行った。下で受け取る連中は、瞬《また》く間に、それを自分のオート三輪車に積み替えた。慣れた機敏な行動だった。

オート三輪車に積まれた荷は、台の囲い枠《わく》にすれすれに積まれて、その上にシートをかけるのだ。こうすると、荷物台は何にも積んでいない空《から》のように、外から見えるのであった。

砂糖袋を積んだオート三輪車の行く先は、菓子屋やレストランなどである。

ところで、いま、トラックの上で袋を次々に落していた田島は、ふと何かに気づいて、急に動作を止めた。ぎょっとしたような表情だ。

「岡村」

彼は見廻して呼んだ。返事がなかった。

「おい、岡村はどうした？」

彼は、下で袋を受け取っている連中に、せき込んで訊《き》いた。

「ああ、もう一人の人かい？」

誰かが下で答えた。

「その人なら、なんだか、向うの方に走って行ったようだったよ」

と顎《あご》を突き出して、通りの方を指した。瞬間に田島の顔色が一どきに変った。

「畜生！」

彼は、みんなに叫んだ。

「逃げろ！」

田島自身が、砂糖袋の山の上から地上に飛び下りたものである。

ほかの連中は、あっけにとられた。大事な砂糖袋は、まだ半分も片づいていなかった。現に、それが地上に投げ出されるのを待って突っ立っている人間もいた。

「岡村が、サツに密告したのだ。みんな危ないから逃げろ」

絶叫を残して、田島は一散に走り出した。しかし、いつもの作業のことを皆は考えていた。トラックが到着し、砂糖袋が数台のオート三輪車に積み換えられ、四散するまで十分とはかからなかったのである。

この短い時間のことを考えて、みすみす眼の前にある砂糖山を置き去りにして帰れない未練が、連中の気持を支配していた。

「大急ぎであとを運ぼう」

既に、トラックの袋は、半分は処分されていた。声といっしょに三、四人が、トラックの上に駆《か》け上ったときである。私服の刑事たちが四、五人連れで、その作業の途中に到着した。

「おい、おい」

刑事の一人が、トラックの上の男に呼びかけた。

「それは、何んだ?」

トラックの上には三人の男が乗っていたが、作業を急に止《や》めて、棒立ちになった。

「その品物は、何んだ? 返事をせんか」

三人の男は、蒼《あお》くなって顔を見合わせた。すぐに答える者は一人もなかった。

すると、一台のオート三輪車が、エンジンをかけて走り去ろうとした。素早く、刑事の一人が運転台の若い男を捉《つかま》えた。

「待て!」

刑事は、ハンドルを握っている若者を引き摺《ず》り下ろした。それから、三輪車の荷物台に被せてあるシートをめくった。

枠すれすれに袋が積まれてある。刑事は、その袋を持ち上げて手で叩《たた》き、その掌《てのひら》を舌で舐《な》めた。

「砂糖だな?」

刑事は、甘い舌を口の中で廻して、複雑な表情をした。
四、五人の男たちは、返事も出来ずに立っていた。
「この砂糖は、どこから運んできたんだ? 黙っていないで返事をせんか」

私服の刑事は、当時のことで、上着の下に拳銃《けんじゅう》を吊《つ》っていた。

「はい」

刑事に引き立てられた一人の若い男は、仕方なしに答えた。

「グリエルモ教会から貰いました」

「グリエルモ教会とは、何んだ?」

刑事は訊いた。

「キリストの教会です」

キリストの教会から砂糖が出たということに、刑事は最初、合点《がてん》がゆかなかった。彼は、眼を怒らせた。

「でたらめを云うな。ヤソの教会が、砂糖を商売するわけがない」

「でも、本当です」

ほかの一人が進み出た。

「私たちは、グリエルモ教会から砂糖の配給を受けているんです」

答弁したトラックの運転手が、刑事たちの目標になった。

「お前は、何んだ？」

「はい。私は、ただ頼まれてトラックを運転しただけです」

「誰から頼まれた？」

「田島喜太郎さんです」

「その男は、どれだ？」

刑事は、辺《あた》りを見廻した。すでに、まわりは弥次馬《やじうま》でとり囲まれていた。

「田島さんはここには、おりません」

「どうした？」

「何処《どこ》かに行きました」

「何処かとは、何処だ？」

刑事は、田島というのが首謀者と直感して追及した。

「知りません。さっき、ひとりで、あっちの方に行ったようですから、私には行先が分らないんです」

逃げた、と刑事たちは覚った。

「分らない筈《はず》はないだろう？　お前たちは、田島の手下だろう？」

「違います。われわれは、田島さんから品物をおろしてもらっているだけですよ」

要領を得なかった。彼らの半分は、菓子やパンの製造業者で、半分はヤミ商人であった。

とにかく、厳重な統制品の砂糖が、袋の山を築いて、これだけ眼の前にあるのだ。白昼に、堂々とこの大量のヤミ物資を運ぶのも大胆不敵と刑事たちは見た。

「皆な、こっちへ来い。署で話を聴こう」

刑事は、悄気《しょげ》ている商人たちを追い立てた。

見物人たちはどよめいた。砂糖の飢渇者たちが一どきに吐いた溜息《ためいき》であった。

その日の午後だ。――いま、刑事二人は、おだやかな陽を浴びて教会の扉《とびら》の前に、相変らず立っている。一度、内部《なか》に入った神父は、容易に出て来ようとはしない。

が、実は刑事たちが訪問する数時間前に、主任司祭ルネ・ビリエ神父は、最初の嵐の前触れを自室の電話で聞いたのであった。

「ビリエ神父さまですか？」

とその声は慌《あわただ》しく云った。ビリエ神父は声の主を云い当てた。

「おまえはタシマか？」

「そうです。神父さま、大へんなことが起りました」

「何が起ったか？」

「砂糖が、警察に見つけられました」

「輸入証明書を見せたか？」

神父は落ち着いていた。

「そうじゃありません。商人たちに分けているところを踏みこまれたのです」

「おう」

ビリエ神父は、忽《たちま》ち落ち着きを失い、顔色を急変させ、受話器を握り締めた。

「一度も失敗がなかったのに、どうしたのだ？」

「警察に密告した奴《やつ》がいるのです」

「密告？」

ビリエ師は、眼を剝《む》いた。

「誰だ？」

「岡村です」

「オカムラ？」

「この間から使っている岡村ですよ。同じ信者だから安心していたんです。ところが、あいつに頒《わ》けてやる分は、この次だから、今度は我慢しろと云い聞かせたのですよ。それが不満だったんです。自分には貰えないものとひがんだわけですよ。すぐに警察に告げに行ったらしいですよ」

「マンマ・ミア！」と神父は裏切者を呪《のろ》った。

「警官が来たとき、おまえはどう答えたのか？」

「答えませんでした」

「なに？」

「わたしは、岡村の姿が見えなくなったときから、はっと察したので、トラックをとび降りると逃げ出しましたよ。捕まっては堪《たま》りませんからね」

「あ、あとは」

とビリエ師は吃《ども》った。

「だれがいるのか？」

「トラックの運転手や、商人たちがつかまっていると思います。あいつらのことですから、警察で、べらべらと喋《しゃべ》るでしょう。いまに警察が教会にやって来ますから、お報《し》らせしておきます」

ビリエ師は、瞬間に絶句したが、あわてて電話器に屈《かが》みこんだ。

「タシマ、おまえは、どこにいるのか」

「品川の公衆電話から掛けています。これから、ゴルジ神父さまのところに、身の置き方を相談に行きます」

「それがいい」

　ビリエ神父は、すこし吻《ほっ》としたように云った。

「この教会に戻って来てはいけない。おまえがこの教会に姿を現わしては困る。ゴルジ神父なら、うまくやってくれるだろう。分ったね、タシマ」

「分りましたよ、神父さま」

　電話は、そこで切れた。ビリエ神父の禿《は》げ上った額は汗で濡《ぬ》れていた。彼は受話器を措《お》くと、激しい呼吸を鎮《しず》めるように、椅子《いす》の上に身体を折っていた。

　ビリエ神父は椅子から起《た》ち上り、窓の外を眺めた。外には明るい陽が当っている。雑木林は深い緑色を湛《たた》え、草の間を通る一本の道は白かった。自動車が走っているが、これは警察の車ではなさそうだった。教会の建物に向って、誰も歩いて来る者はなかった。

ビリエ神父は階段を上った。息が切れる。途中で、上から降りてくるジョセフ神父に出《で》遇《あ》ったが、いつも病身なジョセフ神父よりもいまの自身が病人のようだった。ジョセフ神父が怪しむように彼の顔色をのぞいて見送ったが、かまっていられなかった。それに相手は日ごろから気に入らぬ男であった。

　ビリエ師は、管区長の扉を敲《たた》いた。

「お入り」

と管区長の声が叱《しか》るように返った。ノックが無躾《ぶしつけ》だったのを咎《とが》めたらしい。

「君か？」

と肥《ふと》ったフェルディナン・マルタン管区長は入って来たビリエ師を振り向いて云った。

「君が、あんな無作法なノックをするとは思わなかった」

管区長は威厳をみせていたが、すぐにビリエ師のただならぬ様子に気づいた。

「どうした、ビリエ神父？　君の顔は死人のように蒼《あお》いよ」

「異端者が出たのです」

ビリエ神父は喘《あえ》いだ。

「異端者？」

マルタン管区長は、ぼんやりして、額に汗を掻《か》き、唇《くちびる》で荒い息を吐いているビリエ師を見つめた。

「日本人が、あの卑《いや》しい日本人めが、われわれを裏切ったのです、管区長！」

管区長は、ビリエ師の絶叫をきいて、両手を拡《ひろ》げた。ビリエ師が勝手に狼狽《ろうばい》していることが、まだよく分らない。実際に驚愕《びっくり》したのは、ビリエ師に裏切者の話を聴いてからであった。

岡村という男は信者だった。彼は、教会の資金づくりに田島と組ませた男だった。その資金づくりは、神の御旨《みむね》に添うもので邪悪ではなかった。ただ、卑しいこの日本人は、聖なる資金づくりの作業に同席させたため、自分の腹を肥やそうとして不満を鳴らし、密告《つげぐち》をして悪魔に身を売ったのである。

ビリエ師はそう云《い》った。

異端者は、いわば、風に吹きまわされる水なき雲、実らないままに枯れ果てて、抜き捨てられた秋の木、自分の恥を泡《あわ》にして出す海の荒波、さまよう星であった。彼には、まっくらな闇《やみ》が永久に用意されてあった。しかし、バジリオ会が、この腐った黒い種子《たね》のために、実らずに枯れた秋の木になってはならないし、教会の恥を荒波の泡のように世間に出してはならなかった。

管区長の閉ざされた部屋で、長い時間、ビリエ師は管区長とひそかな相談をつづけた。重苦しい、しかし嵐のような空気の中で、両人は一時間以上も話し合った。

さて、その終りころに、二人の刑事が、教会の門をくぐったのであった。彼らは、入口の扉の前で、明るい陽を浴びながら長いこと待たされて疲れていた。

「ビリエ神父、君が会うか？」

打合せが済んで、管区長は沈痛な顔で云った。

「会いましょう、管区長さん」

ビリエ神父は、管区長の顔を眺め、起ち上って扉の外に出た。

刑事二人は、応接室に招《よ》び入れられた。ビリエ神父が、愛想よく、二人を椅子に落ち着かせた。刑事たちは、場違いの場所に来て、まだ、とまどっていた。

「ご用を、承りましょう」

ビリエ師が、きれいな日本語で訊《き》いた。刑事の一人が、手帳を出して訊きはじめた。

「都内の或《あ》るところで砂糖を不法に売買している男をつかまえたんです。田島喜太郎というのが主謀者らしいですが、本人たちの申立てによると、その砂糖は、この教会から運んだと云っていますが、本当ですか？」

「よく分りませんが、タシマのことなら、その砂糖は、当教会のものです」

ビリエ師は微笑を湛《たた》えながら答えた。

「それは、どういう砂糖でしょう？」

刑事は身体《からだ》をのり出して訊いた。

その時の用意にと、ビリエ師は、一枚の証明書を出した。横文字ばかりで、生憎と、刑事には読めなかった。

「輸入証明書です」

ビリエ師は説明した。

「当教会は、バジリオ会に属しています。このバジリオ会は世界中に教会があります。アメリカのバジリオ会の教会が物資の少ない日本の教会を援助してくれて、送って来たのがこの砂糖です。われわれは、不法な物は持っていません。正当な手続きで輸入したものです」

「では、それは、どういう分配方法をしていますか？」

「日本の、われわれの各教会に分配しています。その輸送は政府に認められています」

「しかし、田島という男が、数人の商人たちと共謀して、その砂糖をヤミ売りしていたのは事実ですが」

「教会は、それを知りません。タシマというのは確かに信者ですが、彼に砂糖を自由に売ってくれ、と頼んだことはありません」

ビリエ師は、決然として云った。

「途中でヤミ売りしたのは、彼らが勝手にやったことです。われわれは、それを許していません」

「そうすると」

刑事は、念を押すように云った。

「田島という男は、教会の砂糖を横領して、自分で勝手に処分していたわけですね？」

「その通りに、解釈して貰《もら》って結構です」

長いこと表で待たされた刑事二人は、その返答を聴いて、一応引き揚げた。

八

そのあと、ルネ・ビリエ師は、車庫からルノーを引き出した。彼の行く先は、ある日本の高官の邸《やしき》であった。ビリエ師は、日本の上流婦人たちに交際が広いし、人気もあった。

ゆるやかな坂道の途中に、その邸はあった。高雅な門構えだった。

ビリエ神父がルノーを塀《へい》のきわに置き、門をくぐって玄関までの長い道を歩くと、植込みから花の匂《にお》いが流れていた。

取次ぎの女中は、すぐにビリエ師を応接間に通した。この聖職者の訪問は、いつでもこの家で歓迎された。

夫人がすぐに出て来た。かねてビリエ師が「日本の典型的な貴婦人」と尊敬して、他人にもそのことを吹聴《ふいちょう》している女性だった。五十をすぎているが、色が白く、鶴《つる》のように瘠《や》せて典雅である。

「夫人《おくさま》」

とビリエ師は、夫人を見ると、いきなりひざまずきそうな身ぶりで云《い》った。

「われわれの信仰の危機です。お救い下さい。ご主人の御助力をぜひお願いしたいのでございます」

高官夫人は、ルネ・ビリエ師の訴えることを聞いていた。

ビリエ師は、一切の砂糖事件を話した。むろん、これは個人的な利益を目的としたものではなく、バジリオ会がその布教のために入用な資金を必要とするからだ、と説明した。

グリエルモ教会は、先年火事で焼失している。その復興のために資金が入用である。折りから、物資の窮乏に喘《あえ》いでいる日本の教会に同情して、世界のバジリオ会所属の教会が、救援物資として砂糖を寄贈してきた。グリエルモ教会は、これを管下の各教会や施設学園に送ったのだが、不心得な日本人があって、私利私欲のために、これをヤミに横流ししたのだ、とビリエ師は云った。

夫人は、上品な顔に同情を見せて聞いている。

ビリエ師は、その説明の途中に、適当に聖書の言葉をはさむのに抜かりはなかった。信者に向って説き、納得させるには、適度に、そらんじた聖書の文句を挿入《そうにゅう》するのが効果的であるのを体得していた。話し手はこの場合でもみずからが正論の伝道者となり、おのれの論理を倫理化して陶酔するのであった。

「ところが」

とビリエ師は、十字を切って夫人に云った。

「その不埒《ふらち》な日本人のために、いまや教会が迷惑を受けようとしています。日本の警察が、ヤミ売買摘発のために、教会に疑惑を向けました。もちろん、教会としては、やましいところは何もありません。これは正当な物資で、われわれが神の御恵みによって、各地の教会に配給しているものなのです。けれども、おそらく日本の警察は猜疑《さいぎ》深くて、これを承認しないでしょう」

ビリエ師は、大上段に話した。彼の信念には、あくまでもバジリオ会復興という大義名分があった。腐った一粒の日本人の卑劣行為が、この教義の権威に迷惑を及ぼしてはならないのである。

「バジリオ会は、いま大事なところに来ております。ご承知のとおり、わが会は、先師ザビエルが日本に来てから、すでに五百年の歴史を持っております。しかし、正直にいって、ほかの会の布教からは立ちおくれています。われわれは、いまそれを反省し、わが会のために活潑《かっぱつ》に伝道をしなければなりません。その矢先に、このようなやっかいな問題が起るのは、たいそう難儀なことです」

ビリエ師は、諄々《じゅんじゅん》と説いた末、最後に夫人にたのんだ。

「つきましては、夫人《おくさま》のご主人にお願いして、この問題を、なんとか穏便に解決していただけませんでしょうか。グリエルモ教会のために、いや、バジリオ会のために、ぜひともご主人さまのお力を借りたいわけでございます」

夫人は、日本における司法行政の最高地位に近い官吏を夫に持っていた。ビリエ師が狼狽《ろうばい》して訪《たず》ねてきたのも、その権威の地位を恃《たの》んだからである。

ビリエ師は、ときには微笑し、ときには沈痛な表情をした。話の順序に従って、表情の変化は適度に按配《あんばい》される。変らぬことは、たえず彼が額に手を当てて、むやみに十字を切ることであった。

「よくわかりましたわ」

と夫人はうなずいて答えた。

「私も信者の一人でございますから、お話をうかがって、たいへん感動いたしました。このような小さなことで、グリエルモ教会や、バジリオ会が、世間の誤解を起してはなりませぬ。それはおそろしいことです。早速主人に申し伝えて、善処するようにさせます」

夫人には、それだけの自信がある。夫も同じ会の信者であり、彼は夫人を愛していた。夫婦仲の円満なことは、しばしばジャーナリズムの一部に伝えられているくらいであった。その話のあとで、夫人はビリエ師をなぐさめ、ご馳走《ちそう》を出した。

ルネ・ビリエ師は、女性のあいだに人気があった。というよりも、彼の方から、女性たちに気に入るようなしぐさをしたといった方が近い。実際、ルネ・ビリエ師は、その仕事のためにかずかずの女性たちに会うのが愉《たの》しみであった。彼はその崇高な教義を説くために、暗記した聖句を自在にあやつり、崇高な雰囲気《ふんいき》を作るのに熟達していた。女性たちは、たいていの者が宗教的な雰囲気に身をまかせ、ビリエ師の口説に目をとじ、唇をなかば開いて陶酔の表情をみせた。

このような女たちの顔を見るのが、ビリエ神父にとって一番の愉しみであった。のみならず、ビリエ神父はかなりな学識を持っていた。聖書や詩を翻訳するくらい教養があったし、日本のむずかしい哲学書を読みこなすと云い触らして信じさせるほど、学問がありそうであった。日本の高級なる婦人層は、まず、彼のそのゆたかな学識に敬服するのである。

この高官夫人も、ビリエ師を好いていた。ビリエ師が彼女のことを、日本の典型的な貴婦人と呼んでいるように、彼女の方でもルネ・ビリエ師のことを、代表的な聖職者と呼んでいた。これはあたかも、学識ゆたかな学問僧に帰依《きえ》した藤原時代の貴婦人と、どこか似ている。中世の彼女たちが学問僧に随喜したように、この西教の学僧に、現代の貴婦人たちは心酔していたのであった。

しかし、日本人の聖職者では、こうはゆくまい。たいていの上流婦人がそうであるように、この信者の婦人たちは、日本人の神父よりも異国人に接することに、誇りと喜びをもっていた。

さて、ルネ・ビリエ神父は、権威ある高官夫人の応諾に安心した。彼は、夫人と、その主人の上に祝福を行なった。

——幸いなる夫人よ。バジリオ会の一同は、悩みのうちにおいて夫人によりすがり、かつ夫人のいと強き助けを求めたので、また夫人の保護をも、主に願ったのである。

ルネ・ビリエ師は、高官夫人に見送られて、その邸を辞去した。

ルネ・ビリエ師は、爽快《そうかい》な気分になりながら自分のルノーを走らせていた。すべては、うまく運んだ。これからも夫人やその夫がうまく運んでくれるであろう。グリエルモ教会は安泰である。その夫君は、日本の警察の幹部に、知人や友人を持っている。だから、あの刑事二人の訪問は、まもなく無意味に終るに違いない。

ルネ・ビリエ師は、長い道のりを走って、ようやく「わが住まい」の近くに来た。人目につかない閑静な場所で、いつ来ても、この一劃《いっかく》に入ると、心が神から解放される思いであった。

彼は、いつものように、車を庭のしげみの中にかくし、しのびやかな足音をその家の入口でとめた。

「だれ？」

低いノックをきいて、女の顔が、内側のガラス窓からのぞく。これは問答するまでもなく、すぐにドアが内側から開かれた。

ビリエ神父は、中に入った。江原ヤス子は満面に笑みを浮かべて、彼を迎えた。

「どこへ行ってきたの？」

江原ヤス子は、神父の肩にとりついて云った。彼女のおおらかな笑いは、いつも唇をいっぱいに開けて、歯齦《はぐき》まで見せた。

ビリエ師は、両手をひろげて肩をすくめた。

「面倒が起った。中村夫人のところを訪問して、帰ったよ」

「面倒？」

江原ヤス子は、神父の鼻の高い顔を見上げた。彼の表情には、西欧人特有の大げさな身ぶりが出ていた。

「日本人に裏切者が出たのだ」

彼は、吐き捨てるように云った。

「裏切者？」

「そう。砂糖を運んでいる途中で、警察に密告したやつがいるんだよ」

「まあ」

江原ヤス子は、あきれたような顔をして、神父を見つめた。

「だれ？」

彼女はビリエ師を、心配そうな目つきで見すえた。

「名前はわからない。仕方のないやつだ。今日、警視庁から調べにきたんだ」

江原ヤス子は、思わず自分の家の中を見廻した。

襖《ふすま》の向うには、気にかかる品物が、倉庫みたいに一ぱいに詰まっている。警察と聞いたときに、彼女は思わず恐怖を現わしたのである。

「心配することはない」

神父は、なぐさめるように云った。

「中村夫人に頼んである。うまくやってくれるだろう。夫人が、私の云うことを聞いてくれた」

ビリエ師は、江原ヤス子の肩を両手で抱《かか》えた。

「大丈夫かしら」

ヤス子の表情は、まだ不安がっていた。

「警察がここに来るようなことはないかしら。たいへんだわ」

「安心おし」

と神父は彼女の肩を押えて云った。

「中村さんがわれわれについている。そしてこの事件は、万事、教会が関係しないことに解決してくれるだろう。だから、あなたのところに警察が来ることは、絶対にない」

ルネ・ビリエ師は、それから、もっと彼女を安心させるために、彼女の肩を抱きすくめ、坐《すわ》っている自分の長椅子《いす》に引き寄せた。

江原ヤス子は小肥《こぶと》りな女である。しかし、ビリエ師の頑丈《がんじょう》な体格は、彼女を子供のように抱き上げた。彼女は神父の腕の中に身をよじらせながら神父の膝《ひざ》の上に自分の足を乗せた。

「心配しないでいい」
神父は、ヤス子の耳にささやいた。
「大丈夫ね？」
彼女は念をおした。
「だいじょうぶ」
神父は笑顔で答えた。それから、江原ヤス子の背中にまわした手に力を入れ、彼女の頬《ほお》に接吻《せっぷん》をした。接吻は、あたかも十字の形のように、額から鼻、ほおにかけて、やたらと押しつけられた。江原ヤス子は体を反転させ、いつもの声を上げた。
机の上には、ラテン語の原書と、原稿用紙がのべられてある。仕事は、ビリエ師が口述したのを清書し、彼女が文章の仕上げを済ませたばかりであった。
「あなたは、わたしたちの先祖《せんぞ》、あなたの僕《しもべ》ダビデの口をとおして、聖霊《せいれい》によってこう仰《おお》せになりました、
『なぜ、異邦人らは、騒ぎ立ち、
もろもろの民《たみ》は、むなしいことを図《はか》り、
地上の王たちは、立ちかまえ、
支配者たちは、党を組んで、
主とそのキリストとに逆らったのか』」

原稿用紙の文字は、そこで終っていた。

まことに、異邦人たちは騒ぎ立ちやすい。しかし、ここにビリエ神父と江原ヤス子がどのようなことを行なおうと、立ち騒がれることはなかった。家はことごとく、檻《おり》のように鍵《かぎ》をかけているのである。密閉された世界で、この男女のあいだに何が始まろうと、見られることもなく、覗《のぞ》かれることもなかった。

ビリエ神父は、江原ヤス子を横抱きにして、彼女の寝室に連れ去った。聖書の改訳の進行は、二人のあいだの嵐がすぎるまで中断された。

ふいに、外に居るセパードが吠《ほ》えたてた。

黒い聖衣を脱ぎかかったビリエ師は、眉《まゆ》をひそめ、不安そうな顔をした。

江原ヤス子は、窓の厚いカーテンを細目に開けて、外をのぞいた。それから、ビリエ師をふり返り、顔一ぱいに笑いを浮かべた。

心配することはなかった。何でもない通行者が、彼女の家の垣根近くを歩いて通っただけである。

数日後のことであった。

田島喜太郎は、渋谷の教会で、ゴルジ神父と、グリエルモ教会から駈《か》けつけた主任司祭ルネ・ビリエ師の前にひき出されていた。

説得は、もう一時間も前から続けられていた。

ゴルジ神父も、ビリエ神父も、殊《こと》のほか、田島にはやさしい眼つきをし、柔い言葉をかけていた。

「タシマ」

とゴルジ師は云《い》った。

「グリエルモ教会のためだ。お前が、犠牲になってくれぬか?」

田島は、うつむき、あまり口数をきかないでいた。彼は赧《あか》い顔をしていたが、それは激情のために昂奮《こうふん》していたのであった。

「中村さんに頼んだが、頑冥《がんめい》な日本の警察は、承知しないのだ」

ビリエ師は、警視庁を呪《のろ》うように十字を切った。

「どうしても、ヤミ取引きの犯人を出さないと引き退《さが》らないのだ。われわれの聖なる事業を、彼らはてんで理解しない。わたしは、今日、中村夫人に喚《よ》ばれて行ったのだよ。夫人は、こう云った。砂糖はいちばん煩《うる》さい統制品だから、モミ消しができない。ここに、一人だけ、犠牲者を出せば、どうにかうまく納めてやるというのだがね。お前が、あの裏切り者にひっかかったのが不運なのだ。諦《あきら》めてくれぬか。われわれの宗教のためだ」

ゴルジ神父が、傍《そば》から口を添えた。

「われわれの宗教は迫害の歴史だ。われわれの先輩は、その迫害に耐え抜いてきたのだ。どれだけ多くの殉教者が、この宗教を守り抜くために、自らすすんで仆《たお》れたことであろう。タシマよ。いま、わが宗門は危難に面している。どうだ、おまえも、この殉教者になってくれぬか」

田島は顔をあげた。

「分りました」

と彼は、唇に決意をみせて云った。

「ぼくも、信者です。それに、日本人は頼まれたら、いやとは云えない国民です」

「おう」

ビリエ師も、ゴルジ師も、同時に椅子から起ち上るほど感激して云った。

「タシマよ。おまえは、本当に承知してくれるか?」

この言葉は、両人とも煩《うる》さいくらいに念を押した。

「嘘《うそ》は云いませんよ。神父さま」

田島はじろりと見て云った。

「教会の神父さまの間から、まさか、縄付《なわつ》きを出すわけにはゆかないでしょうからね」

「ナワ付き?」

ビリエ神父は反問した。

「なんでもいいです。とにかく、ぼくが警視庁に自首すればいいのでしょう。行きますよ。教会のためと頼まれたら、前科を背負っても構いません」

「ゼンカ？」

「いや、分らなければいいです」

田島は、面倒臭そうに顔を振った。

「とにかく、教会には迷惑をかけませんからね。安心して下さい」

田島は顔をあげて、椅子から起った。この姿が、神父たちには、自分たちの背丈よりも大きく見えた。

ルネ・ビリエ神父は荘重に十字を切り、唇で唱えた。

「主よ。主は約束を違《たが》えざる御者にまします故《ゆえ》に、御功徳《くどく》によりて、その御約束の如《ごと》く、かれに終りなき命と、これを得べき聖寵《せいちょう》とを、必ず与え給《たま》わんことを望み奉《たてまつ》る」

ゴルジ神父も、ビリエ師にならって、田島に永遠の生命の祝福を唱えた。

両人の神父は、これまで日本人の信者に対して滅多になかったことだが、田島を教会の門の外まで見送りに出た。

「タシマよ。分っているだろうな。グリエルモ教会は、砂糖のヤミ売りに関係しなかったのだよ。それは、お前が自分の勝手でやったことだよ」

ビリエ神父は犠牲者の肩をやさしく敲《たた》いて耳もとで囁《ささや》いた。

「そう念を押さなくても分っていますよ、神父さま」

信者田島喜太郎は、肩を聳《そび》やかし、大股《おおまた》で歩いて行った。落日が、その影を地上に長く描いた。

両人の神父が、安心しきった顔をし、ならんで黒い長い裳《すそ》を曳《ひ》いて、教会の門を入ったとき、ひょっこり若い神学生に出遇《であ》った。

「何かあったのですか、神父さま?」

神学生トルベックは、きれいな碧《あお》い瞳《ひとみ》を向けて訊《き》いた。

「なんでもないよ。トルベック君。悪い奴《やつ》を教会から追放しただけさ」

ルネ・ビリエ師は両肩をすくめて薄笑いし、ゴルジ師は長い唾《つば》を吐いた。


砂糖のヤミ事件は無事におさまった。

グリエルモ教会は、再び平和をとり戻した。いや、多くの信徒たちは、その経緯を知らない。教会に、そのような嵐があったことなどは夢にも想像しなかった。教会は平和そのものの象徴であり、心の安らぎを求める場所であった。神父たちが、柔和な微笑を絶えずつづけているように、教会の内部も春風に満ちたような平和が、永遠に変ることなくつづくように信じられた。

フェルディナン・マルタン管区長は、ルネ・ビリエ神父に感謝した。

「ビリエ神父。君のお蔭《かげ》だ」

管区長は安堵《あんど》して云った。実際、事件が発生して、警視庁から忌《いま》わしい刑事たちの訪問を受けた当座は、管区長も心痛で顔色がなかったくらいである。

「どうしまして、管区長さん。私の力ではありません。中村夫人の力です。夫人の主人は日本政府に権威があります」

ビリエ師は、指を前で組み合わせて、謙虚に答えた。

「それでも、君のお蔭に間違いはない」

管区長は、首を振って云った。

「君が、中村夫人を識《し》らなかったら、この結果はなかった。君は、立派な貴婦人たちを識っている」

「神の導きです、管区長さん」

ビリエ神父は、管区長の多少の皮肉を無視して、眉《まゆ》も動かさずに云った。尤《もつと》も、例の通り、瞬時に瞑目《めいもく》して十字を切ったので、表情がさだかに分らなかったせいもある。

「君は学問がある。それが日本のインテリ婦人の心をひきつけるのだね。そうだろう？」

管区長は椅子に背中をもたれかかってビリエ師を見上げた。

「それほどでもありません。しかし、日本の婦人は、私が日本語の哲学書がよめるので愕《おどろ》いています」

「そういうところが、インテリ婦人は堪《たま》らなく好きなのだ。ほれ、何といったかね、この間、君がわたしに紹介してくれた婦人がいたが?」

「タカヤマ夫人ですか?」

ビリエ師は眼を動かした。

「そうだ、そういう名だったね。私は、五度聞いても、日本人の名前は覚えられない」

「タカヤマ夫人は、半世紀前に自殺をした高名な思想家の姪《めい》です。彼は貴族でした」

「そうだ、そういう婦人が、君のような型を好む。いいことだね。宗教は、そのような婦人層から入った方が布教の効果が早い。一般の日本人は、まだ貴族や知識階級を尊敬しているからね」

「私もそう思います、管区長さん」

「君は、その、何と云ったっけ?」

「タカヤマ夫人です」

「そのタカヤマ夫人とまだ交際しているかね?」

「彼女は、まだ入院しています。胸の病気が容易に癒《なお》らないので、彼女も煩悶《はんもん》しています。私は、神の教えを彼女に伝え、安息を与えるために、ときどき、病院を訪問しています」

「彼女は喜んでいるかね？」

マルタン管区長は、多少、嫉妬《しっと》めいた表情になり、言葉も思わず皮肉になった。

「神の教えを聴《き》くのに、誰も喜ばぬ筈《はず》がありましょうか、管区長さん」

ビリエ神父は、管区長の皮肉などは一向に感じないように答えた。

「そりゃ、そうだ、ビリエ神父」

マルタン管区長は、ビリエ師に正面を切られて、鼻白んで黙った。すこし気拙《きまず》い空気が流れそうになった。

それをとり繕うように、急いで話しかけたのは、管区長の方であった。

「ビリエ神父。すこし話がある。内密だがね」

管区長は、両手を一つの拳《こぶし》にむすんで机の上に置いた。

「はあ、何でしょう？」

ビリエ神父も、身体を前にかがめた。

「ジョセフ神父のことだが」

管区長は低声《こごえ》になった。

「かねてから考えていたことだが、今度、実行することにした。いま、総長さまのところに申請書を出している」

「転任ですか？」

ビリエ神父は緊張した顔になった。

「どう思う？」

「私は、結構だと思いますが」

「そうだ、誰でもそう思う」

管区長はうなずいた。

「あの男はいかん。私の方針に楯《たて》ついている。それも頑固なのだ。私には、私のやり方があるからね」

「そうですとも、管区長さま」

「それを、あの頑固さで、一々、文句を云いに来られては堪《たま》ったものではない。私は数えているが、四十二回、ジョセフ神父から忠告をうけた。いまにこの教会に不吉なことが起る、というのが、一つ覚えの台辞《せりふ》だが、あの神父がここに居る限り、ほんとうに不吉なことが起りかねないよ」

「私もそう思います、管区長さま」

ビリエ神父は賛意をあらわした。

「で、ジョセフ神父の転任先は、何処《どこ》ですか？」

「朝鮮だ」

管区長は答えた。

「朝鮮？」

ビリエ神父は眼をまるくした。

「朝鮮でも、ずっと山奥の方だ。てんで文化のない所だがね。冬はノルウェーのように寒いそうだ」

管区長は、あたかもそこに朝鮮の地図があるように壁の方を見つめ、ぼそりと云った。

「ジョセフ神父が神の教えを開拓してくれるには恰好《かっこう》な場所だ、あの頑固さでね。彼は、そこで骨を埋めてくれるだろう」

九

砂糖のことが、無事に納まって、七年が過ぎた。——

グリエルモ教会は、相変らず安泰である。のみならず、教会の建物は新しくなり、大きくなった。改築や、増築が行なわれたのである。武蔵野の名残《なご》りをとどめる雑木林の間からは、前にも増して教会の見事な聖堂が輝き、十字架は光った。

建物は、春は新緑の萌《も》える中に壮麗であり、夏は蒼《あお》い空の下に白堊《はくあ》がくっきりと浮かび、秋は紅葉の隙間《すきま》から華麗な輪郭を見せ、冬は葉を落した林の中に凜然《りんぜん》と聖なる姿を仰がせた。

それらの改築や新築に要した資金は、信者から報謝を受けたものでもなければ、篤志《とくし》家から寄付金を蒐《あつ》めたものでもなく、本部から多額の送金をうけたものでもなかった。グリエルモ教会が独自の才覚でやってのけた事業であった。宗教団体が、誰からの援助も受けずに、これだけの事業をしたのは、まことに立派であった。

それは、管区長フェルディナン・マルタン神父の手腕であり、主任司祭ルネ・ビリエ神父の腕前であった。信者の中で、七年前の砂糖事件を口にする者はなかった。もとより、知らされなかったから知らないわけだが、多少、気づいた者があっても、それが今の教会に発展した資金になっていようとは誰ひとりとして気づいていなかった。

しかし、教会では、七年前の砂糖の処分のとき、それが大がかりだっただけに、単独では始末がつかなかった。そのとき、教会ではその方面の専門家を使った。これは信者の田島喜太郎のことではない。田島は、些少《さしょう》の末端を分担させられたに過ぎない。

専門家は日本人ではなかった。その方面では国際的に名うての男だった。初め、教会に仕事を頼まれて引き受けて働いてやったが、それ以来、教会と縁を結んでしまった。つまり、その専門家は、教会という宗教団体が彼の仕事に恰好《かっこう》な秘密機関になり得るのを知ったのである。

その専門家に、最初、仕事を頼んだのがグリエルモ教会の不運であった。教会は彼から弱点を押えられてしまった。はじめ、専門家を使っていたが、遂《つい》には専門家に使われる立場になっていた。

専門家は、一度もグリエルモ教会に姿を見せたことがない。電話の連絡はあったが、それはマルタン管区長室の電話器に必ずかかってきた。

むろん、連絡は電話だけでは済まないことだった。そのときは、マルタン管区長がビリエ神父を自室に呼んで、彼をその専門家のところへ行かせた。ビリエ神父にさし支《つか》えがあると、渋谷の教会に電話し、ゴルジ神父をさし向けた。それが重要な話になると、マルタン管区長が自身お忍びで専門家のところへ訪問した。

これらは内密に行なわれた。信者たちは勿論《もちろん》のこと、ほかの神父たちの知らないことだった。どんなことが専門家との間に話され、何が取引きされているか全く分らなかった。この場合、たいてい呼びつけられるのは教会の方だった。尤《もっと》も、教会では用心のため、専門家に来て貰《もら》っては困る事情もあった。が、結果的には、教会側が専門家のところへ出向いて指示をうける恰好になった。

何か正体は分らないが、その事業は、七年の間に、教会を充分に富裕にさせた。教会はその資金でどしどし施設をつくった。バジリオ会の布教活動は目覚ましいものになり、ほかの会が愕《おどろ》いて眼を瞠《みは》るくらいであった。

そして専門家との提携はつづき、さらに深くなった。或《あ》いは教会が深みにはまったとも云える。教会は専門家から脱《のが》れることができなかった。豊かな資金源と、専門家の脅迫とが、教会の意志を縛ってしまったのである。

思えば、そもそも、七年前に、砂糖があまりにも豊富にアメリカの教会から寄贈されたのがいけなかったのかもしれない。災いはそのときに芽を吹いた。教会自体が専門家の罠《わな》に落ちたのである。

しかし、マルタン管区長も、主任司祭ビリエ師も、ゴルジ神父も、それを主の教えに背《そむ》く悪とは考えなかった。なぜなら、専門家との事業で上る収益は、悉《ことごと》く会の布教のために費やしたからである。まことに、金銭はただ主の御栄《みさか》えのためにのみ用いたのであった。だから、彼らには精神的な苦痛はなく、神の前に懺悔《ざんげ》することもなく、まことに晴々とした顔をしていた。

しかし、その事業は、飽くまでも周囲には秘匿《ひとく》されていた。布教の大義は、俗なる人間のつくった法規に精神的に優先するとはいえ、やはり「異邦人」の誤解を恐れねばならなかった。それは砂糖事件で経験済みであった。あのとき、田島喜太郎を犠牲にしなかったら、グリエルモ教会は、民衆に石を投げつけられたに違いなかった。それはバジリオ会の布教の恐ろしい挫折《ざせつ》を意味した。

その理由で、管区長も主任司祭も、専門家との事業の提携には細心に用心をした。

七年の間、グリエルモ教会の内部で、表向きになった変化が二つある。

一つはジョセフ神父の転任であった。彼はマルタン管区長の宣告を受けて、悄然《しょうぜん》と日本を発《た》って行った。行先は朝鮮の僻地《へきち》であった。病身のジョセフ神父は、年も老いている。彼は二度と日本に呼び帰されることもなく、母国に帰らされることもなさそうであった。

教会の神父たちは、かたちだけは、ジョセフ神父を駅まで見送ったが、それ以後は彼の噂《うわさ》すら出なかった。総長の名に於《お》て命令されるなら、世界中の、たとえ地の涯《はて》であろうが喜んで行かなければならなかった。拒絶も猶予《ゆうよ》も宥《ゆる》されなかった。それは神の命令であった。

グリエルモ教会は、神父のなかで、ただ一人の抵抗者を追放した。もはや、邪魔者はいなかった。フェルディナン・マルタンは誰からも批判をうける心配はなかった。彼は自分の方針を自由に行なうことができた。

グリエルモ教会は、ジョセフ神父を追い出した代りに、新しい神父を迎えることができた。新任神父は、若くて、美男子であった。瞳《ひとみ》は山湖のように深い碧《みどり》いろを湛《たた》え、すこし受け口の唇は、柔らかくて紅味《あかみ》がさしていた。彼はゴルジ神父のところへ、度々《たびたび》やってきていたトルベックであった。

神学生トルベックは成績がよかった。それで、ほかの神学生が地方の教会に配属されたのに、彼だけは東京に残され、しかも管区長のいるグリエルモ教会の所属神父になったのである。

尤《もっと》も、これには彼を愛好していたゴルジ神父の推薦もあった。

「君のことは」

とゴルジ神父は、叙階式を済ませたばかりのトルベックに云《い》った。

「主任司祭ルネ・ビリエ神父に頼んである。ビリエ神父は、特に私と親しい。君のことをうまく計らってくれるだろう」

トルベック神父は頭を下げた。感謝を表わしたのち、きれいな眼を伏せて愁《うれ》い顔で云った。

「ゴルジ神父さま。私は、日本語が十分ではありません。日本人の信者たちに説教するとき、うまく云えないので、それが心配です」

ゴルジ神父は、トルベック神父の顔を見て微笑して云った。

「心配は要《い》らない。それでいいんだよ、トルベック君。日本人は、日本語を話す日本人神父よりも、片コトを話すわれわれ外人神父の説教を有難がって聴くのだ。なに、話がよく判《わか》らなくともいい。聴衆の方で察してくれる。つまり聴き手の方が余分を考えてくれるのだ。その方が、ずっと有難味があるらしいね。日本人の信者には……」

トルベックは怪訝《けげん》な表情をしたが、ゴルジ神父は若い神父の肩を敲《たた》いた。

「いまに君に判るよ、私の云ったことがね。これから君がそれをやるのだからね」

──ダミアノ・ホームは、やはり武蔵野《むさしの》の名残《なご》りの濃い台地の上に在った。ここも雑木林と草地に囲われていた。建物は、赤い屋根と、白い壁と、緑色の窓があり、遠くから眺《なが》めると、いかにも聖なる夢見心地の童心を起させた。これも、グリエルモ教会が、専門家との事業で獲《え》た資金で土地を購《あがな》い、幼稚園を造ったのであった。

若いトルベック神父は、グリエルモ教会のルノーに乗り、新しい任務に通うことになった。教会から二キロ離れたダミアノ・ホームに行くには、通る小径《こみち》が三つある。そのどれもが田園の間を通らなければならなかった。一ばん近いのは、多少、うねうねと道が曲っているが、淋《さび》しい住宅街を抜けることだった。その一軒に江原ヤス子の家があるが、トルベックは未《ま》だ知っていない。

──不安に思うことはなかった。やはり先輩神父の言う通りだった。

不馴《ふな》れな手つきで行なうミサも、ダミアノ・ホームの保姆《ほぼ》たちは誰も嗤《わら》わなかった。公教要理の日本語の講義も信者たちは敬虔《けいけん》な表情で熱心に聴いてくれた。

やはり、やってみることだ。

それだけではない、トルベック神父は、自分がダミアノ・ホームの女性たちに、ひどく人気のあることをやがて知った。

若いトルベック神父は、毎日が愉《たの》しくなった。

ルノーを駆って、毎朝、ダミアノ・ホームに行くのが大きな歓《よろこ》びであった。教会を出て、雑木林の見える田圃道《たんぼみち》を、窓から流れる春風に吹かれながら走る。彼は、生まれてはじめて、自由というものを味わったような気がした。

神学校では、規律が厳《きび》しかった。私的な、自由な時間というものは、全くなかった。凡《すべ》てが、厳しい戒律と学課の中に縛られていたのである。

ところが、教会に来てからは、自由が与えられた。例えば、神父になると、夜、いつ外出しても構わないのである。深夜に帰って来ようが、誰も咎《とが》める者はない。

つまり、この宗教では、神父は絶対に「悪いこと」をしないものだという信義のもとに、その自由が許されていたのである。俗人のように、門限などはなかった。

トルベックに、もう一つの愉しみがある。それは、意外に、自分が女性たちに人気のあることだった。彼は、日本語に自信がない。彼が祭壇の前に立って公教要理を説いている時は、まさに、幼児が話しているのと同じであった。自分ながらもどかしい日本語に、腹が立つくらいである。

ところが、聴衆は静粛に聴いてくれた。時どき、敬虔な眼つきをして、トルベックの口もとを見つめるのである。はじめ、多少の畏怖《いふ》をもってダミアノ・ホームに行っていたトルベックも、近ごろでは、ひどくうれしくなって来た。

ミサは、一時間くらいかかった。そのあとで、ホームに働いている女たちは、トルベックを門の外まで送ってくれるのである。誰もが憧《あこが》れるような眼つきであった。

無論、トルベックは、彫りの深い、男性的な顔をしている。外人の中でも美男の方であった。彼は、常に、やさしい微笑を、その形のいい口辺に浮かべていた。蒼《あお》い眼は穏やかに澄んでいた。髪は、外国の映画俳優のように恰好《かっこう》よく縮れていた。

ホームに働いている女たちは、総《すべ》て信者であった。彼女たちは、貧しい幼児の世話を見ている。トルベックがやって来るたびに、彼女たちも青春の空気を迎え入れたように、一段と、朝のミサが愉しくなっていた。

トルベックが、ホームの門から出てルノーに乗るまで、女たちは見送ってくれた。

「トルベック神父様、有難うございました」

「お大事に」

「明日、また、お目にかかります」

女たちは口々に云った。皆が眼を輝かして笑いかけている。

「ありがとう、ありがとう」

トルベックは挨拶《あいさつ》を返した。幼稚な日本語が、この神父を、ひどくうぶな、純真さに見せるのである。

なかに、大胆な女は、トルベックの腕を擦《さす》った。背中を押す者もいた。それは、日が経《た》つにつれてひどくなった。ほかの者がそうするので、女たちの中には、もっと大胆に彼の手を握る者もいた。彼の長い指は、女たちの白い手に揉《も》まれたりした。トルベックは血管の一部を逆撫《さかな》でされたようになった。心が知らずに弾《はず》んだ。トルベックのミサの挙げ方は、今までのルネ・ビリエ師のように慣れたものではなかったけれど、学校で習ったままを懸命に行なっていた。そのこともまた、女性信者たちに好感をもたせた。

人間は、上手に慣れたものよりも、下手で魂の籠《こも》った行動に惹《ひ》かれる。それでなくても、トルベックの純真な姿には憧れが集まっていたときだ。女たちは、一層、彼に惹かれて行った。ミサの儀式に唱える彼の声も、潤《うるお》いのある男性的な含み声だった。

トルベックは、今まで神学校にいて、婦人たちと間近く接触したことはなかった。彼が婦人を見ると云えば、時たま、街頭を歩く時に見かけるくらいである。声もかけたことがない。無論、戒律上、何の交渉もなかった。異性は、まるで、景色の中の木や草と同じであった。

それが、一人前の神父になってからは、急に、自分の身近なものとなったのである。ダミアノ・ホームの女たちは、大胆に憧れの眼を彼に向けてきた。やさしい言葉もかけてくれた。それに、彼の手をやさしく握ってくれるのである。

トルベック神父が、その女たちの中で、一番自分に関心を寄せてくれる者を見つけるのに苦労はなかった。

この異国の女たちは、いずれも、満遍ない微笑をもって彼を迎えるが、その中でも、もっとも大胆に憧憬《どうけい》の眼を向け、媚態《びたい》に近い笑いを向ける女がいた。坂口良子という名前であった。

彼女は二十二、三に見えた。日本婦人の年齢は、トルベックには判断がつかない。しかし、ヨーロッパの故郷の女たちから見れば、どれもみんな若く見える。ことに、坂口良子は小柄で、可愛《かわい》らしく見えた。

トルベックは、毎日のミサを挙げに来る度《たび》に、彼女に、とりわけ、やさしい眼を向けた。もし、その姿がない時は、彼の方で探《さが》すようになった。

十

或《あ》る日のことである。トルベックは、いつものように、朝のミサを済ませ、坂口良子の特別な表情のある眼つきに送られて、静かな住宅街を抜ける近道を帰りかけた。

道は、日本の農家が片側にあり、柊《ひいらぎ》の垣根をまわした住宅の横から曲っていた。この辺は寂しい場所であった。

その時である。

運転をしているトルベックの眼が、ふと、一軒の家に移った。やはり、垣根がある。一方には植込みの木が茂っていた。トルベックが眼を止めたのは、その茂みの下に、小豆《あずき》色のルノーが背中を見せて置いてあることであった。

おや、と思ったことである。ルノーには見覚えがある。番号を見ると、正《まさ》に教会のものであった。

彼は、思わず、車を止めた。教会の神父の誰がここに来ているのか?

彼はその家を眺《なが》めた。戸が厳重に閉《し》まっている。ちょうど、春先の暑いくらいな陽射《ひざ》しが辺《あた》り一面に撒《ま》きちらされていたが、まるで冬のように、その家は戸を閉ざしていた。トルベックが見ている前で、偶然その戸が開いたのである。先に出て来たのは背の高い男だった。頭は禿《は》げて周囲だけ朽葉《くちば》色の毛が残っている。黒い聖衣を見るまでもなかった。あっと思ったことである。グリエルモ教会の主任司祭、ルネ・ビリエ師であった。

若いトルベックが声を掛けようとした時だった。すぐ後から、日本婦人が出て来た。頑丈《がんじょう》な肩をした小肥《こぶと》りの女だったが、トルベックは、これにも眼を瞠《みは》った。

彼女の顔に見覚えがある。教会に時どき来ている、江原ヤス子という婦人であった。この婦人は、熱心な信者で、教会の協力者だと、彼は教えられていた。そして、学問があり、ビリエ神父と一緒に聖書を日本語に翻訳しているのだと聞かされていた。だが、トルベックは、まだ、彼女と話したことはなかった。

先方でも、彼がそこに止めたルノーに眼を向けた。ちょうど、顔が正面に合ったので、トルベックの方から笑いかけた。思わず、手を振ったのである。すると、ルネ・ビリエ師は、一瞬、複雑な顔をした。陽の加減か、一瞬に彼の顔が暗く見えた。そして、彼も、渋々と手を挙げて応《こた》えたのである。

トルベックは、ルノーのドアを開いて降りた。ルネ・ビリエ師が手招きして彼を呼んだ。トルベックは、背の高い体をゆっくりとその方に歩かせた。

「今度来た、トルベック神父ですよ」

ルネ・ビリエ師は、そこに突っ立っている江原ヤス子に紹介した。

「知ってるわ、この人」

江原ヤス子は、ぞんざいな口をきいた。

「わたし、教会で、たびたび見ていたわ」

この日本語の意味は、トルベックにも了解できた。彼は、ヤス子に愛嬌《あいきょう》のいい顔を向けた。

「トルベック君、君も知っているだろう?」

「はい、知っています、ビリエ神父様」

トルベックは答えた。そして、江原ヤス子に手を差しのべた。

「この婦人は、ぼくの協力者だ」

ビリエ師は云った。

「ここで、聖書の翻訳をしている。この家は、まあ、私の仕事場だ」

なぜか、ビリエ神父は、額に汗を掻《か》いていた。云《い》っていることは堂々としていたが、その茶色い瞳《ひとみ》に落ちつきがなかった。

「好《い》い男じゃない？」

江原ヤス子は、トルベックを熟視してずけずけと云った。

「ねえ、ビリエさん、この人も、ときどき、家に遊びに寄越《よこ》してよ」

ビリエ神父は苦い顔をした。が、江原ヤス子の言葉には逆らわなかった。

「トルベック君、この婦人が今云った通りだ。君も、ここに、ときどき遊びに来るがよい」

「はい、有難うございます、ビリエ神父さま」

トルベックは礼を言った。これは、同時に、江原ヤス子にも頭を屈《かが》めたことである。

江原ヤス子は、歯齦《はぐき》まで見せる笑いを顔いっぱいにひろげた。

「ぼくも、帰るところだ。一緒に帰ろう」

ビリエ神父は、自分の車の方に歩いた。

「あら、あんた帰るの？」

江原ヤス子は、ビリエ師に、不服気な顔をした。

「うん、ちょっと」

ビリエ師は、トルベックの手前、顔をしかめた。

「管区長に呼ばれている。その話は大事なことでね」

ビリエ師は答えた。

江原ヤス子は、彼の肩に手を置かんばかりにして、

「では済んだらすぐ来るでしょうね。まだ原稿が片づかないでしょ?」

と念を押すように云った。

「そうだった、そうだった」

ビリエ師は、大きく首を縦に肯《うなず》かせた。

「トルベック君、さあ行こうか」

ビリエ師は、自分の自動車《くるま》に乗った。

「さよなら」

トルベックは、江原ヤス子に笑顔《えがお》で挨拶《あいさつ》した。

「いいえ、あんたもまた遊びに来てね。教会に居ても何処《どこ》にも行く所がないでしょ? ときどき息抜きに家に来なさいよ」

江原ヤス子は、若い彼を凝《じ》っと眺めて云った。いかにもビリエ神父の身内みたいな顔つきだった。

二人の神父は、それぞれ自動車《くるま》に乗って雑木林の中に十字架の光っている教会を目ざして走った。

「トルベック君」

ビリエ師は自動車から降りた新任神父の肩を叩《たた》いて低声《こごえ》で云った。

「江原ヤス子さんはいい婦人だがね、君はまだ教会の仕事に慣れていない。それに慣れるまで、誘われても彼女の家には遊びに行かないことだね」

トルベックは、この先輩神父の忠告に、或る意味を嗅《か》ぎとったものである。トルベックの方が顔を赧《あか》らめた。彼は、坂口良子の顔を思い浮かべた。

トルベックは坂口良子と急速に親しくなった。

それはトルベックにとっても秘密な愉《たの》しみであった。

彼はヨーロッパの故郷では貧しい家に育った。殆《ほと》んど経済的な余裕はなかった。彼の実兄はやはりバジリオ会の坊さんだった。少年時代、不自由な環境で、彼は成長し、子供の時から夢を持たされなかった。

神学校に入って坊さんを志したのは、兄の影響と家庭の貧窮のために上級学校に入れなかったせいである。頭脳《あたま》は良い方で、学校の教師から賞《ほ》められていた位である。日本に来ての神学校生活も、彼に夢を与えなかった。聖書にある、天国の美しい情景が彼の絵画的な夢だったかもしれない。

しかし、それはどこかでひどく物足りなかった。坂口良子に接近してからそのことを初めて納得したのである。

彼が、彼女の眼を眺め、その柔い指を握ったとき、初めて現実に密着した愉しみが彼に起きた。聖書の天国は彼の感情を揺すぶらなかったが、この愉しみは、彼の胸をときめかした。

ダミアノ・ホームでの朝の一時間のミサの前後が、もっとも愉しい。教会に帰るとそのことが倍加して思い知らされるのである。なるほど此処《ここ》は神学校から見ると解放的な自由があった。しかし、その自由は、日が経《た》つと、案外、空疎《くうそ》なことが分って、初めの喜びを褪《あ》せさせた。つまり自由を費やす充実した対象がない。いわば価値の少ない自由であった。

バジリオ会の神父たちは、私有として一円の金も持たなかった。すべての日用品や交通費は教会から支給されるのである。街に欲しい物はあっても、それを購《あがな》う私用の金銭はなかった。これは彼の不自由な「自由」に似ていた。

彼等の実生活の唯一《ゆいいつ》の愉しみは、睡眠と飲食だけであったかも知れない。睡眠は、安らかなねむりによって神の世界を夢にのぞいて愉しめというのであろうか。だから、飲食はひどく贅沢《ぜいたく》であった。

この毎日の美食が知らず知らずに神父たちの肉体に栄養を蓄積して行った。しかも厳《きび》しい教義の戒律は、彼らにその堆積《たいせき》のみを不自然に強《し》いていたのである。

トルベックは、坂口良子とさらに親しくなった。

もっとも、トルベックをそこまで誘ったのは、坂口良子の方かも知れなかった。彼女は、貞潔なこの若いヨーロッパ人神父に、限りない憧《あこが》れを持っていたのである。彼女のその憧憬《どうけい》は、彼女の眼を熱っぽく輝かせ、衝動的に手を彼の指に絡《から》ませていたのである。トルベックは、最初の間、ダミアノ・ホームのミサが済むとまっすぐに教会に帰って行ったものである。それが次第に崩《くず》れて来た。

ミサが済んでも、彼は容易に帰ろうとはしなかった。ぐずぐずと、いつまでも用事ありげに残っていたのである。

ダミアノ・ホームの保姆《ほぼ》たちは、みなが住込みであった。それで彼女たちは、それぞれ建物の後ろに、寝起きする部屋を持っていた。個室ではなく二人に一部屋ずつだった。トルベックは、彼女たちに誘われるままに、その狭い部屋にも訪れるようになった。そこで彼は、日本の珍しい話を彼女たちから聴いたり、自分でも神の教義や、ヨーロッパの故郷の話などをした。たいてい、女たちは二、三人くらいで、若い神父の話を聴いたものだが、それぞれ用事を持っているので、時には一人になることだってあった。トルベックが、坂口良子とドライブの話を成立させたのは、そのような機会の時である。

「だいじょうぶね」

「大丈夫よ」

トルベックは約束の念を押した。

坂口良子は、蒼《あお》い眼でみつめている彼を見返して笑った。

その夜トルベックはルノーに乗って街道を走り、小高い丘の下まで行った。ダミアノ・ホームはその丘の上にある。闇《やみ》の中に聖なる灯がついているその小丘は、まるでパンテオンの丘のようにみえた。

しかし、トルベックはその丘の上まで自動車《くるま》で登る必要はなかった。薄暗い所に、坂口良子が、彼を待って立っていたのである。

彼女は、姿を近づけて来た。

トルベックは、坂口良子を自分の運転台の脇《わき》に乗せ、ハンドルを握った。この女は扁《へん》平《ぺい》な顔をして、きれいではなかったが、彼には美人に見えた。

「どこにゆきますか？」

彼は女のかぐわしい匂《にお》いを嗅《か》ぎながら、有頂天《うちょうてん》になっていた。

「何処《どこ》へでも」

女は笑った。

トルベックは自動車《くるま》を走らせた。東京の地理には不案内だったので、彼の知っている地域を走った。森が黒々と聳《そび》え、人家の灯が星のように小さくなって行った。白い道が闇の中にほのかに見えた。その道をひたすらに彼は車で走った。

川の畔《ほとり》に出た。水は遠くの灯《ともしび》を微《かす》かに浮かし、闇の中でも薄明りのある空をせせらぎに漂わせていた。

女は叫んだ。

「まあ、きれい」

トルベックは自動車《くるま》を停めた。ルームランプは消えていた。ヘッドライトも彼は消した。辺りの夜の景色が、舞台のように淡い、蒼白い照明の中に浮き上った。黒い森が夜空を区切り、空気に草の匂いがした。

トルベックは、身体《からだ》が慄《ふる》えた。いつものことで手は彼女と握り合っていたが、この抒《じょ》情《じょう》的な夜の中に蹲《うずくま》っていると、甘美な激動が彼の身体を走りまわった。

しかし、トルベックは自身が聖職者であることを忘れなかった。彼は万一を慮《おもんぱか》った。そのため、いきなり坂口良子の身体を乱暴に抱きしめることはなかった。彼は、彼女の背中に恐る恐る手を廻した。

女は凝《じ》っとしていた。息の乱れがしていることは、彼女の様子で判った。トルベックも胸があえいでいた。

女の背中に廻した手は、そのままの状態で静止していた。それは、様子を窺《うかが》っていたのだ。迸《ほとばし》りそうな膂力《りよりよく》は無理に内側に抑《おさ》えられていた。

トルベックは女の顔を眺めた。それから少しずつ背中に廻した腕に力を入れてその身体を胸の中に圧縮しようとした。

坂口良子は声を上げようとはしなかった。トルベックは音でも聴えそうなくらい激しい動悸《どうき》が打っていた。彼は堪《た》えかねて彼女を自分の方に倒しかけ、その顔に近づこうとした。

坂口良子の片手が伸びて、トルベックの顎《あご》の下にかかった。彼女は静かにトルベックの唇《くちびる》を押し返したのだった。

暗い中なので、女の顔色も表情も分らない。暗闇がそれを隠していた。

「かえりましょう、神父さま」

坂口良子は低いが震えた声で云《い》った。

顫《ふる》えているのはトルベックも同じであった。彼は、自分の手が女の背中で凍るかと思った。顎を押し戻された瞬間に、彼は一度に畏怖《いふ》を感じた。

「かえりましょう、神父さま」

女の言葉は、トルベックの行動を拒絶していた。外国人だが、その言葉の意味は通じた。

若い神父は、ハンドルに顫える指を掛けた。

蒼味《あおみ》のかかった暗い夜の森も、音を立てている川も、薄明りの空も、この女性の情熱を助けないように思われた。

トルベックが感じたのは、この絵画的な情景が一時に暗い荒涼とした風景に変ったことであった。

「かえりましょう」

トルベックは、ハンドルを廻した。その手には、まだ女の感触が残っていた。女の身体に力を入れた手は、その触れた弾力が音楽の余韻のように残っていた。

トルベックは、夢中になって車を走らせ、ダミアノ・ホームに引き返した。

丘の上には、その建物の灯が相変らず輝いている。来る時に、パンテオンの丘みたいな見事さを感じさせた丘陵であった。が、今は荒地の崖《がけ》のように索莫《さくばく》たる風景でしかなかった。

丘の下で、トルベックは自動車《くるま》を停めた。

坂口良子は、そこで降りた。丘陵上の灯が彼女の背中に当って、その輪郭をうすく浮き出した。これは、待ち合わせていた同じ場所である。女は、淡い逆光の中でお辞儀を送った。

「さようなら、神父さま」

坂口良子は、普通の声にかえっていた。

「おやすみなさい」

トルベックは、会釈《えしやく》を返した。いつも云い慣れた日本語の夜の挨拶である。

自動車《くるま》を廻して、元の道に帰ったが、動悸がまだおさまらなかった。むろん、彼女を横に乗せて走っていた時の動悸とは違う。

彼は恐れていた。神への懼《おそ》れと、坂口良子が自分の不埒《ふらち》な行動を他人にしゃべりはしないかという恐れと二重であった。

道は、暗い中にほの白い線を走らせている。

トルベックは、夢中でそれをヘッドライトで辿《たど》った。近い道がいいのだ。教会に早く着きたい。

黒い雑木林の裾《すそ》に、蒼白い夜の靄《もや》が立っている。遅い月が薄明を投げていた。

近道は、農家と小さな住宅街のある間を屈折していた。

右側に垣根があり、植込みと低い屋根があった。昼間、トルベックがルネ・ビリエ師を見かけた家である。ビリエ師の助力者であり共訳者である江原ヤス子の家だと気づいた。

その前を通る時に、植込みの下に小型の自動車《くるま》がひっそりと身を沈めているのが見えた。

家は戸を閉めて、灯一つ洩《も》れない。この家だけではなく、近所がすべて灯を外に見せていなかった。

トルベックは、ルネ・ビリエ師が、今もその家の中で聖書を訳している聖なる労働を眼に浮かべた。激しい自己への憤《いきどお》りと恥ずかしさが、彼の全身を押し潰《つぶ》しそうにした。
自動車《くるま》は、その小道を出て、広い道路にかかった。速力を上げたのは、自分への鞭《むち》が
その動作を衝動的に起させたからである。折りから道を通りかかった人が、愕《おどろ》いて暴走
している車を振り返った。
黒々と沈んだ森の上に、遅い月の出の光を受けた尖塔《せんとう》が見えた。
トルベックは、その下に小型車を走り入れた。
車庫に車を納め、自分の宿舎に入った。誰も咎《とが》める者もない。寝静まった夜で、廊下
を誰も歩かないからである。
この会では、深夜になって廊下を通らない習慣になっている。他の神父たちの眠りを
妨げない心遣《こころづか》いからでもあったが、夜、自室に引き籠《こも》ったまま出ないのが作法であった。
手洗いでも、自室に瓶《びん》を持ち込んで用を足すのである。
トルベックは、靴を抱き、跣《はだし》の爪先《つまさき》で廊下を歩いた。しかし、たとえ、此処《ここ》で誰かに
遭《あ》ったとしても、彼は誰にも咎められることはないであろう。「天主、凡《すべ》てを知り給《たも》う」
の荘厳《そうごん》が、神父に悪事を犯させないものと決められていた。朝の五時に起床し、ミサの
席に間に合えば、ほかの者に何事も詰問《きつもん》されることはないのである。
トルベックは、自室に帰った。
粗末なベッドが一つある。小さな机の上には、紅色《べにいろ》に端を塗った厚い黒革の聖書があ

る。彼は、スタンドに灯をつけて、聖書を開いた。

彼は、本を捧《ささ》げて祈った。まさに過誤を犯そうとしたのである。祈りは、過《あやま》ちのなかったことを神に感謝した。

それなのに、その手にはまだ、女の身体の感触があった。異性の匂いを近々と嗅《か》いだ官能は、その夜トルベックをいつまでも眠らせなかった。


だが、トルベックの毎朝のダミアノ・ホーム通いは、相変らず愉しかった。そこで、ミサをあげ、公教要理を説くことが、最大の歓《よろこ》びであることに変りはなかった。

坂口良子は、トルベックから離れた。しかし、彼女の様子はさして異なっていなかった。やはり彼へ憧憬の眼を向けているのである。そこには、深夜、自動車《くるま》の中で自分を不意に抱こうとした男性への怒りは何もなかった。もはや、トルベックが恐れたような、他人に云い触らすこともなさそうであった。

トルベックは、大胆になった。

このホームの女たちは、坂口良子と同じくらいにトルベック神父を尊敬していた。美男のこの神父に淡い憧れを抱《いだ》いていた。

しかし、トルベックは、坂口良子の経験で懲《こ》りていた。彼は臆病《おくびょう》になっていた。が、同時に、あの不思議な異性の感触も忘れることができなかった。

じっと蹲《うずくま》っている女の身体、その背中に静かに廻している腕。それは、今にも女を抱き締めようとしながら、相手の動作を斥候《せっこう》のように凝視している時間であった。その戦慄《せんりつ》が、トルベックに、疼《うず》くような歓びを覚えさせた。

自分は何もしなかったのだ。ただ女の背中に手を当てがっただけに過ぎぬ。弁解は、どのようにも成り立つ。トルベックに安心を起させたのは、その後の坂口良子の態度からだった。彼女は何ごとも云い触らしはしない。自分も何もしなかったのだ。ただ、彼自身の心が不思議な愉悦に充《み》ちたのである。その愉悦の瞬間が忘れられなかった。

そのことは、彼にもう一度その経験を望ませた。

トルベックは、次の相手に不自由しなかった。ダミアノ・ホームに働いている若い女たちは、誰もが坂口良子になる資格があった。彼が誘えば、暗い森と囁《ささや》き合う川のほとりに来ることを承知した。

同じ場所が選ばれた。それは、トルベックが地理に不案内で、ほかの場所を知らない欠点からだった。が、この欠点は、結果的に彼に幸福を与えた。まことに、その詩的な舞台は、彼が女の背中に手を廻すのに、不自然でない効果を生んだ。

自動車《くるま》の中は、灯一つなかった。外も、自然の夜の薄明り以外には、人家の灯も遠かった。

トルベックの腕は、その女の背中に触れるか触れない所で、たゆたっていた。彼の動悸が暗いところで鳴った。しかし、その音は相手の女の動悸かも分らなかった。

背中に軽く触れた手は、そのままの状態で静止していた。トルベックは、女の様子を見つめていた。彼女の身体が石のようにかたくなっていることが分った。呼吸《いき》だけが激しいのである。

彼の経験は、それだけで腕をこっそり元に戻す場合もあった。その時の様子で、初めから女が恐れ、身体を窓際《まどぎわ》に避けることがあった。その場合、諦《あきら》めなければならなかった。

しかし、うまく行く場合もあった。ためらっている彼の腕は、次の瞬間に、容赦なく女の身体を抱いたものである。

坂口良子の場合のように、彼の顔が女の手で押し戻されることもある。が、彼は以前のように恐れはしなかった。恐れているのは女の方である。身体の顫えが小さな震動となって、暗い中でも、彼の腕に伝わるのである。絶妙な歓びがトルベックの身体を走り廻った。それだけでも彼に奇怪な愉悦を与えた。

トルベックは、毎日がこよなく愉しくなった。

今では、どのようなことがあっても、自分の部屋に帰って聖書を抱き、十字を切ることはなかった。もし十字を切る場合があれば、昂《たか》ぶった自分の胸を鎮《しず》めるために祈るだけであった。むせるような女の体臭と、頰《ほお》に触れて来る女の荒い呼吸《いき》とが、トルベックの血をあとまで騒がせるのである。

ダミアノ・ホームのなかに、斎藤幸子という女がいた。彼女は、決して美人ではなかった。ずんぐりとして背が低い。細い眼をし、低い鼻と、厚い唇を持っていた。しかし、この扁平な顔も、異国の若い神父を敬遠させなかった。この国の婦人の殆《ほと》んどがその特徴なのである。むしろ彼女の細い眼の中から放っている鈍い光が、トルベックの心をときめかした。

斎藤幸子は、神父によってあの絵画的な場所に誘われた。女の丸こい背中にかかったトルベックの腕は、様子を見究《みきわ》めたのちに、強い力で締めつけた。

女は遁《に》げなかった。まるこい背中は弾力があった。トルベックが、もう一つの腕を女の肩に掛けて自分の方に抱きよせると彼女は、顔を反《そ》らせて眼を閉じた。

折りから、薄明りが彼女の赤い頬を照らした。尤《もっと》も、この蒼白《あおじろ》い光線は、ほおずきのような彼女の血色を消し、白い美しさに変えた。

「よろしい?」

トルベックは、低い声で囁《ささや》いた。

子供のように幼稚なこの日本語は、不思議な悠長《ゆうちょう》さを女に与えた。

女が黙っていると、トルベックは、彼女の唇に自分のそれを押しつけた。果実に歯を立ててしゃぶるような吸い方だった。その激しさで女は眉《まゆ》を顰《しか》めた。

ここまでは、トルベックに今まで二人の女の経験があった。

「よろしい?」

彼が云ったのは、次の動作の許容を求める声だった。手が下にすべって、指が女の乳房を揉《も》んだ。これには、さすがに斎藤幸子が声を上げそうになった。しかし、それは身体を少しずらしただけだった。指は乳房の上を這《は》い廻り、柔らかい隆起をゆさぶった。

森は静まり、あたりは、水音が忍びやかに聞えているだけだった。

この道には、誰一人来る者がない。夏になっていたが、草は、坂口良子と此処《ここ》に来た時よりもずっと伸びていた。勿論《もちろん》、人通りもなく、散歩に来る気紛れ者もなかった。だから、夏草の中に灯を消して停っている小型の自動車を怪しんで忍び寄ってのぞきに来る者はなかった。

或《あ》る日曜日の夕方であった。それはかなり蒸暑い晩だった。トルベックは、公教要理の講義を九時前に終った。それ以後、彼は解放されるのである。

毎朝のミサもそうだったが、この講義の後、彼は、以前には、すぐに玄関に出て、自《く》動車《るま》に乗って教会に帰ったものであった。

ところが、近頃では、ミサや講義が終っても、薄暗い聖堂の祭壇からすぐ香部屋代りの小室へ戻り、祭服を脱いで、急いで玄関へ出ることもなくなった。トルベックは、ぶらぶらとその辺を歩き、自分に悉《ことごと》く好意を持っていると思われる保姆《ほぼ》たちに話しかけるのであった。

ところが、その晩、トルベックは、その徘徊《はいかい》のあと、こっそりと斎藤幸子の部屋に行った。

部屋は施設の裏側にある。一室に二人ずつ寝起きするために二つのベッドが置かれてあった。簡素だが、女の部屋である。

トルベックが扉を押して入った時、不意の訪問に斎藤幸子がびっくりして彼の顔を見た。

これに若い神父は、やさしい微笑を向けた。

ちょうど、斎藤幸子は、ベッドの端に腰を降ろし、縫物をしているところだった。一つのベッドは空いている。これは同室者が折りから帰郷しているためだった。

トルベックは、ドアを後ろ手で閉《し》めて、微笑を続けながら幸子の所に来た。

「まだおかえりにならないの？　神父さま」

斎藤幸子は、多少の躊躇《ちゅうちょ》を見せながら、それでもトルベックを歓びの表情で迎えた。

トルベックは、白い衿《カラー》の間に指をさし入れて、暑いという表情を見せた。並んでベッドに腰を掛けたが、これは自然な動作に見えた。

それから、二人の間には、二言《ふたこと》、三言《みこと》の会話があった。話の内容は取るにも足らないことだったが、斎藤幸子は、満足そうな顔をしていた。だから、トルベックの手が不意に彼女の肩に掛っても、別にそれを拒むこともなかった。これまで、暗い自動車《くるま》の中で、何度もそれをされたのである。

「だいじょうぶ？」

トルベックは悠長《ゆうちょう》な声を出した。

斎藤幸子はドアの方に一瞥《いちべつ》を投げた。これは鍵《かぎ》が掛っていないのを懸念《けねん》したからである。

彼女は、トルベックが幼稚な日本語で云《い》った内容を、いつもの通りの動作だけだと思っていた。が、肩にかかった彼の手は、不意に強い力となり、彼女の身体は重心を失って、蒲団《ふとん》の上に押し倒された。あっ、という間もなかった。

尤も、彼女が声を出そうにも、満遍なく彼の唇が彼女の舌の上を圧迫していた。両腕は、のしかかった偉大な体格の下に組み敷かれていた。

幸子は首を廻そうとした。懸念はやはりドアに鍵の掛っていないことである。しかし、その懸念はトルベックに通じない。頸《くび》の動作もトルベックの力で封じられた。

このとき、トルベックは、気違いじみた動作になっていた。これは、今まで唇を吸うことに慣れていた彼に珍しいことだった。

最初、坂口良子の背中を抱いた時の異常な興奮は、その後の彼の経験で狎《な》らされていた。が、いま、自分の顔の下に押し潰《つぶ》している斎藤幸子への情熱は、激しかった。

トルベックはまだ若かった。中世的な宗教戒律が、この青年を鬱血《うっけつ》させていたといえる。日頃の贅沢《ぜいたく》な食べ物が、青年の血を多量にしていた。

トルベックは、真赧《まっか》な顔をし、幸子の唇といわず、鼻腔《びこう》といわず、その小さな眼といわず、大きな舌で吸引した。べとべとした唾液《だえき》が女の顔を濡《ぬ》らし、その脂《あぶら》っこい、異人的な体臭が女を忘我的な陶酔に陥《おとしい》れた。

それでも女は、首を絶えず振った。トルベックの顔がそれを追った。

この追跡の状態は、自然に一つの遊戯になった。その遊戯は絶えずその運動の行なわれている顔にだけ感覚を集中させた。それで、女は、トルベックの一方の手が、自分の身体のどの部分に動作を起しているか分らなかった。

その間にも、トルベックの舌と手は、絶えず女の顔を玩弄《がんろう》していた。

女が気づいて声を上げそうになったのは、自分の足の部分に男の指の感触がじかに当ったことであった。

「あ」

女は、低いが確かに叫んだ。

入口の扉は、鍵こそないが閉じられていた。窓には、トルベックが侵入して来た時に、素早く女自身の手でカーテンが引かれていた。微かにその襞《ひだ》が揺れているが、これは外の微《かす》かな風のせいだった。

音もせず、声も聞えなかった。

女は、組み敷かれた自分が、半身の或る部分の衣服を脱がされたのを知った。

「よろしい?」

切羽《せっぱ》詰まった荒い呼吸の中で、奇妙に悠長な言葉が女の耳をくすぐった。

十一

トルベックと斎藤幸子との間は、ダミアノ・ホームの誰も気づかなかった。

両人の交渉は、秘密のうちに慎重に運ばれた。周囲が気づかなかったのは、神に仕える聖職者が絶対にそのような邪悪を行なう筈《はず》がない、という信念からであった。それに、トルベックは人気があった。斎藤幸子がこの神父に特別な眼差《まなざ》しを投げても、格別に怪しむ者はなかった。ダミアノ・ホームに奉仕しているどの女性も、愛想のいい若い神父に好意を持っていたので、彼女の特別な素振りも、それに紛れていた。

トルベックは、毎朝のミサもそうだったが、日曜ごとの公教要理の講義が格別に愉《たの》しかった。

トルベックは、職務が済んで祭壇を降りても、決してすぐには教会には帰らなかった。彼は、相変らず、いかにも用あり気に、ダミアノ・ホームにぐずぐずと居残っていた。機会を見ては、斎藤幸子の部屋に忍び入り、彼女の身体《からだ》を抱いた。この時間はたいそうな冒険であった。もしも誰かに覗《のぞ》かれたら、生涯の破滅なのである。が、幸いに、幸子がそこに勤めている間、そのような破綻《はたん》はなかった。彼は、いつも彼女を放したあと、十字を切って、跪《ひざまず》いた。一体何を神に感謝し、或《ある》いは祈ったのであろうか。

尤《もっと》も、トルベックが斎藤幸子を抱擁するとき、彼女の部屋は滅多に使われなかった。というのは、同室者の眼があるからである。そのため、たいていの場合、ルノーを駆って森の中に走り込み、二人だけの世界の場所が選ばれた。

トルベックの血は沸《たぎ》っていた。森も、風が訪れる以外には声を立てなかった。川は、仕方なしに始終低い流れの音を続けていた。

此処《ここ》で、トルベックは、斎藤幸子を抱きながら、小さな声で自分の母国の民謡を歌った。しっとりと潤《うるお》いのある佳《い》い声だった。言葉の不案内が、その節廻しの絶妙さに合致して、女の耳を甘やかせ、恍惚《こうこつ》とさせた。

露の降りない季節には、草の上で彼らは抱き合った。夜霧が降りる頃は、灯を消した車内の弾《はず》みのあるシートが利用された。

しかし、トルベックは、絶えず罪を怖《おそ》れていた。幸子に別れてから、例の小径《こみち》を走り、教会に一散に戻ると、己《おの》れの部屋に閉じ籠《こも》った。決って長いこと祈りが続けられた。

けれども、この怖れは、間もなくトルベックの上から去った。なぜなら、斎藤幸子が、結婚のために、ダミアノ・ホームを退職したからである。

彼女は、トルベックに、格別、愛情を持ったのではなかったのかもしれない。或いは、その愛の貫徹を諦《あきら》めたのかもしれない。つまり、所詮《しょせん》、相手は異性に近づくことを許されぬ聖職者だった。女は、彼女の結婚の話が起きると、さっさとトルベックの前から姿を消した。

トルベックは、斎藤幸子が去ると、神に感謝した。まさに危いところで彼は、神の加護を享《う》けたのである。再びこのような過失を犯すまい、金輪際《こんりんざい》、繰り返すまい、と彼は決心した。が、ひとたび未知の果汁を啜《すす》った彼は、夜ごとの寂寥《せきりょう》に懊悩《おうのう》しなければならなかった。

トルベックは、最後の戒律さえ犯さねばいい、と思い直した。それでなければ、どうにも堪えられなかった。それで、彼は、ダミアノ・ホームの女性たちを再びルノーに乗せて、森と川のほとりに行った。

その多くは、彼を控え目にさせた。このようなことに馴《な》れてきた彼は、女の方で彼のしぐさに柔順になるか、拒絶するかを鋭敏に前もって弁別した。数人の女たちは、トルベックに手を握られただけで済んだ。少数の女は、彼に唇を押しつけられて止《や》んだ。もっと少数の女は、彼に抱き寄せられ、胸の辺《あた》りをまさぐられた。

しかし、トルベックが女を抱くのは、なにも小型の自動車《くるま》の運搬方法によらなかった。休息日の夜のダミアノ・ホームは、女たちを解放感に浸らせた。そんな夜、トルベックは、やはりこの建物の中を、足音を忍ばせて徘徊《はいかい》するのである。暗い所に立っている女がいると、彼は手をふいと握った。これは、一応、親愛の表現であるから、女は戸惑いながらも彼に非難を向けなかった。神父はにこにこして、愛嬌《あいきょう》のある眼つきで笑っているのである。

だが、それはトルベックの試験だった。彼女の微笑が神父に対する敬愛でなく、男に対する女の好意と見究《みきわ》めたら、次の機会、彼は女の後ろに忍び寄り、いきなり肩から手を前に出して、抱きついた。

背の高い異国人の手は、女の胸の下まで伸びた。女は狼狽《ろうばい》して胸を防備した。大ていの女が声を上げない。瞬間の羞恥《しゅうち》が人を呼ばせなかった。

「いけませんわ」

低い声で云《い》うのがせいぜいだった。女は両肘《りょうひじ》を当てて胸を押え、掌《てのひら》を顔に掩《おお》って隠した。トルベックの長い手と指は、女の肘を少しずつこじ開けた。力は強いのである。日本人とは違う異人の臭《にお》いが女の頰《ほお》を吹き、耳朶《じだ》に吐かれた。

「よろしい？」

トルベックは、耳もとでささやいた。女の動悸《どうき》が、彼の手頸《てくび》から半身に伝わった。小さい女だったら、彼の大きな腕《かいな》の中に後ろからすっぽりと包まれるのである。

しかし、トルベックは、二度と斎藤幸子のような過失に陥ることはなかった。一つは、女の方でそこまで彼の中に陥らなかったからでもある。一つは、トルベックが危険を感じて、再び前の轍《てつ》を踏まなかったためでもある。

尤も、この二つは、互いに反射し合い、反応し合って、その踏込みがなかったとも云える。もし、女の方で彼に従う気持があれば、斎藤幸子のようにトルベックの腕の中に身を凭《よ》せかけたかもしれなかった。

一方、この頃、トルベックに一つの変化が起った。

それは、グリエルモ教会の会計係に、新しく彼が任命されたことである。前の会計係は、いかなる理由からか、マルタン管区長によって他の教会に移籍された。その後を彼が襲ったのである。

トルベックは、当初、途方に暮れた。帳簿のことにも知識がなかったが、前の会計係が彼に事務引継ぎを充分にしなかったからである。彼の前には、いきなり帳簿と銀行通帳が渡された。

しかし、彼に渡されたのは、その事務上の当惑だけではなかった。ルネ・ビリエ師が、彼を未知の或《あ》る男に初めて紹介したのである。この時、ゴルジ神父も一緒だった。

或る男は、教会に関係のない人物だった。しかし、一面、誰よりも教会に関係があったといえる。その男は、一度も教会のミサの時に顔をみせたことはなかった。奇妙な男だった。仕事は、貿易をやっている、という紹介を受けた。

その男は、豪華なアパートの三階に住んでいた。二部屋を借りきっているから、たいそうな部屋代である。アパートは、外人向きに拵《こしら》えられ、日本人でも余程の収入者でなければ借りられなかった。場所は、都心を海のように見渡せる高台にあった。辺りには、東京で一番美しい杜《もり》が展《ひろ》がっていた。

その男は、三十五、六とも見えた。幸いなことに、トルベックと同じ母国の人間だった。貿易商らしく機敏な動作だったが、瞳《め》が絶えず動いていた。例えば、話をしていても、何かの音を聴《き》くと、電光のようにそれへ走った。普通には聴えない音が、この男の耳には入るのか、あらぬ所に不意に動くのである。豪華な部屋で、話をしていても、そのことに変りはなかった。

その人物は、グリエルモ教会の或る意味の実力者であることを、トルベックはあとで知った。

だが、トルベックは、彼の正体が何者であるか、当初、分らなかった。それが、次第に分ってくるのには、時日を要した。質問しても、ルネ・ビリエ師もゴルジ師も、明瞭《めいりよう》に答えないのである。いずれ君にも納得してもらえる時機がある、と云うのが、二人揃《そろ》っての答だった。

トルベックは、自分の襲った会計係という地位が、グリエルモ教会では特殊な意味のあることを、当分の間、知らされなかった。

それで、或る日、トルベックがゴルジ師から連絡を頼まれて、その人物のアパートに行き、その帰りに、聖書ばかりを売っている書店に立ち寄ったのは、まだ宗教への純真な学究心があったためである。

その本屋の二階で、彼は聖書類の並んでいる棚《たな》の前を歩きながら、これぞと思う本を眼で探《さが》していた。金文字の映《は》える黒革や、真紅《しんく》、青色、黄色などのさまざまの装幀本《そうていぼん》の背が、棚の中に何段にも詰められて並んでいた。

そのような時のトルベックは、ひたすらに神への求道《ぐどう》を希《ねが》う、若い聖職者の意識になれた。

だから、彼が不注意な状態で歩いていて客の肩に触れたのは、咎《とが》むべきではなかろう。突き当った相手がよろめいたので、トルベックは、はっとして身をすさった。

見ると、若い日本の女性だった。細い身体に黒っぽい洋装がよく似合っていた。相手は眉《まゆ》を寄せてトルベックを見たが、それが美しい顔なのである。

彼女は、非難するようにトルベックを見ていたが、忽《たちま》ち微笑に変った。のみならず、彼女の方から彼に軽く頭を下げたのである。

トルベックは恐縮した。

「ごめんなさい。しつれいしました」

トルベックは、お辞儀をして謝《あやま》った。

「いいえ」

若い女性は、首を振ってみせた。それから、屈《かが》み込んで、床に散った本を拾った。

トルベックは気づいたのだが、それまで彼女が手に持っていたのであろう、宗教関係の本が六、七冊、乱れ落ちていた。彼の肩が彼女に触れた時、彼女が手からすべり落したのだ。

一瞥《いちべつ》だけで分った。本は、いずれもトルベックが奉じている会の関係書ばかりであった。

「ごめんなさい」

トルベックは狼狽《ろうばい》して屈み込み、床の本を拾った。その中の一冊には、両方で手を伸ばしたので、指が触れ合った。

若い女は三冊を拾い、トルベックは四冊を集めた。

「すみません」

トルベックはその四冊を重ねて彼女の方へさし出した。彼は長身だが、女も割に背が高く可愛《かわい》らしかった。

「いいえ、わたくしの方が迂闊《うかつ》だったんです。神父さま」

女は、軽く頭を下げて笑った。きれいに揃った歯が白く光っていた。細めた目が黒かった。均斉のとれた身体つきなのである。

トルベックは眉をあげた。

「おお、あなたは、わたくしが、しんぷだとわかりましたか？」

トルベックは単純な質問をしたが、すぐに自分の服装に気づいた。

「ああ、これでわかったのですね？」

彼はネクタイのない白い衿《カラー》と、黒い服を指した。

「いいえ、それだけではありませんわ。お顔を存じ上げているんですもの、トルベック神父さま」

トルベックは、眼をまるくした。

「おお、あなたはグリエルモきょうかいに、いらっしゃるんですね？　ミサのときに、わたくしをみたのでしょう？」

「そうなんですが」

と彼女は云った。

「グリエルモ教会だけではありません。だって、教会には一度行ったきりですもの。よそで、神父さまのおミサに参っておりますわ」

「よそで？」

トルベックは彼女の顔を審《いぶか》るようにのぞきこんだ。

「別の場所ですわ」

若い女はいい直した。

「おお、それでは、あなたは……？」

トルベックは碧《あお》い瞳《ひとみ》をとび出させた。

「そうなんです」

女は微笑をきれいな顔にひろげた。

「ダミアノ・ホームに勤めています」

トルベックは両手を拡《ひろ》げて、深呼吸のときのように掌《てのひら》を回《かえ》した。それから、穴があくほど、彼女の顔を凝視した。不審げな眉をひそめたのは、その次である。

「わたくし、あなたをみたことありません」

普通なら、冗談でしょう、と云うところだった。実際、どう眺《なが》めても、彼女の顔に憶《おぼ》えがなかった。ダミアノ・ホームにこのように美しい女はいない。

女は低く声を立てて笑った。

「ご尤もですわ。お気づきにならなかったのでしょう。わたくし、ダミアノ・ホームに勤めて、まだ三日にしかなりませんもの」

トルベックは、三度目に眼を剝《む》いた。が、今度は歓喜の表情だった。

そりゃ意外だった、少しも知らなかった。あなたがダミアノ・ホームに新しく来たのですか、なるほど三日前からなら、こちらが迂闊《うかつ》に見遁《みのが》したのかもしれない、もっと早く知っていればよかった。——

トルベックが吐きたい言葉はそれだったが、その通りの日本語がすらすらと出ない。不自由なことだった。

「おう、わたくし、しりませんでした。よろしく、ね」

トルベックは深い眼差《まなざ》しを対手《あいて》に投げて笑った。

「こちらこそ。どうぞ、お願いします」

彼女は頭を下げた。香水が匂《にお》ったが、趣味がいい。いまいるダミアノ・ホームの女性たちからみると、格段の違いであった。

「ごめんなさい」

これは、もう一度、本を落させた粗忽《そこつ》を詫《わ》びたのであった。

「いいえ、よろしいんですのよ、神父さま。わたくしこそ失礼いたしました」

「おなまえ、きかせてください。わたくし、C・トルベックです」

「申し遅れました、わたくし、生田世津子です」

「いくた・せつこ、さん」

彼は間違えないように復唱した。

「はい、そうです」

生田世津子は黒瞳《くろめ》勝ちの眼を神父に向けて、うなずいて微笑した。

「いくたさん」

トルベックは、早速、呼びかけた。

「はい、何ですか？」

生田世津子は笑い出した。明るい性格なのである。

「あなた、こんなに、たくさんのほん、みんな、べんきょうですか？」

「あ、これですか」

彼女は、自分で抱《かか》えている七冊の本の重なりに眼を落して、首を振った。

「いいえ、そうではありません。ダミアノ・ホームの園長さんから頼まれたのです。ホームの図書室に備えつけるのです。わたくしが、そのお使いを頼まれました」

トルベックは何度も、大きくうなずいた。外国人だから、所作がすべて大げさだった。

「そのほん、たくさんありますが、どうしてもってかえりますか？」

「電車や、バスがありますわ」

「それは、たいへんです。わたくし、くるまをもっています。それに、のせましょう」

「あら」

生田世津子は眼を輝かせた。

「神父さまは、どこかにご用がおありになるんでしょう? 結構ですわ。わたくし、持てますから」

「だいじょうぶです。わたくしも、ダミアノ・ホームにゆきます。グリエルモきょうかいにかえるみちすじです。しんぱいいりません」

「でも」

生田世津子は躊《ため》らったが、トルベックが彼女の抱えている書籍の山を無理にとったので、それに従うことにした。

「申し訳ありませんわ」

彼女はおじぎをした。

「いいえ、だいじょうぶです」

トルベックは愉《たの》しそうに笑った。笑うと、えくぼが深く、愛嬌《あいきょう》があった。

辞退する彼女を先に立て、自分は荷物を抱えて、あとから歩いた。

外に出てから、自分が先になり、ドアを開けて、荷をうしろの座席に置き、生田世津子を助手台に請《しよう》じたのは、無論であった。

「済みません」

彼女は遠慮そうに坐《すわ》った。トルベックは丁寧に外からドアを閉め、自動車の車体を迂《う》廻《かい》して、反対側から運転台に乗り込んだ。

生田世津子の美しい横顔と、匂い立つ身体《からだ》とが絶えず彼の横に存在していた。それも、車が動揺して、安定を失いそうになると、彼女の身体が傾いてトルベックの片肘《かたひじ》に触れるのである。そのたびに、彼は熱い感覚が腕に走った。

「お上手ですのね」

生田世津子は、彼の運転を賞《ほ》めた。

トルベックは、ひとりで喋舌《しやべ》り出しそうになった。

## 十二

トルベックは、聖書の山を生田世津子のために運搬してやって以来、彼女が忘れられなくなった。

というのは、これまでのダミアノ・ホームの女性たちの誰よりも、彼女は美しかった。彼女にくらべると、斎藤幸子などは召使に同じであった。少なくとも、トルベックにはそう見えた。

トルベックは、ホームに例の行事をしに行くたびに、彼女を眼で探《さが》した。彼女を見つけるのに苦労はない。その女性たちの中で一番きれいで明るい顔をしているのが生田世津子であった。

しかし、トルベックは、急に生田世津子に接近したのではなかった。彼を遠慮させる何かを彼女は身につけていた。そう感じるのは、トルベックに初めて純真な恋心が湧《わ》いたからである。それまでの彼は、このホームに働いている女たちに、衝動的な大胆さで手を握ったり、肩を摑《つかま》えたりしたが、どういうものか、彼女に限って、それが自然には振舞えなかった。

生田世津子は明るいが、控え目な女だった。その点は、日本の女性のしとやかさを身に着けていた。トルベックは、生田世津子に物を云《い》いかける機会を狙《ねら》ったが、以前の調子みたいにはいかなかった。

尤《もっと》も、書籍を運搬してやったお礼は、彼女の方から進んでトルベックに云ってくれた。

「この間は、本当に有難うございました。お蔭《かげ》さまで助かりましたわ」

彼女は、ミサを挙げて祭壇を降りたトルベックに近づき、丁寧な挨拶《あいさつ》をした。美しい微笑は、その瞳《め》や、皓《しろ》い歯からこぼれるばかりだった。

「いいえ、どういたしまして」

トルベックは、胸にときめきを覚えながら応《こた》えた。

「わたくしがしたことは、あなたのためにしたのではありません。かみさまのためです」

トルベックは謙虚な微笑を愛嬌《あいきよう》のある眼許《めもと》にこめた。

これをきっかけにして二人の間が急速に進んだかというと、そうではない。尤も、トルベックには、それを希望する下心が充分にあった。しかし、生田世津子の方で、いつも控え目な場所に立っているのである。

例《たと》えば、ミサや公教要理の講義を済ませて、トルベックが何となく徘徊《はいかい》していても、彼女は、他の女性たちのようにトルベックに進んで接近しなかった。彼が見る生田世津子は、いつも友だちの誰かといっしょだったし、それでなかったら、トルベックが近づく前に、そこから自然なように歩き去るのであった。

これは、彼女が殊更《ことさら》にトルベックを警戒したことにはならない。その証拠に、トルベックと顔を合わせた時、必ずと云っていいほど、彼女の方から優《やさ》しい微笑を送るのであった。

友だちと連れ立っていたのは、まだこの仕事に馴《な》れない彼女が、気弱に先輩に縋《すが》っている感じだったし、トルベックと眼が合っても、急いでそこを立ち去るのは、森にさ迷う小心な小鹿《こじか》が走るのに似ていた。要するに、彼女はここに来てからまだ馴れないのである。トルベックには、これがたいそう純真に映った。

けれども、トルベックは幸福であった。彼は前にも増して、ダミアノ・ホームに行くのに弾《はず》みがついた。彼は神に祈った。が、それはもう以前の暗い祈りではなかった。森林の木《こ》の間《ま》から射《さ》す一条の光条に対《むか》うような希望の祈りであった。

二人は、短い会話を交《かわ》した。

「今日は、神父さま」

「ご機嫌《きげん》いかがですか、神父さま」

「さようなら、神父さま」

彼女は云い、それにトルベックも応えた。

「こんにちは、イクタさん」

「お元気ですか、イクタさん」

「さようなら、イクタさん」

低い声で交すこれらの短い会話でも、トルベックは充分に満足であった。日が経《た》つにつれて、生田世津子の顔は、トルベックにいよいよ輝きを与えた。

けれども、二人の間は、それなりに暫《しばら》くの間は進まなかった。もはやトルベックにとっては、他のいかなる女も興味がなかった。それで彼は前のように、不意に女の手を摑《くる》むこともなく、後ろ肩から手を前の胸乳《むなぢ》に滑《すべ》らすこともなかった。無論、暗い森に自動車《ま》を乗り入れ、女の反応を試《ため》すようなこともなかった。ただ彼の脳裡《のうり》に刻まれたのは、生田世津子だけであった。

しかし、やがて一つの幸運がトルベックの上に齎《もたら》された。

バジリオ会では、春と秋の季節に、日帰りのピクニックをする信徒の親睦会《しんぼくかい》があった。日常生活では何一つ世俗の愉楽を持たない神父たちへの、慰労や感謝の意味も兼ねていたから、この季節になると、この会に属する四つの会の幹部たちは、行楽の目的地を選択するのであった。

四つの会というのは、一番人数が多く、若くて華《はな》やかで、だから、何となしに教会の中心に見える姉妹会。これに、未婚の青年や学生から成る青年会。中年婦人が中心で、教会の経営面で最も実力のあり発言権のある婦人会。最後は、いわゆる信者たちの幹部会で、取り立ててふだんは積極性を示さないが、一旦《いったん》事があると、会員がそれぞれ家長だけに有力な協力ぶりを示す少数の一団であった。

その春は、三浦三崎に行楽地が決った。グリエルモ教会の信者たちは八十八人ばかり、二台のバスに乗って、朝早く、東京を出発した。この時に、トルベックも生田世津子も、その一行に加わった。

トルベックは何と云っても新米の神父であった。信者たちの中に馴染《なじ》みの多い他の神父たちよりも、自然と一人に置かれがちであった。

無論、信者たちは、トルベックを見ては何かと如才なく話しかけた。が、それは通り一遍のお世辞だった。それほど親しくないトルベックに、何の話題も興味もなかった。彼らは、この中で古顔のルネ・ビリエ師やゴルジ師などに群がっていた。

生田世津子も同じことである。彼女もグリエルモ教会では殆《ほと》んど信者たちに知られていない顔だったし、ダミアノ・ホームでも新米だったのである。他の信者たちは、新しい仲間がふえたことを知っていても、彼女を引っ張って仲間に入れるようなことはなかった。この両人の境遇は互いに似ている。

ただ、この一行の中に江原ヤス子がいた。彼女は、ルネ・ビリエ師の横に坐《すわ》り、いかにも公然と談笑し合っていた。もとより、それは咎《とが》むべきではなかった。二人は、聖書の共訳という協力者同士なのである。もしも信者たちに、この二人の男女の仲を疑う者があるとすれば、神に仕える聖職者への冒瀆《ぼうとく》だから、己《おの》れの心を恥じねばならなかった。

江原ヤス子も、一行の中に若いきれいな女のいることを見逃《みのが》さなかった。やはり同性の眼なのである。が、生田世津子のきれいな顔も、恰好《かっこう》のいい姿も、ヤス子には格別な注意はなかった。云わば、同じ教会に来る群衆の一人にすぎなかったのである。人は己れに無縁な間は、どのように自分よりたち勝《まさ》っていても関心のないものである。

この二台のバスが三浦半島の突端の油壺《あぶらつぼ》に着いたのは、ひる前であった。

そこで、八十八人の会員は、幾つものグループに分れて、帰るまで楽しく過すのである。が、これは別に規定されたグループではなかった。親しい者同士が勝手に集まればいいのである。ここでも、トルベックと生田世津子は孤独であった。渚《なぎさ》に貝を拾う者もあれば、岩の上で車座になり、隠し芸をする者もあった。そこからは、城ヶ島行の小さな船が発着するのが見えた。それに乗って島に向う組もあった。帰りの集合は午後四時だったので、たっぷりと一日を遊ぶ時間はあったわけである。トルベックは、独《ひと》りで浜辺を歩いていた。新任の神父の哀《かな》しさには、誰も彼に寄って来る者がない。ここではダミアノ・ホームみたいな訳にはいかなかった。かりに彼に興味を持つ婦人信者があっても、こんなに大勢の眼の前では行動を慎しまねばならなかった。

それに、ここでは彼だけが神父ではないのである。バジリオ会の主立った教会の神父は、信者に取り巻かれ、長い裾《すそ》を風に翻《ひるがえ》しながらゆったりと微笑を湛《たた》えて逍遥《しょうよう》しているのだ。

この同じ孤立的な立場がトルベックと世津子を接近させたと云えるのである。

ところで、江原ヤス子は、ルネ・ビリエ師と肩を並べて、海岸の上の小さな丘を登っていた。ここは、海から離れて山路に入るので、だれもついて来なかった。木も茂り、眺望《ちょうぼう》も展《ひら》けない山の小径《こみち》である。

だが、二人がだれに憚《はばか》ることもなく手を繋《つな》ぎ、その丘の頂の近くに登ると、樹林の切れ目から入江が見えた。

きれい、と江原ヤス子は叫び、ビリエ師と腕を組んだ。

入江には船がある。もし、船がなかったら海とは見えないくらい、小さな湾は静かであった。ルネ・ビリエ師は、江原ヤス子の背に腕を捲《ま》き替えた。

「ごらん」

とビリエ師は指を差した。

入江に向ってなだらかな傾斜がある。そこは二人の足下だったが、茂みの間を降りて行く、黒い聖職服《スータン》と明るいグレーのスーツが見えた。樹《き》の茂みの具合で上半身だけだったが、男は亜麻《あま》色の髪毛をし、女は豊かな黒い髪だった。

「あら、あれはトルベックさんじゃないの、ね、ビリエさん?」

江原ヤス子は、眼を剝《む》いて叫んだ。

「しずかにしなさい」

ビリエ師は、肩によりかかっている女を制した。

「われわれは、みないことにしよう。われわれも、みられたくない」

ルネ・ビリエ師は、静かに道を変えた。

このピクニックからトルベックと生田世津子の間は、急速に接近した。

トルベックが、彼女を自動車《くるま》に乗せて、いつもの夜の森に運んだのは云うまでもなかった。でも、彼は、自動車《くるま》を停めて世津子の反応を試《ため》す必要はなかった。そのことは、美しい湾を眺《なが》める茂みの奥で既に済んでいた。

トルベックは彼女を連れて、せせらぎの聴える川のほとりを歩いた。森は相変らず鎮《しず》まっていた。音も声も聴えないのは前と同じである。違っているのは、ここに生田世津子という別の女が佇《たたず》んでいることだった。

トルベックは、彼女の肩を抱き、唇《くちびる》を吸った。その激しさは、彼女に小さな叫びを上げさせるほどであった。春の草は伸びたばかりで、夜露はまだ降りなかった。草の上にトルベックは彼女を坐らせ、自分も長い足を横たえた。絶えず彼女の身体《からだ》を抱いている彼は、彼女の足を自分の膝《ひざ》の上に揃《そろ》えて載せた。

この時もトルベックは、自分の母国の民謡を唱《うた》った。低い声だが、しっとりとした調子は、異国の歌を情緒的に聴えさせた。森も、草原も、小川も、田圃《たんぼ》も、この陶酔的な情感を扶《たす》けた。

トルベックは有頂天だった。今までの女性とは生田世津子は違っていた。頬の柔かさも、唇の甘さも、その匂《にお》いも、彼には神々の恵みのように思われた。実際、彼から見て、この小柄な女は、悉《ことごと》く食べてしまいたいくらいに可愛《かわい》かった。

生田世津子は何度も笑った。彼女の笑いは、暗い中でも仄《ほの》かに浮かび上った。

「神父さま」

彼女は囁《ささや》いた。

「わたしを愛して下さいますの？」

幸いに、トルベックはその言葉を理解した。

「愛」という言葉は、彼が職業的に何度も口にする単語だった。ただ、この場合、それが職業的な「神」に連なる意味でないことは彼にも弁別できた。

「セツコさん、わたし、あなたがすきです。たいへんすきです」

トルベックは、彼女の柔らかい耳朶《じだ》のそばで云い返した。

「本当？」

彼女は訊《たず》ねた。

「ほんと。うそではありません。わたし、かみにちかっていえます。あなたがすきです」

トルベックは熱をこめて云った。

神に誓って、と確かに彼は云った。神父の口からこの言葉が出た時は、絶対なのである。神は偉大であり、創造の極致であり、永遠である。されば、神に誓う言葉も永遠である。トルベックは、生田世津子への絶対の愛を表現した。

「うれしいわ」

彼女は囁き返した。

ひろい胸に預けている彼女の身体は、トルベックに羚羊《かもしか》のような弾《はず》みを感じさせ、彼の血を沸《わ》かせた。

「セツコさん、わたし、うそをいいません。あなたがすきです」

「愛して下さるのね？」

女は、彼の顔の下で確かめた。

「あいします」

トルベックは、云うなり彼女の頸《くび》を抱《かか》え、その顔中を唇で舐《な》めた。

依然として、そこには音も声も訪れなかった。聴えるのは、不断の川の音だけである。

トルベックの手は、女の頸を抱きかかえ、それを激しく揺すぶった。

「よろしい？」

トルベックは熱い息で訊《き》いた。

この意味を生田世津子は解しなかった。幸いに、日本語に幼稚なトルベックの言葉は、彼女なりに単純な理解を取らせたので、上《うわ》の空《そら》で聞いていた。

「よろしい？」

彼はもう一度訊いた。

その言葉が生田世津子に初めて分ったのは、トルベックに抱きかかえられた自分の身体が、彼の一方の手で剝《は》がれそうになった時である。

「いけませんわ！」

彼女は、その腕から跳《は》ね起きた。それがあまり激しかったので、トルベックを茫然《ぼうぜん》とさせたくらいである。

「いけません」

生田世津子は、立ってスーツを直しながら云ったが、二度目のその声は動作の激しさに比べて案外優《やさ》しかった。

トルベックは、正直に彼女の反抗を受け取った。彼は何を思ったか、草の上に跪《ひざまず》くと十字を切り始めた。その時の祈りの声は、生田世津子に理解できなかった。むろん言葉はラテン語なのである。あの荘厳具《しょうごんぐ》に埋もれている祭壇で聴く呪文《じゅもん》のような祈りの言葉と同じ調子だった。

草に膝を揃えて、トルベックは、何度も十字を切って頭《こうべ》を垂れた。その先には、星が梢《こずえ》の上に懸っている。トルベックの祈りはそれに額《ぬか》ずいて激しい後悔をしているようでもあった。

生田世津子が瞳《め》を瞠《みは》って、それを眺めていた。その次に彼女が呆《あき》れたのは、この異国人が矢で射られた獣《けもの》のように啜《すす》り泣き始めたからである。トルベックは、本当に泣き出していた。

世津子がトルベックの肩を優しく抱いたのは、直《す》ぐその後だった。彼女は、彼の亜麻《あま》色の柔い髪毛を指で撫《な》でながら云《い》った。

「こういう所では厭《いや》ですわ。お家《うち》の中でね」

声には恥じらいがあった。

「おうちのなか?」

トルベックは、新しい言葉に出遇《であ》ったように、眼をまるくして世津子を見つめた。茫《ぼう》乎《こ》とした表情であった。

「ええ、よそでね」

彼女は、うなずいて云った。

「よそで」

トルベックは、草に蹲《うずくま》った姿勢のまま、顔をあげて訊いた。

数日経った夜のことである。

江原ヤス子が、近所から買いものをして帰るとき、ふと、自分の庭の樹の下に、ルノーが停っているのに気づいた。

はじめ、ルネ・ビリエ師が来たのか、と思い、灯を消した車の中を覗《のぞ》くと、女性がひとり、うつむいて坐っていた。暗いのでよく分らないが、若い女のようである。

はてな、と思ったことだった。これは確かに自分の庭の中である。ルノーも、見覚えのあるグリエルモ教会のものだった。尤《もっと》も、ルネ・ビリエ師の車は小豆《あずき》色だが、この車は青色であった。

声をかけたものかどうかとためらったが、どうも知らないひとのようなので、とにかく自分の家の方へ歩きかけた。

そのとき、家の外に立っている背の高い男の影を見た。その男も、ヤス子を見たらしく、歩いて来た。

家の中から洩《も》れるうすい光線で初めて分ったが、これが、この間から、ルネ・ビリエ師に伴《つ》れられて、たびたびやって来るトルベック師であった。

「あら」

江原ヤス子は大きな声を出して、立ち停った。

「ベックさんじゃないの?」

トルベックは小さな声で挨拶《あいさつ》した。

「こんばんは、エバラさん」

「今晩は。どうしたの、ベックさん、今ごろ?」

トルベックは、もじもじしていた。

江原ヤス子は、忽《たちま》ち、ルノーの中にうつむいて坐っている女と、彼とを結んだ。

——ははあ、ベックさん、やってるな。

江原ヤス子は、にやりと笑った。

「自動車のなかにいる女のひと、あなたのお友だちでしょう?」

彼女は遠慮なしに云った。

トルベックは、すぐには返辞をせず、やはり、もじもじしていたが、結局、ええ、と低い声で云った。

「そう、そんなら、あんなところで待たしていちゃ気の毒だわ。こっちへ呼んで上げなさいよ。一しょに、家に入んなさい」

ヤス子は笑いながらすすめた。

「今夜は、ビリエさんは来てないわ」

十三

江原ヤス子は、トルベックと生田世津子を家の中に入れた。

この時にも、江原ヤス子は用心して奥の襖《ふすま》を閉めた。その居間を見られてはまずいのだ。さながらヤミ物資の小さな倉庫であった。

生田世津子は、トルベックに無理に連れて来られた恰好《かっこう》だった。遠慮そうにもじもじしているのを、江原ヤス子は、多少は意地悪気な眼で眺《なが》めていた。

「あなたを前に見たことあるわ」

江原ヤス子は云った。

「ええ、わたし、ダミアノ・ホームに勤めています。おばさまにも教会でお目にかかっています」

生田世津子は、行儀よく坐《すわ》って挨拶《あいさつ》した。

「いいえ、わたしが見たのは教会ではないわ。もっといいとこよ」

生田世津子は、正直に首を傾《かし》げた。

「どこだったかしら？」

「この間のピクニックよ」

「あら、そうでしたわ」

彼女は思い出したように指を頬《ほお》に当てた。

「あの時もお目に掛りましたわね。いつも、ついご挨拶がそびれて、申し訳ありません」

彼女はヤス子に頭を下げた。若いし、その少女めいた動作が、江原ヤス子に軽い嫉妬《しっと》を起させた。

「そうよ。でも、あなたの気がつかない場所で、わたし、見てたの。どこだったか、ご存じ？」

「さあ」

生田世津子は、思案するような眼つきをした。

「油壺《あぶらつぼ》の裏山に登った時だったわ。あんた、ベックさんといっしょに山の中に入って行ったじゃないの。あれからどうしたの?」

江原ヤス子は、ずけずけと云《い》った。

それを聞くと、生田世津子は頰を赧《あか》らめ、困惑した瞳《め》をそばに長い足を組んでいるトルベックの方に向けた。

「あら、ごらんになってたの?」

世津子はヤス子の方に答えた。

「なんでもありませんわ。ただ、あの辺をトルベック神父さまと散歩しただけです」

「何のお話があったの?」

江原ヤス子は、にやにやした。

「聖書のお話を伺ってましたわ。あの美しい景色の中で、神さまのお教えのお話を聴くのは、とても素敵でした」

江原ヤス子は、世津子の答に厚い唇を歪《ゆが》めて別な嗤《わら》い方をした。

「それは二人っきりでよかったでしょうね。ねえ、ベックさん」

トルベックは、すこし困った表情をしていた。まだこういう話に馴《な》れないような顔つきで、ただ善良そうな微笑をしているだけだった。

「ベックさん」

江原ヤス子は、歯痒《はがゆ》そうに呼んだ。

「神さまのお話だったら、山の中でなく、この家《うち》だって出来るわよ。これから時どき、この人を連れて来なさいよ」

「あら、おばさま、これから寄せていただいていいんですか？」

世津子が横から訊《き》いた。

「結構ですとも」

江原ヤス子は大きな声を出した。

「なんにも遠慮することありません。ここは、わたしがビリエさんといっしょに聖書の共訳をしているんでね、その仕事の間は遠慮してもらうけれど、そのほかは、いつでも結構よ」

彼女は若い同性を見ながら云った。

「ありがとう」

突然、二人の話の間に稚《おさな》い言葉が入った。トルベックが、相変らず微笑を浮かべて礼を云ったのである。

この言葉は、女二人の最初の心理的な軽い太刀打《たちう》ちをなだめるのに効果があった。

「あら、ベックさん」

江原ヤス子は、若い神父に向った。

「あんた、さっき、この人を置いて、一人で立っていたが、何の用事だったの？」

「このふくです」

トルベックは、自分の黒い聖職服《スータン》を長い指で摘《つ》まんで見せた。

「ルネ・ビリエしんぷは、ここに、じぶんのふく、あずけています。わたしも、ここできがえさせてください」

トルベックは、軽く頭を下げた。

「なぁんだ、そんなことなの。いいわ」

江原ヤス子は、大きくうなずいて請《う》け合った。

「ルネ・ビリエさんなんかしょっちゅうよ。ここにスータンを預けていて、わたしが、それをクリーニング屋に出してやってるくらいですからね。その服では生田さんとデイトも出来ないでしょう。いつでも預かって上げますよ」

「ありがとう、ありがとう」

トルベックは、続けさまに礼を云った。

「ねえ、ベックさん。これからも、この人を連れておいでよ。ここで待合せをしても構わないわ。そりゃビリエさんがいるけれど、あの人だって教会には黙っているわ。いいえ、わたしがそれを承知させるわ。心配要らないのよ」

それからヤス子は、生田世津子にも眼を向けた。

「生田さん、あなただって気軽にここにいらしてね。わたしもビリエさんがいない時は、いつも独《ひと》りぼっちなのよ」

急にうち解けた様子を見せたものである。

「ただ、近所がうるさいから、気を付けてね。なるべく目立たないように来て欲しいわ」

彼女は眉《まゆ》を顰《ひそ》めた。

「この近所は、こんなんだけども、そりゃ、うるさいのよ。わたしがヤミをしてるとか、ビリエさんの妾《めかけ》だろうとか、いろんなことを云ってるの。だから、前には近所を歩いていたけれど、このごろは、ちっとも外へ出ないの。誰もこの家《うち》には来ないから、あなた、トルベックさんと逢《あ》う時でも、この家を利用していいわ」

江原ヤス子は、しげしげと若い世津子を見て云うのだった。

「あんた、きっと、いいとこのお嬢さんでしょうね。信仰のためにダミアノ・ホームに奉仕してるんでしょ?」

「別にいい家《うち》なんかではありませんけど」

世津子はつつましやかに答えた。

「信仰でダミアノ・ホームに奉仕してるのは、本当ですわ」

「そう、感心ね」

江原ヤス子は年上の貫禄《かんろく》を示して云った。

「今まで何処《どこ》にいらしたの？」

「大阪ですわ。半年前に東京に来たんです」

「へえ」

江原ヤス子は、ちょいと眼を丸くした。

「そいじゃ、東京にはたった一人でいるの？」

「いいえ」

世津子は首を振った。

「叔母さんの家《うち》がこちらにあるんです。それで、そこに一緒にいますの」

「ほう。そいじゃダミアノ・ホームに寝泊りしているわけじゃないのね」

「そうなんです。毎日、通勤しています」

江原ヤス子は、この返辞を聴いて、じろりとトルベックに眼を移した。

「そいじゃ、ベックさん、いつでもこの女《ひと》に遇《あ》えるじゃないの。そりゃホームに寄宿していたら、外出は不便だけど、自分の家《うち》から通勤しているのなら、チャンスは多いわ。あんただって、真夜中に教会に帰っても平気なんでしょ」

江原ヤス子はせんさく好きだった。一度質問を始めると、根掘り葉掘り訊かずにはいられない。彼女はまた世津子に眼を戻した。

「その叔母さんの家《うち》、何かご商売でもしてらっしゃるの?」

「いいえ、義理の叔父が或《あ》る会社に出てるんです」

「あなたの叔父さんだったら、相当のご年輩ね?」

質問者は云った。

「きっと相当な地位でしょ?」

実は、江原ヤス子は、反対の意味でそれを訊いたのである。停年近い年齢の平社員という返事を期待していた。

「いいえ、それほどでもありませんけれど、その会社で、重役をしてますわ」

思わぬ返辞を聴いて、江原ヤス子は、

「へえ、重役? そりゃあんた、大したもんだわ」

と感嘆した。しかし、この感嘆はあまり快いものではない。

「そいじゃ、あんた、働かなくてもいいわね。全くの奉仕ね」

ヤス子は、ことさらに感心して見せた。

「神父さんはね、あなたも知ってる通り、自分のお金を持たないのよ」

世津子が貧乏人でないと分って、ヤス子は、彼女に教えるように云った。

「だから、トルベックさんの不自由なものはあなたが考えて、不自由のないようにして上げるといいわ」

トルベックは、江原ヤス子のこの余計な忠告を、やはり口辺を笑わせて聴いていた。

トルベックが果して自分の金を潤沢に持っていなかったかどうかは、この時までは江原ヤス子には分らなかった。いや、当のトルベックにしても、自分が勝手に使える金が入る身分になろうとは考えていなかったであろう。

彼は新任の会計係だった。しかし、扱う金はすべて公金であった。他の神父がそうであるように、会計係でも、一切の交通費は教会からの支給である。それ以外に自分の金を持つことは許されず、すべてが教会からの現物給与だった。

生田世津子が、数日後に、江原ヤス子の家を訪問したのは、ヤス子の好意を実践したとも云える。

実は、その時、トルベックとそこで落ち合うつもりだった。その前の日に、トルベックが彼女に耳打ちして、ヤス子の家で待つようにささやいたのだった。

木立ちの多いこの界隈《かいわい》に黄昏《たそがれ》が落ちる頃だった。世津子がヤス子の家の門を入ろうとしてふと見ると、庭の木の茂みの中にルノーが隠れるように停《とま》っている。それで、彼女は、トルベックが既に来ているものと直感した。

「ごめん下さい」

世津子は玄関で呼んだ。この時、急に彼女をおびえさせたのがセパードの吠《ほ》える声だった。犬が金網《かなあみ》の中で棒立ちになって、彼女に吠え立てていた。その恐ろしさに、世津子は立ち竦《すく》んだ。

玄関の脇《わき》に小さな窓がある。そこから覗《のぞ》いたのは、江原ヤス子でなく、褐色の髪をした男だった。茶色の瞳《め》で訪問客を見つめている。

これはトルベックではなかった。その顔は半分しか見せないので、さだかに誰だか分らない。

ところで、その小さな窓の顔はすぐに引っ込んで、内で物音がしていた。これは玄関をすぐに開《あ》けてくれるための足音だった。

内側から鍵《かぎ》を外《はず》す音がする。間もなくドアが開いて姿を見せた時、世津子は、あっ、と思った。グリエルモ教会で見つけているルネ・ビリエ神父だった。

世津子は、あわててお辞儀をした。

ルネ・ビリエ師も、世津子の顔を窺《うかが》うように見た。黄昏だったが、部屋の中の灯《あかり》が彼女の顔を射《さ》している。

「おはいんなさい」

ビリエ師は、客が誰だか判《わか》って、にこやかに笑いを浮かべた。掌《たなごころ》を出して内側に請じた。

「あなた、イクタさんですね？」

世津子はもう一度、お辞儀をした。

「さようでございます」

ここで、世津子は逃げ出すつもりだった。が、次の言葉が彼女を引き止めた。

「エバラさんから聞いています。トルベック君も、すぐくるでしょう。まあ、おはいんなさい」

躊躇《ためらい》ののち、彼女は中に入った。ビリエ師は、高い姿を見せて先に入った。

この時、世津子を脅《おびや》かしたのは、もう一頭のセパードが後ろから尾《つ》いて来て、小さな唸《うな》りを上げていることだった。

「怕《こわ》いわ」

彼女は云った。ビリエ師は振り返って、犬を叱《しか》った。セパードは後ずさりした。

「このうちは、イヌといっしょです。かぞくは、エバラさんとイヌです」

ビリエ師は軽口を云い、世津子を安心させようとした。

「おばさまは、今、いらっしゃいませんの？」

世津子は、そこにまだ立ったままだった。ビリエ師が一人だということに微《かす》かな不安がある。

「そこまで、使いにいきました。すぐかえってきます。まあ、おすわりなさい」

ビリエ師は、やさしい微笑で彼女を座敷に落ち着かせようとした。世津子は、そこに仕方なく坐《すわ》った。

「お茶でも、いれましょうか？」

ビリエ師はお愛想を云った。

「いいえ。結構ですわ」

世津子はあわてて止めたが、ビリエ師は立って、コーヒーを沸《わ》かしはじめた。いかにもこの家のことに馴《な》れた動作だった。コーヒー沸かしも茶碗《ちゃわん》も、そのあり場所の勝手が分っている。

「どうぞ」

ビリエ師は、コーヒーを注《つ》いでくれた。

「どうも有難う」

世津子は、それをつつましやかに喫《の》んだ。

世津子のその動作を、ビリエ師は凝《じ》っと見守っている。外国人のことで、無遠慮な眼だった。日本人とは習慣が違うので、世津子は、その厚顔な凝視を気に懸けまいとした。が、彼女が予感するのは、その眼つきが、聖職者のそれでなく、「男の眼」になっていることだった。

不安が彼女にかかってきた。江原ヤス子は帰って来る様子もない。ここに来て三十分近くなるが、ヤス子の足音もなく、トルベックがやって来る様子もなかった。

「おばさまは、まだ遅いんでしょうか？」

コーヒー茶碗を置いて、彼女はビリエ師に云《い》った。

ビリエ神父は椅子《いす》に凭《よ》り掛っている。机の上には、分厚い聖書や参考書が積み重ねられ、原稿用紙が置かれてあった。元から学者だとは聞いていたが、その机を背景にしたビリエ師は、ひどく厳格な存在に見えた。

しかし、やはり生田世津子には微かな怖《おそ》れがある。密封された部屋の中で対《む》い合《か》っていることに不安があるのだ。

「あの、わたし、ここで失礼しますわ」

彼女は思いきって云い出した。

「もう、エバラさんも、かえってきますよ」

流暢《りゆうちよう》な日本語で、ビリエ師は宥《なだ》めた。

「トルベック君も、すぐにくるでしょう。あなた、そういうやくそくだったんでしょう？」

生田世津子は、不安の中でもその言葉に顔を赧《あか》らめた。

ビリエ師と江原ヤス子とは、聖書翻訳の協力者だった。ビリエ師がそういうのは、きっと江原ヤス子から自分のことを吹聴《ふいちょう》されているにちがいなかった。

「ええ、トルベック神父さまに、聖書のお話を伺う約束してたんです」

彼女は仕方なしに応《こた》えた。

「そりゃいいことです。トルベック君も、あなたに、そのはなしをすることで、にほん語が、じょうたつすることでしょう」

それが皮肉かどうか分らなかった。が、とにかく、ビリエ師が好意的だったことは確かである。

二人は、それから三十分も坐っていた。その間に、世津子は、何度ここを出ようとしたか分らなかった。が、その都度、ビリエ師はいろいろなことを云い出して引き止めた。まるで客あしらいの巧《うま》い中年の女のように、世津子が去りかける機会を抑《おさ》えるのであった。

ようやく、四十分ののちに、靴音が聴えた。戸の開け方で、それが江原ヤス子だと分った。犬も吠えないのである。

「あら」

江原ヤス子が襖を開けて突っ立った。世津子を凝っと見たままである。

「あんた、来てたの？」

生田世津子はほっとした。彼女は身をずらしてお辞儀をした。

「お邪魔してます」

「いつから?」

江原ヤス子が、世津子とルネ・ビリエ師とを見比べるようにした。その眼は穿鑿《せんさく》的だった。

「三十分ぐらいですわ」

世津子が答えた。

「そう」

江原ヤス子は、世津子の前に置かれているコーヒー茶碗を見た。

「ビリエさん、あんた、コーヒー出したの?」

ビリエ神父は笑ってうなずいている。これは心なしか、今まで世津子に向けていた眼とは別に、ヤス子の様子を窺うような、多少、機嫌《きげん》を取るような顔だった。

「イクタさんが、あなたのるすにみえたのでね、わたくしが、お客さまの、おもてなしをしました」

江原ヤス子は、厚い唇を開けて嗤《わら》いを洩《も》らした。

「あんた、女のお客さまのおもてなしが、お上手なのね」

# 十四

それから二時間後だった。

生田世津子は、トルベックと肩をならべて、夜の静かな街を歩いていた。静かだが、なまめかしい街である。ネオンを掲げた旅館の多い界隈《かいわい》だった。両側は、長い塀《へい》が続き、屋根は、その囲いの中に蹲《うずくま》っていた。ネオンだけがどの屋根の上にもあがっていた。

暗いが、どこか華やかな雰囲気《ふんいき》が風のように流れていた。

トルベックは、ルノーを目立たぬところに置き、灯を消した。

彼は、派手な柄のネクタイを付け、明るい色の背広を着ていた。誰の眼にも、陽気なアメリカ人としか見えない。彼は、生田世津子の背中に手を回し、ゆるやかにこの通りを歩いていた。背が高いので、少し猫背になり、屈《かが》み込むようにして彼女にささやいている。

生田世津子は、多少、不安そうだった。静かな道でも、人通りは皆無ではなく、それも、この界隈は決ってアベックが多いのである。そんな組に往《ゆ》き合うたびに、生田世津子は顔をうつむけた。

幾つかの暗い、静かな通りを歩いた。二人とも、何かを探しているような眼つきだった。この街は、一劃《いっかく》を過ぎても、また同じような一劃が続いた。商店は、めったに見られなかった。界隈が落ち着いた邸町《やしきまち》の様相だった。

電車の音が近くで聞えた。家の切れたすぐ裏を、灯を長々と連ねた国電が走っていた。ある箇所まで来ると、賑《にぎや》かに灯《とも》を点した駅のホームが見える。あたりが暗いので、あたかも海に浮かんだ汽船のようだった。

「疲れたわ」

と世津子は呟《つぶや》いた。

「引き返しましょうよ」

それにトルベックが低い声で答えた。彼は、このまま帰るのは不賛成だ、と云《い》った。

二人の彷徨《ほうこう》はつづけられた。同じ道ではなかったが、方角は同じ邸町だった。煉瓦《れんが》の塀もあれば、コンクリートの白い塀もある。トルベックが見上げるのは、決って一つの標《しるし》の付いたネオンだった。

なだらかな坂にかかった、一方に学校でもあるのか、草地の斜面が続いていた。が、片側は、やはり長い塀を繞《めぐ》らした家々の俯瞰《ふかん》である。無数のネオンが、夜空に静かに息づいている。風があった。

生田世津子は、トルベックの腕に凭《もた》れかかっていた。通行人が振り返ったが、別に珍しい風景ではない。このような組合せは普通だった。ただ、女の方が顔を背《そむ》けて神妙なのが妙に思われたくらいだった。服装も地味だし、それほど大胆な脚《あし》どりではなかった。

ただ、ネッカチーフで顔を包んでいるのだけはほかの女と同じである。生憎《あいにく》と、トルベックにはむつかしい日本の象形文字《しょうけいもじ》が読めなかった。気に入った看板と見たのは、ネオンに或《あ》る植物の花が図案になっていたからであった。

トルベックは、その花卉《かき》が日本の尊い象徴であるのを知っていた。というのは、彼が神学校時代、その学校の応接間に、日本の高貴な御方の写真が掲げてあり、それにも同じ模様が装飾されていたのを覚えていたからである。

「ここもホテルですか?」

トルベックは、横に歩いている世津子に質問した。

「そうですわ」

世津子は、ちらりと、暗い空に耀《かがや》いている灯の模様を見て、答えた。

「ここがいい」

トルベックが云ったのは、その花卉の模様が気に入ったからかも知れない。

「なまえは、なんというんですか?」

生田世津子は、その旅館の名前を教えた。それもその名前の一字が花だった。高尚な花である。

二人は二本の幹でしつらえた門の前に進んだ。門の中は庭石が続き、石燈籠《いしどうろう》が立ち、何処《どこ》からともなく射《さ》す仄《ほの》かな照明が地面の打ち水を光らせていた。

庭の正面には、深山幽谷を思わせる自然石が、重なり合っている。見るからに落ち着いたホテルと思われた。

尤《もっと》も、旅館に入るまでには、生田世津子の方で躊躇《ちゅうちょ》を要した。例えば、奥の方から靴音が聞えてくると、彼女は、忽《たちま》ち、足を速めて逃げ出した。トルベックが追って来て、何が起ったのか、と訊《き》いた。

「だって、人が来るわ」

世津子は、早口で答えた。

「ひと？　セツコさんの知ってるひとですか？」

世津子は、低く笑った。

「バカね。顔を見られたら、神父さまも、いやでしょ？」

トルベックは、細心な女だ、とうなずいた。

その通りだった。此処《ここ》でトルベックの正体を信者にでも見られたら、一大事だった。宗律は邪悪を認めていない。まして聖職者は一生女を知ってはならなかったし、不犯《ふぼん》の生涯を規定されている。

しかし、トルベックは、過去にそれを破った。神は偉大であり、総《すべ》てを知り給《たも》う。が、神は彼の破戒を必ず宥《ゆる》し給うであろう、と信じられた。森を走り回る若い鹿《しか》は、時としては棘《とげ》に疵《きず》つきうずくまることがある。

彼はその棘を自ら突き立てようとしている。その疵の疼《うず》きは、負傷した鹿のみが知る快さであった。

生田世津子は、この若い神父を初めから好きだった。だから、彼に連れられ、夜の深い森のある場所、小川のほとり、草の萌《も》える上で、抱擁されたとき、限りない歓《よろこ》びを感じた。彼の瞳《め》は清純だったし、態度は優《やさ》しかった。言葉が不自由なだけに、その稚《おさな》さが可憐《かれん》だった。

しかし、トルベックから或ることを動作で要求されたとき、彼女は、

「よそでね」

と思わず云ってしまった。

よそで——その時は、夜の草原でそうするのが羞恥《しゅうち》だったのである。誰かから見られているような気がしてならなかったし、草のそよぎも彼女の肝を奪った。

ところで、毎朝、おミサを上げるときの威厳に満ちた彼の態度、公教要理を説くときの彼の真摯《しんし》な姿、それらが生田世津子には堪《たま》らない憧憬《どうけい》となっていたから、彼の申し出はまるきり嫌悪《けんお》ではなかった。

これまで、彼女にも幾つかの恋愛の経験があった。かつての愛人たちにないものがこ

の異国の若い神父にあった。その優しさと、神への純真さと、日本人と違って、自分に注がれる熱っぽいまなざしが、彼女の気持を夢のように陶酔させた。亜麻《あま》色の美しい髪と深い水を見るような蒼い瞳《あおめ》とが、その夢を助けた。

よそでね、とそのとき囁《ささや》き返した言葉が、彼女に今はどうにもならない仕儀となった。トルベックがこの界隈にルノーを乗り入れたときから、それは覚悟せねばならなかった。

彼女も信者だし、聖職者がそのような破戒的な行為をすることの邪悪を知っていた。が、女性にとっては、罪悪は時として魅力である。自分のために厳格な宗律を破る男にかえって心を奪われた。あらゆる女性がそうであるように、彼女もまた、男の行動を自己本位に解釈していた。意識しないが、女は生贄《いけにえ》になる時でも総て利己的なのである。

とうとう、二人は濡《ぬ》れた庭石を歩いた。それは玄関まで曲りくねっていた。庭は、高貴な人の住居のように美しい配置だった。

はじめて、灯のあかるい玄関に立った。

女中が出て来て、お辞儀をした。

生田世津子は、トルベックの背の高い身体《からだ》の後ろに、半分隠れるようにした。が、言葉の不自由なトルベックは、自然と通訳を世津子に頼まねばならないと考えていた。こんな場合の言葉を、彼も知らない。日常の挨拶《あいさつ》にない言葉である。

しかし、羞恥に縮まっている生田世津子が話すことはなかった。女中の方で心得て、勝手に磨《みが》きのかかった式台にスリッパを揃《そろ》えたものである。

トルベックは、世津子を抱えるようにして上げた。

長い廊下を背の低い女中が歩いて行く。普通の旅館にないことは、その動作がひどくサバサバとしていたことである。

角を幾つか曲った。

女中は、或る部屋のドアを開けて、二人を見返した。

部屋は狭かった。すぐ眼に映ったのは、寝台がいやに大きく場所を占めていることである。二つの応接椅子《いす》があったが、ほんの申し訳程度に縮まっていた。造り付けの洋服ダンスも、壁に掛っている絵も、壁の色も、すべて安物で、寒々としていた。

女中が入って来て、茶を置いた。

「お泊りでございますか?」

髪毛の縮んだ、鼻の低い女中は、無遠慮に生田世津子を見た。

「いいえ」

世津子は、小さい声を出した。

その女中は、黙ってうなずいた。或いはお辞儀したのかも分らない。

次に、女中は、風呂場《ふろば》の位置やトイレの場所を教えた。それから、ドアを外から閉めたが、その響きは世津子の心に拡《ひろ》がった。

いいえ、と云ったのは、泊る意志でないことだった。曖昧《あいまい》な意志だが、世津子は、此処に来て、トルベックと話だけして帰るつもりだった。眼の端には、否応《いやおう》なしに赤い蒲《ふ》団《とん》が入っていた。枕許《まくらもと》にスタンドが置かれてあるが、その鈍い明りがまぶしかった。

トルベックは、暫《しばら》くもじもじしていた。出された日本茶は、彼にはなじめない。起《た》ち上って歩き出したが、もとより、彼の落ちつかない低徊《ていかい》には場所があまりに狭すぎる。

不安な時間だった。生田世津子はふるえていた。トルベックの往復する跫音《あしおと》がいつとまるのか、と思った。とまった瞬間の想像が彼女に襲いかかる。

そして、現実にその跫音は停った。

だが、それは、世津子に背後から襲いかかるのではなかった。声がしたので、彼女が振り返ると、トルベックが上衣《うわぎ》を脱ぎかけて、洋服掛にかけているところだった。

世津子と眼が合ったとき、トルベックの方で、例のやさしい微笑を顔に拡げていた。

生田世津子は、トルベックの腕《かいな》のなかであやされていた。臥所《ふしど》は身じろぎするたびに軋《きし》った。

すべての光を消し、枕もとだけにうすい明りがついていた。ともし火をともして、うつわでおおったり、寝台の下においたりはしない、入ってくる人にその光が見えるように、燭台《しょくだい》の上に置く、というが、ここでは入ってくる人のために光を見せる必要はない。ともし火は、臥所の両人《ふたり》だけのためにともっていた。

その光にうつし出されたトルベックの髪は、萌《も》え出《い》でぬ前の早春の草のように黄色で、柔く、乱れていた。蒼い瞳は深々と色を沈めて世津子をのぞきこむ。眼の隅《すみ》には細い梢《こずえ》のように血脈が浮いていた。

胸も広いし、腕も肥えていた。胸には起伏があり、正中線に沿って黄色の毛が群がっていた。世津子を抱いている腕には、静脈が太い線で浮いて走っていた。指にも黄色い毛が生《は》えていた。

世津子は身体を固く縮めていた。それをときほぐそうとして、トルベックは絶えず彼女をあやしていた。彼は、一方の腕を彼女の頭の下にさし入れ、長い指で彼女の髪を撫《な》でていた。

世津子の顔は濡れていた。泪《なみだ》ではなく、彼の唇が絶えず彼女の顔じゅうを濡らしていたのであった。彼女のまくれた唇と鼻の間はべとべとに光っていた。その彼女の鼻翼《こばな》はせわしない呼吸《いき》をつづけていた。

トルベックは、絶えず世津子をあやしていた。長い指は髪をまさぐり、頬をこすっていた。彼は、たえまなく彼女に囁きつづけていた。

彼の言葉は、時として彼の母国語になった。しかし、静かなトーンが、彼女の耳にその意味を伝えた。

川のせせらぎは、話し言葉を持たない。しかし、聴いている者の気持で、或《ある》いは歓《すすりな》き、歓びを訴え、怒りを囁く。トルベックのささやきがそうだった。言葉が分らないままに意味だけは彼女の深い所に伝わった。

彼は、絶えず彼女の顔をいじった。そのことのために、彼女自身は、他で何が行なわれているか気が付かなかった。

「よろしい？」

トルベックは囁いた。

その声が小さかったので、よく聴えなかった。彼女は、耳鳴りがしていた。

トルベックは、もう一度、その言葉を繰り返した。

今度は大きかったので聴えた。彼女は、自分の五体を顫《ふる》わせていた。その戦慄《せんりつ》の中に、トルベックの手が辷《すべ》り降りた。指は彼女の衣服を剝《は》がしにかかっていた。彼女は防禦《ぼうぎょ》した。が、絶え間なくトルベックの指は動いていた。一方では頬に当る彼の唇は、一層に激しくなっていた。

「灯を」

彼女は、口の中で叫んだ。

彼女は心の明りを求めたのかも知れない。トルベックの手が伸びて、枕もとの薄い光を消した。それでも、部屋は暗黒にならなかった。仄かな光線が何処からとなく洩れていて、薄ぼんやりと人のかたちを見せていた。

窓に風が鳴った。

「ベックさま」

世津子は、トルベックの手を押えて、顫え声で訊いた。

「愛してくださるのね？　これっきりではないでしょ？」

トルベックにその意味が分った。彼は、手を彼女の顎《あご》の下に当てて、顔を仰向けさせた。その上に自分の唇をおしつけて、存分に吸った。

「あなたがすきです。とてもすきです。わたしのこころは、かわりません」

トルベックは含み声で答えた。

「きっと、ね」

彼女は、必死に念を押した。

「ウソはいいません。ちかってもいいです」

トルベックは、思わず十字を切った。

世津子が、自分で彼の広い胸に顔を押し当てたのは、それからで、激しく沸《な》きはじめた。

その歔《すすり》き《な》の間に、彼は自分の動作を大胆にした。女は微《かす》かな抵抗を、そのつど見せていたが、前ほどに強くはなかった。その小さな抵抗は、涕《な》きじゃくる彼女の顔をあやすように、彼が少しずつ取り除《の》けて行った。

世津子は、幻視を見た。小羊が封印の第一のを切ったとき、雷鳴のような声で、近寄れ、と云うのを聴いた。彼女は、白い馬が現われるのを見た。第二の封印が切られたとき、第二の動物が、近寄れ、と云うのを聴いた。そして、もう一頭の炎のような色の馬を見た。第三の封印のときは、近寄れ、と云う三度目の声を聴いた。彼女は、天の星が、いちじくの木が、大風に揺られて青い実を落すように地にはらはらと落ちるのを、やはり幻視の中で見た。

幻視は幻聴に変った。

そのことがあってから、トルベックと生田世津子との間は、俄《にわ》かに親密の度合を加えた。

もはや、ダミアノ・ホームの垣間見《かいまみ》だけでは満足できなくなった。ホームでは、他人の眼が多いし、夜、森のほとりに出かけるのにも限度があった。毎日、語らいがしたくなった。

トルベックは、毎朝、四十分くらいは早く起きた。これは彼女の家の近くまでルノーで迎えに行くためだった。

グリエルモ教会から、ダミアノ・ホームに行くには、あの雑木林の多い道を一散に走るのだが、彼女の家はまるきり違った方向に在ったので、ひどい廻り道をしなければならなかった。そのため、たっぷりと四十分は余計にかかった。朝が早いので、車はそれほど混んでいなかった。それでも、長い時間がかかった。

ルノーは、田舎道《いなかみち》をよぎって、街の方へ走った。

街を通り抜けると、折目正しい森林の地域に出た。

生田世津子は、その崇高な杜《もり》に近い道の上で待っていた。トルベックは手を振り、車を彼女の立っている前にすべらせて停めた。

「おはよう、セツコさん」

「お早う」

生田世津子は、いそいそと車に乗り込んでくる。トルベックは、彼女の注意で、黒い眼鏡をかけていた。

トルベックは、朝の寒い風に髪をもつらせ、ダミアノ・ホームまで一直線に走った。急ぐことはなかった。ふたりは、話を交《かわ》す時間が必要だった。

彼女は運転している彼の傍《そば》に密着し、絶えず何かを話しつづけた。話さないではいられなかった。そのため、他愛のない話題を探さねばならなかった。

トルベックは、やさしい微笑を絶やさなかった。彼は短い言葉で応《こた》えたが、それで満足できないときは、ときどき、車を静かな道の傍にとめねばならなかった。

それから、ダミアノ・ホームが近くなると、彼は、世津子をこっそりと車から降ろした。彼女は、降ろされた場所に立ち、あたりを憚《はば》かるように彼に手を小さく振った。彼がそれに応えて走り去るのを見届けて、彼女ははじめて歩き出すのであった。

彼女の後ろ姿は仕合せそうだった。

十五

トルベックと生田世津子が、ひと時の憩《いこ》いをとった旅館は、すぐ近くが風致地区である。

宏大《こうだい》な地域にわたって美しい杜が展《ひろ》がっている。その杜の南側に、一本の美しい道が走っていた。幹線道路なので、電車こそないが、バスや自動車は川のように始終流れ交う。その道路がもう一本の道路と交叉《こうさ》した地点は、また一段ときれいである。銀杏《いちょう》の並木が直線に道を挟《はさ》んで両側に並び、東京風景の絵葉書には必ず一枚入るほどだった。

その一劃《いっかく》に近代的なアパートがある。東京じゅうでこれくらい高級なアパートはない、と云《い》われている。日本の有名な女優が一部屋を借りていることでも、高価なことが知れよう。アパートは三階になっていた。

気取屋の女優は別として、其処《そこ》を借りているのは、日本人は殆《ほと》んどなく、たいていが外国人であった。その中で、S・ランキャスターというイギリス人がいた。尤《もっと》も、彼が実際にイギリス人かどうかは判《わか》らない。

彼は貿易商と称していた。一部屋でも眼が飛び出るほど高いのに、二部屋続きをずっと占領していた。

彼は三十五、六くらいに見えた。頑丈《がんじょう》な体格で、いかつい顔をしている。髪はいつも手入れが届いているが、鬢《びん》の方が白くなっている。英国人を称しているから身だしなみはいい。いつもきちんとした服装をしていて、同宿の人へも愛想はよかった。

この英国人は、都心のビルの事務所に同国人と称する若い女秘書と事務員二人を使っていた。アパートは、彼の居宅だから、その秘書がときどき訪《たず》ねて来る。金髪のきれいな娘である。

尤も、此処《ここ》を訪ねて来る人間は、そうやたらにいない。

客はみんな外国人だが、その中に、ルネ・ビリエ師やゴルジ神父の顔があった。こういう場合の神父は、背広姿である。彼らは、いつの頃からランキャスター氏と往来が始まったのであろう。実は、古いことである。

このS・ランキャスター氏は、一年じゅうこのアパートに必ずしも居る訳ではなかった。彼は旅行を始終する。商用である。

その出張も長い期間にわたった。

ランキャスター氏は、香港に行くこともあればマニラに行くこともある。カイロにも行けば、時としては朝鮮に出かけることもあった。

彼の貿易は手広いようである。

このランキャスター氏が出張に出発する前と、帰った直後には、ゴルジ神父とルネ・ビリエ師が頻繁《ひんぱん》にアパートに顔を見せにくる。ランキャスター氏は熱心なバジリオ会の信者とみえた。

しかし、神父たちが来ると、ランキャスター氏は表の扉《とびら》を固く閉ざし、奥まった部屋の一隅に互いの身体《からだ》が触れ合うほど接近して、低い声で話し合う。内容は、当事者だけのことで、むろん、誰にも分らない。

不思議なことだが、この場合は、ランキャスター氏の態度が神父たちの主人であった。少なくとも様子ではそう見えた。

バジリオ会では、いかに身分の高い者でも、信徒となれば神父の下につく。だからランキャスター氏の場合、位置が顚倒《てんとう》して見えるのは不思議であった。

この会見は、多く夜が選ばれた。

神父たちは、自分の自動車《くるま》を、広壮なアパートの横にこっそりと駐車させると、辺《あた》りを窺《うかが》いながら、アパートの厚いガラス戸を押して入る。此処では、なるべく人に顔を見られないように、さし俯《うつむ》いて広い階段を昇るのであった。エレベーターはない。大理石の床《フロア》に靴音を忍ばせて、三階まで昇り詰め、二十六号室のドアを低くノックする。すると、ドアの横手に小さな窓があり、眼だけが先に覗《のぞ》いて訪問者を確かめる。それから初めて、内で微《かす》かな金属性の音がして、ドアが主人によって半分開かれるのであった。客は、そそくさとその中へ消える。昼でも静かなアパートであった。夜は、ラジオの微かな音楽がどの部屋からか洩れる以外、空洞《くうどう》のように静かなのである。

S・ランキャスター氏。――

この名前を憶《おぼ》えておくがいい。グリエルモ教会が何年間か、或《あ》る意味でこの男に操縦されてきたのである。勿論《もちろん》、宗教には関係のないことでである。新任会計係トルベックが此処を訪ねて来たのは、最初、ゴルジ神父に連れられてであった。

グリエルモ教会の歴代の会計係がそうなのである。

トルベックも例外ではない。

トルベックは、会計係になって、ようやく帳簿の操作が分りかけた頃であった。ここで不思議なことがある。グリエルモ教会では、どういうものか、前任者は後任者に仕事の引継ぎをしなかった。だから後任者は苦労なことである。

しかし、後任者は、進んで前任者から仕事を教わろうとしなかった。奇妙な風習だが、彼らは、前任者が去ったあと、誰彼となく前任者の悪口を云い触らすのである。謙虚と温順と友情がバジリオ会の教旨である。が、神父たちはまるで反対のことをした。トルベックにしても、やはりその一人である。彼は、グリエルモ教会に働いている従業員に向ってさえも、前任会計係の帳簿の不備を罵《ののし》り、その仕事の散漫さに唾《つば》を吐くのであった。

さて、読者は、戦後まもなく、グリエルモ教会が、アメリカから寄贈されてくる砂糖の山を倉庫に抱《かか》えていたこと、さらに、その砂糖が、当時の統制経済の法律を破って密《ひそ》かに業者にヤミ売りされていたことをも記憶されているであろう。

それは、これらの砂糖を各教会に分配するよりも、半分を業者に渡して、その資金で教会の復興に充《あ》てた方が、もっと布教の上で効果があることを神父たちは発見したからだ。彼らは砂糖の横流しを罪悪と思っていなかった。尊い会の布教の上には、一野蛮国(バジリオ会では、日本は野蛮国並の布教国なのである)の些々《さ さ》たる法律など問題でなかった。教会を復興し、布教に役立たせるという大義名分の上から、それは当然宥《ゆる》されることと考えていた。

最初はそれだった。

しかし、砂糖の横流しは、技術的に、素人《しろうと》の手で出来ることではない。その道の専門家が必要であった。布教のためには、或る程度、手段を択《えら》ばない方法を、バジリオ会では、これまで採ってきた歴史がある。

砂糖の横流しは、はしなくも日本官憲の探知するところとなった。検挙の手が伸びようとした時、同じ信者の有力者によってどうにか揉《も》み消された。有力者と云っても、教会内ではなく日本の行政的な上層部の地位にある人である。序《ついで》に云うならば、名門の婦人から取り入って布教するという方法は、すでに五百年の昔に遡《さかのぼ》るであろう。戦国大名の家庭を想《おも》い出すとよく判る。

それはともかく、砂糖のヤミ一件は、どうにかグリエルモ教会に迷惑をかけずに済んだ。一人の信者がその犠牲者となったのである。犠牲は敢《あえ》て愕《おどろ》くに当らない。迫害と犠牲は、そのままこの会の歴史であった。

しかし、「専門家」はそうはいかなかった。

最初、グリエルモ教会では専門家を利用したつもりであったが、その縁を切ることが出来ず、遂《つい》に、現在では専門家が勢力的な主人となったのであった。

——読者はまた、その初めの頃に、マルコーニ神父とゴルジ神父とが二人連れで、しばしば外出していたことを思い出されるであろう。その行先は、芝浦の倉庫街であり、トラックへの積荷の監察であった。

ところが、いつの間にか、これに同伴者が出てきた。

同伴者は、こっそりと彼らのそばに並び立つ。

取引きはさらに拡《ひろ》がった。無論、砂糖のみでは役に立たなくなってきた時代である。読者の中には、物資の窮乏の最中に、多くの甘味品がヤミで取引きされた事実を回想される人も多いであろう。

いや、砂糖のことだけではない。有名な老舗《しにせ》から、戦争前と変らぬ甘い羊羹《ようかん》や洋菓子や、その他さまざまな甘い物が密かに出廻っていたことを知っておられるであろうか。

グリエルモ教会が流したのは砂糖だけではなかったのだ。商売は次第に巧《うま》くなってゆき、砂糖をそれらの菓子舗に流して加工製品で現物取引きをすることが多くなった。利潤は、その方がはるかに上回るのである。

最後に、もう一つ読者の記憶を求めねばならない。

敗戦後、アメリカから、ララ物資として多くの衣料品が、戦災児童を対象として送られて来たことがある。それは多く宗教団体の手を経て配布されたのである。ところが、その中古品の衣服の裏地と表地の間に何が入っていたかを想像された方があるであろうか。

それらの衣服は、教会に到着すると、一室を閉めきった中で密かに解きほぐされ、中の物を取り出し、再び縫い合わされて配布に廻された事実がある。

問題は、その内容品である。洋服の裏地と表地の間に縫い着けられて外部から気づかれない物。したがって重量の軽い物。そして、それほどの面倒をかけても割に合う物。

つまり、それほど高価に売れる品である。

S・ランキャスター氏は貿易商である。

しかし、ララ物資の中古衣料の間に挟《はさ》まっていた同様な物が貿易商ランキャスター氏の取扱い製品だったら、どうだろう。

グリエルモ教会の歴代会計係が、暮夜、密かに、豪華なアパートに人目を忍んで入って来る理由は何であろう。

トルベックは、S・ランキャスター氏をしばしば訪問した。

この時も、あの黒い聖衣《スータン》を脱いで、平服に着替えて出かけるのである。着替えの場所は、江原ヤス子の家が利用された。

ランキャスター氏自身は、決してグリエルモ教会に来ることはなかった。連絡は総《すべ》て教会側から出向かねばならないのである。これは、ランキャスター氏がなにも教会へ行く労力を惜しんだ訳ではない。教会の方で来てもらっては困惑するからである。

尤も、必ずしもランキャスター氏と教会との直接交渉ばかりではなかった。その間に、数人の日本人がいた。彼らはバジリオ会の信者だった。

信者だから教会に出入りすることは当然だし、奇妙ではなかった。

その他には、電話連絡がとられた。

グリエルモ教会の電話器は、事務所に一つと、二階の管区長室に一つある。電話が鳴ると、必ずと云っていいほど神父が受話器を把《と》った。もし、そこに日本人の事務員が居て、それを把ろうとしようものなら、急に、傍《そば》から長い手が伸びて受話器を奪われるのである。

話は、トルベックの母国語で交された。

その通話が始まると、日本人の使用人たちは遠くに追いやられた。

神父は、受話器を掌《てのひら》で囲い、ぼそぼそと低い声で話すのである。時としては、それに暗号めいた単語が入ることがある。

ところで、トルベックは、そのような「仕事」をする一方、やはり生田世津子との交渉を重ねていた。

それは、夜の息を吸っている森のほとりであったり、或《ある》いはあの閑静な住宅街みたいな中の旅館であったりした。

旅館の女中たちは、トルベックを陽気なアメリカ人と思っていた。愛嬌《あいきょう》もいいし、物柔かなのである。時には、係の女中にチューインガムやチョコレートなどを振舞ったりした。

その、ひっそりとした部屋で二時間ぐらい過す時もあれば、もっと長い時間を費やすこともあった。

旅館の女中たちの眼に映った生田世津子は、外人が連れてくるので、やはりその種の女と見られていた。が、珍しく清純な顔として印象に残っていた。態度も、その種の女のような横着げなところはなく、始終、おどおどしていた。これがトルベックの快活さと共にひどく旅館の女中どもに受けがよかった。

二人の間は、逢瀬《おうせ》が重なるにつれて愛情が次第に膨《ふく》れ上った。

生田世津子の方では、トルベックに一生を捧《ささ》げてもいいと云い出すくらいになった。もとより、この恋人に結婚は望めないのである。

この待合せ場所は、時には江原ヤス子の家が使われた。

それは或る夕方のことであった。

生田世津子が、トルベックの指図で、江原ヤス子の家を訪問すると、ルネ・ビリエ師が一人で机に向って書きものをしていた。

「今日は、神父さま」

生田世津子は、悪い時に来たものと思い、すぐそこを出るつもりだった。トルベックと逢《あ》うところをルネ・ビリエ師に見られては拙《まず》いのである。

「まあ、そこにおすわりなさい」

ルネ・ビリエ師は、にこにこ笑って彼女を留めた。

「エバラさんも、すぐかえって来ます」

世津子は躊躇《ためら》った。一つは、トルベックと逢う時間が迫っているので、此処に待っていないと行きはぐれてしまう惧《おそ》れがあったからだ。一つは、ルネ・ビリエ師を見てすぐに帰るのも悪いような気がしたからでもあった。

ルネ・ビリエ師は、日本語が流暢《りゅうちょう》である。彼は、そこで生田世津子にさまざまな話題を展《ひろ》げて、彼女を微笑《ほほえ》ませた。それだけの滑稽《こっけい》な話し方を彼は持っていた。

江原ヤス子は容易に帰って来なかった。約束の時間が過ぎたが、トルベックも来る気配がない。

生田世津子は、そわそわした。

「だれかを、まっているのですか？」

ビリエ師は、世津子の様子を見て、眼を細めて訊《き》いた。

「はい」

世津子は俯《うつむ》いた。

「トルベック君でしょう？」

世津子は黙って顔を赤くした。

「トルベック君は、有望な、若い友人です。セツコさんは、トルベック君を、そんけいしているのでしょう？」

「その通りですわ」

世津子はうなずいた。

「あのひとは、りっぱです。われわれも彼にのぞみをかけています。われわれのフキョウのためには、有望な人を持たねばなりません。トルベック君がそのひとりです」

ルネ・ビリエ師は、トルベックを賞《ほ》めそやした。

これは生田世津子にとって悪い気はしなかった。誰でも、恋人を賞められるとうれしくなるものである。彼女の気持が温められた空気のように軽くなり、眼がうるんだのは、当然だった。

ルネ・ビリエ師は、彼女の話し相手になったために自分の「仕事」を放擲《ほうてき》していた。机の上には、分厚い辞書や、聖書の原典や、原稿用紙などが置かれてある。

「のどがかわいた」

ビリエ師が突然云った。仕事に疲れたのであろう。或いは生田世津子との話に思わず身が入りすぎたのかもしれない。

「水を持って参りますわ」

世津子は膝《ひざ》を起した。

「わかっていますか？」

ビリエ師は彼女に不案内な家の様子を気遣《きづか》った。

他人の家である。およその見当はつくが、世津子にも定かには勝手が分らなかった。

「わたしがおしえましょう」

ルネ・ビリエ師は、親切に後ろから付いて来た。

不思議な家である。この家は、昼間でも戸を閉め、ビリエ師のいる居間だけに電燈がついていた。部屋と部屋の間の襖《ふすま》も厳重に閉めきったままなのである。

ルネ・ビリエ師に教えられて、世津子が台所に降りようとした時、突然、眼の前に、犬の唸《うな》りを聞いた。犢《こうし》のようなセパードである。

世津子は怯《おび》えて足を竦《すく》ませた。

「怕《こわ》い」

思わず悲鳴になった。

ルネ・ビリエ師が急いで後ろから顔を覗《のぞ》かせた。

「こわがることはありません」

しかし、犬は世津子を真直《まっす》ぐに見て唸りを上げている。今にも飛び掛って来そうだった。彼女は蒼《あお》くなっていた。

ルネ・ビリエ師は、鋭い声で犬を叱《しか》った。日本名前ではない。

まだ恐怖が去らないで立ち竦んでいる生田世津子の背中が、俄《にわ》かにルネ・ビリエに抱き締められた。

あっと云う間もなかった。彼女の唇はルネ・ビリエ師に押え付けられて吸われた。

## 十六

秋が来た。

グリエルモ教会には、さしたる変化もなかった。布教は支障なく行なわれつつあった。ルネ・ビリエ師は、やはり例の訳業をつづけていた。それも殆《ほと》んど完成近くなっている。一方、彼は相変らず知名の家庭に出入りしていた。

ただ、一つの変化がある。それは、渋谷の教会にいたゴルジ神父が、大阪に赴任したことであった。

ゴルジ神父と云えば、トルベックにとっては忘れられない人だった。宗教的な先達《せんだつ》としてはもちろんだが、そのほかにも、彼を会計係という名で、貿易商S・ランキャスター氏に紹介したのも、ゴルジである。

ところで、ゴルジを大阪の教会に転属させたのは、マルタン管区長であった。バジリオ会の行政上の責任者は、グリエルモ教会の二階に陣取っている瘠《や》せたこの背の高い男だった。管下の神父を動かすことは、彼の裁量一つにあった。

マルタン管区長がゴルジ神父を大阪にやってから間もなくである。トルベックは、彼の部屋に呼ばれた。

「トルベック君」

マルタン管区長は大きな机の前に坐《すわ》って呼びかけた。

「君の仕事はうまく行ってるかね?」

「はい、管区長」

トルベックは恭《うやうや》しく答えた。

「彼との連絡は、どうなんだね?」

管区長は、声を落して訊《き》いた。

「安全に行なわれています」

「君はまだ若い」

管区長は、戒めるようにつづけた。

「注意深くし過ぎることにこしたことはない。分っているだろうね?」

「分っております、管区長」

「ゴルジ君が東京にいなくなった。君の責任はそれだけ重大になったのだ。分ってくれるだろうね、トルベック君」

「よく分っております」

「何か困ることがあったら、ルネ・ビリエ君に相談するんだね」

「そのようにいたしております」

トルベックは、管区長の前に直立して、始終、小心そうに答えていた。

「新橋の或《あ》る教会で、闇《やみ》ドル事件を警視庁に摘発された」

マルタン管区長は椅子《いす》から起《た》ち上った。そして、少しいらいらしたように、その辺を歩き廻った。

「手抜かりなことをした」

彼は、見えぬ対手《あいて》を罵《ののし》るように云《い》った。

「教会では、その主任牧師の地位を引き下げて、会計係を解き、雑役に落したそうだがね。そんな処置をしたって手遅れだ。問題は、不注意のために官憲にそれを知られたことだ。トルベック君、気を付けてくれ」

管区長は、トルベックのそばに来ると、横に並び、彼を見据えた。

「君の責任は重い。うかつなことをして、新橋教会のようなテツをふんではならない。もし万一のことがあると、どんな恐ろしい事態が起るか。これは君には分るだろうね」

「じゅうぶん覚悟しております」

「よろしい」

管区長は云った。

「これからのこともある。君に気を付けてもらうために云ったまでだ。君が注意深くやっていると聞いて、わたしも安心した。彼との連絡は、誰にもさとられぬように、これからもやってほしい」

これらの会話は、総《すべ》てトルベックの母国語で行なわれた。それも、ドアを密閉して、低い声なのである。

トルベックが管区長の部屋を出て、自分の会計室に戻りかけると、いつの間にか、ルネ・ビリエ師が彼の横に肩を並べていた。猫のように足音を忍ばせて来たので、トルベックは話しかけられるまで気が付かなかった。

「管区長の話は、何だったね？」

彼は、日本人の事務員たちに分らぬよう、彼らの母国語で話した。

「気を付けてくれ、ということです」

トルベックは、短く答えた。

折りから、横を日本人の事務員がひとり通りかかった。ルネ・ビリエ師が睨《にら》んだので、彼は急ぎ足で通り過ぎた。

「油断はならない。大事な話は、日本人のいないところでするんだね。電話の方はどうかね？」

「電話は、なるべく、わたしが出るようにしています」

ルネ・ビリエ師はうなずいた。

「それがいい。日本人が出て、ことばは分らなくても、先方の声をおぼえられるだけでも、こちらに都合が悪い。トルベック君、なるべく、そうしたまえ」

二人は、そのまま長い廊下を歩いた。このとき、ルネ・ビリエ師が妙な笑い方をして云った。

「近ごろ、イクタセツコの顔を見ないが、やはり君は逢《あ》ってるのかね？」

口辺は笑っているが、眼はトルベックに粘い視線を当てていた。

「いや、あまり逢っていません」

トルベックは、何となく顔を赧《あか》くして答えた。

「そうだろうね。エバラヤスコのうちにも、あまりこなくなった。こんど逢ったら云ってくれたまえ、エバラヤスコが、遊びに来るように、と云っていた、とね」

「そう云いましょう」

トルベックは応《こた》えたが、彼は、なぜ生田世津子が江原ヤス子の家にあまり行かなくなったのか、およその原因を知っていた。

「わたし、あの家に行くのが怕《こわ》くなったわ」

生田世津子は、トルベックにそう話したことがある。なぜ怕くなったのか、トルベックにもぼんやりと推察はついていた。というのは、世津子が、その理由を暗示的に話していたからである。

こうして秋が過ぎ、冬がやって来た。

トルベックと生田世津子の媾曳《あいびき》は、相変らずつづけられた。

そのたびに、二人の愛情はいよいよ激しくなって行った。トルベックにとっても、彼女は掛替えのない女になっていたし、生田世津子も、トルベックにひたむきに情熱を燃やしつづけていた。

不幸なことに、トルベックは妻帯を許されぬバジリオ会の聖職者であった。が、生田世津子は、自分の青春を犠牲にしてもトルベックに捧げよう、と決心していた。

この頃になると、生田世津子は、トルベックなしでは生きていられない気持を募らせていた。事実、彼の愛の言葉は、彼女に生き甲斐《がい》を感じさせ、彼の抱擁は、彼女に生命力を高まらせつづけていたのであった。

トルベックは、もはや神への謝罪の祈りをしなくなった。それほど、彼は世津子に魂を奪われたのである。彼の魂は、神への恐怖を感じなくなったのである。それは、彼の愛を神が恩寵《おんちよう》と慈悲によって宥《ゆる》し、彼の罪をあたかも氷のように解かし給《たま》う、と勝手に信じたからであった。

彼の為《な》していることは、十戒に背《そむ》く邪悪な生活であった。

神は人間が己《おの》れに対して犯す罪を罰し給う。人間は神に向って罪を犯すとき、同時に己れの魂に向って邪悪を行なうのであるから、人間の不義はそれ自身を欺《あざむ》くのである。されば、神の罰し給うべき彼の不義は、その豊潤さにおいて、さながら沃土《よくど》から萌《も》え出るようであった。

ところで、トルベックは、やはり密《ひそ》かに高級アパートに彼を訪ねていた。

そのことは、生田世津子との快楽には関《かか》わりがない。それは、トルベックの「仕事」だった。人間は、愉楽に心を満たす一方、その仕事にも力を尽さねばならない。

その「仕事」とは何であろう。黒い影は、その正体を見究《みきわ》めねばならない。しかし、トルベックが、夜、人気《ひとけ》のない階段を足音を忍ばせて昇り、貿易商の部屋のドアに向って秘密めいた叩《たた》き方をするように、その影の正体は暫《しばら》く黒い闇に塗り込めておくことにする。

ただ、云えることは、トルベックと貿易商との交際は個人的なものでなく、彼が会計係をしているグリエルモ教会との特殊な繫《つな》がりであった。そして、総ての差配はフェルディナン・マルタン管区長がやっていた。

冬の夜であった。トルベックがいつものようにランキャスター氏の部屋に入り込むと、どういうものか、貿易商はいらいらした顔つきをしていた。

相談は二十分ばかりで済んだ。相談と云うよりも、ランキャスター氏がトルベックに指令したと云った方が近い。総ての話は低声《こごえ》で語られ、重要な所はメモで書かれた。

「近ごろ、われわれのルートが危険になった」

貿易商は顔を顰《しか》めていた。

「わたしは、もっと安全な方法はないかと考えていたが」

いつも沈着で剛毅《ごうき》で才智《さいち》に長《た》けたランキャスター氏が、不安な翳《かげ》をその顔に表わしている。トルベックは、この部屋に入って来たとき、すぐに気付いた。彼の不機嫌《ふきげん》はそれが原因だと分った。

「わたしは、やっと安全な方法を考えついたんだがね」

貿易商は云った。

「それは、普通の通信が不安だということだ。わたしの仲間の数人が、仕掛けられたワナに落ちている。わたしもここで考えなければならない」

貿易商は、椅子にうずくまっているトルベックをちらりと見て云った。

「わたしは、いちばん安全な方法を考えた。最も危険でない方法をね、トルベック君」

神父は顔を上げた。

「なんですか、その方法というのは？」

ランキャスター氏は部屋を歩き廻っていたが、

「わたしが危険になることは、君の教会が破滅することだ。それは分っているだろう、トルベック君」

と彼の顔を見据えた。

「もちろんですとも、ランキャスターさん。恐ろしいことです。それを考えただけでも、わたしは、からだがふるえそうです」

トルベックは、実際に指を顫《ふる》わせていた。

「そういう兆候《しるし》が見えてきたのですか？」

貿易商は、すぐには答えなかった。やはり広い部屋を往復するだけである。

部屋は静まりかえっている。このアパートは人声の聞えないことで、貿易商に気に入っているのだが、この時は、その静かな中にランキャスター氏の重苦しい呼吸《いき》が聞えそうであった。ほかの声は、時折り、窓の方で警笛がするくらいなものだった。

「ぼくは、鳩《ピチョーネ》がほしい」

S・ランキャスター氏は、突然、云った。

「鳩《ピチョーネ》？」

この言葉が不意だったので、トルベックはびっくりして顔を上げた。

「そうだ、鳩だ。飼いならした鳩がほしい」

トルベックは、まだ分らない顔をしていた。

「鳩をこの部屋に飼うのですか？」

「われわれに鳩が必要なのだ」

「われわれに?」

トルベックは、床を歩いている貿易商の顔を見戍《みまも》っていた。

「そうだ、われわれなんだ。われわれの鳩だ、トルベック君」

ランキャスター氏は歩くのを止《や》め、彼の前に椅子を持って来て、それに掛けた。

「鳩がいちばん安全なんだよ。そのために、可愛《かわい》いやつを飼いたいのだがね」

「説明してください」

トルベックは叫んだ。

「どういうことなんでしょう?」

貿易商は、煙草《たばこ》を静かにくわえて、ライターを鳴らした。

「近いうちに、ある国の航空路がトウキョウ・ホンコン間に開通する。多分、来春早々だろう」

烟《けむり》を吐いて、ランキャスターは云った。

「わたしの飛ばす鳩は、トウキョウからホンコンの間だ」

トルベックは、口の中で短い歓声を上げた。

「分りました。その航空路にだれかを乗せるんですね」

「わたしは、鳩と云ったはずだ。臨時に人を使うのではない。始終、トウキョウ・ホンコンの間を、だれにもふしぎに思われずに飛べる鳩を要求しているのだ」

「あなたの考えは、半分は分りました」

トルベックは云った。

「残りの疑問を、わたしに、説明してください」

貿易商は、すぐにはその説明を与えなかった。やはり慎重なのである。彼は、トルベックの顔をしばらく凝視していた。

「新航空路は、毎日、トウキョウからホンコンに定期的に出ることになっている。これに搭乗《とうじょう》するスチュワーデスを、会社は、目下、募集している」

貿易商は説明にかかった。

「ぼくが云う鳩《ピチョーネ》とは、このことだよ。通信に頼らず、人間そのものを伝書鳩《ピチョーネ・ピアジアトーレ》に仕立てる。つまり、スチュワーデスさ。トルベック君」

ランキャスター氏は、強い眼で神父を視《み》た。

「君は、教会の聖職者だ。信者が多い。大勢の若い女性が、教会に来ているだろう、その中から適当な者はいないかね？　むろん、彼女を新航空路のスチュワーデスに志願させるのだ。われわれは、彼女に仕事をさせたい」

「それはいい考えですね、ランキャスターさん」

トルベックは答えた。

「しかし、めったなことは話せませんよ。そりゃ教会に来る婦人信者も多いです。若い女もいます。けれども、彼女たちに秘密をうち明けて協力を頼むのは、危険です」

「そのとおりだ、トルベック君」

貿易商はうなずいた。

「秘密はぜったいに守らなければならない。もし、これが外に洩《も》れるようなことがあったら、われわれは破滅する。だから、君に考えてもらいたいのは、それに適応する女性を探《さが》してほしいことなのだ」

トルベックは、すぐに返事しなかった。彼の表情に迷いがある。いや、当惑と混乱とが出ている。

「それは、わたしの手に合わないでしょう。ランキャスターさん」

彼は尻込《しりご》みした。

「あなたの手で、それを見つけた方がいいと思いますが」

「ぼくには、適当な日本の女性の知合いがない」

ランキャスターは苦笑を見せた。

「この資格は、だれでもというわけにはいかない。わたしの女友だちでは、新航空路のスチュワーデスになれる資格がない。君なら、そのような女性を、信者の中で知ってるはずだがね」

トルベックの頭を掠《かす》めたのは、生田世津子であった。

スチュワーデスは、募集広告にもあるように、まず容姿端麗を要求される。年齢も若い。ただ、その困難な試験に通過するには、世津子の語学はどうかと思われた。

彼女は、トルベックにひたむきになっている。彼女なら、トルベックが秘密を洩らしても、それを外に洩らすことはなさそうだった。トルベックは、よほど世津子のことを口に出そうかと思ったが、すぐにそれを呑《の》み込んだ。

「むずかしいですね、ランキャスターさん。そのうち、心懸けておきます」

「おいおい」

と貿易商は両手をひろげた。

「ことは至急を要するんだぜ。そんなのんびりしたことでは、われわれの仕事は間に合わない。ホンコン・トウキョウ間の新航空路のスチュワーデス募集は、われわれにとって唯一《ゆいいつ》のチャンスだ。これに、ぜひ間に合わせなければならない。トルベック君、至急に人を探してもらえないか？」

トルベックは、頭を抱《かか》えていた。

「どの点から見ても、スチュワーデスを鳩《ピチヨーネ》に使うのがいちばん安全だよ。彼女たちは、まず税関に所持品を調べられることはない。それに、ホンコン・トウキョウを毎日往復しても、それは彼女たちの職業だから、だれも不審に思う者はない。ね、君、このくらい理想的な鳩はいないよ。どうだね、トルベック君、君に心当りがあるだろう？」

「そうですな」

トルベックは、まだ迷っていた。すると突然、貿易商の眼が光った。声も荒くなったのである。

「隠してはいけないよ、トルベック君。君はイクタセツコとどういう仲なんだね？」

トルベックが、あっ、と思ったことである。ランキャスター氏はどうしてそれを知っていたのか。

貿易商の顔には、薄ら笑いが出ていた。

十七

トルベックが生田世津子に、貿易商S・ランキャスター氏の話を持ち出したのは、次の逢瀬《おうせ》の時であった。

ことは内密だった。

場所も、秘密な愉楽のこもる、いつもの旅館の一室だった。

ひっそりとした話を持ち出すのには、この雰囲気《ふんいき》は都合が好《よ》かった。生田世津子は、むつごとの間に、トルベックの云《い》うことに何もかも服従しそうだった。愛情が彼女の心を満たしきっていた。

トルベックは、もちろん、ランキャスター氏の名前を出さなかった。飽くまでも自分の気持として彼女に話した。

「スチュワーデス！」

彼女は瞳《め》を瞠《みは》った。それも、トルベックの話では外国の航空会社だというのである。彼女の瞳の輝きの中に映ったのは、近代的な華《はなや》かな職業が現実に自分に来る幻影だった。これまで、他人の世界だと思っていたものが、急に自分をそこへ拉致《らっち》して行きそうな愕《おどろ》きでもあった。

「あなたは、きれいだ」

トルベックは、愛の囁《ささや》きのように彼女を賞《ほ》めた。

「スチュワーデスはうつくしいひとがよろこばれる。あなたならきっとパスします」

トルベックは勧《すす》めたが、あまり熱意はなかった。実のところ、ランキャスター氏に命令されたことが、彼の心をあまり弾《はず》ませなかったのである。

普通のスチュワーデスではない。貿易商の大胆で秘密な意図がトルベックを気重にさせるのである。

「でも」

生田世津子は上気した顔をうつむけた。

「わたしは、自信がありませんわ」

「あなたは、きれいだ。だいじょうぶです」

トルベックは弱い勧誘をつづけた。

「いいえ、そんなことではありませんわ。外国の飛行機に乗れば、用語は英語でしょ? わたくし、その方には、とても自信がないんです」

トルベックは黙った。

スチュワーデス採用には、いわゆる容姿端麗のほかに、語学の素養が大きく条件づけられる。生田世津子にその才能があるとは思えなかった。実際、これまで彼女と話して、一度も彼女の口から外国語を聞いたことがなかった。

「いいお話ですわ」

彼女は嘆息して云った。

「でも、きっと、英語ができなくて試験に落されるに決っていますわ。このお話は、わたくしには立派すぎますわ」

「いちど、しけんをうけたら、どうですか?」

トルベックは、とにかく、そこまで勧めてみた。

実際、彼は、生田世津子が断わってくれたので、どこかに安心を覚えていた。S・ランキャスター氏の「貿易」の正体が何であるかを、彼は知っている。その中に彼女をひき入れるには、あまりに彼女の身が危険でありすぎた。

外国の航空会社勤務のスチュワーデスの職業は、むろん、若い女性たちの憧《あこが》れだった。

しかし、生田世津子がその憧憬《どうけい》にすぐ飛びついて来ないので、トルベックは正直にほっとした。

トルベックは、生田世津子の性格を知っている。彼女は決して地味な女ではなかった。控え目だが、やはり若い女の持つ夢と憧憬がそのしなやかな身体《からだ》に充満していることが分っていた。だから、この話に彼女がすぐに有頂天になると思っていたのだが、彼女の考えは案外、堅実であった。

なるほど、これは、語学が出来なければどうにもならない話である。

「いいえ、初めから自信のないことに、恥を掻《か》きに行くことはありませんわ、ベックさま。わたしはダミアノ・ホームに奉仕することだけで結構です」

生田世津子は肩を落して云った。

しかし、彼女の様子には、折角のうす紅色のチャンスを逃した残念さがありありと出ていた。

話を聞いたときの彼女の瞳には、瞬間に、碧空《あおぞら》を駆ける銀色の箭《や》が飛び過ぎたことであろう。細長い華奢《きゃしゃ》な、翼《はね》のある胴体が、雲の上を過ぎ、雲間を通り抜け、見事な飛翔《ひしょう》をつづけている。地球が下でゆっくりと廻転し、彼女の乗っている機がそれに小さな影を落して、虹《にじ》の輪をつくる。——

「ダミアノ・ホームに奉仕することは、立派です」

トルベックの声が厳粛に聞えた。

「神への奉仕が、われわれの何よりのつとめです。あなたの考えは立派です」

トルベックには、生田世津子の拒絶が快かった。いや、彼に安心を与えた。スチュワーデスの第一条件である語学が出来ないとなると、これは貿易商に諦《あきら》めて貰《もら》わなければなるまい。鳩《ピチョーネ》は彼女には適任ではなかった。

トルベックは満足感に浸って、彼女を抱き寄せた。

「スチュワーデスになることを勧《すす》めるのは、これで諦めます、セツコさん。わたしも、あなたが少しでもわたしから離れてしまうことが悲しいのです。ただ、あなたのことを考えて、この話を持って来たのですが、それはわたしの誤りでした」

「お気持はよく分りますわ。ありがとう」

と世津子は礼を云った。彼女はトルベックの接吻《くちづけ》を無心に受けた。彼女の頬《ほお》や額や頸《くび》はトルベックの激しい唇《くちびる》に任せられたが、その薄く開《あ》けた彼女の瞳《め》は、取り逃した機会の行方を眺《なが》めて虚《うつろ》のようだった。

が、彼女に、その憂鬱《ゆううつ》がひそかに揺曳《ようえい》していることには、トルベックは気が付かなかった。

次の晩、トルベックは、S・ランキャスター氏の部屋にいた。

ランキャスター氏は、ひどく不機嫌《ふきげん》であった。これまで、トルベックが再三会った時のどれよりも不快な顔つきをしていた。

トルベックが生田世津子の拒絶を伝えたあとのことである。

貿易商は、これまで丁寧であった。商人らしく如才がないし、愛想もいいのである。教会にとっては大事なひとであった。しかし、商人の練れた言葉だが、その意志はいつも柔らかい言葉の中に含まれていた。

顔つきは、いつも平和そうだった。笑うにも、決して大きな声を立てることのない方である。が、その笑顔《えがお》の中から、彼の強い意志がグリエルモ教会の聖職者たちに伝えられるのであった。

トルベックは憶《おぼ》えている。いつぞやルネ・ビリエ師といっしょに彼を訪ねての帰りだったが、

「あの男は怕《こわ》い人物だ」

とビリエ師が思わず洩《も》らしたことがある。

その時はさほどに思わなかった。それほど、はたの眼には、貿易商は商人以外には見えなかったのである。が、実際にそのときのルネ・ビリエ師の言葉の意味を理解するのには、それほど長い時を要さなかった。

ほどなく、トルベックは彼自身、単独にランキャスター氏との接触が始まったのだっ

た。彼の本当の恐ろしさはそれから少しずつ分ってきたのである。

不気味な人物だった。いつも身だしなみはいいし、紳士らしく、髪のかたちの手入れもとどいているが、その大きな眼には、絶えず気味の悪い光があった。

それが、今はっきりと、トルベックを威圧しているのである。トルベックの持って来た返事を聴くや否《いな》や、貿易商の顔は甚《はなは》だ峻《けわ》しいものになった。トルベックが、これは、と顔色を変えたことである。

「われわれは鳩《ピチヨーネ》がほしい！」

ランキャスター氏は、椅子から立って、床を往復しながら、小さく喚《わめ》くように云った。

「これはあなたに話した筈《はず》だ。トルベックさん」

「聴きました」

トルベックは不安げに椅子《いす》に坐《すわ》って応《こた》えた。

「だから、あなたの云いつけどおり、イクタセツコに話したのです」

「鳩の使命のことは、むろん、云わなかっただろうね？」

「もちろんですとも、ランキャスターさん」

トルベックは、床を歩いている貿易商の姿から視線を外《そら》さずに答えた。

「よろしい。当人には云わぬことだ。こちらだけが承知の秘密だからね」

ランキャスター氏はゆっくりと云った。

「しかし、鳩はイクタセツコさん以外にない。わたしはそう思っているんだがね」

「しかし」

トルベックが何か云いかけるのを、貿易商は手真似《てまね》で押えた。

「黙って聴いてくれたまえ。鳩はわれわれの秘密を運ぶ。めったにだれにも頼めないことだ。ところで、きみのセツコは、きみへの愛情のために秘密を守ってくれる。きみが要求すれば、彼女はそれを忠実に守ってくれるだろう。そうだね、トルベックさん」

「それはそうですが」

トルベックは、手を組み合わせていた。

「だから、答は簡単な筈だ。きみのセツコを、われわれの鳩にすることが絶対だ」

トルベックは、不安の中に返辞した。

「けれども、ランキャスターさん、彼女には語学の才能がありません。日本のではなく、外国の航空会社のスチユワーデスです。これは彼女の云い分どおり、とても勤まりそうにもありません。だいいち、英語ができなくては、試験に合格することはできないでしょう」

ランキャスター氏はやはり歩き回っていた。床に眼を落して、自分の靴音を聴いているようだったが、その横顔に薄い笑いが始まった。

急に立ち止ったのは、トルベックが椅子に掛けているすぐ前の位置だった。

「わたしがそれをするのだ」

彼は、商人でなく司政官のように肩を突っ立てた。

「航空会社の試験は、わたしの手でなんとかできるのでね」

「あなたの手で？」

トルベックは愕《おどろ》いて、貿易商を見上げた。

ランキャスター氏は、口辺にやはり薄い笑いを上《のぼ》せていた。

「できる。わたしができないことはない」

ランキャスター氏は、そのままの口吻《くちぶり》でものを云った。

「あの航空会社には、わたしの息のかかった者がいる。しかも彼は、その会社では幹部の地位にある。わたしが云えば、彼は手ごころを加えるだろう。日ごろから、その手当はしてある」

ランキャスター氏は、トルベックの前に肩を聳《そび》やかした。

「わたしにそれができないと云うのかね、トルベックさん」

トルベックに真《ま》っ直《す》ぐ視線を当てたままである。

「いや、あなただったらできると信じます。ランキャスターさん」

トルベックは、貿易商に威圧されていた。

「あなたもそう思うだろう。わたしは、これまでいろいろなことをした。わたしは、自分の目的のために、人のできそうにないこともやって来た。たとえば、気に入らぬ人物を……」

と云いかけて、彼は肩を竦《すく》めた。

「いや、あなたは聖職者だった。これから先のことは云わぬことだった」

彼は歩き出したが、少し、苛々《いらいら》したように、トルベックに身を向けた。

「とにかく、わたしは自分の思いどおりにする。自分がそう考えた以上、他人にも思いどおりになってもらう。あなたのセツコは、語学に自信がないと云うが、なに、試験にはそれほど障害はない。きみは聞いたかもしれないが、こんどの新しい航空会社は、スチュワーデスの志望者がたいそう多いそうだ。きびしい試験で数多くの人間が落されるだろう。しかし、わたしが口を利《き》けば、不幸な落伍《らくご》者《しや》の中に、イクタセツコは多分入っていない筈だ。それだけの強い予言がわたしにはできる」

トルベックは、口に出す言葉がなかった。

「くり返すが、われわれは鳩がほしい。今のわたしの目的は、これだ。われわれのビジネスを円滑にするには、トウキョウ・ホンコンの間を往来する自由な運搬人が入用なのだ。だから、君のセツコが必要なのだ」

貿易商ランキャスター氏は、宣言するように云った。

「航空会社の方は安心するがいい。幹部もだが、あの会社の本国の官庁にも、然《しか》るべく手を打って置く。有力な役人のひとりが、わたしの同情者になっているのでね」

トルベックは貿易商に屈伏した。

トルベックはルノーに乗って、江原ヤス子の家に行った。

遅い夜だった。S・ランキャスター氏を訪問するのはたいてい晩だし、そこで長い時間を費やしたので、彼女の家に来たのは夜更《よふ》けに近かった。

犬が吠《ほ》えたが、トルベックの短い声を聞きつけておとなしくなった。

ルネ・ビリエ師が、ここにきっと居るに違いないと見当をつけて来たのだが、やはり、庭の植込みの下には、見覚えの車が潜んでいた。

犬が吠えたので、家の内では誰かが来たのを知った筈だった。トルベックは戸を叩《たた》くこともないと思ったが、内からは、すぐに人が出てくる気配がなかった。彼はノックした。

いつもの小さい窓に明りが射《さ》し、江原ヤス子の顔だけが現われた。

「トルベックさんなの？」

彼女は覗《のぞ》いて、彼を認めた。

「そうです」

顔がひっこんだかと思うと、錠の音がし、内側からドアが開いた。

「ビリエ神父は来ていますか？」

来ていることは分っていたが、そう尋ねないわけにはいかなかった。遅い訪問なのである。

「来ているわよ。おあがんなさい」

江原ヤス子は、派手なパジャマを着ていた。いつも秘密めいた家の中である。必要な部屋以外は外来者に見せなかった。

トルベックが、これはと眼を瞠《みは》ったのは、ルネ・ビリエ師も寝巻きを着たままの姿でいることだった。トルベックの方で眩《まぶ》しくなって眼を伏せた。

「こっちに入りたまえ」

ビリエは快活な声で呼んだ。

「ずいぶん遅いね」

彼は、安楽椅子に身を横着そうに沈めていた。いかにも、わが家に寛《くつろ》いでいるといった恰好《かっこう》だった。

「ランキャスターさんのところに行って来たのです」

トルベックは控え目に椅子に掛けた。これは二人の恰好に遠慮したのである。

ルネ・ビリエと江原ヤス子の方が、ずっと無遠慮だった。

「何の話だったね？」

ビリエは肘《ひじ》を張り、脚《あし》を組んで、パイプを吹かしている。狭い部屋が今にも燻《くすぶ》りそうなくらい壮大な烟《けむり》を吐いていた。

バジリオ会では格別、煙草《たばこ》を禁じていない。しかし、聖職者たちは煙草を嗜《たしな》まないことを不文律にしていた。

あらゆる人間的な欲望を断つのが、この会の宗教的な、或《ある》いは生理的な規律であった。一応、煙草だけは除外されたが、人前では、やはり、遠慮することになっていた。教会にも若い信者が出入りすることだし、神学校では青少年が学んでいる。彼らへの影響を考えて、普通教会でも神学校でも神父は煙草を喫《の》まないことにしていた。

ルネ・ビリエ師が、しきりと煙をあげているのは、禁断を破る愉《たの》しさを壮大に味わっているからである。尤《もっと》も、煙草だけではないことは、彼と江原ヤス子との寝巻姿が証明する。言葉や顔つきが爽快《そうかい》なのは、一つはそのせいだった。

「ランキャスターさんの用事は、何か大事なことかね?」

ビリエは揺らぐ椅子に凭《もた》れかかって訊《き》いた。

「セツコさんを航空会社の新しいスチュワーデスにしたいというのです」

トルベックはここで貿易商の提案を詳しく話した。

ルネ・ビリエ師は顔を斜に傾《かし》げて、一切を聴き終ると微笑した。

「いい考えだね」

と意見をすぐに云《い》った。

「わたしも、それは賛成だ。トルベック君、セツコさんは、きっとスチュワーデスになる。あの人は」

と云ったのは、ランキャスター氏のことだった。

「いつもいい考えを出す。君のセツコがトウキョウ・ホンコンの間を鳥のように飛び回ることかと思うと、これは楽しいね」

話の様子では、ビリエは、もう、ランキャスター氏から計画を聞いて承知しているようであった。

十八

ある冬の晴れた朝、トルベックは、青色のルノーを駆って、崇高な神殿を囲んだ宏大《こうだい》な杜《もり》の前に出た。

出勤の人々が駅に急いでいた。

トルベックは自動車《くるま》を停めて、辺《あた》りを見た。生田世津子の姿は、まだ見えなかった。駅に急ぐ人々は、そこに若い坊さんが車の中に人待ち顔でいるのをあまり気にかけなかった。彼らは忙しいのである。

トルベックは、なるべく車を目立たぬ所に停めていた。

すでに、彼はダミアノ・ホームの務めを免除され、グリエルモ教会の会計係専任になっていた。

だから、この待合せ場所が、生田世津子と毎朝、逢《あ》う唯一《ゆいいつ》の所だった。彼女は叔父さんの車に乗せられて、此処《ここ》を通りかかる。二人がいつも逢曳《あいびき》するあのホテルもすぐ近くに在《あ》った。

トルベックは、車の中で聖書を読んでいた。

すると、彼の耳に離れたところで砂利を噛《か》んで停る車の音がした。

降りたのは、生田世津子で、今日は新しいオーバーを着ていたが、それは冴《さ》えた紺色だった。

トルベックは、背中をまるめた。幸い、車にはバックミラーがある。

鏡に映った彼女は、車から降りて叔父さんに手を振っていた。叔父さんは、五十年輩の立派な紳士である。彼女の話によると、或《あ》る会社の重役だそうだった。それだけの貫《かん》禄《ろく》がその白い頭と赭《あか》ら顔に現われていた。

叔父さんの車は鏡の枠《わく》の外に去った。生田世津子だけが残っている。彼女はトルベックが待っていることに気づき、白い道を歩いて、近づいて来た。

トルベックは、はじめて振りむいた。

今朝の生田世津子は濃い目のきれいな化粧をしている。すんなりとした脚が、オーバーの裾《すそ》から出ていた。

「すばらしいね、きれいだ」

トルベックは賞《ほ》めた。

「お待たせしましたわ」

トルベックは車を降りて、彼女のために、ドアを開けてやった。

トルベックは、ハンドルを握った。車はゆるやかな広い道路を下り、葉を落して梢《こずえ》を空に立てている銀杏《いちょう》の並木の間を進んで行く。

「ゆうべ、眠れませんでしたわ」

彼女はトルベックの傍《そば》で云《い》った。

「今日のことが心配で、どうしても神経が休まらなかったんです」

「しんぱい、いりません」

トルベックは運転しながら彼女を慰めた。

「おちついて、おやりなさい。だいじょうぶうかります」

生田世津子にとって、今日が航空会社の入社試験の日だった。

初め、外国語が出来ない、と云って断わっていた彼女も、トルベックの勧めるままに、ついその気になってしまった。もともと、その華やかな職業には充分惹《ひ》かれていたのである。

車は電車通りに出て、都心の方に走った。朝陽《あさひ》がようやく上にあがって、通りも車の往来が激しくなっていた。トルベックは上手に運転した。ルノーだから軽快だった。

「すみません、わざわざお送りいただいて」

生田世津子は礼を云った。

「いいえ、わたし、あなたがうかるよう、いっしょうけんめい、かみさまに、いのっています」

世津子は笑った。

「ほんとに受かるといいんだけど。でも、これまで何度も云ったように、とても外国語に自信がないので、どうだか分んないわ」

「だいじょうぶです、だいじょうぶです」

トルベックは激励した。

やがて、車は都心の繁華な交叉点《こうさてん》の所に来た。

その外国の航空会社のビルは、角に立っていた。

ウィンドウには世界のさまざまな観光地のポスターがかかっていた。広い陳列窓の背景に、航空路が世界地図の上に大きく描かれている。各国を結ぶその赤いラインは、覗《のぞ》く者に、豪華な夢心地を起させるのだった。

生田世津子は、その窓に眼を投げた。もし、試験に合格すれば、彼女も現実にその赤い航空路の上を飛翔《ひしよう》できるのである。

世津子はビルの入口に歩いた。

「しっかりやってください」

トルベックは最後の励ましを送った。

「ありがとう。とにかく、一生懸命やりますわ」

世津子は心細い顔をして手を振った。

トルベックは、車をもとに走らせ、途中で公衆電話の前で停めた。

ダイアルを廻した。

男の声がすぐに出た。

「ランキャスターさんですか?」

トルベックは話しかけた。

「トルベックです」

「お早う、神父さん」

先方は応《こた》えた。渋い声である。

「いま、イクタセツコを、航空会社に送りました。よろしくおねがいします」

「わかった」

受話器の声は明るかった。

「心配しなくてもいい。彼女はどうだったかね？」

「外国語に自信がないと、まだ困っていました」

「元気だったかね？」

「げんきをつけてやりましたがね」

「よかった」

対手《あいて》の声は満足そうだった。

「トルベックさん、あとはわたしの番だね」


その夕方である。

トルベックは、また車を走らせて、航空会社の前に行った。試験が済む時刻を大体知っていたので、生田世津子の出てくるのを待っていた。

車を脇《わき》の道路に入れて、目立たぬよう彼だけが立っていた。

三十分も経《た》たないうちに、若い女ばかりがその会社の玄関からぞろぞろと出て来た。

彼女たちはスチュワーデスの志望者で、今日の試験を受けに来た連中だった。

みんな背が高く恰好《かっこう》のいい姿勢をしていた。その中に混って出て来た生田世津子は、どう贔屓目《ひいきめ》に見ても、少し見劣りがした。背も低い方である。

トルベックは手を挙げた。

世津子は、それが分ったらしく、電車道の向う側から、左右を気を付けながらいそいで来た。

彼女の顔は上気していたが、元気はなかった。

「どうでした、セツコさん？」

生田世津子は、寂しそうに首を振った。

「とても駄目ですわ。わたくしでは歯が立ちません」

トルベックは眉《まゆ》をひそめた。

「うまくいかなかったのですか？」

生田世津子は、かなしそうにうなだれた。

「外国語がとてもむつかしかったのです。落第するに決っています」

とにかく、歩こう、と云ったのは、立ち話も出来ないし、ここで彼女の気分を換えてやる必要があった。彼女は、まだ試験場を出たばかりで興奮しているのである。

「ほかの人は、素晴しく外国語が出来るんです」

歩きながら彼女は話した。

「わたくし聴いていて、自分の実力のなさに恥ずかしくなったわ。こんな所にのこのこと、恥をさらしに来るのではなかったわ」

あとの言葉は、それを頻《しき》りとすすめたトルベックへの恨みが少し混っていた。

「きもちのせいでしょう。あなたは、そんなにわるいせいせきではないはずです」

彼は慰めた。

「いいえ」

生田世津子は、激しく否定した。

「それは試験場でアガってはいましたわ。でも、初めから問題がむつかしいんです。諦《あきら》めます。もう二度と、スチュワーデスなどという大それた希望は持ちませんわ」

「けっかは、まだ、わかりません」

トルベックは云った。

「いまから、そう、がっかりして、どうします。あなたは、うかっているかもわからないんですよ。いや、かならず、うかっています。じぶんで、そう、おもうだけです」

「トルベックさま」

と彼女は云った。

「慰めていただいてうれしいわ。でも、本当に出来なかったのよ」

彼女は彼を見つめた。

「コーヒーでも、のみましょうか？」

トルベックは、すぐ手近な喫茶店に入った。

「あなたは、ひかんしすぎる」

トルベックは茶を喫《の》みながら、彼女の心を落ち着かせるように話した。

「あなたより、ずっと、できないひとが、たくさんいるかもわかりません。げんきを、だしてください。しけんは、けっかをみないと、さいごまでわかりません」

「それは、多少、自信を持っている人の考えることだわ」

やはり生田世津子は肩を落して悄然《しようぜん》としていた。運ばれたコーヒー茶碗《ちやわん》のふちに眼を遣《や》っている。

「わたしの場合、全く自分で駄目だということが、分り過ぎているんですもの」

「かみさまが、あります」

突然、トルベックは、十字を切った。他の客の多い中で、実に堂々として、荘重なしぐさだった。

「かみさまが、きっと、あなたにみかたされるでしょう。こんなときには、いつも、かみさまが、たすけてくださいます。セツコさん、わたしは、これから、まっすぐに、きょうかいにかえって、いのります、あなたのためにね」

「でも、トルベックさん」

彼女は遮《さえぎ》った。

「力のないわたしのために、そんなことを神さまにお祈りしてはいけませんわ。自分の実力がないんですもの。どうぞ、こういう話は止《や》めて下さい。わたしはやはりダミアノ・ホームに勤めます。そうして、神の御教《みおしえ》えを実行します」

「それも、たいせつなことです。しかし、セツコさん」

トルベックは、テーブルの上に指を組み合わせ、説教のときの潤《うるお》いのある声で云った。

「もし、あなたが、しけんにうかっていたら、どうします？」

深い水のような蒼《あお》い瞳《め》で、世津子の顔をのぞきこんだ。

「そんなことは奇蹟《きせき》ですわ」

「おう、きせき！」

トルベックは低く叫んだ。

「かみさまは、いつも、きせきをしめされます。あなたのうえにも、きっと、きせきがおこるに、ちがいありません」

生田世津子の顔に、瞬間、明るさが射《さ》したが、それは反省のためにすぐに消えた。

「どうぞ、もう云わないで下さい」

彼女は萎《しお》れて云った。

「外国の航空会社のスチュワーデスになるなんて考えたことが、わたしの過《あやま》ちでしたわ。ほかの方は、語学も出来るし、みんな美しいんです。素晴しい方ばかりですわ。その中から、どうしてわたしを選んで下さるでしょう？　それは、まるで真珠の中から、わざわざ小石を選ぶようなものですわ」

トルベックは、その夜、「あの男」の住むアパートに行った。

この高級アパートは、夜だと、いつも音が死んでいる。豪奢《ごうしゃ》な造りだけに、かえってそれが気味が悪いくらいである。

入口から階段を登るまで、幾つものドアがある。そのガラス戸に、いちいち自分の影が気持悪く映るのであった。

階段を登って、彼は貿易商の部屋の前に立った。

ドアを叩《たた》いた。

内側からドアが半開きになり、内の住人が眼をのぞかせるのは、いつもの通りである。

「お入り」

はじめて、ドアを一ぱいに開けてくれた。

トルベックは、貿易商のあとから黙って従い、彼の部屋に入った。

一人の人物がランキャスター氏の机の横に坐《すわ》っていた。日本人である。

不意だったし、これは、と思って棒立ちになり、ランキャスター氏の顔を見た。

「紹介しよう、トルベックさん」

貿易商は、手をその男の方にむけた。客は椅子《いす》から起《た》った。

肥《ふと》って背の低い男である。トルベックには、日本人の年齢はよく判《わか》らないが、彼は頭髪を短く刈り上げ、酒でも飲んでいるように赧《あか》い顔をしていた。

「オカムラショウイチ君です。わたしの取引き先のひとだ」

今度は、トルベックのことを貿易商は対手《あいて》に紹介していた。

岡村正一は、トルベックにお辞儀をした。眼を細め、にこにこ笑っていた。

「わたしの親友でね」

と、貿易商は、彼の友人のことをトルベックに告げた。

「永い間、いっしょに仕事をしている。この人の前なら、何を云《い》っても構わない、トルベックさん。気兼ねは要《い》らないから、あなたの用事を云って欲しい」

尤《もっと》も、これは彼らの母国語での会話である。岡村正一という日本人に、その言葉の内容が分るとは思えなかった。現に、この日本人は曖昧《あいまい》な笑いを浮かべているだけだった。

「今日、彼女を航空会社に迎えに行きました。試験の結果が気に懸《かか》りましたのでね」

トルベックは安心して話し出した。

「なるほど」

ランキャスター氏は、机の前に坐って、ゆっくりと椅子に背を凭《もた》せ、パイプに煙草《たばこ》を詰めた。横にいた日本人がそれを見て、手を伸ばしてライターを鳴らした。

「ありがとう」

日本語で客へ云った。

「で、どうだったね？」

　と今度はトルベックの方をむいた。

「駄目だったらしいですな」

　トルベックは肩をすくめた。

「彼女がわたしにそう云ったのです。英語が出来ないので、ひどく悲観していました」

「試験は駄目だった、と云うんだね？」

　ランキャスター氏の顔は平気だった。パイプから青い烟《けむり》を愉《たの》しそうに吐いた。眼まで細めている。

「そのことを、早速、あなたにお報《し》らせしに来たのです。もし、あちらの方に手を廻していただくなら、今のうちです」

　貿易商は、口からパイプを離した。

「そりゃ親切なことだ、トルベックさん」

　貿易商は静かだった。

「だが、わたしは、必要なものは、どんなことがあっても手に入れるたちでね。今度も、わたしは、ぜひ鳩《ピチヨーネ》が欲しかった。欲しいと思ったら、子供のように、無理に欲しいのでね。で、それを実現させたものだ。それが今までのわたしのやり方ですよ。これからもあなたと付き合いのあることだ、トルベックさん。これは呑《の》み込んでおいてもらいたい」

トルベックは、ランキャスター氏の唇の動くのを見ているだけだった。

「せっかくだが、君が云って来られる前に、手は充分に打ってある。彼女がたとえ答案を白紙で出しても、わたしの希望は先方に通るだろう。イクタセツコをあなたの会社のスチュワーデスにしてくれ、ということをね」

ランキャスター氏は椅子から立った。片手にパイプを握ったままである。大きな机を廻って歩き、トルベックの肩に手を置いた。

「トルベックさん、ところで、それから先はわたしの力で出来ないことだ。これは君に頼むよりほかはない。君のセツコは、間もなくホンコンに行くだろう。その鳩を自在に使うのは、君だ。分るかね、トルベックさん」

トルベックはやはり子供のように立ったままである。すぐには言葉が出なかったからだった。

その様子を眺めて、貿易商は声を上げて笑った。

彼は二、三度、トルベックの後ろを往復していたが、

「いや、失礼」

と失笑したことを詫《わ》びた。

「君のセツコのことは、安心してくれ給《たま》え。ところで、そうだ、君にもっと、このお客

さんのことを紹介せねばならないね」

　貿易商は、椅子に坐っている日本人に対《むか》った。

「ミスター・オカムラ。この人は」

　とトルベックを指して日本語で云った。

「あなたが、もと、お詣《まい》りしていた教会の坊さんです」

　これはトルベックの方で愕《おどろ》いた。思わず、その日本人の顔を見つめた。しかし、記憶はなかった。尤も、ミサのときは大勢の日本人が群がるので、いちいちの顔は見憶《みおぼ》えていない。

「知っております、神父さま」

　その男はにこにこしてトルベックに対った。

「トルベック神父さまですね。わたしは、あなたがまだ、グリエルモ教会にいらっしゃらない前の信徒です。そうだ、わたしのことはルネ・ビリエさんなら、よくご存じですよ、いや、管区長さんも知っておられる筈《はず》です。わたしは、グリエルモ教会を八年前に追われた男でしてね」

　日本人岡村正一は、悪気のない微笑を浮かべていた。

た。

十九

この男がグリエルモ教会を以前に追われたという話は、トルベックにとって初耳だった。

信者が教会を追放されることは、めったにないのだ。

「ごじょうだんでしょう」

トルベックはその男に云《い》った。

男は、しかし、笑いながら云うのである。

「冗談ではありません。わたしは、グリエルモ教会に迷惑をかけた男でしてね。まあ、追放と云ったのは、わたしの勝手な云い方だが、何となく、あの教会に行くのに敷居が高くなったんですよ。それで今は渋谷の教会に出入りさせてもらっています」

「おう、ではゴルジしんぷの？」

「え、そうです」

日本人はうなずいた。

「ゴルジさんには、ずいぶんよく面倒をみてもらいました」

男の微笑《わらい》の顔には皮肉があった。しかし、これはトルベックに通じない。日本人の笑いは、その顔つきと同様に、一様に扁平《へんぺい》に見える。実は、この男の笑いには謎《なぞ》があった。

その日本人なら、かつて砂糖の闇《やみ》売りのときに、グリエルモ教会に姿をしばしば見せた男であった。

教会の倉庫から運び出した砂糖袋をトラックに積み、毎日のように売り捌《さば》きに出た連中の一人だった。田島に反感を起して警察に密告したのが、この男だった。

しかし、教会では彼を追放することができなかった。教会にそれだけの弱点がある。裏切りしたこの男が平気でバジリオ会の渋谷の教会に、いつの間にか出入りしていたのだ。

それだけではなかった。S・ランキャスターの仕事に彼は一役かっていたのである。

「トルベックさま、あなたのお顔はたびたび拝見していますよ」

とその油断のならない信者は云った。

「グリエルモには、ときにはいらっしゃるのですか?」

神父は訊《き》いた。

「いいえ、今云ったように、あそこの出入りは遠慮しています。ですが、別の場所でお見かけしているのであなたの顔はよく知っていますよ」

「おう」

トルベックは複雑な顔になった。

彼の表情が怯《ひる》んだ。この日本人が自分をどこで見ていたかを考えると、蒼《あお》くなりそうだった。

日本人は、弾《はじ》けるような笑い声を出した。

「トルベックさん、これからよろしくお願いしますよ」

むろん、話は仕事のことである。傍《そば》で、ランキャスター氏がパイプをくわえて立っていた。

「ミスター・オカムラは、仕事ができる。それに口が固いのでね」

貿易商は保証した。

「トルベックさん、この人の前だと何をしゃべってもかまわない。わたしの友人だし、仕事の協力者だからね」

トルベックは帰る用意をした。

「トルベックさん、セツコの方はわたしが引き受けた。安心していい」

貿易商は続けた。

「スチュワーデスは志望者が多い。二百人に一人だそうだがね。なに、わたしの口添えがあれば、ぜったいに大丈夫だ。君はセツコにそう云ってよろしい。明日にでもホンコンの地図を買って、街の模様と名前を調べておくことだね」

トルベックは貿易商に頭を下げた。

「失礼します」

トルベックはランキャスター氏の次に旧信者の岡村と握手した。帰りがけに、ランキャスター氏は彼を扉口まで見送ってくれたが、実は、ドアを用心深く閉《し》めるためだった。

トルベックは人の気配のないアパートの階段を降りた。

ランキャスターは恐しい男である。二百人に一人という競争率の激しい航空会社の入社を、その会社の重役のように簡単に請け合ってくれた。彼は前から、今、自分に出来ないものはないと云っていた、その豪語の通りである。グリエルモ教会を蔭《かげ》で支配しているように、貿易商はあらゆる方面に強いかくれた発言を持っているようだった。

階段を下から昇ってくる人々があった。三、四人連れだが、肩をならべて静かにゆっくりと上って来る。降りているトルベックは、途中で彼らとすれ違った。

トルベックは、彼らに見られないように顔を横に振ったが、眼の端では対手《あいて》を素早く一瞥《いちべつ》した。

瘠《や》せて背の高い男もいれば、肥って低い男もいた。東洋人であることは確かだが、日本人ではなさそうだった。これはトルベックの直感だが、彼らの身振りに日本人の習性にないものが見えた。

先方でも、トルベックの方を警戒しながら、すれ違った。彼は背中に連中の凝視を痛いほど感じた。

トルベックは外に出た。このアパートに来ていつも思うことだが、外に出た途端に深い呼吸《いき》を吸い込むのだ。ランキャスター氏の部屋の、いや、このアパート全体の空気が重苦しくて呼吸が塞《ふさ》がりそうだった。それに、ランキャスター氏と対《むか》い合っていると、刃物の背を頰に当てられているような恐怖感がいつも気持の底を流れる。

トルベックは深呼吸をして、暗い場所に置いてあるルノーに歩いた。

S・ランキャスター氏の事務所は、都心のビルの四階にある。事務所の扉のすりガラスには、まさしく貿易商と横文字で書かれてあるが、何を輸入するのか判然としない。女秘書と二人の事務員を置き、電話もあるが、事務所の景気はどうみてもいいと思われなかった。この事務所ではランキャスター氏はめったに客と会わない。氏が密談のために、専《もっぱ》ら利用するのがあのアパートの私室だった。

なるほど、ランキャスター氏は、毎日ビルの中にある自分のオフィスに一度は出勤する。ビルの顔見知りの誰にも愛想がよく、よそ目には律義《りちぎ》な商売人としか思われなかった。

しかし、貿易商はその事務所《オフィス》には一時間余りもいなかった。あとは凄《すご》く立派な自動車《くるま》を運転し、何処《どこ》ともなく消えて行く。

もし、留守によそから電話でもかかると、残っている事務員はこう応《こた》えるであろう。

「主人は外出中でございます。行先はよく分りません。さあ、帰る時刻もはっきりと分りません。はい、まことに申し訳ありません」

事実、オフィスの事務員たちは何事もランキャスター氏から知らされなかった。扱っている商品は、利の薄い、売れ行きのよくない、景気の悪い品物ばかりだった。

生田世津子から入社合格の報《し》らせを最初に受けたのは、トルベックが教会に居るときであった。

教会には電話が二つある。一つは二階の管区長室だが、一つは事務所にあった。この電話はベルが鳴ると、会計係のトルベックが何をおいても先に取ることにしている。日本人の事務員が迂濶《うかつ》に受話器を外《はず》そうとしようものなら、彼は血相を変えてそれを奪い取った。

生田世津子からかかってくる電話の期待だけではない。近頃、貿易商からの連絡が多いのであった。人に聴かれてはならなかったし、まして日本人には警戒しなければならない。通話の声は細い。母国語だから日本人には分る気遣いはないが、それでも話し方は始終、低声《こごえ》であった。

「わたしです。世津子です」

そのときは女の声だった。

「受かりましたわ。いま通知があったんです」

世津子の声は有頂天だった。

「それは、おめでとう」

トルベックは、受話器を掌で囲ってお祝いを述べた。

「夢のようですわ、まるで自信がなかったのに。競争率は二百人に一人ですって。それを聞いたとき卒倒しそうなくらいでしたが、合格の通知を見て、ほんとうとは信じられないくらいですわ」

世津子の声は跳《は》ねるように弾《はず》んでいた。

「よかったですね。おめでとう」

トルベックの眼には、忽《たちま》ち、S・ランキャスター氏のパイプをくわえた顔が浮かんだ。

彼は払い落すように首を振った。

「おいわいをしなくてはいけませんね」

「ありがとう。わたくしも早くお目にかかりたいわ」

「今夜」

と、トルベックは云った。

「今夜、あいましょうね？」

「ええ、ぜひね。今日は金曜日ですわね」

彼女は念を押した。逢《あ》う場所も時間も、別に相談し合うことはなかった。

曜日によって時間と場所の約束は前から決められていた。彼女が金曜日を確かめたのは間違わぬためである。

その晩、約束の時間に、トルベックは世津子といつもの家で逢った。トルベックは、此処《ここ》では愛嬌《あいきょう》のいいアメリカ人で通っている。女中たちにも顔馴染《かおなじ》みになっていた。

ところで、その宵の生田世津子は、子供のように躁《はしゃ》いでいた。トルベックのそばで、未知のさまざまの場所を夢みるように訊いていた。

ロンドンとホンコンの話をせがんだ。

トルベックは、ホンコンを知らない。彼はロンドンの街については自分の聞いていることを話した。事実、彼もロンドンに行ったことがなかった。

幼い時から貧しい家に育った彼は、まるきり旅行をしたことがない。母国の教会に入るとそこで教育され、青年になって日本に送られ、神学校に入学したのであった。

トルベックは、しかし、生田世津子にまるでロンドンを知らないとは云えない。彼は、他人から聞いたことを適当に繋《つな》ぎ合わせた。

テームズ河、ロンドン塔、ハイド・パーク、ピカデリー——名所の話は世津子に空想と想像とを交錯させて充分に堪能《たんのう》させた。

「入社すると、見習みたいになって、すぐにロンドンに行くんだそうです」

と彼女はうきうきしながら云った。

「向うの会社の講習所に入り勉強するのだそうです。そこでは二カ月の講習を受けて帰り、次は日本での講習になります」

彼女は、トルベックの柔らかい髪の毛を指で撫《な》でながら云った。

「うれしいけど、心配だわ。ロンドンでの講習がうまくいくかどうか、また自信を失いそうです」

「安心なさい。だいじょうぶです」

トルベックは、彼女の不安を取り除いてやるように、その頬をさすった。

「いいえ、向うでも試験があるそうです。それが外国語ばかりです。講習の内容は、育児だとか、テーブルマナーだとか、看護術だとかいうものですが、全部、外国語だと、心細くなりますわ」

「だいじょうぶ、だいじょうぶ」

トルベックは慰めをつづけた。

「また、わたしがかみさまにおいのりしてあげます」

「有難う」

彼女は感謝した。

「わたくしが二百人に一人という激しい競争の中から選ばれたのは、トルベックさまが神さまに祈って下さったせいかも知れませんわ。自分で実力がないものと決めていたのに、こんなことになったので、本当に奇蹟《きせき》を信じたくなりました」

「それでいいのです。神さまがあなたをいいようにしてくださいます」

「ほんとうに、今度もうまく採用になりますように」

彼女はそのままの姿勢で両手を自分の胸に組んだ。

「わたくし、採用になったら、いろいろな買物をするわ。できるだけ方々を見て歩くわ」

彼女は瞳《め》を遠くの方に凝《こ》らして呟《つぶや》いた。

「飛行機でのわたくしたちの任務は、ホンコンまでですって。羽田を発《た》ったらホンコンに着き、それから中国人のスチュワーデスさんと交替するんだそうです。帰りの飛行機に乗り込むまで二日間の休暇があるんですって。その間、どんなことをしようと自由だと云われましたわ」

外国での二日間の自由——生田世津子は、今からその自由の内容を夢みているようだった。

しかし、トルベックにも計画がある。彼の世津子に寄託する密《ひそ》かな任務があった。トルベックが貿易商ランキャスター氏から命じられた任務である。

貿易商は彼に云った。世津子が勤務に就くようになれば、出来るだけ早くわれわれの計画どおりに彼女を動かして欲しい、それを要求しても彼女は決して拒否しないであろう。貿易商は彼女を呼ぶのに「君のセツコ」と云《い》った。つまり、トルベックの申し出なら、彼女はどのような困難でもやすやすと聴くだろう、と云うのである。

「あなたがロンドンに行ったら」

とトルベックは云った。

「わたしは、しじゅう、神さまに祈っています。それから、講習をうけているあいだ、ひとりで心細いだろうから、わたしが、心のカテになるようなものを送ります。それを見て、いつも、わたしがあなたのそばにいると思ってください」

「ありがとう。お願いしますわ」

彼女は応えた。

「ほんとうに、その二カ月の間が心細いんです。毎日のように、あなたの手紙を頂きたいわ。だって、いっしょに行く人もいるけれど、果していいお友達になれるかどうか分りませんもの」

彼女は心細げに愬《うった》え、トルベックの頸《くび》に甘えた。

トルベックは、それを柔かに慰めていた。まるで彼女の不安を掌《てのひら》で愛撫《あいぶ》しているみたいだった。

生田世津子はEAL（欧亜航空路会社）のスチュワーデスに採用された。

トルベックは、早速、それをランキャスター氏に連絡した。

「わたしの云うとおりだろう」

貿易商は、鼻に薄ら嗤《わら》いを浮かべていた。

「三カ月後には、われわれの鳩がいよいよ飛ぶことになるね、トルベックさん」

「しかし」

トルベックは告げた。

「彼女は、外国語に自信がないと、やはり不安がっております。訓練の結果、落第するかも知れない、と云っています」

「大丈夫だ、と彼女に伝え給《たま》え」

ランキャスター氏は引きうけた。

「千何百名の中から、わたしが選ばせたのだ。あのことは安心していい。スチュワーデスぐらいの外国語は、トルベックさん」簡単におぼえられるよ。それよりも、トルベックさん」

彼は、トルベックの顔に自分の眼を近づけた。

「あの方の訓練を、彼女にしっかり頼むよ」

その強い眼がトルベックを圧倒しそうだった。

「分りました。必ずそうさせます」

「念のために云っておくがね、これは君だけのことではない。日本のバジリオ会全体の繁栄に関係のあることでね。管区長のマルタンさんも、ルネ・ビリエさんも、全部が承知のうえだ。分っているね、トルベックさん」

貿易商は、トルベックの肩を敲《たた》いた。

トルベックは、いつぞやの、江原ヤス子の家でルネ・ビリエ師がこの話を承知しているような口吻《くちぶり》を想《おも》い出した。すべて、貿易商から管区長までも話が行っていることである。また、ランキャスター氏の云う「繁栄」が何を意味するか、トルベックにはよく分っている。

「君のセツコはいつ、ロンドンに行くかね？」

「あと一週間で立つ、と云っています」

「そうかね」

ランキャスター氏は、例によって床をこつこつと歩き廻った。

「ロンドンに滞在中、彼女に手紙を送るんだね」

親切なことだ、とトルベックが思っていると、

「それは、鳩の訓練の上に必要なことだよ」

と、つづけて云ったのには、彼も愕《おどろ》いた。

「君のセツコに、君から絶えず見守られていることを自覚させねばならない。つまり、

鳩には、自分の肢《あし》に付いている糸のことを、始終、気づかせておかねばならないのだ。そのためには、君はロンドンに滞在している彼女に絶えず物を贈ってやることだね。このことで彼女の意識は、いつも君の拘束を受けることになる。決して、彼女の心の中に、君の在るのを消してはならない。断わっておくが、わたしは愛情のことを云ってるのではないのだ」

ランキャスター氏は厳《きび》しい顔つきになっていた。

「愛情は儚《はかな》いものだ。例えば、彼女の心の中に、いつ、君の幻が消えるかも分らない。新しい環境に移ると、女は時として新しい男友だちを持ちたがる。殊《こと》に、スチュワーデスにはその誘惑が多いからね」

トルベックの見ている前で、貿易商は床を往復した。

「君の色恋のために、わたしはセツコをスチュワーデスに仕立てたのではない。わたしはもっと仕事に専念する男だ。セツコに勝手な真似《まね》をさせては、わたしのこれまでの細工が無駄になるのでね」

歩いていた貿易商の脚が、トルベックの前五センチとは離れない所で停止した。彼の唇は、今にもトルベックの鼻を嚙《か》みそうな具合だった。

「わたしは酔狂で君のセツコをスチュワーデスに仕立てたのではない。ビジネスだ、仕事だ。絶対、彼女には君の影響下にあることを忘れさせてはならない。そのために、君はロンドンで訓練中の彼女に何でも送るのだ。手紙でもいい、教会の新聞でもいい。切手だけでもいい。とにかく、五日おきぐらいには、必ず日本から品物を送りつけるんだ。これが彼女に君という糸を絶えず認識させる最上の方法だ。その方法で、彼女はわれわれのいい手下になる。謀略というのは、そういうものだよ、トルベックさん」

トルベックは、ここでもまた言葉を失っているだけだった。

或《あ》る晴れた朝、羽田空港をＥＡＡＬの旅客機が、新しいスチュワーデス要員を乗せて出発した。

たくさんな見送人があった。その中に混ったトルベックは、機の影が小さな点となって消え去るまで、眼を空から離さないで、永いこと立っていた。

二十

トルベックにとって寂しい日々がつづいた。

生田世津子が外国に去ってから、彼は身体《からだ》の中に大きな空洞《くうどう》が開いたような気持だった。彼は、毎日が古い革を嚙むように味気《あじけ》なかった。空疎《くうそ》で充実感がない。喜びも愉《たの》しみもなかった。

ただ彼は、ロンドンからの便りを待った。彼女との手紙を交換することが、彼の唯一《ゆいいつ》の愉楽であった。

スチュワーデスに養成させられるための講習期間、彼女はさまざまな教育を課せられていた。そのすべては外国語で行なわれた。

生田世津子の手紙には、必ず語学の弱さが悩みとなって訴えられてあった。トルベックは、それを励ました。夜、教会の仕事が終って、灯の下で書く彼の手紙は、世津子への励ましと慰めの言葉に満ちていた。

「この合宿所は、ロンドンの街中にあります。朝から晩まで外国語ばかりなので、わたしはついて行けそうもありません。日本に帰ったら、落第するかもしれません」と彼女は書いて来た。

「ほかの友だちは、わたしよりずっと語学ができます。それに、わたしの語学の力がないことを知っていて、友だちは蔭口《かげぐち》をきいています。わたしがコネで入ったのだろう、というのです。友だちの眼は自然とけいべつ的となり、わたしを仲間はずれにしようとするふうも見えます。

遠く国を離れて、異国の宿で毎日を暮すわたしにとっては、それがどのようにつらいか、お察しください。

ただ、スチュワーデスの講習というのは、病人の介抱や育児の世話などが入っていて、これがわずかにわたしの自信となっています。というのは、わたしはダミアノ・ホームの保姆《ほぼ》をしていましたので、その経験が役立っているのです。

神さまはこんなときにお救いくださっているのでしょう。わたしは、毎晩、神さまにお祈りをしています。そして、トルベックさまのことを、いつも想《おも》っております。わたしたちの将来に、神さまの祝福がありますように、お祈りしてはベッドに入っております」

トルベックは熱心に返事を書いた。

彼はやさしい日本字は書けた。分らないところは辞書を引いた。その、たどたどしい文字には、彼の世津子に対する情熱が塗りこめられていた。

「言葉がわからないあなたは、さぞ苦労なさっていることでしょう。手紙を読んで、それがよくわかります。けれども、力を落してはいけません。むずかしい試験を経て大勢のなかからあなたが選ばれたのは、神さまが選んでくださったからです。その仕事に、自分勝手に絶望してはいけません。必ず神さまがあなたの弱い力を助けてくださると思います。

友だちがどのように云おうと、それは少しも気にかけてはいけません。イエスさまが異邦人たちにどのように苦しめられ、石を投げつけられたかは、あなたもよく知っていると思います。イエスさまの受難のことを思えば、あなたの苦痛はなんでもないでしょう。

毎晩、あなたが神さまに祈ることは、たいへんいいことです。遠い国にひとりで居て、自分が不安になったとき、何よりの助けは神さまです。

苦しみのない世界をつくるのは、全能なる神さまにとっては不可能ではありません。それにもかかわらず、神さまが人間を苦しみのある世界につくられたのは、それ相当の理由があったからです。神さまは人間に自由な意志をお与えになりました。けれども、人間は自由な意志をみだりに使うことで必ず悪や罪へかたむくものです。実際、人間はだれでも苦しみを経験してきました。ですから、苦しむことが人間にとっても価値のあることです。

あなたは今、その苦しみを味わっています。けれども、苦しむことを嫌《きら》ってはいけません。苦しむことによってあなたは成長し、神の意志にそうことになります。そして、わたし自身も、あなたの苦しみが少しでも早く脱けられるよう、遠いところから神に祈っております。

わたしはあなたに手紙を書くたびに、その曜日にしたがい、最後に、あなたの福音となる詩句を書きつけるでしょう。

――主よ。わたしは主を信頼したてまつる。わたしを恥じさせ給《たも》うな、敵にわたしを侮《あなど》らせ給うな、主により頼む者は辱《はず》かしめられることはないであろう。(詩篇24ノ1)」――

その返事が来るまで、トルベックはどのように待ったか分らない。彼は落ち着かなかった。それだけに、航空郵便の封筒が来ると、彼は何より急いで自分の個室に帰り、急いで封を切るのであった。

「ご親切な手紙ありがとうございました。わたしは、あなたの手紙でどれだけ勇気づけられたかわかりません。言葉のほうは、どうやらおかげさまでだんだんわかって来たようにも思います。けれども、まだ自分で自由には話せません。ほかの友だちは、わたしよりずっと上手に話しています。けれども、わたしは悲しみません。神さまやあなたが、わたしの味方になってくださっているんですもの。

今日は、ロンドンの街へひとりで出て行きました。道を迷いそうでしたが、それでも無事に帰りました。わたしは、ほかの意地悪な友だちといっしょに歩くのを好みません。それよりもひとりでこっそりと、この異国の道をさまよいながら、トルベックさんのことを想い、孤独な旅びとの感傷にひたっています。

早いもので、講習も半分はすみました。どうやら無事に終りそうです。これも、神さまやトルベックさまのお力だと、ほんとうに感謝しています。

神さまがどこかでわたしを見守ってくださる、と思っていますから、このごろでは、寂しさが薄れました。それに、日本にいたとき、トルベックさまがわたしに話された一語一語が、胸に生き返っております。

わたしはだれもいない部屋で、自分の胸にあるあなたのやさしい呟《つぶや》きに、耳を傾けております。わたしは幸福ですわ」

「あんたの可愛《かわい》い小鳩《こばと》は、どうしているかね？」

S・ランキャスター氏は、トルベックに生田世津子の消息を訊《き》いた。

トルベックはやはり彼の豪華なアパートを訪問していた。訪問せねばならない用事があった。彼個人のためでなく、バジリオ会のためであり、グリエルモ教会のためであった。

渋谷教会のゴルジ神父が大阪に転任になってからは、殆《ほと》んどトルベックがマルタン管区長の指令を受けるようになった。電話連絡もあった。しかし、近ごろでは、その間に日本人が入る。この間、貿易商の部屋で紹介されたあの矮小《わいしょう》な男であった。

あの男と云《い》えば、トルベックは、マルタン管区長にもルネ・ビリエ師にも、帰って報告したことであった。すると、管区長は顔をしかめ、ビリエ師は肩をすくめた。二人ともそれについては詳しい説明をしない。

「ランキャスターさんがそう云うなら、そのような信者もあったように憶《おぼ》えている」

二人とも呟くだけであった。トルベックが見て、暗い顔つきなのである。

「あの男」と教会との間に何かがあったのだ。トルベックは、その質問をする必要がなかった。彼も、前後の関係から、その信者が教会を追放された事情をうすうす承知した。

だが、その信者の出入りを、マルタン管区長もビリエ師も拒絶出来ないのは、貿易商の口添えがあるばかりではない。今では、このバジリオ会の所属教会全体が、貿易商に繋《つなが》る一部の日本人の連絡下に入っていたのだ。

連絡は秘密だった。ときどき、暗号めいたことを電話で交《かわ》した。それはすべてその貿易商の発明にかかった。

トルベックが足繁《あししげ》くそのアパートに通うようになって、彼はその貿易商の一室でさまざまな人間に紹介された。日本人もあれば、他の東洋人もいた。

終戦後、ララ物資として日本に送られて来た中古衣類は、グリエルモ教会で密《ひそ》かな工作が行なわれた。表と裏地の間に「白い粉」の袋が挟《はさ》み込まれてあるのを取り出したのだ。

その「白い粉」こそ、今、貿易商が扱う最大の商品であった。その生産地から運搬されるルートは、アモイ、シャンハイ、マカオ、ホンコンの線だった。

貿易商は、その秘密で、利益の大きい商品の扱いにバジリオ会の組織を利用していた。日本は敗戦国だし、殊《こと》に外国人の宗教団体に対して当局は寛大であった。それは彼の魂胆だった。宗教的な組織の利用――これがS・ランキャスター氏の狙《ねら》いであった。

グリエルモ教会は、事業を拡張し、建物を増築した。雑木林の中に建っている教会は、戦後のみすぼらしさから考えると、見違えるように立派となった。武蔵野《むさしの》の地域だけではない。渋谷も、大阪も、九州も、総《すべ》てが見事に改築された。

バジリオ会は、布教の上に飛躍を遂げたように見えた。別な会の教会から羨《うらやま》しがられたほどである。だが、誰がその資金を寄進し、どんな金持がそれに協力しているか、他の教会には詳《つまび》らかには分らなかった。多分、本国の本部から資金が送られているものと思っていた。しかし、本部には潤沢な金はなかった。

貿易商は、絶対に教会には寄りつかなかった。それでいて、彼と教会との連絡は、これほど緊密なものはなかった。電話もそうだったが、絶えず、トルベックがルノーを走らせて、彼の部屋に訪問するのである。そこではいつも秘密な相談がなされた。いや、相談と云うよりも、教会側のトルベックが、貿易商の命令を受けていたのである。

「われわれは、絶対安全な商売をしなければいけない」

貿易商は、彼の部屋で床を歩きながら、他の仲間に語ったことがある。

「危険率の少ない、いや、絶対に危険のない運搬方法を考えなければならぬ。それが商品だ。速くて安全な、そういう運搬機が欲しい」

トルベックは居なかったが、集まった者の中で質問した。

「その方法はあるのかね?」

「ある」

とランキャスター氏は云った。

「今、それを養成している。われわれの手もとでなく、ずうっと遠い所でね。しかも、費用はほかの会社持ちだ。諸君、これほど歩のいい商売はない」

ランキャスター氏は誇るように告げた。

「つまり、わたしは、今、一人のクーリエ（伝書使）を養成している。間もなく、それは一本立ちになるであろう。いやこれが成功したら、一人だけではなく、もっと数をふやすつもりだ」

貿易商は含み笑いをした。いかにも嬉《うれ》しくてたまらぬ身振りであった。

「ミスター・ランキャスター」

と仲間の一同は云った。

「われわれは君を信じている。君のやることにソツはない」

「有難う、わたしを信用してくれるんだね」

貿易商は得意げに皆の顔を見廻した。

「もちろんだとも。われわれはみな君に協力する」

貿易商は笑った。

「協力してくれるのはありがたい。しかし、今、協力してくれているのは、たった一人の坊さんだ。この坊さんが、わたしのクーリエを温め、巣立ちを助けてくれている」

ランキャスター氏が仲間に云ったこの宣言は、別の場所でトルベックに親しげに返って来る。

「あんたの小鳩は無事かね？　トルベックさん？」

愛嬌《あいきょう》ありげに云う言葉がそうだった。

「無事です」

とトルベックは答えた。

「手紙をくれています。ひどく語学が出来ないと云って心細がっているので、わたしが勇気をつけてやっています」

「そりゃいいことだ」

貿易商は、長い手をこすり合わせた。

「あなたは、わたしの云った忠告を実行してくれる。そうだ、彼女には絶えず何かを送るがいい。愛の言葉でも、おやすみなさいでも、勝手に何でも書き送って欲しい」

ランキャスター氏は満足そうにうなずいていたが、

「ところで、彼女は小遣《こづか》いに不自由をしないかね？」

と気づいたように質問した。

「さあ」

トルベックは首を傾《かし》げた。

「多分、充分ではないと思います」

ランキャスター氏は短く口笛を吹いた。

「困っているなら、送って上げるといいね」

「しかし、日本から外国に金を送ることは面倒な手続きが要《い》ります」

「分っている、トルベックさん。そうだ、わたしが高価な切手を持っている。これを彼女に送ってあげるがいい。珍しい切手だし、高いから、ロンドンではかなりいい値で売れるだろう。これは彼女の小遣いになるね。そして、君は、彼女が不自由しないように、絶えず気をつけてやるんだ。そら、いつかもわたしが云ったね。彼女が絶えず君という一本の糸を気づいているようにとね」

ロンドンの生田世津子からトルベックへの手紙。

「その後、何度もお手紙をいただいて、ありがとうございました。わたしの方も、どうにかこちらの生活にも慣れ、講習も終りに近づきました。身体《からだ》の方はしごく元気です。この間はまた、宗教新聞を送ってくださって、ありがとうございました。それに、思いがけなく、高価な切手を入れてあって、おどろきました。

あなたのお手紙のとおりに、わたしはその切手を或《あ》る切手屋さんに持って行きました。

このごろは、ロンドンの街も、どうにか近くまではひとり歩きができます。会話の方はいつまでたっても上達しませんが、簡単な言葉はわかるようになりました。買物もひとりでできます。

切手はたいそう高く売れました。おかげさまで、わたしはひとりでレストランに行き、おいしいものを食べ、それから買物に参りました。なんといっても、お金のあるのは楽しいことです。自分の好きなものをあれこれと眺《なが》めながら、幾つか気に入ったものを買いました。

神父さまというのは、ご自分のお金を持たないで、ご不自由なことでしょう。神に仕える身としては当然のことですが、それでも、自分の好きなものを買えないときは、どのように寂しいでしょうね。それとも、あなたは、そのような俗な欲求は、もう心に何もないでしょうか。

友だちのだれともやはり親しくできません。なんといっても、わたしの外国語が弱いので、みんながわたしをけいべつしているような気がします。今でも、わたしがだれかのヒキで入ったように噂《うわさ》しています。

けれども、この噂にも慣れて参りました。講習の言葉は全部外国語ですが、幸い、看護とかお客さまの扱いとかは実習がありますので、言葉の意味は判断がつきます。

それにしても、このような心細い生活も、あと幾らもないかと思うと、早く日本に帰りたい気持がよけいに起りました。それに、トルベックさまは、こんなに愛してくださるんですもの。一日も早く帰って、あなたに飛びつきたい気持でいっぱいです。どんなにかその時は楽しいでしょう。きっと、わたしはあなたの顔を見たとき泣き出してしまうと思いますわ。

あなたのお手紙の最後にあるお祈りの言葉は、いつもうれしく拝見しています。神に愛され、つくづく、神さまを信じていることの仕合せを、身にしみて感じています。神に愛され、あなたにも愛され、わたしという女は、どんなに仕合せ者でしょう。

切手を売ったお金が、まだここに残っています。日本に帰るとき、あなたのためにいいプレゼントをしたいと思い、今から心がけています。

みんな寝静まりました。わたしもこれから、おやすみ、をいってベッドに入ります。眠る前に、じっと眼をふさいでいると、あなたのやさしいお顔が見え、耳にあなたの柔らかい声が聞えそうです。では、おやすみなさい。

神の守りがあなたとわたしの上にあるように」

トルベックからロンドンの生田世津子への手紙。

「元気と聞いて安心しています。

この前送った切手が高く売れて、あなたが楽しかったことを手紙で読み、わたしもうれしくなりました。

あなたが飛行機でこちらを立ってから、もう何十日かたちました。わたしはやはり毎朝神さまにおミサを上げ、それから教会で自分の仕事をしています。神に祈るときは、一度もあなたのことを祈らぬことはなく、仕事をしていても、片時もあなたのことを忘れたことはありません。

外国語の不自由なことを悲しんでいるようですが、それも次第に慣れてきたとのことで、喜んでいます。とにかく勇気を持つことです。神さまは偉大です。弱い者ほど助けてくださいます。悲しがることはありません。

わたしがあなたをどれだけ好きか、神さまだけがご存じだと思います。わたしの愛の深さは、山の湖よりもっとだと思います。どうかあなたはわたしを信じてください。あなたの居ない毎日は、まるでサバクの中で暮しているようなものです。

けれども、講習も終りに近づいたことだし、あなた以上にわたしは、あなたに会えるのを待っています。わたしがいつも書く神さまの教えが、あなたを喜ばしていると聞き、たいへん喜んでいます。わたしもこれを書いているとき、ほかの神父さんたちは、それぞれの部屋で眠りについています。わたしだけがひとり起きて、遠いあなたに心をよせているのです。われわれの上に、きっと神さまの恩寵《おんちょう》があると信じます。今日は木曜日です。

——あなたに挨拶《あいさつ》する、恩寵に満ちた者よ、主はあなたとともに在《おわ》す。あなたは女の中で祝された者である。（ルカ1ノ28）

では、わたしの愛するセツコに神の祝福があるように」

## 二十一

生田世津子からトルベックへの手紙。

「いよいよ、講習も終りに近づきました。いろいろと、この間から、お心づくしのものを頂いて、ほんとうにすみません。あなたのお気持が、そのたびに、わたしの心の奥深く沁《し》みこんでいきます。

昨日と今日は、講習も終りころだというので、一日じゅう、ロンドン市中を、会社から見物させてくれました。

でも、みんなといっしょですから、つまりませんでした。同僚はやはりわたしをのけものにしています。気の合わない者同士が、どんなに美しい所を見ても、少しも心に入りません。

ロンドンはやはり古い都で、一世紀も前の建物がひっそりと一劃《いっかく》を占めています。赤い煉瓦《れんが》の建物で、ちょうど東京の丸ノ内の古い一劃に似ています。

いよいよ、ほんとうの東京の街を歩くのも近いでしょう。トルベックさまに腕を取られて、早く歩いてみたいと思います。

ロンドンもいよいよお別れかと思うと、さすがに心残りがします。日本を発《た》つ前には、あれほど憧《あこが》れていた異国の空が、来てみると想《おも》うほどのことはなく、心が弾《はず》まなかったのはなぜでしょう。これはきっと神さまだけがご存じですわ。

近ごろは、どうにか言葉にも慣れてきました。スチュワーデスとしての用語は、わりあい簡単で、インフォメーションの用語を幾らかおぼえればいいようなものです。お客さまへのサービスが主ですから、同僚の人がわたしの語学の貧しさをけいべつしても平気です。

こういう気持になるまでには、わたしの、ともすれば卑屈になりがちな気持を、絶えずあなたが手紙で激励してくださったからですわ。勇気がだんだん出てきたのです。ほんとうに、ありがとうございました。あなたからのお手紙がなかったら、わたしはきっと、今ごろ、ひどいノイローゼになっていたと思います。

それでは、わたしが日本に帰ったときは、きっと羽田まで出迎えに来てくださいね。でも、そのときは、きっとわたしの叔父や叔母がいっしょに来ると思いますわ。わたし、あなたのお顔を見た瞬間に、もしかすると、泣き顔になるかもしれません。それを想うと、羽田までの出迎えはやめてください、とも思いたくなります。

わたし、今度こそ思いました。遠い所に離れている機会が、自分の愛の本体を見きわめるときだ、ということをです。

セツコ

愛するトルベックさま」

トルベックよりロンドンの世津子への手紙。

「手紙を読みました。

いよいよ、講習も残り少なくなったこと、わたしがだれよりもよく知っています。というのは、あなたと同じように、わたしもカレンダーの日付を消していっていますから。

近ごろ、ようやく、気の弱いところがなくなったとのこと、何よりと思います。わたしが絶えず力をつけてあげたことが想わぬ効果になったと知って、これほどうれしいことはありません。やはり神さまがあなたに助力してくださったのです。それと、わたしがあなたのことをいつも想っているのを、神さまがよみしてくださったのかもしれません。

あなた以上にわたしが、早くあなたの手にふれたいと、どれだけ考えてるかわかりません。同じトウキョウだったら、たとえ一週間逢《あ》わなくても、これほどの焦慮は起らぬでしょう。だが、逢いたくても逢えない遠い所にあなたが行っているかと思うと、ときには、二、三日が我慢できない気持にもなります。

羽田にはきっと迎えに行きます。おそらく、あなたの叔父さんや叔母さんたちも迎えに行かれると思いますが、わたしは、あなたに断わられても、その人たちのむれの中に入っていることでしょう。

わたしの顔を見ても、泣き顔にならないでください。にこにこと笑って手を振ってください。

むろんのこと、そのときは、わたしたちの仲をだれにも知られないようにしなければいけません。あなたは、教会の神父トルベックが迎えに来たと思い、そのつもりであいさつしてください。わたしもそうします。

それから、多分、日本へ帰ってからは、何日間かの休養があることでしょう。そのときこそ、愛する者同士の立場にかえりたいと思います。決して決して、わたしたちのことを他人に気取られてはいけません。

もし、そのことが教会にでも知れたら、わたしは、すぐに、きびしい戒飭《かいちょく》を受けなければなりません。われわれは、一生、女性と交渉を持ってはならないのです。それこそ、何世紀の昔から、神のみ恵みを伝える聖職者に課せられた荘厳《そうごん》な戒律です。もし、それを破ろうものなら、わたしは聖籍を追われることになります。

わたしは、自分の天職を大事と考え、同時に、あなたも愛しています。あなたを愛することがわたしの天職を冒瀆《ぼうとく》するとは考えていません。だが、今のわれわれの属する会は、それをきびしく制《と》めているのです。

わたしが聖籍を追われ、みにくい追放を受けたと知ったら、国に残している母や兄は、どんなになげき悲しむでしょう。兄たちは貧乏です。わたしが聖職者として日本に来ているのを、こよなく誇りと思っています。わたしは家族の悲歎《ひたん》を好みません。どうか、われわれの愛が永久につづくためには、あなたもこれをよく心得ておいてください。

それでは、この手紙がロンドンに届くあなたへの最後のものとなるでしょう。

——わたしは、あなたのために、絶えず神に感謝し、祈りのうちにあなたを想い出している。つねに、あなたの信仰の働きと、愛徳の労苦と、主イエズス・キリストの忍耐とを、わたしの父なる神の御前《みまえ》に想い出している。

残り少なきロンドンにいるあなたの上に、恩寵《おんちょう》と平安のあらんことを。

トルベック

愛するセツコさま」

その日、羽田空港の国際線ロビーでは、出迎人、見送人たちでいっぱいだった。

とりわけ、この日は、特殊な出迎人が多かった。ＥＡＡＬのスチュワーデスを迎える家族が、その三分の一くらい占めていた。

このロンドンでの教育を受けた見習生スチュワーデスは、ほぼ二十人くらいの数だった。それで彼女たちを迎える出迎人も数が多い。わずか二カ月間だったが、家族や友人や知人たちの昂奮《こうふん》は、何年も国を留守にして外国を歩いている人間を迎えるみたいだった。どの顔も、もうあと三十分以内に着くであろう旅客機を待って、明るく笑い話し合っていた。

トルベックは、今度は、黒い聖職服を着て、人々の群《むれ》の中につつましげに立っていた。

この国際線のロビーは、広場のように大きい。絶えず、ここには、世界の旅への雰囲《ふんい》気《き》が漂い流れている。

大きな壁間には、世界地図の上に縦横に航空ラインが描かれていた。ロンドンにも、ホンコンにも、ニューヨークにも、オスロにも、カラチにも、地図の上にきれいな灯がついていた。

その地図のように、ここに立ち籠《こ》める雰囲気も壮大だった。絶えず英語の放送が繰り返され、ロンドン行きの案内をしたり、ワシントン行きの告知をしたりしていた。そのアナウンスで呼ばれている人の名前が、いずれも世界のどこかの都市に出かける人間ばかりなのである。

一方の壁は、巨大なガラスだった。このウィンドウの外は、広大な飛行場で、折りから、昏《く》れなずんだ景色には、さまざまな灯が輝いていた。空港の設備の灯が連なり、海港の汽艇《ランチ》のように自動車が走り交《か》い、ならんだ飛行機の翼に可愛《かわい》い灯がともっていた。空に星が見え、水平線だけ澄明《ちょうめい》な日没後の残光を輝かしていた。

時計が六時を指した。途端に、放送があった。

「ＥＡＡＬのロンドン線の国際機は、あと十分ばかりして、当国際空港に到着の予定です。スチュワーデス見習生お出迎えの方に申し上げます。搭乗《とうじょう》の見習生は、検疫、税関、入国管理事務その他の手続きのために、四十分ほど当空港オフィスで時間がかかります。それまでお待ちください」

人々はざわめいた。

もう興奮して、飛行場につき出たロビーに行く者がいる。その一群がその方角に出ると、川の流れのように他の大勢の出迎人がつづいた。

トルベックはそのなかにいた。彼はわざと目立たぬように振舞った。絶えず謙虚な微笑をその白い頬にのぼせ、人の流れのあとについた。

もうあと数分でロンドンからの飛行機が着く。トルベックも、実は動悸《どうき》が搏《う》っていた。この出迎人の中には、生田世津子の親戚《しんせき》もいたし、知人もいた。だが、トルベック以上に胸をときめかしている者はないように思われた。また生田世津子にしても、トルベックほどに彼女が最初に逢いたい人物はいない筈《はず》だった。

人々は空を仰いだ。だが、黄昏《たそが》れた空には、あの両翼についている小さな灯の滑走は未《ま》だ見えなかった。

人々は、欄干に身体《からだ》をすり寄せて待った。三重にも四重にも、その後ろに出迎人は群れた。

トルベックは、群衆のいちばん後ろに立った。そこには待合室《ウエイティング・ルーム》があった。ルームの中には座席もあるが、子供が退屈せぬように覗機関《のぞきからくり》や世界廻り遊びなどの設備もあった。

飛行機を待っている出迎人の一部は、その中に入って行った。これは子供連れもあることだし、遊園地の遊び場のような所を子供に見せるためだった。

待合室の座席は幾つも置かれている。トルベックもその内に入った。彼女を迎える前の興奮をしずめるため、少しでもこのような所で憩《やす》みたいためだった。

相変らず微笑を見せながら覗機関の所に足を向けた。人気がよく、どの機械の前にも、子供や女たちが覗き口に眼を押し付けている。世界の有名な都市の絵葉書をレンズに透して廻転させ、親切な説明が声に出ていた。ニューヨークも、パリも、ヴェニスも、ローマもあった。

面白そうな機械なので、一人の子供が、その一つを覗こうとしてむずかっている。ところで、あいにくと、見たがっているそのロンドンの覗機関《のぞきからくり》には、背の高い外人が顔を押し付けて一心に見ていた。説明の流暢《りゅうちょう》な声が、そばに立っていても聞えるのである。

トルベックは聖職者だ。誰にでも愛の手を伸ばさなければならない。彼は子供の背を押えて、その男の後ろに付いた。もし、これ以上、その大人が長くそれを占領していたら、子供のために替ってやってくれないか、と申し出るつもりだった。事実、さっきから、この男は、繰返し繰返し十円銅貨を入れては飽かずに同じ覗きを眺《なが》めている。紺のベレー帽を被《かぶ》り、紺のコートを着た男である。

説明の声が切れた。明らかにそこで終ったのである。男は背を起した。ここでもう一度十円銅貨を穴に落したら、トルベックは進んで抗議するつもりで身構えていた。実際、その男はすぐさま立ち去ろうとしない。うかうかすると、もう一度覗機関を廻しかねなかった。

「もしもし」

と、トルベックはその男の後ろから声をかけた。

「この子供が、それを視《み》たがっています。おそれいりますが、ちょっとかわってやっていただけませんか？」

男はすぐに振り返らなかった。横着な人間らしい。トルベックがもう一度催促をしようとしたとき、不意にその男の顔がこちらを振り返った。その顔をはじめて見て、トルベックはあっと声をあげそうになった。

ベレー帽を被ってはいるが、紛れもなくS・ランキャスター氏だったのである。

「親切なことだね、トルベックさん」

トルベックは棒を呑《の》んだように、そこに立ち竦《すく》んだ。

「どれ、わたしも、ロンドン見物にも飽いたところだからね、その子供さんに替ってあげよう」

彼は向きを変えてトルベックの背中をついた。

「今度は、君に話がある」

貿易商は、人のまばらな所に足を向けた。むろん、トルベックをそばに寄せ付けてのことである。

「ロンドンからの機は、ほどなくここに着く。君のセッコも現われることだろう。しかし、わたしは君のセッコを見ていない。これはわたしも知っておく必要がある。なにしろ、われわれの大事な伝書使《クーリエ》だからね。紹介して欲しいものだな」

トルベックがどきりとした顔をすると、貿易商は笑った。

「いや、わたしは正式な紹介のことを云ってるのではない、トルベックさん。君はセッコに挨拶《あいさつ》するね。それをわたしはただ見ていたいのだ。それで結構。その新しいスチュワーデスが君のセッコだということが、わたしに判《わか》るからね」

折りから爆音が空に轟《とどろ》いた。出迎人たちはロビーでどよめいた。

昏《く》れた空から小さな灯を両翼につけながらロンドンから来たEAAL機が舞い降りるところであった。

「着いたね、トルベックさん」

ランキャスター氏は彼の肩をたたいた。

「いずれ彼女には正式な紹介をしてもらう。そうだ。その機会は必ず持ちたいものだね。だが、今日はわたしだけが、こっそり彼女の顔を横から眺めておくことにする」

国際線のロビーに、歓呼の渦がまいた。

今、乗客が降りて来るところだった。外国人の搭乗客の群の中に交って日本の若い女性の一団がつづいた。

彼女たちは、新しい紺色の制服《ユニフォーム》を着ていた。殆《ほと》んど一列になってロビーに現われた。胸にはEAALの真新しいバッジが輝いている。両手に提げた重いトランクも空から運んできた外国の空気が新鮮ににおっていた。

出迎人たちは彼女たちに殺到した。

一人一人を囲んで、忽《たちま》ちそこに幾つもの輪となった。生田世津子も人々に囲まれていた。叔母という人が興奮して話しかけている。その夫も赭《あか》ら顔に笑いを浮かべながら立っていた。彼女の友だちらしい若い女たちもいた。輪は二重にも三重にもなっていた。

トルベックはその輪から外《はず》れて、しばらく立って眺めていた。

だが、彼の背中は絶えずランキャスター氏の眼を意識していた。その強い視線が痛いほどであった。

出迎人たちの間に覗いている世津子の顔は人々の話しかけに応《こた》えてはいるが、眼は絶えず浮動していた。何かを探《さが》している視線だった。トルベックは進んだ。これは世津子に惹《ひ》かれたというよりも、貿易商の眼に後ろから押しやられたと云《い》ってもよかった。

彼は人の肩を分けた。

世津子は彼を認めた。彼女の顔が歪《ゆが》んだように見えた。それまで人々に向けていた笑いとは別な感動的な笑いが彼女の顔に拡《ひろ》がった。

「トルベック神父さま」

彼女は肩で呼吸《いき》をして進んだ。

「お帰りなさい、イクタさん」

トルベックはやさしい微笑で迎えた。ここでは、グリエルモ教会の神父として振舞わねばならなかった。個人的な感情を、他人に見せてはならないのである。

「ただ今、帰りましたわ」

世津子は眼を大きく開いてトルベックを見上げた。少し顔が瘠《や》せていた。それまで疲れてやや蒼白《あおじろ》かった頰が、瞬間に血の気が射《さ》して赧《あか》くなった。

「お帰りなさい」

トルベックは言葉を重ね、笑いながら何度もうなずいて云った。

「元気でなによりですね」

「ありがとう」

生田世津子の顔に感動が現われている。だが、その表情の昂《たかぶ》りを誰も気が付かない。それは二人だけの密《ひそ》かな交信だった。

だが、この挨拶は瞬《またた》く間に他の日本人たちに奪われた。それに、トルベック自身も、やはり控え目にしなければならなかった。彼は自分からその輪の外に退いた。

生田世津子は、まだ出迎人たちにしきりと応《こた》えている。トルベックに遇《あ》った後は、それがお義理のように見えた。

そのうち、輪は次第に崩《くず》れて、ロビーから出口の方へ人々は流れて行った。

このとき、トルベックは背中を指で押された。うしろに、ベレー帽のランキャスター氏がコートに両手を突っ込んで立っていた。

「いよいよ、これからだね、トルベックさん」

ランキャスター氏は、眼を人垣に囲まれた世津子の背中に当てている。

その眼つきの鋭さに、トルベックは顫《ふる》えた。

「彼女はいい伝書使《クーリエ》になる。はじめてここで拝見したがね。いや、可愛い鳩《ピチヨーネ》だな、トルベックさん」

二十二

生田世津子が日本に帰って、一カ月経《た》った。東京には雪の日がつづいた。

トルベックと世津子とは何回も逢《あ》った。いつもの家が利用された。

二人の愛は、世津子がロンドンに行く前よりも烈《はげ》しくなっていた。彼女のロンドン滞在中が一つの空白になり、それが二人の愛情を倍加する力になった。

世津子はトルベックに、ロンドン滞在中にもらった書信にどれだけ勇気づけられたかしれない、と云った。

「わたし、ほんとうに寂しくって、死にそうだったわ」と彼女はトルベックの耳もとで話した。

「いっしょの仲間は、わたしをのけ者にしているようだし、いつもわたしの語学をけいべつしていたんです。知らない遠い国で、そんな状態のわたしは、自分ながらほんとうに可哀《かわい》そうだったわ。思いきって独《ひと》りでも東京に帰りたいくらいだったわ」

彼女は、話しながら実際に泪《なみだ》を流しかねなかった。

「それを、あなたがいろいろと手紙で勇気づけて下さったのね。どれだけありがたかったか分らないわ。あなたのあのお手紙がなかったら、わたしは妙な気持を起して自殺したかもしれないわ」

「わたしのきもちが、あなたに分ってくれて、うれしい」

とトルベックは応《こた》えた。

絶えず彼女の髪をまさぐり、その指を弄《もてあそ》んでいた。

一刻も彼女の身体《からだ》から手を離していることが我慢出来ないようだった。手を握り、髪毛をつまんでいることで、トルベックの感情は彼女の皮膚に一本の血管を伝わり、移入しているように感じられた。そのことで二人は、ベッドのあるその部屋で飽かずに愛の動作を繰り返していた。

「聖書の文句を書いて下さったことも、どれだけありがたかったかしれないわ。ほんとうにそういうときこそ、聖句がひしひしと自分の心に沁《し》み込んで来るんです。教会でよんでいるときとまるで違うんです」

「そのとおりです」

とトルベックは云《い》った。

「人間はそのたちばにならないと、神のこえのほんとうのありがたさは分らないものだ。あなたのさみしい心に勇気をあたえたのは、わたしのきもちだけではない。神のすくいがあなたにつうじたからですよ」

トルベックは彼女をいとおしむように、その額や、頬《ほお》や、鼻の頭や、唇《くちびる》や、顎《あご》や、それから咽喉笛《のどぶえ》、肩のあたりまで、到《いた》るところ接吻《くちづけ》をした。

だが、トルベックは、彼女に伝えなければならない一つの言葉があった。

それは彼らの愛情とは関係のないものだった。全く違う方向の、それ故《ゆえ》に、口にしがたい言葉だった。

トルベックは、彼女の心を満足させる言葉はいくらでも吐けたが、そのことだけは容易に云えなかった。非常な用心で云わなければならない言葉だし、云い出したが最後、失敗してはならなかった。

もし、失敗すると、取返しのつかないことになるのをトルベックは知っていた。自分の用事ではない。貿易商から頼まれたことなのである。

だが、それは単純な伝言ではなかった。云わば、トルベックの立場は、命令を受けた者がその任務をなんとしても仕遂げなければならない兵士の立場に似ていた。何度でも云いたいのは、それが秘密を要することだった。もし、彼女がそれを拒絶したら——破滅が自分だけではなく彼女の身の上にも降りかかることが予感されていた。

その言葉は、複雑な混み入った内容のものではない。ただの一口でも済むような単純なものだった。だが、その単純な言葉の中には、死をも予知するような怖《おそ》ろしい棘《とげ》が植え込まれていた。

トルベックは懊悩《おうのう》した。いつもそれが気持の中にひっかかり、愛の囁《ささや》きをしていても純粋にはそれに浸りきれなかった。絶えず、それがトルベックに威《おど》しをかけていた。

生田世津子が、その落ちつかぬトルベックの素振りに気づかぬ筈《はず》はなかった。

「ベックさん、どうしたの？」

と彼女も遂《つい》に訊《き》いた。

「変だわ。こうしてお逢いしていても、ときどき、ふと、あなたは何かを考え込んでいらっしゃるのね。何ですの？」

トルベックは微《かす》かに笑った。

「そうみえますか？」

「分るわ」

と彼女は云った。

「好きな人には、どんな小さなことでも敏感に響くものです。あなたはわたしに愛情の言葉をかけて下さる間にも、始終、別のことを考えていらっしゃるわ。違うんです。あなたには何か悩みがありそうだわ」

トルベックは、生田世津子に愛情を持っていた。自分が聖職者でなかったら、すぐに結婚の手続きをしたいくらいだった。その理由で、彼女に不幸な言葉を云い出したくはなかった。

だが、事態は彼の意志ではもはやどうにもならなくなっていた。いや、彼の意志と云うのは間違っている。グリエルモ教会の意志と云った方がいい。その教会の意志自体が、教会自身の自由にならないのである。

豪華なアパートを二部屋も借りた中で、S・ランキャスター氏が静かにパイプを啣《くわ》えている。この男の意志だ。貿易商の意志がグリエルモ教会を搦《から》めとっていた。そして、教会は、会計係という位置のトルベックを貿易商の前面に立てていたのである。

トルベックに電話がかかって来た。

いつものことだが、彼は素早くだれよりも先に受話器を取り上げた。

「トルベックさんですか？」

先方の名前を訊かなくても判《わか》った。嗄《しわが》れた太い声は貿易商のものである。

「そうです、トルベックです」

今日は、と先方は云った。普通の挨拶《あいさつ》である。

だが、トルベックは、貿易商の用事が何かすぐ判った。この電話が気にかかっていたし、怖れていたのである。

「君は彼女に話したかね？」

普通の声だが、トルベックには鞭《むち》で叩《たた》かれたような思いがした。

「いいえ、まだ話していません」

トルベックは吃《ども》って答えた。

電話の奥では、貿易商が鼻を鳴らしたようだった。すぐに声がつづかなかった。

「もしもし」

とトルベックの方から呼んだ。対手《あいて》が黙っているので、かえって気味が悪かった。トルベックは、貿易商の声を求めた。

「もしもし。彼女にまだ話していないのは」

と彼は云った。

「チャンスがないからです。ごぞんじのように、彼女をおどろかしてはならないとおもって、そのじきをみているのです」

「トルベックさん」

と先方の声は彼に威圧的だった。

「われわれはぐずぐずしてはならない。時機を見ることは結構だがね、急いでもらわないと困りますよ。これはあなたでないと出来ない仕事だ。トルベックさん、君だけが彼女に話す権利をもっている。わたしたちではどうにもならないことだ。それにしても、トルベックさん、君の悠長《ゆうちょう》さは、少し困ったものだね」

ランキャスター氏の声は怒ってはいなかった。だが、トルベックにはそれがこたえた。

ランキャスター氏がいかにも腹に怒りを抑《おさ》えて云っているような気がした。

「もう少し待って下さい。そうだ、もう二、三日経ったら、きっと彼女に話します」

「本当だね」

と先方は念を押した。

「実は、こちらにも切迫した事情があるのでね、君の方を早く片づけてもらわないと困る。わたしの肚《はら》が君の返辞で決るからね」

「大丈夫です」

トルベックは思わず口走った。

「わたしがセツコに云ったら、大丈夫です。彼女はきっと請《う》け合うでしょう。これまで、わたしの云ったことに彼女は背《そむ》いたことはありません」

「たのもしいことだ」

と電話の奥で貿易商の含み声が聴えた。

「その調子でやってもらいたいね、トルベックさん」

「自信があります」

と彼は云った。

「よろしい。だが、もうぐずぐず出来ないからね。何度も云うことだが、早くして欲しい」

「分りました」

「そうだ、三日のうちになんとか彼女のはっきりした返辞を貰《もら》えるようにして欲しいな。こちらにもいろいろ事情がある。これは電話では話せないがね。いずれ、君にも納得してもらおうと思っている。だが、そんなことはともかく、事情は切迫しているのだ。君のセツコを早くわれわれのために用立ててもらいたい」

トルベックは受話器を置いた。寒いときだったが、額に汗が滲《にじ》んでいた。

生田世津子はトルベックに深い愛情を寄せている。それは、トルベックが純真で、神への奉仕者としての尊敬が多分に入り交っているからである。トルベックの破戒は彼女への愛情のためだが、そのことは世津子にとってあまり気にならなかった。つまり、自分への愛情のためにトルベックが聖職者の規律を破っていることに、かえって彼を信じさせる理由があった。矛盾した話だが、これは女の利己的な気持かも分らない。彼女は愛以上に神聖なものはないと思っている。そのため、彼女は、トルベックが破戒行為をしていることをそれほど重大には咎《とが》めなかった。つまり、彼女は、トルベックの聖職者としての純粋な奉仕を信ずる一方、彼の宗教的な背徳をも自分の愛ゆえに咎めなかったのである。

トルベックは、額の薄い汗をハンカチで拭《ふ》いた。

彼女はどう答えるだろう。これ以上躊《ため》らいは出来なかった。貿易商の眼がもっと光ってくるに違いない。

彼の思案に照応するように、生田世津子から電話がかかって来た。貿易商の話が終って五分とは経っていなかった。まるで貿易商との通話を知っていて、その順番を待っていたような電話だった。

「トルベックさん、わたしです」

彼女は甘い声を出した。

「ご機嫌《きげん》いかがですか？　お忙しいですか？」

日本に帰ってからの生田世津子は、しきりとこのような電話をかけて来る。

彼女は、すでに、トウキョウ・ホンコンの飛行機の勤務に就いていた。

一度、ホンコンに飛ぶと、向うで二日間の休養があった。東京に帰ってもその通りである。搭乗勤務が終ったら、次の勤務との間に、スチュワーデスたちは何をしても勝手だった。自由な時間である。指定すると、ＥＡＡＬのマークを付けた会社の自動車がその場所まで迎えにくるのである。

だから、生田世津子がホンコンから帰った当日は、電話が必ずすぐにかかって来た。

そして、その晩がトルベックとの逢曳《あいびき》の夜に仕組まれていた。

「ただ今、帰りましたわ」

と彼女は電話で挨拶した。

「お帰り」

とトルベックは声を送った。

「今夜、お逢いしたいのですが、いいでしょ？」

時間も場所も決っていた。前に逢ったときからの約束である。彼女は、その約束の実行をトルベックに確かめたにすぎなかった。

「けっこうです」

と彼は云った。

ちょうどいい機会である。今夜こそ、彼女に貿易商の要請を伝えよう、と決心した。そうだ、今夜こそ、彼女に話そう。話さねばならぬ。彼は自分に云い聞かせるように、呪文《じゅもん》のように、それを三度も口の中で呟《つぶや》いた。

折りから通りかかった日本人の事務員が、彼の声を聞いて、怪訝《けげん》そうに見上げて過ぎた。トルベックは怕《こわ》い眼で彼を睨《にら》み返した。

トルベックは生田世津子と逢った。

いつもの順序を、いつもの通りに運んだ。場所も、時間も、それからの経過も。――トルベックは、今夜、彼女に話す決心だった。そのせいか、彼は落ち着かなかった。

「ねえ、ベックさん」

と世津子はトルベックの胸から彼を見上げた。

「やっぱり、何か気にかかることがありそうな様子だわ。この前から気づいていたんですが、今日はずっとそれがひどいようよ。あなたの心配は、わたしに関係したことなの？　それだったら何でも云って欲しいわ。あなたが独《ひと》りで苦しむよりも打ち明けていただきたいの。わたし、何を聴《き》いても愕《おどろ》かないわ」

生田世津子の方から云い出したのは幸いだった。トルベックは、絶えずランキャスター氏の眼と声とをどこかに置いている。貿易商がゆっくりとパイプを吹かしている姿が、彼を威圧している。

「それなら話すがね」

と彼はやっと踏み切った。

「君に頼みがあるんだ」

「なあに？」

生田世津子は、ちょっと不安げに彼を見上げた。

「まさか、わたしたちのことが管区長さんに知られて、まずくなったんじゃないんでしょうね？」

「そんなことではない」

とトルベックは首を振った。憂鬱《ゆううつ》な顔である。

「わたしが世話になった人間がいる。とても世話になった人だ」

「そう」

世津子はうなずいた。

「世話になった人は、大事にしなければいけないわ、ベックさん」

「その人から頼まれたのだ。そして、これは君にぜひ頼んで欲しいと云っている」

「何のこと？　あなたが世話になってる人だったら、わたしだって役に立ちたいわ」

「ちょっと待って」

トルベックは立ち上った。彼は部屋の中を点検するように歩いた。窓もいちいち開けて、外も窺《うかが》った。

「どうしてそんなことをしているの？」

生田世津子は不審げに顔をもたげて彼を見上げた。

トルベックは彼女のそばに戻って来た。深刻な顔をしているので、世津子の方で愕いた眼になっていた。

「ほんとにきいてくれるね？」

トルベックは、世津子の顔に眼を据えた。このときばかりは、彼のやさしい眼つきが鋭いものになった。

「何のことでしょ？」

世津子もトルベックの様子が普通でないことを悟ったらしい。顔に不安なものが射《さ》していた。

「あなたのためだったら、聴いてあげたいわ」

それでも彼女は返辞した。

「きっとね？」

「きっとよ、わたしに出来ることなら」

「あなただけしかできないのだ。君以外のどんな人間でも役に立たないのだ」

「何かしら？」

トルベックは、彼女の肩を寄せた。だが、これは唇を彼女の柔い耳に当てて囁《ささや》くためだった。

話を聴いているうちに、生田世津子の顔色が変った。瞳《め》を一ぱいに開き、口を開《あ》けたままだった。

彼女は自分の耳から顔をひいたトルベックを見た。ところで、トルベックの表情には、はじめて不安と期待とがまじって出ていた。それは賭《か》けた表情だった。生田世津子はしばらく無言だった。

「トルベックさん」

と彼女は呼んだ。

「その人はだれなの？」

それは明らかに否定的な調子だった。いや、非難的でさえあった。

トルベックは思わず眼を伏せ、胸を刺された表情になった。それはそのまま生田世津子の強い視線に刺されたと同様であった。彼女は露骨に愛人を非難している。魂を悪魔に売った神父として愛人を弾劾《だんがい》している。ランキャスター氏の名は出せなかったし、堅く口止めされていることである。貿易商とも云《い》えなかった。咄嗟《とっさ》にいい考えが出ない。

トルベックは背中に汗を滲ませた。

「イトコだ」

と彼は云った。

「イトコのたのみだ。わたしはうけあったのだ」

「イトコ? あなたが世話になったのが、イトコなのね?」

世津子は、トルベックを見つめていた。

「そうです。わたしのイトコです。そして、彼は、あなたのためにも世話をやいたのです」

「え、わたしのためにも?」

生田世津子は眼をむいた。

「そう」

トルベックも彼女から眼を放たず答えた。

「彼は、あなたがＥＡＡＬに入るのに、たいそう骨を折りました」

## 二十三

トルベックは、夜の階段を上った。

やはり人影のないアパートである。貿易商のドアを敲《たた》いたのは、いつもの通りだった。が、敲き方に力がなかった。

内から眼が覗《のぞ》き、客を確かめてからドアが半開きになった。この順序も、いつもの通りである。

トルベックを迎え入れたランキャスター氏は、愛想のいいことである。自分から客の手を握った。

「お待ちしてました。トルベックさん、さあ、どうぞ」

今夜はほかに人がいなかった。

ところで、トルベックの方は、ひどく元気がなかった。この部屋に入ったときから、彼の肩はすくんでいるように見えた。

「どうだね、トルベックさん。早速だが、彼女の返辞を聴きたいものだね」

ランキャスター氏は、椅子《いす》に掛け、両手を組み合わせて、微笑でトルベックを覗き込んだ。

「むろん、君のセツコは承知しただろうね。君の云うことだ、これは承知するに決ってる」

ふだん、怕《こわ》い顔をするときもあるが、笑っているときは、ひどく人懐《ひとなつ》しげな表情をする。

トルベックは、すぐには返辞をしなかった。ぐずぐずして、迷っているような様子だった。さしうつむいた顔が苦痛げだった。

「おや、どうしたのだね？　トルベックさん」

貿易商は催促した。

トルベックは、やっと顔を上げた。部屋の明りでその苦しそうな表情がはっきりと浮き出した。

「君は話しただろうね？」

ランキャスター氏は追及した。

「話しました」

トルベックは、やっと答えた。

「で、どうだった？　むろん、わたしの考え通りの返辞だっただろうね？」

トルベックは、両手を拡《ひろ》げ、それを拍《う》つように乱暴に組み合わせた。首を振って、握った拳《こぶし》の上に顔を伏せた。

「駄目でした」

トルベックは、絶望的にうめいた。

「なに、駄目？」

ランキャスター氏は、神父の返辞を聴いて、彼を見据えた。微笑が消えた。

「トルベックさん、くわしいことを聴きたいものだ」

貿易商は云《い》った。

「君は、たしかに彼女に話したんだね？」

トルベックはうなずいた。

「それで、彼女は君の云うことをいやだと云ったのか？」

「そうです、ランキャスターさん」

トルベックは顔を上げたが、表情が歪《ゆが》んでいた。

「彼女はどうしても承知してくれませんでした」

声もかすれていた。

「どういうんだね、彼女の云い分は？」

貿易商は、パイプを取り出し、丁寧な手つきで煙草《たばこ》を詰めた。だが、鋭い眼はうなだれているトルベックの姿から離れなかった。

「彼女は、そのような役目は、わたしには無理です、かんべんしてくれ、と云いました」

「ふむ」

ランキャスター氏の表情が変った。今までの愛想のよさは消え、氷のように冷たいものに変った。しばらく、トルベックを凝視していたが、ふむ、と鼻を鳴らした。

「君は正気かね？　トルベックさん」

ランキャスター氏は云った。

「子供に使いを頼んでいるのではない。君は、彼女にわれわれの秘密をしゃべったのだ。彼女は何もかも知ってしまった。それで、君は黙って引き退《さが》ったのか？」

「いいえ、ランキャスターさん。わたしはセツコに一生懸命に頼みました。それは何度も何度も、威《おど》したり、すかしたりして頼んだのです。でも、すべては無駄でした。彼女はどうしても承知しませんでした」

「だが、セツコは君の可愛《かわい》い女だろう。どうして君の云うことを聴かないのだね？」

「彼女は」

と、トルベックはランキャスター氏の光った眼に催促されて云い出した。

「わたしを非難したのです。その頼みは神に背《そむ》くと云うのです」

「神か」

ランキャスター氏は低く嗤《わら》った。

「それで、君はどう云った？　それきりかね？」

トルベックは沈黙した。

「トルベックさん、君は正気かね？」

ランキャスター氏は椅子《いす》から立ち上りそうにしたが、思い直したように腰を落ちつけた。

「君は引き退って、無事に済むものと思うかね？　君は最も危険なことを彼女に知らしたのだ。これをどうする？」

「ランキャスターさん、そのことです」

トルベックは苦しそうに溜《た》め息を吐《つ》いたが、貿易商が抑えた。

「まあ、聴きなさい。君は、わたしとグリエルモ教会の関係を彼女に教えてやったのだ。それだけではない。わたしのやっている仕事をみんな彼女に話したのだ。わたしはどうなる？　え、トルベックさん。返辞をして欲しいものだな」

「申し訳ありません」

トルベックは、うなだれた。

「これは愕《おどろ》いた」

貿易商は、わざと手を拡げた。

「申しわけないだけで済むものかね？　彼女がわれわれの秘密を他人に云ってみ給《たま》え、どういう結果になるのだ？」

「いいえ、ランキャスターさん」

トルベックは、初めて弱い眼を上げた。

「彼女は、そのようなことを云いふらしはしません」

「わたしは人を信じない性質《たち》でね」

ランキャスター氏は傲然《ごうぜん》と宣言した。

「君は、もう一度、彼女に命じるのだ。是が非でも承知させるのだ。でなかったら、トルベックさん、気の毒だが、君はグリエルモ教会から追われることになりかねないよ。なにしろ、君は破戒僧だ。わたしは、生憎《あいにく》といろいろな連中を知っている。わたしの口一つで、君だけではない、グリエルモ教会が破滅するのだ」

貿易商の顔全体が燐光《りんこう》を放った。


それから三日の間、トルベックは苦悩で瘠《や》せる思いをして過した。それから、誰の知恵も借りることが出来なかった。一人で考え、一人で解決しなければならない問題だった。誰にも云うことは出来なかった。誰にも相談が出来なかった。

もし、これが「仕事」のことだけだったら、トルベックはマルタン管区長にも相談したに違いない。また、ルネ・ビリエ神父にも知恵を借りたかも知れなかった。だが、そのすべてが彼に不可能だった。

彼には女が居た。彼女が介在している限り、貿易商の命令を誰にも打ち明けることは出来ないのだ。

Ｓ・ランキャスター氏は、管区長にも、ビリエ神父にも、大阪に去ったゴルジ神父にもそれぞれの連絡を持っている。だが、トルベックに課した任務は、彼だけの特別な立場だった。生田世津子が居るだけで、彼は助言者を失っていた。

そこが貿易商の狙《ねら》いだと云える。ランキャスター氏は、これまで、君のセツコのことは誰にも口外しない、それは誓って約束すると何度も云った。が、その約束の報償が苛《か》酷《こく》な指令だった。

貿易商は冷静な男である。彼は、グリエルモ教会、いや、今では、日本におけるバジリオ会のすべての組織に、暗い方面から君臨していた。管区長の死命さえ彼の手に握られている。トルベックが彼の指の間から遁《に》げようとしても、脱出は不可能だった。いまや、方法は一つしかなかった。生田世津子にどのようにしても承知させることである。これ以外に絶対の解決はなかった。

その生田世津子はホンコン勤務から、三日目に日本に帰って来た。トルベックは、その旅客機の帰着時刻に合わせて、こっそりと落ち合う場所を、彼女と出発前から決めていた。

二人の逢《あ》いびきは誰にも見られてはならなかった。ホンコンから羽田空港に着くＥＡＡＬ機は、午後六時半である。そのあと一時間、乗務員《クルー》たちは事務の整理に手間どった。あとは、ＥＡＡＬのマークが胴体についたバスで都内の中央にある営業所に送られて来るのである。

それで、トルベックが彼女と逢ったのは、八時二十分だった。

彼は、あるビルの暗い横に立っている彼女をルノーで迎えた。

「つかれたね」

と彼は生田世津子をいたわった。

「まだなれないのでたいへんだろう」

しかし、生田世津子はわりあい元気だった。勤務を終ったばかりの興奮と疲労が、その細い顔に出ていた。紺色の制服《ユニフォーム》が、まだ新鮮だった。

彼女は、この間、トルベックが申し出たことを断わっていたので、その話はもう無いものと思い込んでいた。彼女の声は明るかった。

「ベックさん、わたし、叔母さんの家《うち》を越すわ」

街道を走りながらの会話だった。

「なぜですか?」

トルベックは眼を瞠《みは》って訊《き》いた。

「叔母さんの家だと、気の毒なんです。今まではよかったのですが、今の勤務に就くと、やはり一人でいたいわ。それで、あなたには黙っていたけど、その部屋を借りたんです」

「どこですか？」

「あなたの教会から、それほど遠くはないわ。アドレスは、あとでちゃんと書いて渡すわね」

彼女はうきうきしていた。

「わたしが叔母の家を出て部屋を借りた気持、あなたに分るかしら？」

「何ですか？」

生田世津子は微笑した。

「あなたに自由に逢えるからよ。だって、叔母さんの家にいたら、やっぱり勝手に外に出るのは気兼ねなんですもの。ひとりだったら、どんなことだって出来るわ」

その意味はトルベックに通じた。彼女は、外泊を重ねても自由なのである。彼女はトルベックの横顔を微笑を含んだ眼で見つめていた。

車は明るい街を通り抜けた。絶えずしゃべりながら走ったので、両人ともさほど長い時間とは思わなかった。だが、かなりな距離を走っていた。

寂しい場所に来て車を停めたが、トルベックにも、それがどこか判《わか》らなかった。辺《あた》りには深い森があった。町並みは切れていた。美しい人家の灯が遠くに見えた。

道には絶えずほかの車が走っていた。ヘッドライトがしきりと側を交叉《こうさ》して走った。だが、どの車も、灯を消してひっそりと道の脇《わき》に駐車しているルノーに、注意を払わなかった。

トルベックは彼女を抱いた。熱いものが彼の身体《からだ》じゅうを流れた。彼の衝動的な発作が、彼女の呼吸《いき》を詰まらせた。

「苦しいわ、ベック」

彼女は喘《あえ》いで云《い》った。

だが、トルベックには我慢がならなかった。彼は彼女の髪を手で摑《つか》み、自分の顔をいつまでも彼女のそれにこすりつけていた。

往来の車の光芒《こうぼう》が、二人の姿を瞬間に映しては過ぎた。だが、トルベックは彼女を放さなかった。ほかの車が過ぎたあとは、また闇《やみ》だった。

トルベックは、彼女の身体を抱き寄せようとした。彼女の膝《ひざ》が藻掻《もが》いた。

「いけないわ、ベック」

世津子が小さく叫んだ。だが、トルベックには自分が抑えきれなかった。彼は彼女のスーツのボタンを一つ一つ外《はず》して行った。片手の中に彼女の頸《くび》をしっかりと締めつけて抵抗を押えたまま、その動作をつづけた。

彼の腕の中で世津子の声が、低いうめきに変った。

「いやな人ね、ベック」

生田世津子は身づくろいをした。ようやくトルベックから彼女は自由になった。彼女は身を屈《かが》めて落ちた帽子を拾った。

「でも、いいのよ。わたしだって、どんなにあなたに逢いたかったか知れないわ」

彼女は甘えた声を出した。

トルベックは、また彼女を抱き寄せた。だが、今度は静かだった。彼の嵐《あらし》は過ぎていた。

「人に見られやしなかったの？」

彼女は気遣《きづか》わしそうにぐるりを見回した。

この間にもほかの車は灯をつけて走っていたが、その光の瞬間の疾走以外には誰も歩いていなかった。一方は藪《やぶ》で、前面にはきれいな街の灯が遠くに沈んでいるだけであった。

「ベック、わたし、あなたといっしょに暮したいわ」

彼女は溜め息交りに云った。

「ねえ、なんとかいっしょにくらせる方法ないかしら？」

トルベックは、彼女の頸に接吻《くちづけ》した。

「わたしもセツコと暮したい。だが、それは、わたしのいまの仕事では出来ないことだ」

トルベックの方で力を落していた。

「分っているわ、ベック。でも、わたし、辛抱出来ないわ。ちゃんとしたご夫婦でなくてもいいの。あなたのそばにいていっしょに暮し、あなたの世話をしたいの。ねえ、ベック、すぐとは云わないわ、考えてちょうだい」

「ねえ、セツコ」

トルベックは、また彼女を固く抱き締めた。

「かんがえておく。わたしもセツコとくらすことができたら、どんなにいいかしれない。わたしはこの世のなかでセツコだけを愛している」

このとき、そのあとにつづいてトルベックはささやいた。

「ねえ、セツコ、一つだけわたしのむりをきいておくれ」

「何なの？」

彼女はうっとりとした声を出した。

「怒らないでおくれ。このあいだの話だ」

「この間？」

「そら、ぼくのイトコのたのみだ。セツコ、おねがいだ、なんとかきいてくれないか。それさえきいてくれたら、あなたのたのみはなんとでもしたい。おねがいだ、セツコ」

彼女は身を起した。恍惚《こうこつ》が彼女から突然過ぎ去った。

暗い中だったが、彼女の顔に今までと違った表情が出てきた。

「ベック」

と呼んだ声も険しかった。

「あなたは、そのイトコにどんな恩義があるの？」

きびしい詰問の調子だった。

「セツコ、そうおこらないでおくれ。たいそう恩をわたしはうけている」

「この間、同じことを云ったわね。わたしがＥＡＡＬに入社したのも、そのイトコの世話だってことをね。いいわ、それだったらいつでも会社を辞《や》めるわ」

トルベックは両手で顔をおおった。その絶望的な身振りを、生田世津子はじっと見据えていた。

「ねえ、ベック」

と、さすがにやさしい声を出した。

「どんな恩義があるか知れないけれど、あなたは神に仕える身よ。悪魔に魂を売ってはならないわ。ベック、勇気を出して。あなたが始終云ってるじゃないの。イエズスはいつも苦難の道を歩きつづけたが、勇気を持っていたということを」

「セツコ」

「ねえ、ベック。わたしにそんな恐ろしいことが出来て？　麻薬をホンコンから運ぶなんて、聞いただけでも怕《こわ》いわ。いいえ、わたしは見つかったときのことを云ってるんじゃないの。その行動がどんなに恥知らずか、それを云ってるの。ねえ、ベック、そのイトコと手を切ってちょうだい。わたしがあなたの勇気に手伝うわ」

「セツコ」

トルベックは身悶《みもだ》えした。

「あなたがそれをきいてくれないと、わたしは、はめつする」

だが、むろん、世津子には彼の本当の意味は判らなかった。これを普通の言葉と受け取ったのである。

「ねえ、ベック、そんなことを云うもんじゃないわ。破滅だなんてめったなことで来ないのよ。正しい道を歩いたら、破滅なんてことはないのよ。神さまは偉大だ、って云うのがあなたの口ぐせだわ。わたし、それを何度聴いたか知れないわ。ベック、ほんとうにそのイトコの誘惑を斥《しりぞ》けてちょうだい。わたしが今の会社に入る手伝いを彼がしてくれて、その義理だけだったら、わたし社を辞めるからいいの。それで初めてわたしにも判ったわ。わたしの外国語が弱いのに、競争の激しいあの会社に入れた理由が」

彼女は気づいたように訊《たず》ねた。

「あなたのイトコって、ずいぶん偉いのね。あの会社にそれだけのコネをつけるなんて、凄《すご》いわ。どんな仕事をしている方？」

トルベックは黙った。ただ、自分の頭の髪に指を突っ込み、彼女の膝に顔を投げていた。その髪を世津子はやさしく撫《な》でた。

「云えないんならいいわ。イトコのことはわたしには関係がないんですもの。でも、ベック、わたしの云うことを聴いてちょうだい。ちゃんと断わってよ。わたし、どんなことがあっても、そんな頼みなんか聴けないことよ。これだけははっきり云えるわ」

トルベックは、獣《けもの》のように低く唸《うな》っていた。

二十四

「バカな」

ランキャスター氏は唾《つば》を吐きそうな勢いで、うずくまっているトルベックの前を往復した。

窓には外の灯が下から映っている。自動車《くるま》の走る音が聞えるくらい、この部屋は静かだった。

トルベックは、相変らず椅子《いす》に身体《からだ》を落し、両手で頭を抱《かか》えていた。彼の指先は小刻みに顫《ふる》えていた。

「女が云《い》うことをきかないから断わるって?」

貿易商は、ひしがれた姿を睨《ね》めつけた。

「冗談じゃないよ、トルベックさん。わたしは、この前云ったばかりだったね。君はもの憶《おぼ》えがいい筈《はず》だ」

ランキャスター氏は云った。

「君のセツコは、われわれの秘密を知ったのだ。断わるだけでこちらが引き退《さが》っていいものか、君にだって判断がつく筈だ。どうするつもりだね？」

ランキャスター氏は哀れな男を追及した。

「君は、この話が出たとき、彼女を説得出来る、と承諾したじゃないか。ええ、そうだろう。わたしは無理なことを云ってはいない。君が大丈夫だと請《う》け合ったので、ぼくは頼んだのだ」

トルベックは、何か抗議したそうに顔を上げかけた。

「まあ、聞きなさい、トルベックさん。しかし、何と云っても今は駄目だ。彼女は君から話を聞いてしまった。彼女はわれわれと手を結んでいるグリエルモ教会の裏経理のことを知ったに違いない」

「いいえ、ランキャスターさん、彼女は気づいていません。そこまでは知らない筈です」

トルベックは両手をひろげて懸命に云った。

対手《あいて》は、それを鼻で嗤《わら》った。

「ふん、君は、存外、甘いんだね。そこまで君が話したら、だれだって教会の裏経理を察するよ。わたしは、君にこう頼んだ筈だったね。われわれは、ホンコンから東京直通のクーリエ（伝書使）が必要だ。われわれの仕事は、麻薬でも香港牌《ホンコンはい》、天津牌《てんしんはい》を専門にしている。それだけではない。シャンハイ、マカオからもあらゆる品物を運んでいる。たとえば、時計だってそうだ。貴金属もそうだ。それに闇《やみ》ドルもやっている。これは君が先刻ご承知のことだね。君の先輩にだって相当稼《かせ》がせて上げた筈だ」

「ランキャスターさん、どうぞ、その先は云わないでください」

トルベックは髪の毛をむしった。

「なるほど、君だって知ってたわけだね」

貿易商は皮肉に唇を歪《ゆが》めた。

「ところで、そのような品を、最も安全に、確実に、迅速に運んで来るためには、クーリエが必要だったのだ。君のセツコがホンコン航路に就航する限り、われわれの品物は安全に運搬されて来る予定なのだ。それだからこそわたしは、君のセツコがスチュワーデスになるのに骨を折った。悪いが、トルベックさん、君たちでは出来ない話だ。これでわたしは某国の大使館にも筋をもっているのでね。しかし、苦労したよ。君の前で悪いが、彼女はあまり秀才でなかったのでね。今になって君が、すごすごわたしの部屋に現われても、もう、どうなるものでもない。ことはわれわれで決定しているのだ。われわれの規律は厳《きび》しいからね。トルベックさん。ちょうど、君の教会の戒律が厳しいと同じくらいにね。云い過ぎだったら勘弁願うが、もっとわれわれの鉄則は君たちのより苛《か》酷《こく》かも知れないよ」

「ランキャスターさん」

トルベックは呻《うな》ってひざまずいた。

「どうしたらいいのでしょう？」

「どうしたら？」

ランキャスター氏の顔に冷たい皮肉が走った。

「やむを得ないね。こうなったら、われわれの組織が大事だ。組織を崩壊させないために、すべてを知った君のセツコに消えてもらうことだね」

トルベックは、瞬間、耳が聞えないようにみえた。彼は、眼を大きく開き、祈るような恰好《かっこう》をした。

「それだけは、ランキャスターさん、どうかゆるしてください。怖《おそ》ろしいことだ」

「出来ないと云うのかね？」

貿易商の方で落ち着いていた。

「出来なければ出来ないでよろしい。なにしろ君は、セツコの方が可愛《かわい》いのかも知れないからね。わたしの云うのが無理だったかね？」

「ああ、ランキャスターさん」

「その代り、これだけは云っておきたいね。君の秘密は全部、わたしの口から他人に話されるだろう」

「ランキャスターさん」

トルベックは眼をむいた。

「君はセツコと肉体関係を結んだことで、教会から破門されるだろう。だが、それは教会から追放されるだけだ。しかし、君自身の秘密がある。君は、日本に正規の手続きで入国した男ではない」

「ランキャスターさん」

「いや、現在はちゃんと出来たね。君は、一九五六年に日本に入国の手続きを取っている。それは、わたしが手伝ったからね。だが、君が実際に日本に来たのは、一九五〇年だ。正確に云うと、その年の五月から一九五五年の十一月まで、君は密入国者だった」

「おお」

トルベックは唸《うな》った。

「君は知るまい」

ランキャスター氏は冷静に続けた。

「君を日本に入れたのは、実は、わたしがしたことだ。いま、大阪に行っているゴルジ神父から頼まれてね。会がもっと金儲《かねもう》け出来るように相談してのあげくだ。君は何も知るまい。君が神学校を卒業して、グリエルモ教会に来るとすぐに会計係になったのも、その時から決められた道順だったんだよ」

トルベックは両の指を髪の毛の中に突っこんで掻《か》きむしった。

「われわれの仕事は、あくまでも秘密作業だ。一人でも外部の者にこの作業が洩《も》れてはならない。ところが君は洩らした。いや、黙りなさい。もし、イクタセツコがしゃべってみたまえ、すべてが破滅だ。光輝あるバジリオ会の日本に於《お》ける布教も地に墜《お》ちる。なに、わたしは、こんな人間だからどうにでも生きていられるがね。困ったことに、日本のバジリオ会は全滅だな」

「ランキャスターさん」

トルベックは哀れな声を出した。貿易商を見上げる眼も弱々しかった。

「セツコはそんな女ではありません。ぼくが固く口止めしてます」

「いい気なもんだね、トルベックさん」

貿易商は、せせら嗤った。

「しかし、厄介なことに、われわれの規則として、人を絶対に信用しないことになっているのでね。かりに、君とセツコとが仲違《なかたが》いしてみなさい。おや、仲違いすることは絶対にないと、君の顔は云いたそうだね。だが恋愛ほど脆《もろ》いものはない。セツコが君を裏切ることだって考えられるんだよ。そのとき、ペラペラとわれわれの秘密をしゃべられては、こちらはお手上げだ」

ランキャスター氏は両手を降参の恰好で肩の上に上げた。それから急に顔をトルベックの方につき出した。

「もう一度、念を押すが、君のセツコはどうしても承知しないのだね？」

声だけは急にやさしいものになった。覗《のぞ》き込んだ眼に底光りがしていた。

「ランキャスターさん、ぼくは駄目です」

「判《わか》った」

貿易商は、素直にうなずいて、あっさり云った。

「では、君のセツコを処置してもらうんだね」

「処置？」

トルベックは、射《う》たれたような顔をした。見るみるうちに顔から血がひいたのである。

「そうだ、彼女はわれわれに有害な人物になった。われわれにとって害のある人間は、すべて取り除く方針だからね」

「ぼくは、どうしたらいいのです。ランキャスターさん」

「君に任そう」

貿易商はじろりと、うち挫《ひし》がれた姿を見下ろした。

「いや、待ちたまえ」

ランキャスター氏は急に自分の口をつぐんだ。何か不意に音でも聞いたように耳を澄ました。

だが、そうではなかった。彼は立ち停ってパイプに火を点《つ》けたのだった。それを口に咥《くわ》えて、また、こつこつと床を踏んだ。じっとうつむいて、猫背になり、冥想《めいそう》に耽《ふけ》っている様子だった。

トルベックは、不安そうに椅子に掛けて恐ろしい男を見戍《みまも》っていた。合間に、外から自動車のクラクションが聞えた。表は、東京でも重要な交通路だったし、絶えず車が流れ交《か》うていた。

「君」

ランキャスター氏が、急にトルベックの前に足を停めた。

トルベックがその顔を視《み》てぎょっとしたのは、ランキャスター氏の顔に惨酷《ざんこく》な表情を見たからである。

トルベックは凶《わる》い予感に身顫いした。

「手伝うよ、トルベックさん」

貿易商は宣言するように云った。

「君一人では手に負えないだろう。わたしが彼女を飛行機会社に世話したのだ。処置もわたしがやる。因縁だからね、これは当り前だ」

ランキャスター氏は二、三歩あるいて気力を失っているトルベックに立ち向った。立ちはだかったランキャスター氏は、秘書に口述するように、乾《かわ》いた口調で述べ始めた。

「二、三日のうち、君は彼女に逢《あ》うのだ。逢う場所は君の好きな通りにしてよろしい。それから、彼女をその場所に連れて行く必要がある。場所、時間、すべては、わたしが指令する。連絡は電話でとってくれたまえ。しかし、これらの処置は、非常に至急を要する。そうだ、二、三日のうちに実行したい」

「ランキャスターさん、無理です」

トルベックは叫んだ。

「二、三日のうちに、わたくしの教会で一人の神父の叙階式があります。その準備や式で余裕がありません」

「忙しいというんだね。叙階式があるというわけだな。なるほど」

貿易商は一人でうなずいた。それから、彼の唇には微《かす》かな嗤いが上った。

「君は、ちゃんと叙階式に出たまえ」

ランキャスター氏は厳《おご》かに命令した。

「式場には大勢の参会者が来る。信徒が参拝する。これは、おもしろいね、トルベックさん。わたしは、今の君の言葉から、素晴しい着想を思いついたよ」

愉《たの》しそうに、また床を徘徊《はいかい》した。

トルベックは顔をあげ、それを不安げに見つめた。

「わたしの経験だがね」

とランキャスター氏は呟《つぶや》くように云った。

「いや、わたしが直接どうしたという意味ではない。わたしは、これまで、いろいろな人間を使って来た。その連中の話からの教訓だがね、犯罪は大勢の目撃者のなかでやるのが最上だそうだ。いちばん危険なのは、思いがけないところに居る一人か二人の目撃者だ。大勢だと、これはかえって盲点になる。こちらが知っているから、これは安心だ。そうだ、わたしがその手品を考えてあげよう」

貿易商は思案しながら云った。

「まず、道具だがね、刃物はいけないよ。証拠を残しやすいからね。ピストルも駄目だな。いちばんの道具は手だ」

実際に、自分の右手を突き出して、トルベックの眼の前でぶらぶらさせた。

「これだよ、トルベックさん。対手は女だ。君の腕力なら、まず大丈夫だ。指は駄目だよ。頸《くび》の皮膚に爪跡《つめあと》が残るからね。腕《かいな》の中に捲《ま》き込むのだ。これは柔らかい縄《ロープ》だな。ヘビが鳥を捲《ま》いて締めるときの、あの要領だ。君の長い手なら彼女の頸に充分だ」

ランキャスター氏は、突き出した右手を自分で内側へ折り曲げてみせた。

トルベックは、呼吸《いき》を呑《の》んで見つめていた。

トルベックは、車を走らせて駆け戻った。

彼は殆《ほと》んど無意識に運転していた。危うく他の車にぶつかりそうだった。向うで激しく警笛を鳴らした。

彼の頭は真空みたいになっていた。殆んど自分で考える意志を失っていた。額に冷たい汗をにじませていた。

賑《にぎや》かな街を通り過ぎ、寂しい通りまで辿《たど》り着いた。

踏切があった。

電車の通過を待った。音を立てて長い電車が眼の前を通過した。音がこれまでになく大きかった。

横にタクシーが並んで待っていた。運転手がトルベックの方を覗くように見ていた。

彼は顔を暗い方に避けた。

どの車よりも先に踏切を通過した。道は二股《ふたまた》に分れている。その一方に車を突進させた。曲り角を警報なしに走ったので、悲鳴を上げて通行人が横に走った。

薄暗い外燈《がいとう》がまばらだった。黒い深い森と、広い畠《はたけ》が展《ひろ》がっていた。畠も黒い。森林の裾《すそ》に薄い霧が立っていた。

生垣《いけがき》を廻した家の多い一劃《いっかく》の中に入った。どの家も寝静まっている。トルベックは、庭木の茂っている下にルノーを突っ込んで停めた。

車から降りた。

ふらふらと歩いて、閉《しま》っている戸を敲《たた》いた。

中から薄い明りが射《さ》し、窓から顔が覗いた。

ドアが開かれた。トルベックは黙って入った。

「いらっしゃい、ベックさん」

江原ヤス子が見上げて云《い》った。

「こんばんは」

トルベックは、かすれた声で返辞をした。

「まあ、おあがんなさいよ。ビリエさんも来てるわよ」

江原ヤス子は勧《すす》めた。

トルベックは上った。

江原ヤス子が彼のそばをすり抜けて、先に廊下を走った。

トルベックは、部屋の前で五分間はたっぷりと待たされた。

「どうぞ」

ドアを開けてくれたのは、ルネ・ビリエ師である。急いで着物を着替えたことは、シヤツの襟《えり》が曲ったままであることで判った。自分で落ち着きを見せるためか、ビリエ師はパイプを咥えていた。トルベックは突っ立ったままだった。

「どうしたの？　ベックさん」

ビリエ師の後ろから、江原ヤス子が彼の顔をのぞいて云った。

「顔色がまっ蒼《さぉ》よ」

実際、トルベックは、すぐに椅子《いす》に坐《すわ》ろうともしなかった。ぼんやりと立ってビリエ師に対《むか》っていた。何か話したげだったが、言葉が詰まって出なかった。

「妙な顔をしてるね」

ビリエ師が笑った。

「まあ、掛けたまえ、ベック君。そこに立っていても仕方がないぜ」

しかし、トルベックは、まだそのままだった。いつもきれいに手入れをしている亜麻《あま》色の髪が、風に吹かれたままのように乱れていた。眼を空虚に開いて、ものを云わなかった。よく見ると、だらりと下った指の先が顫《ふる》えていた。

「どうしたんだね？」

ビリエ師が初めて気づいて眉《まゆ》をひそめた。

「掛けたまえ、君。コーヒーでも飲んで落ち着いたらどうだね？」

江原ヤス子がコーヒーの支度《したく》にかかった。

「君の顔を見てると、まるで幽霊にでも出会って来たようだぜ」

トルベックは唇を開こうとした。だが、言葉にならず、微かに端《はし》が痙攣《けいれん》しただけだった。

江原ヤス子がコーヒーを運んで来たとき、トルベックはいきなりその熱い液体を、まるで水を飲むように咽喉《のど》に流し込んで、ビリエ師を愕《おどろ》かせた。茶碗《ちゃわん》が歯に当ってがたがたと鳴った。

「ありがとう」

トルベックは礼を云った。それだけだった。

彼はいきなり背中を回すと、風のように出て行った。

「なんだね？　あれは」

呆《あき》れた眼でビリエ師は江原ヤス子を見た。

「変だわね」

彼女も呆気《あっけ》にとられていた。

トルベックはまたルノーを運転して教会に帰った。

宿舎になっている二階に上った。廊下を挟《はさ》んで神父たちの個室が両側に並んでいた。まだ眠っていないのか、軽い咳《せき》が聞えていた。老人の神父だった。

トルベックは、足音を忍ばせて歩き、入念にドアを閉めた。

はじめて自分だけの身体《からだ》になると、ぐったりとした。椅子に坐り込み、頭を抱《かか》えて、長いあいだじっとしていた。

彼は、やっと起《た》ち上った。脚《あし》がふらついていた。

机の前に匐《は》い寄り、ペンを握った。

「四月二日午後六時、バジリオ神学校の例の所まで来てください。たいへんだいじな話があります。

例の話はことわりましたから安心してください。イトコは分ってくれました。イトコは、あなたに興味を持ち、会いたいといっていますから、ひきあわせたいと思います。なるべく、きれいにして出て来てください。

トルベック

セツコさま」

トルベックは封筒を書いた。長い時間だった。文字が曲っていた。封筒の端に、赤鉛筆で線を塗った。

明日の朝、これを速達で出すつもりだった。

二十五

東京の郊外には、多くの私鉄が節足動物のように脚を伸ばしている。

中央線S駅から、西方の武蔵野台地へ向っている私鉄も、その一つで、沿線は、静かな郊外住宅地となる。終点は、有名な行楽地だった。近年、私鉄が営利政策として、しきりと宣伝する私設遊園地と郊外住宅地との複合である。

この線に沿って一直線に、幅の広い道路が西に貫通している。私鉄を利用するならM駅で降りるが、この駅はほぼ、全線の中ほどに当ろう。駅を降りてこの貫通道路に出るまで、やはり住宅地だった。そこに、生田世津子の新しい下宿先があった。

この辺《あた》りは、住宅と田園とが入りまじっていた。田畑は次第に宅地に狭《せば》まっていくが、それでも、家々の屋根の上には、まだ武蔵野特有の雑木林が聳《そび》えていた。この場所から四キロばかり北に伸びた雑木林の中に、グリエルモ教会や、江原ヤス子の家が在った。むろん、これは直線ではなく、さまざまな道がさまざまな屈折を繰り返して、そこに到達するのである。

ついでに云《い》えば、東京の南とこの辺りとは、温度が二度ぐらいは違う。降った雪が都心では解けても、この辺りでは残雪として屋根の上や垣根を蔽《おお》っているのである。

四月二日といえば、当然、陽気が回復した季節であった。だが、その日は、朝から寒気が強かった。彼岸をとうに越したのに、まだ座敷には火鉢《ひばち》も片づけられないでいた。

生田世津子が下宿した家の主は若い夫婦者だった。乳呑児《ちのみご》が一人いる。六畳の二階があったが、世津子がそれを借りていた。

階下の若い夫婦者は人が好《よ》かった。主人は勤め人で、都心の会社に、朝から混み合う電車に乗って出かけて行く。若い妻は、子供の世話をしたり、ミシンを踏んだり、雑誌を読んだりして、要するに、ありふれたサラリーマンの家庭であった。

午前十一時ごろであった。若い妻が家の裏手で洗濯をしていると、表のブザーが鳴った。客かと思って、妻が子供を背負ったまま玄関に廻ると、スクーターを降りた郵便配達夫が立っていた。

「生田世津子さんという人は、こちらにおられますか?」

郵便配達夫は封筒を手に持って訊《き》いた。

「はい、おります」

「速達です」

郵便配達夫は、若い妻に手渡した。

「ご苦労さま」

手が濡《ぬ》れていたので、若い妻はその封筒の端をつまんで、

「生田さん、速達ですよ」

と二階に向って呼んだ。返辞がなかった。

妻はまた呼んだが、やはり声が返って来ないので、封筒をそのまま階段の途中に置いた。

偶然、それが裏返しとなり、差出人の名前が眼に着いた。下手な文字だと思った。その妻は「グリエルモ教会」という片カナを確かに読んだ筈《はず》である。だが、洗濯物が気にかかり、彼女はそそくさと裏手に廻った。あとになって、たいそう残念なことだが、その奇妙な片カナの名前を、彼女は殆《ほと》んど忘れてしまったのだった。

十二時になった。

洗濯物は終った。妻は、若い母として子供の世話に移った。

忙しい日課である。彼女の多忙がしばらく時間の経過を忘れさせた。

ようやく仕事が終った。これから婦人雑誌でも読もうかと考えたころだから、多分、二時ぐらいだっただろう。格子戸《こうしど》が開く音がした。

ちょうど座敷に居た若い妻は、生田世津子が靴を脱いで二階に上りかける姿を見た。

「生田さん」

彼女は呼んだ。

「お留守でしたか?」

「ええ、ちょっと、そこまで」

若い妻は、この下宿人の職業が国際線のスチュワーデスと聞いているので、かなりの興味を持っていた。なるほど、身体《からだ》は均斉がとれているし、顔も美しい。実は、このような下宿人を置いたことを、彼女は密《ひそ》かに自慢にしていたのである。だから自然と親切だった。

「お留守に、速達が参りましたよ」

彼女は告げた。

「あら、そうですか」

二階に上りかける足音が止《や》んで、声が上から聞えた。

「そこに置いておきましたが」

若い妻は云った。

「どうもお世話さま」

下宿人は、たしかにそう礼を述べた。

「ございましたの」

家主の妻は念を押した。

「ええ、ありましたわ。どうもありがとう」

それから階段を上って行く軽快な足音を、若い妻は聞いたのだった。

あとは何のこともない。うすら寒い退屈な午後である。彼女は、読みかけの雑誌に飽いた。子供に添え乳をしたりしているうちに眠気を催してきた。

子供が風邪《かぜ》を引かぬように、蒲団《ふとん》を掛け、自分もいっしょにうたた寝をしたのであった。だから、生田世津子が二階から降りて来るまで、何も知らずに快い午睡をつづけていた。

生田世津子は自分の部屋に入って、速達の封を切った。差出人はグリエルモ教会とあったがトルベックからだった。落ち着いて読むために、机の前に坐《すわ》った。

速達とは珍しかった。これまでに、めったにないことだった。何となく動悸《どうき》が鳴った。トルベックとは、別れた晩に小さないさかいをしている。そのことが気にかかっていた。

トルベックがこの間から云いつづけている悪い用件をさらに押し付けようとしたので、彼女はひどく腹を立てた。彼女は、それがどのように神の道や人間の道徳に、いや、法律にさえ違背することかを説いたのである。恐ろしいことだし、第一、危険な断崖《だんがい》にトルベックは立っているのだった。彼女は、それを必死で引き止めたつもりだった。

世津子が見ている前で、トルベックはたいそう悩んでいた。根は善良な男なのである。彼に悪いイトコがいるのがいけないのだ。彼は義理に責められて、そのイトコの頼みを断わることの出来ない気の弱い男だった。

トルベックは懊悩《おうのう》していた。気の弱い性格だけに、世津子とイトコの板挟みとなって苦しんでいる。そのトルベックは、再三、彼女に哀願したが、強く彼女は踏み止《とどま》った。

ここで崩《くず》れてはトルベックの身の破滅だと考えた。彼のイトコへの義理を立てるために、彼自身が転落する理由はないのだ。

そのあとの速達だったので、世津子には不安な予感がした。封筒の中から出した紙は一枚だった。彼女は急いで読んだ。

彼女は吐息をついた。安心だった。自分がトルベックに強く云った甲斐《かい》があったのだ。トルベックはイトコの申し入れを断わってくれた。彼にとっても、自分にとっても、危険は過ぎ去った。

世津子は、懸命に日本字で書いたらしい彼の手紙を繰り返し読むうち、涙がにじみ出そうだった。

よかった。ほんとによかったのだ。

トルベックは勇気を出してくれたのである。彼女の激励が効き目をみせた。努力の効果があった。

ベック、と生田世津子は心の中で呼びかけた。

(ありがとう。よく断わってくれたわ。あなたは偉いわ。神さまがわたしたちについていて下さるのね、正しい道を行くように)

世津子は、うきうきとした。何もかもが明るく見えた。薄暗いどんよりとした寒い日だったが、彼女の瞳《め》には急に蒼空《あおぞら》が見えた想《おも》いであった。陽《ひ》が輝き、見えている景色が底抜けに明るく映ったものだった。

（そうだ、トルベックのイトコにお礼を云おう）

と彼女は思い立った。今まで考えもしなかったことである。これは、会って礼を云うだけの値打ちはありそうに思えた。トルベックの破滅のことを考えたら、充分に感謝してもいいのだ。そのイトコがトルベックの拒絶を素直に受け容《い》れてくれたことがどのように仕合せか知れない。

そのことは、トルベックの速達便の文面にも明確だった。イトコは分ってくれました、イトコはあなたに興味を持ち、会いたいといってます、というのは、間違いなく、何の面倒ごとも起らずことが済んだ証拠なのだ。

お礼のためイトコに会うくらい何でもなかった。

いや、イトコには、ぜひ礼を云わねばならなかった。それはトルベックのことだけでなく、彼女自身のＥＡＡＬ会社の入社に骨を折ってくれた努力に対してもせねばならぬ義理であった。

（イトコはあなたに興味を持っている）

生田世津子は思わず微笑した。

きっと、トルベックが自分のことを宣伝したに違いない。どんなに美しいか、どんなに素晴しいかなどと、あの人のことだから云いはやしたに違いない。トルベックのその言葉を裏切ってはならなかった。イトコに会うには出来るだけきれいにしよう。それはトルベックのためでもあった。好きな男を満足させるためにも、そのことは必要だった。

生田世津子は時計を見た。三時を過ぎていた。

彼女は化粧にかかった。入念に長い時間をかけた。それから、仕上って見た鏡の中の自分の顔が自分でも気に入った。

他所《よそ》行きの服装に着替えた。紺色のツーピースである。この色は自分に一番似合う、という自信があった。鏡を何度も見直して、着付けに手を入れた。

それから、また鏡の前に坐《すわ》った。仕上げはもっと入念にしなければならなかった。唇もいつもより濃い目に着けた。目立たないぐらいにアイシャドーも塗った。悉《ことごと》くが満足だった。

心配ごとが過ぎると、こうも気持が平静になるものか。化粧が日ごろよりずっと楽に進んだ。

きっとベックも安心しているに違いない。彼の懊悩と苦悩は、世津子が正視出来ないくらいだった。やはり外国人だけに身振りが露骨なのである。彼が苦悶《くもん》のために上げた呻吟《うめき》が未《いま》だに耳から離れない。

が、すべての邪悪は過ぎた。

トルベックも、きっと、平静な微笑にかえっているに違いない。彼のやさしい微笑を、世津子は好きだった。深みのある瞳《め》はやさしく細まり、きれいな歯並みを見せて笑う唇の端は可愛《かわい》い靨《えくぼ》があった。

その晴ればれとした顔を久しぶりに見られるのである。

生田世津子は、初めて会う彼のイトコを想像した。そのイトコが称讃《しょうさん》する言葉を期待した。それは傍《そば》に立っている愛人の紹介者を心から歓《よろこ》ばすことだと想った。彼女にとってはすべてがトルベック中心だった。

化粧は終った。彼女はハンドバッグの中を検《あらた》め、パラソルを持った。

生田世津子は、支度《したく》を整えて、もう一度鏡の前に立った。申し分はなかった。自分でも気に入った。

部屋を出ようとして、ふと、机の上に眼を落すと、トルベックからの手紙が置いたままだった。

彼女は、それをまた取り上げた。改めて文章を読み直した。

彼女は、手紙を元の通り封筒に入れ、ハンドバッグを開けて、中に納めた。もうするべきことは残っていなかった。

彼女は階段を降りた。

その足音が、ちょうど午睡から醒《さ》めかけた若い妻の耳に聞えた。

子供はまだ眠ったままだった。若い母親は静かに離れた。

その居間から出たとき、折りから階段を降りきった生田世津子の姿に出会った。

「おや、お出かけですか？」

家主の妻はまだ若い女性だった。その心理として、生田世津子がいつになくきれいに化粧をし、着飾っているのに注目した。

「ええ、ちょっと」

生田世津子はいつものように愛嬌《あいきよう》を見せた。笑い顔のきれいな女だった。

「おきれいですわ」

と家主の妻は賞《ほ》めた。多少の羨望《せんぼう》と微《かす》かな嫉妬《しつと》が、その声に交っていた。

「どうもありがとう」

明るい性格だし、(日本人離れ) したと若い妻が思っている彼女は、日本流に謙遜《けんそん》せずに礼を云った。

「どちらにお出かけですの？」

生田世津子は、その瞬間に、ちょっとためらったが、

「イトコのところです」

と微笑しながら答えた。

「イトコに会いに行くのですわ」

家主の妻は、生田世津子がこの家に越して来てからあまり経《た》っていなかったので、彼女についてのくわしい知識をまだ持たなかった。それまでイトコの話も聞いたことがなかったから、べつに不審には思わなかった。いわば彼女について浅い知識だったのである。

「それは結構ですわ。ゆっくりいってらっしゃい」

若い主婦は、彼女を送り出すために玄関に立った。

そのときの生田世津子の様子は、いつもより愉《たの》しそうだった。若い女性が他所《よそ》行きの化粧だし、着飾った支度だったので、その心理だけでも気持を浮き立たせたに違いない。

その妻は、玄関の格子戸を開き、それが閉《しま》るまで見送っていた。

そのとき、気がついたように、主婦は下宿人に訊《き》いた。

「今晩はお帰りですの？」

こう訊《たず》ねたのは、これまで、この若い下宿人が叔母の家に何度か泊ることがあったからである。

「そうですね」

生田世津子は、ちょっと首を傾《かし》げて考えるような風《ふう》をした。

「多分、帰ると思いますわ、遅くなっても。でも、あんまり遅くなると、また叔母の家に泊めてもらうかも分りません」

彼女は、そう答えた。

「それがいいですわ」

と主婦は賛成した。

「この辺は、遅くなると物騒ですからね、叔母さまの家にお泊りになった方が安全かも知れませんね」

「都合によってはそうします」

と彼女は朗かに答えた。

「行ってまいります」

彼女の紺色のすらりとした姿が外に出た。

「行ってらっしゃい」

主婦は声を送った。

これが、下宿の若い妻が見た生田世津子の生きている最後の姿だった。

生田世津子は、その住宅街を歩いて行った。誰の眼から見ても颯爽《さっそう》としていた。知っている者は、彼女の職業がスチュワーデスだけに気を付けて眺《なが》めた。

角の煙草屋《たばこや》の老婆《ろうば》もその一人だった。

最近、ここに越して来たスチュワーデスが、珍しいものの一つになっていた。

煙草屋は閑散だった。例によって生田世津子の姿を店番しながら眺めていると、そのスチュワーデスは、ふと、思いついたように、煙草屋の店先に寄った。

そこには赤い公衆電話が備え付けられてある。老婆の眼の前で、美しいスチュワーデスは受話器を取り、十円玉を入れた。幸い、客がなかったので、この老婆は彼女の声を終始聴くことが出来た。

「叔母さま」

電話が通じたときに、彼女の声が云《い》った。

「今晩は、おじいちゃまの喜の字のお祝いでしたわね。わたし、すっかり時間を忘れてましたわ。お祝いの始まるのは何時からでしたかしら？」

相手の声は答えていた。

「そう」

ちょっと曇った顔だった。

「だったら、少し遅くなるかも知れませんわ。でも、八時までには、きっと参ります。急に用事が出来たんです。どうしてもそちらに伺うのが遅くなりますわ。ほんとに申し訳ないんですけれど。ええ。ほんとにすみません。では、のちほどお目にかかります」

彼女は電話器を置いた。

老婆がじっと見ていたので、彼女と眼が合った。スチュワーデスは、そこで軽く頭を下げて会釈《えしやく》した。老婆があわててお辞儀をした。

外には早春の明るい陽が当っている。風は冷たかったが、老婆が坐っている煙草屋の店の中から眺めていると、その明るい陽射《ひざ》しの中に、生田世津子の恰好《かっこう》のいい姿が若々しい足どりで歩いていた。

二十六

生田世津子が駅の構内に入ったときに、駅の近くにあるM大の学生の群がホームに一ぱいだった。彼らは騒いでいた。

電車が来て、世津子はそれに乗った。

電車の中は、それほど混んでいなかった。都心とは逆の方に行く電車である。世津子は車輛《しやりよう》のほぼ真ん中に腰を掛けた。

窓外は次第に家並みが少なくなってゆく。その代り田園の向うに高級住宅地などが見えたりした。春のうららかな陽の下である。雑木林は新芽が吹き、桜は芽をふくらませていた。

電車道の脇《わき》の家の垣根からのぞいている桃が盛りだった。

世津子は本を読んでいた。

乗っている男たちの視線がそれとなく世津子の顔にちらちら当った。世津子は満足だった。今日は、特別にロンドンから買って帰った化粧品を使い、おめかしして来たのである。

世津子は、本を伏せて、窓の外を見た。折りから、青い田園が海のように展《ひろ》がっていた。雑木林が一段と多くなってきている。新しい住宅と農家とがその涯《はて》に入り交っていた。

畠《はたけ》は麦が伸びている。その間に川が流れていた。澄んだ水である。うねうねと田圃《たんぼ》の間を曲っていた。

隣に女の子がいて、顔を窓ガラスにすりつけて熱心に外を見ていたが、川を見つけて叫んだ。

「ママ、川よ」

若い母親は編みものをしていたが、ちらと外を振り返った。

「そうね」

とまた編みものに戻った。

「何という川なの？　ママ」

「玄伯寺川《げんぱくじ》というのよ」

母親は気のない声で教えた。

世津子は、玄伯寺川を眺めた。麦畠の間に清冽《せいれつ》な一筋の帯が流れている。美しい景色だった。麦畠の涯《はて》に春の蒼空《あおぞら》が展がり、陽が斜めに射《さ》していた。

世津子は、腕時計を見た。四時過ぎだった。時間はたっぷりとある。

電車に乗っている時間は二十分だった。小さな駅に降りた。

駅の前を出ると、すぐに旧《ふる》い街道があった。江戸時代から残っている街道で、トラックや車の通行が激しかった。世津子は、車の跡切《とぎ》れを見て急いで渡った。

彼女の脚はそのまま街道を突っ切って進んだ。そこにも一本の白い道がゆるやかな勾《こう》配《ばい》で伸びている。この辺《あた》りは、都心から来ると空気まで甘くなるような郊外だった。

バジリオ会の神学校がすぐそこに見えた。高い立ち木の中に尖塔《せんとう》が聳《そび》え、十字架が折りからの夕陽に輝いていた。

神学校の前には、なんとなく人が集まっていた。トルベックが云っていたことだが、今日は神学校で新しい神父の叙階式の祝賀会が行なわれ、そのために信者たちが集まっているようだった。お祭である。

世津子は、その門の前を過ぎて、その道を進んだ。トルベックの指定の場所は、その神学校から五百メートルも離れていた。高い所に同じ会の修道院がある。黒い修道服を着けた尼僧《にそう》が連れだって、ゆっくりと坂道を上っていた。

通りは殆《ほと》んど家がなかった。この辺は植木屋が多い。広い地域を占めて、手入れの届いたさまざまな木が人工的な林でつづいていた。林の奥には植木屋の屋根が洩《も》れていた。

薄い陽が梢《こずえ》に当っている。

世津子は、その近くの通りから引っ込んだところに立った。その岐《わか》れた道を進むと、深い森に囲まれた寺に出るのである。道に立っていても、傍に湧《わ》き水のせせらぎが流れていた。水車小屋がすぐそこに見えた。

世津子は、ぽつんとそこに立って、トルベックの来るのを待っていた。鐘の響きが揺れるように聞えて来る。チャペルの鐘だった。その音色《ねいろ》が夕べの赤い空を背景に溶け込んだ。世津子は胸に十字を切った。

世津子は、それからもしばらく待った。約束の時間は六時というのである。まだたっぷり三十分はあった。彼女は、その時間までぶらぶらと歩いた。

ハイキングの帰りらしい若人が連れだって来るのに行き会った。若い雰囲気《ふんいき》が、その一団の動くのにつれて移動して行く。農家の垣根には、老いた梅がまだ残っていた。

世津子はひとりで歩きながら、これから会うトルベックのイトコのことを考えていた。どんな男だろう、と想像した。トルベックと同じ国の者だから、きっと彼に似ているに違いない。血が同じだし、特徴もそっくりのように想えた。

トルベックが善良なのに、そのイトコというのは、多少やり手の方かもしれない。それに、危い職業にたずさわっているようである。ホンコンから麻薬を運べ、と指令するような男だから、恐ろしい人物である。

だが、世津子は、その忌《いま》わしいイトコに会うのが、その半面、何となく心がときめいてきた。トルベックの善良さは無条件に好きなのだが、また、そのような性悪《しょうわる》な男性にも会ってみたい気持が否定出来なかった。

生田世津子は、自分の心の中で弁解した。

彼のイトコに会ったら、トルベックをどうぞ引きずり込まないでくれ、と頼むつもりだった。自分たちの幸福のためである。この仕合せを誰からも崩《くず》してもらいたくなかった。そのときの言葉を、世津子は、この昏《く》れなずむ林の径《みち》を歩きながら考えていた。

トルベックは、その日の朝から、グリエルモ教会での叙階式のミサに臨んだ。荘厳《そうごん》な儀式は、長い時間がかかった。それが済むと、今度は神学校での祝賀会が開かれるのである。

神学校では、すでに祝賀会の準備が出来ていた。学校の講堂は小旗をめぐらし、賑《にぎや》かな装飾に溢《あふ》れていた。

この日は、バジリオ会に属する各教会から神父たちが全部集まっていた。それだけでなく、教会関係者も、信者の主だった者も、ほとんどが参加した。たいそうな賑わいである。

叙階式の行なわれる前夜から、神父たちは食事を断《た》っていた。叙階式のミサに聖なるものを拝領するので、その前にほかの食事を禁ぜられていた。それで、祝賀会のときには、ほとんどの神父たちはひどく空腹《すきばら》になっていた。集まった者は愉しげにそれを平げて行った。たいそうな御馳走《ごちそう》が会場には並んでいた。

食事のあとは余興があった。

愉《たの》しい集《つど》いである。めでたいことだし、日ごろの厳粛さから解放されていた。劇や手品や歌やゲームが会衆の前で行なわれた。日ごろむずかしい神父が、この時ばかりは、これはと眼を瞠《みは》るほどの隠し芸を見せるのである。

この日だけは面倒な宗律から離れていた。劇は宗教劇ではなく笑劇《ファルス》が多かったし、ゲームも宗教とは関係がなかった。人々は開放的になり、幾分、享楽《きょうらく》的になった。

トルベックは、最も皆の喝采《かっさい》を博した一つの隠し芸を披露《ひろう》した。彼は日本語で流行歌を唄《うた》った。

星はなんでも知っている
昨夜《ゆうべ》あの娘《こ》が泣いたのも……
それが終って、次に移った。
……あの娘《こ》を捨てて　俺はゆく
さようなら　さようなら
俺は淋《さび》しいんだ

あの娘と別れて　ひとり旅へゆく
声は佳《よ》かった。いつも暗い森のほとりで母国語で唄って、斎藤幸子や生田世津子に賞《ほ》められた声である。日本語の歌詞の発音が奇妙なことを除けば、節廻しも発声も上出来だった。会衆は手を叩《たた》き、歓声を送った。

このときのトルベックには、いささかの暗い陰もなかった。例の愛嬌《あいきょう》のある顔は、聴衆の拍手に応《こた》えた。にこにこと笑ってお辞儀をした。アンコールを求める拍手がつづいた。トルベックはまたお辞儀をして別な流行歌を唄った。そのしぐさがおかしいといって、皆は大喜びだった。

ゴルジ神父も、ルネ・ビリエ師も、珍芸をやった。出て来る神父が日ごろから謹厳《きんげん》で厳粛な顔つきをしているだけに、この歓《よろこ》びは参会者に倍加した。神父たちだけでなく、信者の主だった者も舞台に上った。江原ヤス子などは古めかしい日本の舞踊を見せた。とにかく愉しくて開放的な祝日である。

「ベックさん」

トルベックのところに、江原ヤス子が笑いながらやって来た。

「とても上手だったわよ」

彼女は賞めた。

「どうも、ありがとう」

トルベックは他愛がなかった。子供のように歓んでいる。その胸の中に何を考えているか、表情だけを見た者には想像もつかなかった。

「また今度、わたしのうちで唄ってね」

今日の江原ヤス子も着飾っていた。小肥《こぶと》りの彼女は、あまり和装が似合うとは思えなかった。だが、そのけばけばしい色彩は、その日の愉しい雰囲気に似合った。もっとも、彼女の容貌《ようぼう》と年齢とにはひどくそぐわなかったが。

人が多い。当日祝福を受けた新しい神父を中心に集まっている者もあれば、親しい者同士で話し込んでいる者もいた。笑い声が渦巻いていた。どこに誰がいるか判《わか》らないぐらいだった。

「今から写真を撮《と》ります」

教会側の幹事らしい役目の一人が、大きな声でふれた。

これは、新任神父を中心にしてお祝いの記念撮影をするのである。主《おも》だった人々は、撮影のためにぞろぞろと集まった。その前列にマルタン管区長と新任神父とが並んで坐《すわ》り、その左右にそれぞれの教会の神父たちが居並んだ。

「おや？」

と一人が云《い》った。

「トルベック神父が足りない」

人々は、お互い同士が顔を廻した。なるほど、愛嬌のいいトルベックの笑顔《えがお》はどこにもなかった。一人だけ足りないのである。

「トルベックさまは、どこに行ったのでしょう?」

「誰かトルベックさんを探して来て」

そんな声がざわめきとなって起った。信者の一人が、神学校の講堂の外に出たり、裏手を探したりした。撮影は、トルベックがそこに戻って来るまでしばらく待たねばならなかった。

撮影者は信者の一人だったが、手持無沙汰《てもちぶさた》に待っていた。並んだ人々は、員数の足りないことで落ち着かなかった。

「トルベック神父さまは、どこにもいらっしゃいません」

その報告は、一人だけでなく、探しに廻った連中が悉《ことごと》く同じだった。

神父たちの中には肩を竦《すく》める者がいた。

それでも二十分はたっぷりと待った。どこかに用達しに出かけたトルベックがひょっこり帰って来そうな気がしたからである。何といっても、大事な祝日の記念撮影に神父の一人が足りないという法はない。

「仕方がない」

管区長が云った。

「このまま撮《と》ってもらおう」

誰も異議を云う者はなかった。しかし、明らかに、心の中ではトルベックの不参を非難していた。不注意なことである。大事な撮影に姿を見せないトルベックのことをぶつぶつ云っていた。

撮影は、到頭、トルベック一人だけを欠いて行なわれた。その中に江原ヤス子も居たが、彼女一人だけは、何やら心配そうな顔をしていた。

トルベックは、こっそり公衆電話の中に入っていた。そのボックスは寂しい所にあった。始終、辺りを見廻したが、誰もそこに一人の神父が電話をかけていることに気づいているらしい者はなかった。

「待っていた、トルベックさん」

こちらの声が通じると、先方の嗄《しわが》れた声が応えた。ランキャスター氏だった。

「もう君の電話が来るかと、どこへも出ないで残っていた。少し遅かったね」

貿易商は、ちょっと非難した。

「これでも、大急ぎで脱けて来たのです」

トルベックは話した。実際、彼の額には薄い汗が滲《にじ》んでいた。

「で、どうだったね？」

先方は訊《き》いた。

「セツコは六時頃来て、近くで待っている筈《はず》です。これから彼女に逢《あ》うことになるのですが、どういうふうにしたらいいでしょう？　ランキャスターさん」

「オカムラ・ショウイチの家を知っているね」

「知っています」

「オカムラには万事話してある。今夜は、そこに彼女を泊めるのだ」

ランキャスター氏は命令した。

「泊めるのですか？」

トルベックは、あとの言葉を呑《の》んだ。

「そうだ。今夜は、彼女をそこから外に出してはいけない」

貿易商は平気で答えた。

「なんとかそこに君が連れて行くんだ。オカムラは心得ている。その部屋も用意してある筈だ。君と二人分をね」

貿易商は含み笑いをした。

「しかし、ランキャスターさん」

トルベックは蒼《あお》くなっていた。

「わたしの云う通りにしてもらいたい、トルベックさん。君の抗議は受け付けないよ。

万事、あとで手がかりを日本の警察に摑《つか》まれぬためにもね。わたしの指図に従っておけば安全だ。君のセツコの立ってる所は、むろん、寂しい所だろうね」

「誰も居ないはずです」

「その処置はよろしい。君自身も、誰にも見られてはならない。セツコを先に一人で行かせたまえ。君と二人では目立つ。あとから君がオカムラの家に行くのだ。そこに連れ込んだら、またわたしに連絡してくれたまえ。分ったな」

トルベックは、声が出なかった。

「分ったね、トルベックさん。聴えるのかい?」

聴える、と云ってトルベックは受話器を置いた。先程日本の歌を唄っていたときのトルベックの表情とはまるで別人だった。彼はボックスから出るまで、しばらく、そこで呼吸《いき》を整えなければならなかった。


——彼は歩いた。それでも本能的に辺りを注意した。田舎《いなか》の道だし、誰もいなかった。ときどき、自動車《くるま》が走って通る。ヘッドライトの先に、彼は背中を向けた。やり過して、道の脇《わき》の小暗い木蔭《こかげ》を選ぶようにして歩いた。

道が岐《わか》れる所に来た。トルベックは素早く曲った。そこはもっと暗かった。道の行方は森林に囲まれている日本の古い寺である。昏《く》れてからは誰も寺に行く者はなかった。

トルベックが十メートルも進まないうちに、ぼんやり闇《やみ》の中に白いものが立っているのを認めた。それはトルベックが声をかける前に揺れるように動いて進んで来た。

「ベックさん」

生田世津子が弾《はず》んだ声で呼びかけた。

「ずいぶん、待ったわ」

世津子は、彼の来方の遅いのを恨んだが、その顔はすぐに嬉《うれ》しそうに笑った。

「これでも、わたしはぬけて来たのだ」

トルベックは言った。

「あら、なんだか呼吸《いき》が苦しそうよ」

世津子は気遣った。

「急いで来たからね。ぬけられないところをやっとやって来た。セツコにあいたくて」

トルベックは、無理に笑顔を作った。

「速達、見たわ。すぐ下宿を出て来たの。お話ってなあに」

世津子はトルベックの手を握って訊いた。

「大事な話がある。ここでは、その話ができない。セツコ、あなたにしばらく待っていてほしい。いや、ここではない。わたしの知合いのうちだ。やはり信者でね。なに、気のおけない人だから安心だ。先に行って待っていてくれ」

「どこなの？　なんだか、いやアね」

世津子は渋った。だが、それはもう男の申入れを許している表情だった。

あたりは、いよいよ暗くなってきた。誰も通ってはいなかった。世津子の顔が、くら闇の中にほの白く浮かんでいた。

世津子は衝動的にトルベックの胸に顔をつけた。が、すぐ、愕《おどろ》いたように離れた。

「まあ、ベックさん、あなたの心臓はまるで病気みたいに激しいわ」

びっくりした眼つきだった――。

二十七

中央線O駅から南に行くと、閑静な住宅街になる。

この地域はかなり大きな邸《やしき》ばかりが集まっていた。長い塀《へい》が続き、ところどころに雑木林が挟《はさ》まっている。塀はコンクリートだったり、杉の生垣《いけがき》だったりした。どの家も植込みが深く、屋根はその奥に引っ込んでいた。

南に向っている道路は、幾筋にも岐《わか》れているが、その一つは、この住宅街を通り抜けて、ゆるやかな起伏の地形を曲って過ぎ、その端はまた一本の幹線道路に結ばれていた。この幹線道路は、森林公園から引いた水が、都民用の水道となって鉄管の中を通じ、この道路の下に埋まっていた。

住宅街は、昼間でもあまり人通りがなく、奥まった部屋からは、ゆるやかなピアノの練習曲が聞えたりする。夜になると、ほとんどの家が、闇《やみ》の中に沈んで、めったに自動車《くるま》も走らなかった。

大きな邸宅は、隣どうしでも、あまり、付合いはなさそうだった。山の手の住人の習慣として、互いが干渉もせず、立ち入ることもしなかった。隣家が何をしているのか、家族がどんな暮しをしているのか、遠い異郷の人のように無関心だった。

生田世津子がトルベックのルノーに乗って案内されたのは、そうした住宅地の中だった。その家もかなり大きかった。近所と同じように塀をめぐらし、犬を飼っていた。

「この家《うち》なの？」

生田世津子は、暗い玄関に歩きながらトルベックの後ろから、不安そうに覗《のぞ》いた。門には標札も出ていなかった。トルベックは彼女の肩に手を置いた。

「心配することはない。やはり、信者の人でね。とても親切な人です。教会のためなら、何でもしてくれた人ですよ。わたしと、たいへん親しい」

トルベックは彼女に優《やさ》しく説明した。

「でも、トルベックさん」

彼女は見知らぬ家の前でたじろいだ。

「心細いわ、こんなところに一人わたしを置いて」

「心配しなくていい。わたしはすぐに来る。神学校の仕事が片付いたらすぐにやって来るからね。そうだ、イトコも伴《つ》れて来よう。それに、この家の人は親切だから、何でも世話をしてくれる。ちゃんと話はしてあるからね」

トルベックは玄関のブザーを鳴らした。和風の大きな構えだった。内側に明りが点《つ》いた。

人影がさして、格子戸《こうしど》が開いた。のぞいたのは中年女だった。

「トルベックです。こんばんは」

女は無言でお辞儀をした。

生田世津子がおかしいと思ったのは、トルベックがこの家の者と親しいというのに、その女がたいそう無愛想なことだった。

女と入れ替って、別な人間が出て来たが、これは小肥《こぶと》りの男だった。光線が彼の背から来ているので、はじめ、顔つきがよく判《わか》らなかった。

「いらっしゃい」

男はトルベックに云《い》った。

「こんばんは。おじゃまします」

「どうぞ」

初めて親しそうな会話だった。男は、トルベックの後ろにいる世津子をじろじろと見た。世津子は頭を下げた。

「ようこそ」

と男は彼女に云った。

「さあ、どうぞ」

トルベックが世津子の背中を軽く掌《て》で押した。

その家は大きそうだった。玄関を上ると、廊下が曲っていた。小肥りの男、つまり、それがこの家の主人らしいが、勝手にひとりで先にたっていた。トルベックは始終彼女の後ろにいた。いつものことで不思議はないが、あとで考え合わせると、彼女を逃さないための姿勢だった。

廊下にも灯が点いている。このとき、向うの部屋から、だれかがのぞいた。さっきの女だったが、世津子はわざわざ自分をのぞきに首を出したように思われ、あまりいい気持はしなかった。この家全体が静かで、話し声はなかった。

通されたのは、二階の八畳の間だった。

「狭いが、ここで辛抱してください」

小肥りの男はそう云った。トルベックと世津子と両方に笑いかけていた。眼尻《めじり》に皺《しわ》が寄っている赭《あか》ら顔だった。

この男が岡村正一だった。

この家は、岡村の本宅ではない。実際の家は目黒の方にあった。岡村は旭《あさひ》産業株式会社というのを持っている。工場は江東区の方にあり、主として軽金属をやっていた。金廻りはいいのである。この家も、戦前から住んでいる人のを買い受けて、彼の妾《めかけ》を置いている。

「トルベック神父さま、ちょっと」

元から岡村は信者だった。一時は破門されたが、何かの利益がグリエルモ教会と搓《よ》りを戻させた。表立って出入りはしないが、或《あ》る取引きは始終している。トルベックともその方面での顔なじみだった。

岡村は、トルベックを呼び出した。

「ベックさん」

不安になった生田世津子が呼びかけた。

「なに、すぐ戻って来られますよ」

岡村がトルベックに代って云った。

「ちょいと話がありますのでね、失礼させてもらいますよ」

岡村正一は、生田世津子の顔を無遠慮に見て笑った。

トルベックと岡村正一とは階下《した》に降りて密談をした。

それは五分もかからなかった。

トルベックが二階に上ったとき、生田世津子は不安そうな姿で待っていた。実際、トルベックがいない間、しんと静まり返ったこの部屋が彼女を包み込みそうにしていた。知らない家だし、女ひとりの不安が本能的に怖《おそ》れを抱《いだ》かせた。

トルベックは、彼女を抱いて接吻《くちづけ》をした。世津子は、熱い呼吸《いき》を吐いた。

「すぐ戻ってくるからね」

トルベックは、彼女を放して耳もとで囁《ささや》いた。

「心配しないでいい。オカムラさんが世話をしてくれる」

「ほんとにすぐ帰ってくださるの？　このままずっと居るわけにはいかないの？」

彼女はトルベックに抱きついたまま訊《き》いた。瞳《め》を一ぱいに開いていた。

「残念だが」

と彼は云った。

「神学校に行かねばならない仕事が残っている。わかってくれるね、セツコ」

「そりゃわかるんですけれど、だって、わたしひとり、こんな見ず知らずのうちに居るのはつらいわ」

「だからいっている。すぐ帰ってくる。それまでのしんぼうだ」

トルベックはさとした。

「あしたから、君とここでしばらく暮す」

「ほんとう?」

生田世津子の眼が輝いた。

「ほんとにわたしとここで暮してくれるの?」

「そう。わたしはそうしたいと思っている。セツコはそれがのぞみだったね。わたしもそうしたいのだ。だから、このオカムラさんの二階を借りることにした」

「早くそれを話してくだされぱいいのに」

世津子は、歓《よろこ》びと不満とを同時に述べた。

「急にそんなことを云い出して、びっくりするわ」

「あなたもうれしいだろう。うれしいことにびっくりするのは悪くはない」

「だって」

世津子はぐるりと見廻した。

「このうちでなく、もっとよそのうちで生活できないの?」

「このうちが嫌《きら》いなのかね?」

「なんとなくいやだわ。だって、オカムラさんはわたしと初対面でしょ。同じ知らないうちを借りるのだったら、自分で見つけた方がいいわ。その方がもっとましだわ」

「セツコ」

トルベックはたしなめた。

「考えてごらん。普通のうちが借りられると思うのかい？　われわれの信者は口が固い。われわれは人に知られてはいけないのだ。普通のうちを借りると、たちまち世間にわれわれのことが知られてしまう。オカムラはわたしの熱心な支持者だ。秘密を外に洩《も》らすひとではない。安心できる人だ。ね、セツコ、わかるだろう」

だが、世津子は、その説得に不満だった。不満というよりも、まだ危惧《きぐ》が去っていなかった。何となくこの家が無気味だった。今、案内して来た岡村という男もそうだったが、廊下にのぞきに出た女も、あまり気持よくはなかった。

「あなたが気に入らなければ」

とトルベックは彼女の顔色を素早く読んで云った。

「当分、ここでしんぼうして、その間に、わたしがあなたの気に入ったうちを探してあげる。な、それでいいだろう」

「ええ」

彼女は仕方なしにうなずいた。

「そうしよう。いま、急にといって、ほかの家が見つかるわけでもない。きっと、わたしが探す。安心をおし。約束をしていい」

トルベックは躍起となって説得に努めた。

「では、わたしはこれで行くからね」

「もう行くの？」

世津子はまた不安な顔に戻った。

「仕方がない。神さまの仕事をしているからね。聴きわけてくれ。その代り用事がすんだら、すぐにここに戻ってくる。そのとき、イトコも伴《つ》れてくる」

「きっとね。ほんとにきっとね」

「約束する。間違いはない。だから、少しぐらい寂しくてもしんぼうしてくれ」

トルベックは、最後に彼女の肩を抱き、その額と頬と唇とに唇を押し付けると、彼女から離れた。

生田世津子は、その姿を階段のところまで見送った。

トルベックの広い肩が階下の方に沈んで行く。そして、すぐに見えなくなった。空虚が彼女の身体《からだ》全体を水が押し寄せるように大きく包んだ。

トルベックは、玄関に出ていた。

岡村正一が後ろから付いて来た。

「いい女だね、ベックさん」

両手をポケットに突っ込み、岡村はニタニタ笑っていた。

「あれなら、ベックさんが夢中になるのも無理はない。だが、可哀《かわい》そうだね、少々」

トルベックは眼を伏せた。すぐにはものを云わなかった。

「たのみます」

低くそう云っただけだった。

「分っている、ベックさん。ランキャスターさんからすっかり話を聞いているのでね、わたしもおろそかには出来ない。決して逃すようなことはないよ」

トルベックは、岡村正一のその最後の言葉を背中で聞いた。彼は肩を落して表に出た。

小型の自動車が塀の際《きわ》にひっそりと灯を消して車体を隠している。彼はそれに乗った。

そして、植込みの奥に見えるこの家の二階をもう一度眺めて、アクセルを踏んだ。

人通りはなかった、ほかに車も通っていなかった。トルベックは走った。神学校まで車で二十分はかかるだろう。疎《まばら》な外灯が次第に賑《にぎや》かな街の灯に変った。

電話ボックスが途中で眼につくと、彼は車をその横に着けて降りた。

電話をかけたのは、ランキャスターのアパートである。

トルベックの耳にすぐに流れてきたのは、ランキャスターの声だった。

「待っていた、ベックさん。どうだったな」

「今、オカムラの家に連れて行ったとこです」

「よかった」

ランキャスターは報告を聴いて満足そうだった。

「オカムラは居たかね?」

「居ました」

トルベックは情ない声を出した。

「オカムラには、ぼくが云い含めてある。彼は、ぼくの指図に従うはずだ。それで、あとのことは、オカムラに任せていい。彼は信用していい日本人だ」

貿易商は保証した。

「で、彼女はどうしている?」

「あの家の二階に一人でいます」

「むろん、あなたは、あとからセツコのところに行くだろうな」

「行きます」

しかし、トルベックは躊躇《ためら》っていた。

「きょうは、神学校で新任神父の祝賀会があります。その途中で、わたしは抜けて出たのです。ですから、一度還《かえ》ってあとで出直さなければなりません。多分、遅くなるでしょうね」

「おそくなる? 何時ごろだね」

「多分……」

トルベックは、ちょっと考えて云った。

「十一時か十二時ごろになるでしょう」

今度は貿易商が考える番だった。しばらく話し声が跡切れた。

「いいだろう」

やがて軽い答が返って来た。

「だが、今夜のうちに実行するのだよ」

トルベックの顔が蒼《あお》くなった。受話器を操作している指が顫えた。

「どうした？　トルベックさん」

先方では彼の声を催促した。

「聞えたかい？」

「聞えました」

トルベックは、絶望的な呻《うめ》きをあげた。

「じゃ、わかったのだね。万事、わたしの指図に従っていれば間違いない。おや、トルベックさん、君は恐ろしいんだね」

トルベックは言葉がでなかった。

「恐ろしいことはない。わたしの云う通りにすれば間違いないのだ。それが一番安全だ。今夜のうちに、とにかく殺《や》ってしまうのだ。いいな。手はずは、ちゃんとこの間話した通りだ。わかったね」

「はあ」

トルベックは苦しそうに声を出した。汗が彼の額に滲《にじ》んだ。動悸《どうき》が激しく搏《う》っている。

「オカムラは、万事、承知だ」

トルベックは受話器を掛けた。一度ではうまくかからなかった。彼はボックスを出て車に乗った。辺りが普通の景色と変っていた。自分の眼でなく他人の眼で風景を見ているようだった。

神学校に帰ったのは、半ば無意識のうちだった。事故を起さずに帰れたのが不思議なくらいだった。

門を入ると、昼間の信者たちは居なくなっていた。騒ぎ声は消え失《う》せ、いつもの静寂な建物に戻っていた。窓の灯もほとんどが消え、二つ三つの明りが見えているだけだった。

トルベックは、こっそり会堂の中に入って行った。そこには数人が跡片付けをやっていた。

「管区長さんは?」

トルベックは神学生の一人に訊いた。

「管区長さんは、ずっと前にお帰りになりましたよ」

行事は終っていたのだ。

しかし、ほかの方で、別の準備が始まっていた。明日また新しい神父の初ミサが、この神学校の会堂で行なわれる。トルベックは、その助祭として奉仕することになっていた。

「あら、ベックさん」

不意に横から声が聞えた。

江原ヤス子が、きょとんとして彼を見上げていた。

「今までどこに行っていたの？　ずいぶん探したわよ」

彼女は非難の眼差《まなざ》しを向けていた。

「ちょっと用事があって、外出していました」

トルベックは答えた。

「だったら、だれかに断わって出た方がよかったんじゃない？　みんなで記念撮影をやったのよ。あなたが見えないから、ずいぶん探したわよ」

トルベックはうつむいた。

江原ヤス子のあとから、ルネ・ビリエ師がやって来た。これもトルベックの外出を短い言葉で咎《とが》めた。

「すみません」

トルベックは謝った。

「一体、君は何をしていたのだね？」

ビリエ師は訊《たず》ねた。

「何しろ管区長さんも、ひどくご機嫌《きげん》が悪かったからね。外に出るのだったら、そう、断わってほしいものだね」

トルベックは答えられなかった。

彼の眼はおどおどしていた。髪も乱れたままだった。

その様子に気づいて、何事かを気遣うように、ルネ・ビリエ師も、江原ヤス子も顔を見合わせた。

トルベックの顔色は、紙のように白くなっていた。

二十八

トルベックはグリエルモ教会に帰った。十時ごろだった。

教会の二階にある自室にこっそりと入った。神父たちはその居室に閉じ籠《こも》って灯を消していた。トルベックは、部屋に戻って、はじめて自分の気持になった。

すぐベッドに入る気になれなかった。その時間もない。あと一時間すると、もう一度、生田世津子のところに行かねばならなかった。貿易商の命令を今夜じゅうに実行しなければならない。

部屋の中を歩いた。じっと坐《すわ》って考える余裕は少しもなかった。

彼は聖書を読んだ。どの頁《ページ》を読んでも、今夜ほど聖書の文句が自分の身体《からだ》の中を風のように過ぎるときはなかった。窓の方を見た。薄暗い室内からは、外の黒い森が魔ものようなかたちで聳《そび》えて見えた。空には星も出ていなかった。

時間が恐ろしく早く経《た》った。かと思うと、たいそうのろくも感じられた。十一時にあと三十分だった。

耳を澄ましたが、何も聴えなかった。

生田世津子がしょんぼりと坐っている姿だけが眼の前にちらついた。それを忘れようとしても、幻は執拗《しつよう》に彼を追った。

トルベックは、床に膝《ひざ》を突いた。手を胸に組み、祈りの言葉を呟《つぶや》いた。だが、どのように祈っても、これからはじまる彼の行為を緩《ゆる》めてはくれなかった。胸が呼吸《いき》苦しく締めつけられてきた。

彼は、狂暴に立ち上った。髪を摑《つか》んだ。椅子《いす》の上にもうずくまった。歩いても坐っても平静にはなれなかった。

さらに十分が過ぎた。

主よ、願わくはこの住家《すみか》をみそなわし、あだの謀計《はかりごと》を遠ざけ給《たま》え。また主の御使《みつか》いをこの住家に降《くだ》し、われらを安らかに守らしめ、主の御祝福を常にわれらの上にあらしめ給え。——まことに今こそ彼に欲しいのは平安であった。平凡な安息だった。過ぎた日々の退屈な毎日がどのように平安で、貴重であるかを思い知らされた。自分の惨《みじ》めさ、自分の哀れさ、自分の罪深さが彼の五体の上にのしかかった。だが、その邪悪な運命から逃げることは出来なかった。ランキャスターの声が彼の耳に絶えず囁《ささや》きつづけていた。

トルベックは祈った。

「罪人《つみびと》を義とし、罪人の死をのぞみ給わぬ神よ、われらは、ひれ伏して、みいつに願い奉《たてまつ》る。願わくは、御あわれみによりたのむ主のしもべたちに、天の保護を下し、たえず守り給え。また、かれらを常に主に奉仕させ、どんな誘惑にあっても、主からはなれぬよう守り給え。神として……」

よこしまな想念から解放し、われらを、聖霊にふさわしい住居となし給え、とトルベックは祈った。

しかし、その祈りと、これから行なう意思とは別ものだった。祈りは彼の命じられた義務を封じはしなかった。行動を引き止めはしなかった。それが出来る者は、神よりも貿易商ただ一人だけだった。

しかし、貿易商は決して許さなかった。トルベックがひれ伏したいのは、二部屋のアパートの中に傲岸《ごうがん》に構えている貿易商だった。だが、どのように憐《あわれ》みを乞《こ》い、どのように祈りを捧《ささ》げても、全能の神はこの貿易商の野望に一つの秘蹟《ひせき》をも与えはしなかった。

十分経った。

もし、逃げられるなら、このまま逃走したかった。故郷の肉親や友だちの顔が浮かんだ。しかし、このときほど肉親が自分と無縁な、無力な異邦人に思われたことはなかった。

トルベックは、窓の外を覗《のぞ》いた。やはり黒い森がそこに立ち塞《ふさが》っていた。人はひとりも歩いていなかった。広い教会には、人間の声がすべて死んでいた。

トルベックは室内を歩いた。遠くにしわぶきの声が起った。この寄宿舎には不眠症の老神父がいる。トルベックは足音を忍ばせた。

この空気全体が彼を圧《お》し潰《つぶ》しそうだった。胸の動悸《どうき》が耳に高く聞えた。呼吸《いき》苦しくなり、窓を開けようとしたが、これは途中で思い止《とど》まった。

トルベックは椅子に戻り、そこにうずくまった。頭を抱《かか》えた。今度は動かないで眠ったようにじっとしていた。

三分経った。

トルベックは眼を開いた。割れ鐘のような声が彼の空耳を打った。トルベックは飛び上り、身支度をした。廊下に出た。

しわぶきはまだつづいて起っていた。トルベックは廊下を歩き、階段を降りた。微《かす》かな軋《きし》りが起った。戸口のドアを開けると、黒い地面が彼の眼の前に展《ひろ》がった。トルベックは辷《すべ》り出て土を踏んだ。

車庫からルノーを引き出した。エンジンをかけたとき、自分の心臓が凍りそうだった。だが、暗い窓はそのままで、灯をつける人間はいなかった。

トルベックは裏門から道に出た。ヘッドライトが道の横の草を白く照らした。時計を見ると、十一時になっていた。

トルベックが岡村正一の家の前に着くのに、たっぷり二十分かかった。

ルノーを塀のそばに隠して、門の中に入った。門は開いていた。彼は玄関に着くと、忍びやかに、短くブザーを鳴らした。自動車が着いたときから、その行動を誰かに見張られているのをトルベックは知らなかった。

灯がついて、玄関の戸の間から顔を見せたのは、岡村正一だった。

「こんばんは」

トルベックは挨拶《あいさつ》した。

「今晩は」

岡村正一は応《こた》えたが、その声は数時間前に聞いたのと調子が変っていた。声が変ったのか、トルベックの耳の具合に変化が起きたのか、分らなかった。

岡村は、トルベックが入ると、後ろの戸を閉め、玄関の灯を消した。黙ったままである。

岡村の様子が違っていた。数時間前と、今の様子とはどこかが違う。

岡村は少し警戒的であった。その印象もトルベックの感覚の調子が狂っているせいかもしれない。

「彼女は静かにしていましたか?」

トルベックはこっそりと訊《き》いた。

「静かでした、トルベックさま」

岡村は微かな声で答えた。しかし、こんな声ではなかった。岡村の声が変っている。トルベックの頭から力が抜けていた。自分で考える力が減退し、その部分が真空になっていた。

「この階段を上って右側ですよ、トルベックさま」

岡村は念を押すように教えた。それ以上彼は従《つ》いて来なかった。ただ、横の方から障子が開き、彼の姿《めかけ》が寒そうに肩をすぼめて岡村の横に来た。彼女はトルベックの後ろ姿を意味ありげに凝視していた。

トルベックは階段を昇った。昇りきったところに廊下があったが、その横の部屋は、どこも灯を消していた。トルベックは奥の部屋の障子を開けた。

急に声が起った。トルベックは思わず立ち竦《すく》んだ。叫び声は世津子のものだった。

トルベックの方がびっくりした。暗い中は何も見えなかった。自分の意図を世津子に見破られたように戦《おのの》いた。彼はそこに棒立ちになった。

叫び声は一度上っただけで、あとはしんと静まった。微かな音がしたが、それは世津子が身を退《すさ》ったためのようだった。

沈黙がしばらくつづいた。

「セツコ」

トルベックは咽喉《のど》に絡《から》んだ声を出した。

何か彼女がものを云《い》ったようだが、トルベックは部屋の中に足を一歩入れた。

「あなたなの?」

はじめて世津子の声が返って来たが、これも数時間前に聞いた声とは調子が違っていた。

「ベックなの?」

声は或《あ》る恐怖を帯びていた。

「明りをつけてもいいかい? セツコ」

トルベックは長い手を壁に伸ばしてスイッチを探った。

「いけない！」

トルベックが愕《おどろ》くほど激しい声だった。

「どうしたのだ？　セツコ」

思わず訊き返した。

その返辞の代りに、女の泣き声が高くなった。

――この女は、自分が殺されるのを知っているのか。

トルベックは、膝から力が抜けそうだった。そのまま闇《やみ》の中に眼を向けていると、意外に女の身体がトルベックに飛び付いて来た。彼女の泪《なみだ》が彼の顎《あご》を濡《ぬ》らした。トルベックは抱いた。世津子は、トルベックの胸を異常な力で掻《か》きむしった。

トルベックの重心が失われ、二つの身体は重なり合って倒れた。畳が音を立てた。それでも彼女はトルベックから離れずに、いよいよ激しく泣きながらしがみ付いて来た。

「どうしたのだ？　セツコ」

トルベックは動悸を抑《おさ》えて云った。

「寂しかったのかい？」

女は返辞をしなかった。声の代りに、ただ泣くだけであった。トルベックの腕は自然と女の頸の下に廻っていた。

突然、ランキャスターの身振りが、彼の脳裡《のうり》に映った。目の前で、腕まくりして折って見せた腕である。折り曲げた内側に女の頸《くび》を挟《はさ》んだ恰好《かっこう》だった。

いま、トルベックが世津子に当てている手の位置をもう少し上げると、貿易商が見本に示してくれた、あの腕の恰好になるのだった。柔い弾力性のある胸に置いた手をもう少し上にずらせば、小動物のように柔らかい頸がある筈《はず》だった。彼女の身体には防備がなかった。

トルベックの手はふるえ、力がなかった。

「セツコ」

トルベックは怖《おそ》れるように云った。

「セツコ」

女の身体は、声を聞いて、また、波打って泣いた。

「どうしたのだ、セツコ?」

トルベックは、彼女の髪を撫《な》でていた。激しい慟哭《どうこく》のためにか、彼女のきれいな髪のかたちは崩れていた。彼の指にその髪毛が縺《もつ》れた。

「ベック」

彼女は嗚咽《おえつ》の中から云った。

「あなたのイトコが、……イトコが……」

そうだ、イトコを連れて来る約束だった、とトルベックは思った。そのために速達をわざわざ彼女の下宿に出したのである。手紙にはちゃんと念を入れて化粧をし、きれいにして来い、とも書き加えておいた。セッコは、そのイトコをなぜ連れて来なかったのか、と非難しているのだ。トルベックはそう早合点《はやがてん》した。

「残念だね。イトコは忙しくて会えないそうだ。悪く思わないでくれ、セッコ。先方の都合なのだ」

トルベックがそこまで云うと、世津子は余計に泣き出した。日本人の感情の波をトルベックは解しなかった。その言葉で、なぜ、世津子が余計に火がついたように泣き出したのか、迂闊《うかつ》にも気が付かなかった。

トルベックは再び手探りで電燈《でんとう》を点《つ》けようとした。

「いけない」

世津子が暗闇の中から激しい声で制《と》めた。

「そのままにしておいて！」

トルベックが戸惑って立っていると、その脚《あし》に世津子がまた抱きついて来た。それから声をあげて一段と強く泣き始めた。トルベックは、なぜ世津子がこのように悲しまねばならないかよくわからなかった。多分、今まで彼女を独《ひと》りでおいていたので、その留守の寂しさに耐えかねていたのが、彼が来てくれたことで感情が迫り、泣き出したのだろうと思っていた。

トルベックはその場にしゃがみこんで世津子の肩を抱き寄せた。このとき、意外だったのは、彼女の肩がすでにむき出されていたことだった。

トルベックがグリエルモ教会に二度目に帰ったのは、夜中の一時だった。

忍びやかに自室に入ったが、だれにも見咎《みとが》められずに済んだ。

夜通し、トルベックはわけのわからない夢を見続け、熟睡ができなかった。

トルベックは実行を失って帰ったのだった。貿易商の命令は、昨夜のうちにそれをせねばならなかったのだった。だが、世津子の慟哭が、彼から勇気を奪った。

貿易商からどのように叱責《しっせき》されるかわからなかった。

そのことが彼の意識に圧迫を加え、睡《ねむ》りが充分でなかった。絶えず、神経が顫《ふる》え、頭の中が重かった。

それでも、習慣的に五時には起床した。

三十分かかって、いつもの通り朝のミサをあげた。

今日は、昨日新任された神父による初めてのミサが神学校で行なわれる。それに参列するために、六時半にはほかの神父たちと一緒に神学校に出発した。

十時から十二時までの間は、神学校の祭壇で新任神父による初ミサが行なわれた。

儀式は、すべて順序どおりに荘厳《そうごん》に行なわれた。

だが、トルベックの意識は絶えず恐怖していなければならなかった。ランキャスター氏への報告がまだ済んでいなかった。電話をかける機会がない。それが絶えず彼への懼《おそ》れとなっていた。

一時から二時半までは、食堂で中食会があった。彼はいつものようには食欲がなかった。胸がつかえて何も咽喉《のど》に入らない。傍《そば》で神父の一人が訝《いぶか》しそうに見たくらいだった。トルベックは無理に食べるようにみせかけたが、駄目だった。

長い食事の時間である。やっと、それが終ったのは二時四十分だった。

電話を掛けなければならない。ランキャスター氏はあの部屋で待っている。むろん、神学校から掛けるわけにはいかなかった。

トルベックは近くに電報局があることを思い出した。ここで同僚の神父就任の祝電を打つことを思い立ち、皆にはそう断わって建物を出た。電報を打って、局を出ると、少し離れたところにある公衆電話に入った。

「ランキャスターさんは居ますか?」

電話にかかったのは、知らない男の声だった。トルベックの名前を訊き返さないですぐにランキャスターに取り次いだ。

受話器を耳に当てていると、ランキャスター氏の声が、部屋に居る者を追い出している様子だった。トルベックとの通話は秘密なのである。大勢の足音が遠のくのが聞えた。

トルベックはランキャスター氏のあの部屋を眼に浮かべた。そこには、さまざまな正体の知れない客が集まってくる。

ランキャスター氏の声をきくまで、胸が苦しかった。

いよいよ、ランキャスター氏の声が出た。

「こんにちは、トルベックさん」

貿易商は陽気に挨拶《あいさつ》を送ってきた。

「トルベックです。連絡が遅くなりました」

彼は細い声で云った。

「声が小さくて聞えない。もう少し、大きな声を出して下さい」

ランキャスター氏は催促した。

「トルベックです」

「トルベックさんからの電話とはわかっていますよ。で、どうした、あの件は?」

トルベックは口ごもった。

「機会がありませんでした」

「なに?」

貿易商は訊き返した。

「では、やらなかったのか?」

声の調子が、ガラリと変った。

「うまいチャンスがなかったのです。ランキャスターさん」

トルベックは喘《あえ》いで告げた。

「バカな」

いきなり、荒々しい声が受話器の底から突き上げて響いた。

「何をやっているのだ。昨夜、殺《や》るようにわたしがあれほど云っておいたのに。なぜ、わたしの命令をきかないのだ」

「ですから、ランキャスターさん」

トルベックは対手《あいて》の怒声に怯《おび》えながら云った。

「どうしても、そのチャンスがなかったものですから……」

受話器の奥で貿易商が呪《のろ》いの言葉を吐いた。

「くたばれ！　女はどうしている？」

「あのまま、あの家に置いています。あ、そうだ、彼女は逃げるかもしれませんね、ランキャスターさん」

トルベックは新しい不安に気づいた。

「逃げやしないさ。オカムラの家なら大丈夫だ。いや、お前さんに云われるまでもなく、その方はわたしの手でやっている。われわれはお前さんのように間抜けではないからね」

貿易商は激怒し、罵《のの》り始めた。

「なぜ、殺《や》らないんだ。あれほど、云っておいたのに。一体、どうするんだ。え、トルベックさん……。聞えるかい？」

「聞えますが」

トルベックは哀れに応《こた》えた。

「お前さんがぐずぐずしていると、とんでもないことになるよ。わたしの云いつけ通りにしないと、お前さんの破滅だよ。あまり、われわれをなめてはいけない」

「いいえ、ランキャスターさん……」

「いや、それに違いない。お前さんは、わたしを少し軽く見ている。わたしは、そんなに甘くない。お前さんに見縊《みくび》られるような男ではない。お前さんは、あとの自分の身のことを考えるんだね」

「おお、ランキャスターさん……」

「今夜、きっと殺《や》るのだ、いいかえ、トルベックさん」

貿易商は鋭い声で命じた。

「セツコはあの家から一歩も外に出さないで置く。君は気づかないだろうが、あの家には見張りがいつも厳重にしてあるのだよ。だから、今夜こそ彼女を殺ってしまうのだ、いいな、トルベックさん。でなかったら、君自身が破滅に落ちるのだよ。わたしは遠慮しない方だからな」

トルベックは身体《からだ》を折りそうにして呻《うめ》いた。

二十九

中央線O駅の北口を降りると、すぐ近くに市場がある。

表通りから路地の中に入ると、ここには魚屋、肉屋、八百屋《やおや》、乾物屋などが密集していた。戦後のマーケットがそのまま現在に残って正常化している形態の一つだった。

四月三日の夕方だった。ひとりの婦人が、その市場の中の「いずみや」という食料品店の店先に立った。

夕方の市場は、買物客が雑沓《ざっとう》していた。殊《こと》に、この内は道が狭く、二人と並んで歩けない。この「いずみや」も、ちょうど、忙しいさなかだったし、店先は、歩いている人や買物客で混雑していた。

「いずみや」には、日本の食料品よりも外国製品が多かった。横文字ラベルの罐詰《かんづめ》などが店先いっぱいに積み上げられてある。店先に立ったその婦人客は、日本製罐詰の一つに手を出した。

「いらっしゃい」

店員が目敏《めざと》く見付けてお辞儀をした。

「これ、いかほど？」

婦人は、中年の垢抜《あかぬ》けた女だった。手にしたのは松茸《まつたけ》の罐詰である。

「はい、四百八十円でございます」

罐詰としては高価な方だった。それで、この店では滅多に松茸の罐詰を買うような客は来なかった。上客と見て、店員の口ぶりは丁寧だった。

「そう。これ二つ、いただくわ」

婦人客は、罐詰を手に提げた籠《かご》の中に入れた。

すぐに千円札を出して支払った。

「毎度ありがとうございます」

客の姿は、すぐに混み合う人の群の中に入って消えた。

何でもない平凡な市場の買物風景である。裸電球と、魚の臭《にお》いと、野菜の臭いの混合するなかだった。

その買物客は、次に肉屋に寄り、八百屋に寄りなどして、それぞれ買物をした。

屋根の低い狭い市場を出ると、急に空が広くなる。

婦人はO駅の前を横切り、踏切を渡って南側に出た。

彼女はバス通りをしばらく歩いたが、それから別の道に入った。この辺《あた》りから住宅地となる。

道に入ると、人通りは急に少なくなった。歩いている人は、たいていこの辺りの住人で、身なりのいい婦人が多い。

垣根の中の植込みが深く、雑木林がところどころにあったりして、閑静な通りだった。穏やかな春の陽射《ひざ》しが白い道に降り灑《そそ》いでいた。

その婦人は、或《あ》る四つ角まで来ると、辺りを見廻した。

遠くの方に子供がふたり歩いているだけで、ほかに人影はなかった。

婦人は、その道を入り、とある一軒の門を潜《くぐ》った。標札も何もなかった。だが、これが岡村正一の別宅だった。

この家の周囲には、さりげない様子で若い男がうろうろしていた。

「お帰んなさい」

別の若い男が彼女を迎えた。

「ほう、今夜はご馳走《ちそう》ですな」

若い男は、買物を見て笑った。

「あんたに食わせるんじゃないわよ」

婦人は云《い》った。

「へえ、ひどいな」

若者は頭を掻《か》いた。

「上のお客さまのよ」

と云って、眼を上に向けたが、

「何か変った様子はなかったの?」

と訊《き》いた。

「やっぱり外に出たがっていますよ。それを何とかなだめて二階に置いていますがね」

「絶対に外へ出しちゃ駄目よ。逃げられたら、あとで大変なことになるからね」

「神父さんは、いつ来るんですか? そればっかり、あの女《こ》は訊いていますよ」

「晩になったら来るでしょ」

「ほんとに来るんですか? ぼくらもそう云ってなだめていますがね。あんなに待ちこがれているんですから、来ないとなるとコトですよ。夜になると、喚《わめ》くかも分りませんよ」

「きっと来ることになっているから、大丈夫よ。それまで、逃げられないように、ちゃんと見張っててちょうだい」

この女は、岡村正一の愛人だった。

台所で、買物の品を取り出して、彼女が支度にかかっているとき、岡村正一がのっそりと入って来た。

「何だい？」

そこに置いてある罐詰を取った。ラベルを見て、

「松茸か。へえ、罐詰に松茸があったのかな？」

「珍しいでしょ。今夜は、これで中華料理を作って、あの女《ひと》に食べさせましょうね」

「それはいい。なにしろ、ご馳走でもしてやらないと、寂しがっているからな」

「そのつもりで思い立ったのよ」

女は支度にかかり、岡村は口笛を鳴らして台所を出た。

電話が鳴った。

そこに、若い男がいたが、女が台所から走って受話器をとった。

女は電話を聞いていたが、

「あんた、あの人からよ」

とうしろの廊下に突っ立っている岡村正一を振り返った。

岡村は受話器を代って取ったが、

「大丈夫ですよ、ランキャスターさん。おとなしくしていますよ」

と低声《こごえ》で報告していた。

「ベックさんはまだ来ません。夜、来るようなことを云っていましたが」

それから、通話は岡村正一が聴く一方になった。

「分りました」

と岡村正一は間を置いて答えた。

「大丈夫、それまでつないでおきます。やはりぐずぐず云ってるようですが、何とかなだめています。はあ、大丈夫です」

また、しばらく先方の話を聴いていたが、

「ベックさんにそう云えばいいんですね。分りました。あとでまた報告します」

と云って電話を切った。

電話器を置いて、こちらを向いた岡村正一の顔は、こわい眼になっていた。

「おい」

と若い者に云った。

「表に変なやつが近所をうろうろしてないか、それもよく見張っておくんだよ」

生田世津子は、トルベックの来るのを待った。ひとりで居るのが辛《つら》かっただけではない。この家全体が無気味だった。

世話は実によくしてくれるのだ。この家に居る中年の女が、ときどき上って来ては、何か欲しい物はないか、とか、退屈でしょう、とか云って、菓子や雑誌などを置いて行ったりした。

食事はいつも馳走だった。ただ、外には一歩も出させないのである。

「トルベック神父さまからも云われておりますのでね、あなたが外にお出かけになっては、たいへん都合が悪いのです。トルベック神父さまは、将来、この家で、あなたとおふたりで暮したいようなおつもりなんですよ」

女は色白の美人だった。どことなく垢抜けていたし、艶《つや》っぽいところがあった。

生田世津子は、トルベックに電話をしたかった。

「いいえ、トルベック神父さまは、今日は、たいへんお忙しいのです」

女は話を聞いて断わった。

「神学校で、新しい神父さまによるミサがあり、それにつづいて、祝賀会が開かれています。そのほか、いろいろなことにお務めがある予定だそうです。お電話をおかけになっても、いらっしゃる筈《はず》がありませんわ」

おだやかな顔で、静かな云い方だった。

生田世津子には朝から電話をかけたいところがあった。一つは叔母の家である。

実は、叔母の家の老人が喜の字の祝いだったのだが、まだその祝いの席にも行かず、電話だけで、そのままここに来てしまっている。

昨夜をここで過し、また今日も帰らないとなると、叔母の家で心配するに違いなかった。そのための連絡をぜひしたかった。

もう一つは、ＥＡＬ会社に欠勤の届けを連絡しなければならないのだった。今夜、ホンコンラインの勤務に就く予定なのだが、まだ無届けのままである。この家には電話があるらしい。彼女が、電話を借りたい、と云うと、

「ちょっと困りますの」

と女はきれいな眉《まゆ》をひそめた。

「これもトルベック神父さまからのお云いつけですわ。自分の留守の間に、どこにも電話をかけさせないようにって。それを固く云いつかっていますの。申しわけないんですが、トルベック神父さまがいらっしゃるまで、我慢してくださいな」

女は、この言葉を遠慮そうに云ったが、その柔らかい態度の奥には、世津子がそれ以上押し返すことが出来ないような強さが感じられた。

何としても憂鬱《ゆううつ》なことである。

それに、この部屋に籠《こも》っているのが退屈なので、少し外を歩いてみたかったが、これもその女に引き止められた。

「もうしばらくの辛抱ですわ。まもなく、トルベック神父さまがお見えになると思います。それまで、ほんとに申しわけないんですけれども、部屋に居てくださいね。あとで、わたしたちがトルベック神父さまから叱《しか》られますから」

女は、トルベックの云いつけにひどく忠実そうだった。

一体、この家は誰が居るのだろう。トルベックは信者の家と云ったが、確かにそんなところも見えていた。が、得体が知れないのだ。普通の家にない雰囲気《ふんいき》である。家の構えは相当なもので、広くもあったが、どのような職業の人物が住んでいるのか、さっぱり分らなかった。

世津子にいつも接触するのは、三十ぐらいの女だけだった。尤《もっと》も、そのほかには若い男が居るようでもある。それは、世津子が、一度、玄関から外へ出るつもりで階下《した》に降りたとき、廊下のはしからひょっこりと顔を出してしきりに外出をとめたことだった。その後で例の女がやって来て云った。

「あら、お嬢さま、いけませんわ。ほんとにもう少しご辛抱ください。あとで、トルベック神父さまから私たちが叱られますからね。もう間もなくお見えでしょうから、ほんとに、もう少し我慢してください」

トルベックが何のために自分の外出を止めるようこの家の者に頼んでいるのか、意味が分らなかった。これまで、トルベックの性格に、なかったことである。

得体の知れない空気である。

世津子は、早くトルベックの来ることを祈った。彼が来たら、早速にも、いっしょにここから出たかった。

しかし、生田世津子がこの家を早く出たい理由は、トルベックにも話せない深い動機があった。トルベックだけではない。誰にもうち明けられない秘密である。

昨夜のことが悪い夢のようだった。悪魔の瞬間の仕業としか思えないのだ。

――夜中に、階段が鳴り、黙って足音が廊下に近づいたので、トルベックかと思っていると、まるで違った男だった。外国人に変りはなかったが、トルベックよりは老《ふ》けていて、もっとがっしりとした大きな体格だった。

世津子が呼吸《いき》を呑《の》んでいると、彼は、トルベックのイトコだ、と自分で名乗った。

その言葉で安心したのがいけなかった。男は無遠慮に世津子のそばに来た。はじめは紳士的な態度だったし、トルベックから聞いたイトコだと云うので、彼女も気を許した。対手《あいて》は英語が達者だった。世津子も短い言葉で受け応《こた》えした。

黙って入って来たのは不作法だったが、トルベックのイトコだからとそれほど気にはならなかった。不思議なことに、この家の者がひとりも上って来ないのである。前ぶれなしにこのイトコが彼女の部屋に来たのも奇怪だが、この男の部屋までの侵入の仕方が、まるで道路を歩いているように無造作だったのである。

それからのことは、世津子は絶望的な想い出しかない。巨大な嵐《あらし》が彼女を叩《たた》きつけ、滅茶滅茶《めちゃめちゃ》にした。その男はせせら嗤《わら》って、やはり往来を歩くようにこの家を出て行ったのだ……。

トルベックが来たのは、それから三十分も経《た》たないあとだったが、世津子は羞恥《しゅうち》と、屈辱と、恐怖とで、トルベックに部屋の明りをつけさせなかった。

彼に対《むか》って、イトコのことを詰《なじ》る勇気もなかった。口に出せない出来事だった。

夕食には、中華料理が出た。それを運んで来たのも、例の女だった。

「何もございませんのよ」

と彼女は云った。

「手料理ですから、上手に出来ません。お口に合わないでしょうけど、召し上ってくださいな」

料理は三種類あった。その一つが松茸の入った皿だった。

「いただきます」

せっかくのもてなしだったので、世津子は箸《はし》をつけた。女は、そのそばに坐《すわ》って、心細げな世津子を見戍《みまも》るようにしていた。唇には絶えず薄い微笑がのぼっていた。

「いかが?」

と手料理の味など訊いたりした。

「結構ですわ。ほんとにお上手ですこと」

世津子はお愛想を云った。

実際、その料理はおいしかった。これで、トルベックがいっしょだったら、もっとおいしく食べられたかもしれない。いや、昨夜のことさえなかったら、この松茸炒牛肉片の料理は愉《たの》しかったかもしれない。彼女は、中華料理が好きな方だった。

「トルベック神父さまは、遅いですわね」

女は、彼女の気持を察したように、外の方を眺《なが》めて云った。

すでに夜になっていた。静かなこの邸町《やしきまち》の一劃《いっかく》は、深夜のように辺りの音が死んでいた。

世津子はうつむいた。

「でも、もうすぐ、お見えになりますわよ」

女は若い世津子を慰めるように云った。

「もう教会の行事も終ったでしょうし、トルベックさまの手もあいたに違いありません。もう少しの我慢ですわ。ほんとにあなたひとりで、お寂しかったでしょ」

女は慰めた。

「ありがとう」

世津子は、小さな声で礼を云った。

それから、食事をする間、その女は世津子に、飛行機のことやスチュワーデスの勤務のことなどを訊いたりした。今の場合、その返事が煩《わずらわ》しかったが、彼女は言葉少なに答えた。

料理は半分も食べられなかった。

「どうもご馳走さまでした」

彼女はお辞儀をした。

「おや、もういいんですか。お若いんですから、もっとたんと召し上ったら?」

女は勧めたが、世津子は辞退した。実際、それ以上咽喉《のど》に入らなかった。

もう少し、もう少し、と云いながら、トルベックは容易にやって来なかった。世津子は、砂漠の中にひとり残されたような気持になった。トルベックがこんなに恋しく思われたときはなかった。

この家の気味の悪いことは相変らずである。あの女がいろいろと親切に云ってくれるが、それで少しもその不安な気持は緩《ゆる》まなかった。

階下では何をやっているのか、音一つ起らない。ラジオも、人間も、声らしいものは何も聞えなかった。坐《すわ》っていると、身体《からだ》が夜の底に引き込まれそうな感じだった。

表に、ときどき、車の走る音が聞えた。トルベックかと思い、耳を澄ませたが、それは空《むな》しく行き過ぎた。そんなことが五、六度もあった。今度こそは、と耳を澄ましても、その音はやはり遠くへ通過してゆくのだった。

叔母の家に電話をかけなければ、という焦躁《しょうそう》が絶えずつづいていた。もう一度、電話を借りることを申し出ようと思ったが、あの女の拒絶には、調子は柔らかいが、壁のようなものがあった。

時計が九時を指した。

今夜も、このまま遅くまで待たされるのかと思うと、忌《いま》わしい昨夜の出来事が頭に蘇《よみがえ》った。

親切にしてくれるが、あの女はトルベックのイトコのことは何も云わなかった。むろん、彼を知らない筈《はず》はない。この家の中の出来事である。だが、女の表情には、微塵《みじん》もそれに触れるような気配はなかった。

世津子も、それを訊き出す勇気はなかった。一体、あの男とこの家との関係は何なのだろう。なぜ、あの男は、往来のようにこの家の中に黙って自由に入って来れるのだろうか。この家の者が誰ひとりとして昨夜の男について来なかったことも、奇怪な謎《なぞ》だった。

長い間経《た》って、エンジンの音が表に聞えた。

世津子ははっとした。今度こそ車が表に停ったのである。静かな界隈《かいわい》だから、それは世津子の耳にはっきりと入った。

やがて、階下《した》で声が聞えた。トルベックの声だった。

世津子は我慢が出来ず、部屋を飛び出した。

階段を上ったばかりのトルベックの姿が正面にあった。世津子はたまりかねて、トルベックの胸にしがみ付いて行った。

三十

生田世津子は、トルベックの腕《かいな》の中で始終ふるえていた。

彼女はまたよく泣いた。これまでトルベックが知っているセツコではなかった。この家に来て、急に人間が変ったようだった。

トルベックにも懼《おそ》れがあった。彼女が本能的に何かを感知し、それに恐怖しているのだと思った。

「セツコ」

と彼は出来るだけやさしい声を出し、彼女の髪を長い指でまさぐった。

「何がそんなに悲しいのだ?」

世津子はあまりものを云《い》わなかった。ただ寂しいことだけを繰り返して訴えた。

「寂しくはない。わたしがこうして来ている」

事実、生田世津子はトルベックの広い胸に、始終、その顔を擲《う》ちつけていた。彼の胸は彼女の泪《なみだ》で濡《ぬ》れ、彼の耳は彼女の嗚咽《おえつ》で塞《ふさ》がれていた。

「この家のひとはしんせつにしてくれるかね?」

トルベックは訊《き》いた。

先ほどからトルベックとふたりきりになっているのだが、階下からは誰も上って来なかった。話し声すら聞えないのである。

夜は更《ふ》けていた。界隈からは、時折り、犬が吠《ほ》えるくらいで、自動車《くるま》の音も聞えず、人の通る足音もしなかった。

「親切にしてくれるわ」

と彼女は細い声で答えた。

「それはいい。この家のひとは信者だからね、決してあなたを粗末にすることはない」

「ベック」

世津子は云った。

「ここの家の女の方も云ってたわ。ベック、あなたはほんとうにわたしとこの家で暮すつもりなの？」

世津子は下から見上げた。トルベックの強い顎《あご》と高い鼻とが、すぐ眼の先にあった。

「ここのひとがそう云ったのか？」

トルベックは、なぜかどきりとしたようだった。

「そうなの。その女の方だけがわたしのもてなしをしてくれるの。男のひとはだれも上って来ないわ。女の人はそう云ったの、ベックさんはあなたとこの家の二階で暮すんだと云ってたって。ほんとうなの？」

世津子は、トルベックを強く見つめた。

「それは、ほんとうだ」

なぜだか、トルベックは少し吃《ども》って答えた。

「そ、そのひとがそういえば、ほんとうだ。そうだ、わたしがまえにそう云ってたのんだことがある」

「そう」

世津子は少し考えるようにしていたが、

「それはうれしいけれど」

と呟《つぶや》くように云った。

「ねえ、ベック。わたしたちが」

と、急に、今度はトルベックの方をまっすぐに見上げて強い言葉になった。

「この家でふたりきり暮すと、あなたは、あなたのイトコとやっぱり付き合わなければならないの？」

トルベックは、思いなしか顔色を変えたようだった。彼は、一瞬に呼吸《いき》を吸い込み、世津子の固い顔にじっと蒼《あお》い瞳《ひとみ》を当てた。世津子がいつも深い山の湖のようだと思っているその蒼い瞳は、どういうわけか血走ってみえた。

「おう、セツコ」

トルベックは苦しそうに顔をゆすった。

「あなたがつきあうなといえば、つきあわなくていい」

「それ、ほんとうなの？」

世津子は瞳《め》を光らせてトルベックの顔を凝視した。ふたりの視線はそこで合ったが、先に気弱く外《はず》したのはトルベックの方だった。

「ほんとうとも、セツコ。あなたがそれをのぞむなら、わたしはかまわないんだ」

トルベックが意外に思ったのは、世津子が彼の頸《くび》に縋《すが》りついたことだった。

「ほんとうなの？」

その声は半分叫んでいるみたいだった。

「ほんとうだ。やくそくしてもいい」

「うれしい」

世津子は、トルベックの頸に腕を捲《ま》きつけ、彼の頬《ほお》に唇を密着させた。熱い唇だった。

「ベック。それがほんとうなら、あのイトコと付き合いをやめてちょうだい、ここに来させないでちょうだい」

トルベックは、世津子の顔を静かに見返した。それは、世津子の気持を測るような、その心の奥を覗《のぞ》くような眼付きだった。

「いいよ、セツコ」

トルベックは顔を背《そむ》け、瞳を別のところにやって、彼女の顔を自分の頬にすり当てた。

「きみがイトコをすきでないなら、かれとつきあわないことにする。ね、それでいいだろう、セツコ。ここは、わたしたちだけのたのしいすまいにしよう」

「うれしい。ベック、ありがとう。ほんとにありがとう」

世津子の方が力強かった。彼女はトルベックの頸や、頬や、肩や、至る処《ところ》を吸いつづけた。トルベックは坐《すわ》ったままよろけた。元から畳の上に坐ることの不得手な人である。世津子に押されて、他愛もなく、そこに転がった。

が、同時に、その腕の中には世津子があった。

「セツコ」

トルベックは荒い呼吸をした。

「セツコ、わたしを愛しているかね?」

「愛しているわ、とっても」

「ほんとに愛してくれているね?」

「もちろんだわ。あなたのためなら、命はいらないわ。神さまに誓っていいわ」

「おう、セツコ」

トルベックは彼女を抱き締めて、激しい接吻《くちづけ》をした。今度は、トルベックの方が彼女の身体のどの部分をも嫌《きら》わなかった。それから、呼吸《いき》を弾《はず》ませている世津子の頸を自分

の胸に押し付けると、彼女の背中に手を廻し、指先で彼女の衣類を剝《は》がしにかかってい
た。
世津子は抵抗しなかった。彼女の低い噎泣《むせびな》きは、トルベックの所作《しよさ》の間に絶えずつづ
いていた。

「ベック」

世津子がやはり暗い中でゆっくりと云った。この声は、烈《はげ》しい風の吹きすさんだあと
のゆるやかなそよぎにも似ていた。

「あなた、今夜、教会の仕事があったんでしょ。新しい神父さまの叙階式のあとで、忙
しくはなかったの?」

「だいじょうぶだ」

トルベックは、入江に入った小舟のように、ゆるやかな調子で懶《ものう》く答えた。

「そんな心配はいらない。全部、終ったのでね」

「そう」

彼女は安心したような声を出した。

「よかったわ。わたしのために、あなたが大事な教会の仕事を放って来たのではないか
と思って、心配したのよ。やはり神さまが見てらっしゃるわ。教会のお仕事を怠けては

だめよ」

彼女の声は甘えていた。甘えながら穏やかに愛人をたしなめていた。

女は、その愛人をたしなめることに満足を覚えるものらしい。

トルベックは、ふと、腕時計を見た。十時二十分になっていた。

「おう」

とトルベックは低く叫んだ。

「わたしはわすれていた。教会にかえらなければいけない」

「それごらん」

世津子は笑った。はじめての笑い声だった。

「云わないことじゃないわ。やっぱり用事があったんでしょ」

「そのとおりだったよ、セツコ。わたしはすぐかえらなければいけない」

トルベックは、その言葉が終ると、すぐに世津子の顔を自分の方に引き寄せた。

「セツコ、ここに一日じゅういて、きのどくだったね。わたしとドライブしないか？」

「だって、ベック、あなたは教会に用事があるんでしょ」

「いや、かまわない。そのようじはすぐすむのだ。むこうで二十分も待っていてくれたらいい。教会ではなく、教会関係のひとを訪問しなければならない。すぐにかえってくる。やはり車でおくってあげる。どうだね？」

快い囁《ささや》きだった。

「いいわ。わたしもずっとここの家に閉じこもって、くさくさしていたの。そうだ、ねえ、ベック。わたし、叔母の家に電話してもいいでしょ。とても心配してるわ。だって、あれから何も連絡してないんですもの」

トルベックはちょっと黙っていた。

「いいだろう」

と彼は云った。

「だが、わたしはすぐにいそがなければいけない。でんわはかえりがけでいいだろう」

「いいわ。今夜じゅうにしとけば、それでいいの。困ったわ、叔母さんに訊かれたら、わたしはどこに居ると云ったらいいかしら？」

「へいきさ。きみは下宿にいると云えばいいんだ。下宿からでんわしてると云えば、あんしんするよ」

「悪いわ、ベック」

トルベックは起き上った。身支度《みじたく》をしている間、世津子もはじめて電燈《でんとう》をつけ、鏡台の前に坐った。うきうきした様子が、その全身に溢《あふ》れていた。鏡に対《むか》った顔も入念なのである。

紺色のスーツを着て、自分の姿を写していた。手にハンドバッグがあった。

トルベックはそれを見たが、彼の顔が何を思ったか少し緊張した。

「セツコ」

だが、声はやさしかった。

「このあいだ、わたしが出した速達、あなたはそこに持っているかね？」

「ええ、あれね。持ってるわ。この中にあるの」

世津子はハンドバッグを示した。

「どれ、見せてごらん」

「あら、ベック、なぜなの？　わたし、あなたの手紙を、退屈だから、一日じゅう、何回も読んだわ」

「いいから出して、お見せ」

トルベックは手を出した。

「変なひと」

世津子は、それでもハンドバッグを開けた。化粧品が入っている。その中に確かに彼が出した速達の封筒が入っていた。

「これなの？」

世津子が云い終らないうちに、トルベックの手がその速達を奪い取った。その勢いがあまりにひどかったので、世津子の方が呆気《あっけ》にとられたくらいだった。

トルベックは、自分の書いた手紙を封筒の中から引き出した。それから、検《あらた》めるようにそれを凝視した。

「まあ、どうしたの？　ベック。まるで検査してるみたいだわ」

「セツコ」

トルベックは俄《にわ》かに笑った。そして、そのまま自分の手紙をポケットに入れた。

「これはもらってゆくよ」

「あら、どうして？」

世津子は眼を丸くした。理由が分らなかった。

「これには、きみがふゆかいがってるイトコのことがかいてある。これをよむたびに、きみはきっとふゆかいになる。きみがさみしかったら、封筒だけかえすよ」

トルベックは、実際にカラになった封筒を世津子に差し出した。

「そう」

トルベックの云うのも、世津子に納得が出来ないではなかった。たった一時間前に、彼のイトコのことをさんざん不愉快だと云い、絶交してくれと頼んだのである。トルベックの気の付き方がかえってうれしかった。

「さあ、でかけよう」

トルベックは、静かに彼女の肩を押した。そのときは、すでに彼女はオーバーを着、ハンドバッグを下げ、ここに来たときと同じようにパラソルを持っていた。

「空が真っ暗だわ。雨かも分らないから、パラソルは持ってゆくわ」

トルベックは、それがいい、とその用意を賞《ほ》めた。

ふたりは抱き合うと、最後の接吻をした。それから、世津子を先に立てて、トルベックは静かに階段を降りて行った。

階下に降りると、世津子の世話をしてくれるこの家の女が立っていた。

「あら、お出かけ？」

彼女はほほえみながら二人を見比べた。

「ええ、ちょっと、ベックにドライブに連れて行ってもらいますの」

「そう、よかったわね」

彼女は明るい顔で微笑《ほほえみ》を拡《ひろ》げた。

玄関を出ると、家の暗い横にルノーが置いてあった。いつもトルベックが乗る、あの見覚えの、青色のルノーだった。

「さあ」

とトルベックの方がドアを開けてくれた。それは運転台の横だった。

「久しぶりだわ」

と彼女は外の空気をうれしがっていた。

やがて、運転台に乗ったトルベックは、アクセルを踏んだ。車の音響が起った。ヘッドライトに灯を入れた。トルベックは、どういうものか、車を動かす前に辺りを窺《うかが》っていた。

赤いテールは、やがて、雑木林の多いこの邸町《やしきまち》の道を走って去った。その小さな赤い色が、まるで繊細な生命のようにかぼそく道の涯《はて》に消えた。

家の表に、岡村正一の姿が立っていた。彼はルノーが街角に消えるのを確かめると、あわてたように家の中に走り込み、受話器を取った。

午前零時過ぎだった。

トルベックは、ルノーを運転して、寝静まった街を走っていた。猛烈なスピードだった。世津子は乗っていなかった。

その速度は、あの雑木林の多い小径《こみち》の中に入っても同じことだった。この辺まで来ると、さすがにタクシーもなかった。もちろん、人の通りもない。トルベックは、あらゆる角度を少しも速度を落さずに曲って進んだ。彼はひとりだった。

黒い森の裾《すそ》には、薄い霧が匐《は》っていた。

江原ヤス子の家の近くに来たとき、はじめて彼は速度を落し、今度は忍ぶように車を進めた。いつもの植込みの下にルノーを入れて、彼は車を降りた。

辺りを見廻した。もちろん、この一劃《いっかく》は起きているものはなかった。江原ヤス子の家の戸を敲《たた》いた。犬が吠《ほ》えたが、トルベックが短く叱《しか》ったので、啼《な》き声はすぐに止《や》んだ。軽くノックした。トルベックは疲れていた。中から明りが射《さ》し、江原ヤス子の顔が覗《のぞ》くまで、そこに立っているのが辛《つら》そうだった。

「まあ、ベックさん」

戸を開けて、江原ヤス子が見上げた。

「ずいぶん遅いのね？」

トルベックは少し笑ったようだった。いや笑ったように見えた。だが、事実は、顔を歪《ゆが》めていたのだった。彼の身体《からだ》はゆらゆらと揺らいでいた。

「どうしたの？」

はじめてその様子に気づいて、江原ヤス子が眼を瞠《みは》った。

座敷に入ったときのトルベックの顔色といってはなかった。草のように真青だった。それに、彼の服装は乱れていた。髪ももつれて額にかかっていた。

怕《こわ》い、と江原ヤス子が思ったのは、トルベックのその様子が、まるで幽鬼のように見えたからだ。眼の縁《ふち》は黝《くろず》み、唇の端が切れていた。顔は、どういうものか、泥だらけだった。そういえば、手も膝《ひざ》も泥に塗《ぬ》れていた。膝から下は、川に落ち込んだようにびっしょりと濡《ぬ》れていた。素足だったのは、上るときにびしょ濡れの靴下を脱いだからだった。

江原ヤス子が直感したのは、トルベックが自動車事故を起したに違いないことだった。

「どうしたの？ ベックさん」

彼女は棒立ちになってトルベックを見戍《みまも》っていた。

いつも外出するとき、ここでトルベックは聖服を普通の背広に着替えていた。今夜も、出かけるときにここに寄ったのである。今、彼が戻ったのは、その背広を聖服にふたたび着替えるためだったが、それにしてもトルベックの様子は異常だった。

彼は興奮していた。両手の指を口の中に入れて爪《つめ》を噛《か》んでいた。眼は血走り、一点を凝視していた。普段、おしゃれの男が、鼻も、頬も、べっとりと黒い泥が痣《あざ》のようについていた。トルベックはものを云わなかった。口の中に指を入れたのも、ひとりでに出て来そうな声を抑えているみたいだった。

「ベック」

江原ヤス子は声をかけた。

「早く、そのズボンを脱ぎなさい」

それにも、トルベックは返辞をしなかった。胴体が熱病のようにわなわなとふるえていた。

「どうしたの？ 一体、自動車をどこかにぶつけたの？」

それ以外、トルベックの姿は考えられなかった。だが、ここに来るといつも陽気そうな彼が、今は狂人のような眼つきをし、せわしげに荒い呼吸をしていた。

「ベックさん」

江原ヤス子は近づいた。が、その軀《からだ》をトルベックは恐ろしい力で撥《は》ね除《の》けた。

江原ヤス子が仰天していると、突然、トルベックは、畳の上に突っ伏した。膝を曲げ、肘《ひじ》を折って、両手をしっかりと組み合わせていた。

それは、祈りの姿とも見えるし、傷ついた獣が呻《うめ》く姿のようでもあった。

事実、トルベックの口から異様な呻きが洩《も》れた。はじめは圧《お》し殺したような声だったが、それが次第に昂《たかぶ》り、異様な号泣に変った。

トルベックは、何やらしきりとひとりでしゃべった。江原ヤス子に分らない彼の母国語だった。手が着けられなかった。江原ヤス子はただ呆《あき》れて、その姿を見るだけだった。

声は、よく聴くと神への祈りだった。暗い聖壇の前で、神父が儀式のときに祈っている、あの言葉とも違っていた。

「――プレーナ　ドミヌス　テークム　ベネディクタ　トゥ　インムリエリブ　スエト……」

長い間、それはつづいた。組み合わされた両手は、死人のように固く密着していたし、うずくまった彼の頭は何度となく上下して、狂的な祈りをつづけていた。

辺りは、ことりとも物音がしない。閉めきったこの家の静寂の中で、トルベックの原始的な祈りに似た動作は、江原ヤス子をしばらく近づけさせないほど荒々しかった。はじめて、何か非常に重大なことが起ったことを、江原ヤス子は知った。自動車事故などではない。トルベックは何かをやって来たのだ! 何かを。——

江原ヤス子は、トルベックのその姿を探るようにじっと見つづけていた。彼女の眼は光り、彼女の表情は硬張《こわば》っていた。

# 第二部

## 一

四月四日の朝八時ごろのことであった。

玄伯寺川《げんぱくじ》のほとりを、付近の農家の主婦が歩いていた。

この辺は、武蔵野《むさしの》の櫟林《くぬぎばやし》と、赤土の上に出来た畑とが、まだ昔のままに残っている地域だった。ここから北方に約二キロの所に、中央線O駅がある。

また、南の方には、近ごろ急速に発展してきた高久良《たかくら》の町がある。

高久良は、昔の旧街道の古い宿場だった。江戸を出立《しゆつたつ》した旅人が、甲州や信州に行くとき、まず一泊はこの宿場に求めたものである。

近年、その辺《あた》りは、東京都の住宅の波が押し寄せてきて、今では綜合《そうごう》病院もあり、会社や工場も建っていて、前からの住宅地域を抱《かか》え、著しい発展を遂げている。

だが、いま、農婦が歩いている地点は、そのO駅と高久良の町の、ちょうど、中間の陥没地帯に当っていた。そこだけはまだ住宅街の余波を受けていず、藁屋根《わらやね》の農家や、深い森がつづいていた。

O駅と高久良の町を結ぶ道路が、この川を渡っている。橋のほとりに八幡社《はちまんしゃ》があった。道路は、時折り、バスやタクシーが通るが、まだそう頻繁《ひんぱん》ではなかった。

農婦が歩いているのは、この川に沿った畦道《あぜみち》だった。川幅は、約五メートルぐらいある。水は黒味を帯びて汚なく、泡《あわ》の浮いた澱《よど》みを見せて流れている。川には、古下駄や、棒切れや、茶碗《ちゃわん》のカケラや、とにかく、そういったゴミのようなものが絶えず捨てられてあった。

四月四日の朝八時というと、まだ寒い。農婦は背を屈《かが》めて川沿いの土堤《どて》を歩いた。草はまだ枯れたままで短い。裸木だった林がようやく葉を付けはじめていた。

バスの通る橋から川沿いの小道を南の方に約三十メートル下ると、農家が自分で付けた私道の木橋がある。その橋の近くだった。

彼女の眼は、ふと、川に注がれたが、瞬間に棒立ちになった。

川に人が倒れていた。女だった。

発見者は、まさか、それが死体とは気が付かなかった。仰向けに寝た女は、黒っぽい紺のスーツを着ていたが、そのブラウスが少し上にたくれて、スカートの間に白いスリップが見えていた。女は、あたかも眩《まぶ》しいように片手を自分の額に当て、一方の手を軽く胸に置いていた。

川が浅いので、女の全身は水に隠れるところなく見えていた。僅《わず》かに開いた脚《あし》の膝《ひざ》から下と、背中、後頭部だけが水の中に漬かっている程度だった。川底の浅いのは石ころが多いからである。

ちょうど、川の中に岩が突き出てそれを避《よ》けて水が流れるように、この女の寝姿に沿って水は迂《う》回《かい》し、停滞し、縺《もつ》れて動いていた。

これだけのことを、農婦は自分の眼で瞬間に見た。軽く当てた手のはしに彼女の唇《くちびる》があったが、それは、ちょっと笑っているように開いていた。若い女だった。

しかし、農婦が死体と気づくのに時間はかからなかった。彼女は何か大声を上げて、私道の橋を渡り、そこにある農家に駆け込んだ。交番に知らせる前に、一応、確かめて貰《もら》いたい目撃者が欲しかったのである。

農家では、庭にいた中年の農夫が、早速、駆けつけた。幸い、私道の橋からは、その死体が頭をこちらに見せて横たわっている。その距離は、五メートルもなかった。高い橋の上だから、全身を真上から眺《なが》める恰好《かっこう》になった。

「違いない。たしかに死んでいる」

農夫もそれを見て顔色を変えた。

二人はあわてて、それから約二百メートル離れている交番に走った。

交番では、巡査が朝飯を食べていたが、知らせを聞いて、すぐいっしょに付いて来てくれた。

「自殺者だな。可哀想《かわいそう》にまだ若い」

巡査はやはり橋の上から眺めて呟《つぶや》いた。

「自殺ですか?」

いっしょに来た農夫は、死体と巡査の顔とを見比べながら云《い》った。

「とにかく、本署に知らせなくてはいけない。誰もこの川に入らないように、お前さんたち、ここで見張っていてくれないか」

巡査はとり敢《あ》えず、現場の保存を頼んだ。

「ようがす」

農夫は請け合った。

巡査は、早速、自転車に乗り、それから約一キロ離れた高久良《たかくら》警察署に、このことを知らせに走った。

本署の刑事課がこれを受け付けたのが、午前九時前である。

本署からは、折りから出勤してきたばかりの井手刑事課長と小林巡査部長とが、やはり自転車に乗り、巡査の案内で現場に行った。

「なるほど、自殺だね」

井手課長は、橋の上から眺めて云った。

「自殺ですか、どうして自殺と判《わか》りますか?」

小林巡査部長は、先輩の即断の理由を訊《たず》ねた。これは、後輩として先輩の判断の理由を教えてもらいたかったからである。

「それはね」

と刑事課長は若い女の死体を指さして云った。

「大体、女は、殺されたときは顔を下にしてうつ向くもんだ。こんなふうに仰向けに寝るのは、自殺者に多い。それに、殺されたとなると、被害者は抵抗するから、衣服が乱れる。見てみたまえ、これは、ひどく服装が整っているだろう。それに、顔には手を当てているからよく判らないが、表情もおだやかそうじゃないか。ぼくの感じではね」

と刑事課長は云った。

「薬でも飲んで、この川の中を歩いているうちに、それが効《き》いて、とうとう、この場所で倒れたという感じだね」

意見を聞いた巡査部長は、納得したというようにうなずいた。

この刑事課長の第一印象が、実は高久良警察署の最初の意見となったのである。

死体は川から引き揚げられた。署では、いつも検屍《けんし》を頼んでいる医者を迎えにやり、現場に連れてきた。

医者が調べてみると、べつに外傷はない。ただ、ナイロンの靴下がひどく破れていた。それも足裏に当る部分が裂けている。目立ったところといえば、それぐらいの程度で、彼女には擦過傷《かすりきず》もなかった。

医者は、その場で一応調べた。

「死後推定十時間乃至《ないし》十一時間で、水死による自殺」

と判断した。

最初から死体を見て、自殺と判断を下している刑事課長は、検屍の医者の云い分に異存はなかった。死体はすぐ高久良署に運ばれた。

このころになると、女の死体が浮かんでいるという噂《うわさ》を聞いた近所の者が、追々に集まってきた。

対岸の方は石垣が積まれ、その上は竹藪《たけやぶ》になっていた。したがって、弥次馬《やじうま》連中はこのゆるやかな傾斜地の草をさんざん歩き廻った。早春のことで、草は短く枯れている。弥次馬が右往左往したため、到《いた》る所で草は踏みにじられた。北側の土堤は、川に対《むか》ってゆるやかな傾斜を描いている。しかし、

現場の川から発見されたのは、死体だけではなく、約二十メートル離れた八幡橋寄の方に、グリーンのオーバーが川の中に落ちていた。さらにその近くの所で、パラソルが一本発見された。このように遺留品があっても、まだ自殺に疑問を持たせるほどではなかった。

自殺者は川の中に降りて、パラソルやオーバーなどの邪魔ものを脱ぎ、それからしばらく下流に歩いて、発見現場で倒れたものと推定された。

自殺者は、年齢二十四、五歳ぐらい、細い顔で、なかなかの美人だった。

「こんな若いのに自分で死ぬなんて、まったく惜しい」

「何かの事情があったに違いないが、それにしてもこの若さで死ななくても」

覗《のぞ》きに来た巡査たちは云い合った。

自殺者は、ハンドバッグを持っていた。それですぐに身元は判った。ハンドバッグの中にはEAALの乗組員査証があった。それには「生田世津子　昭和××年×月×日生」とあり、その住所も明記されていた。遺書は見当らなかった。ただ、中身のない封筒が現われた。

それは速達便で、上書きは、住所と「生田世津子様」というのがたどたどしい文字で書いてあった。裏返すと、「グリエルモ教会」と、これも小学生のような字で書いてあった。

「この女は、耶蘇《やそ》の信者らしいな」

と係員の一人が云った。

「グリエルモ教会というのは、旧教だよ。おかしいな、旧教では自殺を禁じている筈《はず》だが」

多少、キリスト教に知識のある刑事が小首を傾《かし》げた。しかし、この言葉もまだ、自殺説を覆《くつがえ》すほどの力にはなっていなかった。身元が判っているので、すぐにこれを遺族に渡すことに、署では意見が一致した。

最初から自殺と考えていたから、現場の保存もなされず、付近一帯の捜索もしなかった。あたまから自殺と信じて疑わなかったのである。

自殺だが、やはり変死である。警察では、検察庁に知らせた。

若い検事が、早速、やって来た。

検事は、死体を一通り眺めた。

「きれいな娘《こ》だね」

と検事は洩《も》らした。

「服装も悪くはない」

「国際線のスチュワーデスです」

刑事課長は説明した。

「何か事情があるのかな。遺書はどうですか？」

「遺書はありません。しかし、こんなものがありました。当人のハンドバッグから出たものです」

刑事課長が見せたのは、四角い函《はこ》だった。それは「テンパー」という薬だった。函には、船酔い、汽車の酔い、悪阻《つわり》の特効薬、と明記してあった。

「悪阻の薬だね」

と検事は云った。

「そうなんです。ひょっとすると、妊娠して自殺したのかもしれません」

「そうだな。国際線というと、いろいろ誘惑があるそうだからね、そんな事情かもしれない」

「すぐ、遺族に渡そうと思っています」

刑事課長は云った。ところが、これに検事は首を傾げた。

「さあ、あとの面倒にならないように、一応、行政解剖にした方がいいんじゃないかね」

若い検事は慎重だった。刑事課長は、それはどっちでもいいと思ったから、検事の意見に異議を唱えなかった。

遺体は、そこですぐに運搬車に乗せ、警視庁監察医務院に運ばれた。行政解剖というのは、他殺でなく自殺の場合でも、その原因がはっきりしない場合に行なう解剖だった。

ところが、監察医務院では、生憎《あいにく》と解剖が多かったのですぐには執りかかれず、一晩、死体冷蔵庫に置いた。そして、翌《あく》る日、何かの都合でこれをまだ解剖することが出来ず、それはさらにK大病院に廻った。このため、死体解剖はまる一昼夜遅れたのである。

K大病院では、遺体を解剖室に運んで、医者が執刀にとりかかった。

遺体は、真っ白な身体《からだ》をしていた。メスを入れるのが惜しいくらいである。医者は、外見の所見からとりかかった。すると、その白い咽喉《のど》に、ほんの僅《わず》かだが鬱《うっ》血点《けってん》があった。医者は、おやっ、と思った。そして、そこに眼を近づけて、仔細《しさい》に眺めた。

鬱血点と云っても、ちょっと気づかないぐらいの小さな斑点《はんてん》だった。いや、斑点と呼ぶほどでもないくらいな薄い色だった。よく見ないと気づかないくらい微《かす》かである。

「おかしいですな。ここに、こんなものがありますよ」

医者は、立会いの高久良署の巡査部長に見せた。巡査部長も覗いて、

「何でしょう？　先生」

「さあ、扼殺《やくさつ》にしては斑点が薄いし、ちょっと見当が付きませんね。中を開いてみましょう」

医者はメスを死体の頸《くび》の下に当てて、Yの字型に下まで一気に割《さ》いた。

医者が異状を発見したのは、咽喉部《いんこうぶ》だった。死因は、服毒でなく窒息だった。だが、その窒息の原因が、どうも明瞭《めいりょう》でなかった。頸部《けいぶ》の圧迫による窒息死とは一応出たが、その頸部の圧迫が異常なのである。これまでの扼殺の死体所見では、皮膚にまず溢血点《いっけってん》

があり、剝落《はくらく》も見られる。だがこの死体は、皮膚に微かな見えるか見えない程度の鬱血点があるのみで、ほとんど異状がなかった。

それから、解剖してみても、外部圧迫による窒息死の徴候がはっきりしない。水は多少飲んでいたが、もちろん水による窒息ではなさそうだった。とにかく、他殺の疑いは濃厚である。

医者は、そこで急に注意深くなった。彼は死体の胃部を精査すると、やや未消化の中国料理が出てきた。予期されていた睡眠薬の検出はなかった。中国料理の材料はかなりいいものを使っているらしく、これも未消化の松茸《まつたけ》が出てきた。子宮を開いたが、妊娠の徴候はなかった。さらに膣部《ちつぶ》を調べると、これには精液《ザーメン》が検出された。精密検査の結果、ザーメンは〇のMN型と判明した。なお、下腹部に爪跡《つめあと》らしい微細な傷跡が認められた。

死亡推定時刻は、大体、三日の午後十時から四日の午前一時の間と推定された。

「他殺の疑いが濃いですね」

執刀医は、立会いの巡査部長に云った。これまで自殺と信じていた巡査部長は、顔色を変えた。

「先生、間違いありませんか? 死因は何ですか?」

彼は詰め寄るように医者に訊《き》いた。

「扼殺だと思います」

医者は答えた。

「扼殺？　しかし、頸部に指跡らしい鬱血点はなかったように思いますが」

「その通りです。ほとんどないと云ってもいいくらいです。でも、解剖してみると、外力による窒息死のようです」

「そういう扼殺の例はありますか？」

「実は、ぼくも初めてですよ。だから、ちょっと迷ったんです。だが、そう判定するほか仕方がありません」

医者は、ここできっぱりと云った。

「そうすると、どういう締め方ですか？」

「そうですな、扼殺となると、特別なやり方でしょうね。いわば、力のある大きな男が、この被害者の頸に腕を捲《ま》いて、ぐっと一気に圧《お》し殺した、というようなことを想定します。指先でやったのではありません。腕に抱《かか》え込んで締めつけた、と云った方がいいでしょう。ほら、柔道でオトスというでしょう、あれに似たやり方です。だから、非常に力の強い、しかも並み外《はず》れの大きな男、という犯人が想像されます」

巡査部長はこの解剖結果を聞いて、高久良署にすっ飛んで帰った。

若い検事の慎重な処置は誤りでなかった。自殺と思っていたのが、俄然《がぜん》、他殺になったのである。

高久良署では狼狽《ろうばい》した。すぐに、死体の発見された現場に係官が駆けつけた。

実地検証をはじめたが、このときは、自殺と考えていたので現場保存も何もされていなかったため、付近の叢《くさむら》は、弥次馬や新聞記者連中のために荒されてしまっていた。最初は、若い女が家庭的な原因か恋愛かで悲観して服毒自殺したもの、と推定していたが、こうなると、夜の十時から午前一時にかけてこの寂しい現場で若い女が殺されたことを、改めて検討しなければならなかった。

すぐに、これを警視庁に報告した。警視庁からは捜査一課の刑事が来て、捜査本部を高久良署に設けることにした。

ただちに、捜査会議が開かれた。

このときの意見は、夜間、このような場所を通行しているときに痴漢に襲われたのではないか、というのだった。だが、高久良署が写した現場写真を見ると、被害者の服装はあまり乱れていない。それに、解剖所見によっても、ザーメンは検出されたが、暴行の形跡は見られなかった。考えるならば、痴情関係である。

そこで、夜間、女ひとりがこの場所に歩いて来る道理はないから、当然、この場所に来るまで、彼女はタクシーか自家用車に乗せられて来たものと推定された。捜査本部では、すぐに都内のタクシー会社に手配し、三日の夜、被害者に似た女性を現場に運んだ者はないか、という問合せを出した。

一方、現場の付近には農家がある。夜の十時から午前一時の間というと、この辺は死のように静まり返っている。被害者が殺されたとなると、助けを求める絶叫か、あるいは物音か、そういうものが聞える筈《はず》であった。刑事は、付近一帯の住民について聞込みを行なった。

被害者の身元が判っているので、その方面の調査もした。すると、被害者の生田世津子は、去年、ＥＡＡＬ会社に入社したばかりのスチュワーデスで、彼女の勤務は、東京・香港《ホンコン》線であった。そして、その以前には、バジリオ会の経営するダミアノ・ホームの保姆《ほぼ》を勤めていたことが判った。

尤《もっと》も、これだけの調査をする間に、彼女の下宿先が現場から約三キロぐらい離れた××町にあること、それまで彼女は叔母の夫に当る或《あ》る会社の重役の家に寄宿していたことが判った。さらに、彼女がその下宿を出たのは四月二日の午後三時ごろで、そのときは、下宿の主婦に、「イトコに会いに行くけど、遅くなったら叔母の家に泊る」と云《い》ったまま帰っていないことが判った。さらに叔母の家を調べると、彼女が当日来た事実がないことも判明した。要するに、被害者の生田世津子は、死体が発見された二日前の四月二日午後三時ごろ、××町の下宿先を出たまま行方《ゆくえ》を絶った事実が判った。

それから彼女の死体が玄伯寺川で発見されるまでの足取りは、どう調査しても判らなかった。被害者がスチュワーデスという近代的な職業の持主である。初め自殺で片づけて、夕刊の片隅《かたすみ》に小さく載せていた新聞社も、こうなると、俄然、色めき立った。

そうしているうちに、聞込みに廻っていた班が有力な手がかりを摑《つか》んだ。それは、当夜、付近を通りかかった通行人の届出であるが、三日の午後十一時ごろ、八幡橋の横にちょっとした空地《あきち》があり、そこに灯を消した青色のルノーがO駅に向いて停っていた、と云うのである。

二

高久良《たかくら》署に設置された捜査本部の編成は、警視庁捜査一課の斎藤秀夫警部が主任となった。これに捜査一課員と高久良署員とが各二名ずつ組となり、八組を編成した。だから、捜査本部は十七人の構成となった。

生田世津子は、死体となって発見された二日前の四月二日にその下宿を出たきり、消息が判《わか》らない。彼女は、途中で誰にも逢《あ》っていないのである。

勿論《もちろん》、叔母の家には行っていないのだから、彼女がその途中で消えたのは、よほど親しい人間と会って予定を急に変えたのか、それとも、イトコに会いに行くというのは口実で、最初から誰かと逢う目的で下宿を出たのか、さらに、何者かによって誘拐されたか、捜査本部の意見は、この三つに絞られた。

彼女の実家は名古屋である。だが、調べてみると、ここにも現われていない。都内にも知人宅は二、三あったが、いずれにも姿を見せなかった。

彼女は、その二日間、誰と一緒にいたか。結婚前の女性が、誰かと二日間を暮したとすれば、それは、友人以上の関係者である。

このことから、イトコに会いに行くというのは単なる口実で、最初から、彼女は誰かと逢うために出て行ったという推定が強くなった。誘拐説は、次第に根拠がなくなった。

このことは、彼女の死亡推定時刻、四月三日の午後十時から午前零時に関連する。つまり、この深夜まで、彼女は誰かと一緒にいたわけで、普通の交際の人間でないことが分る。それと、現場は人通りがなく、交通の便利も悪い。だから、彼女は誰かと何処《どこ》かでその時刻まで一緒にいて殺され、犯人は現場に死体を車で運んだということになるのだ。この推定は、ほとんど動かしようがないようにみえた。

この説がさらに有力となったのは、死体解剖によって、彼女の体内から検出された精《ザー》液《メン》のOのMN型である。しかも、このザーメンは、死亡前数時間内の新しさだという事実も証明された。最早、彼女の死因が痴情関係であることは確定的となった。

高久良署の前は、各新聞社の車が群がり、猛烈な取材活動を行なった。だが、斎藤主任は、このザーメンのことは、固く署員に口止めして、新聞社側に洩《も》れないように努めた。

ところで、この痴情説を裏づける事実が、さらにあとになって出て来た。

捜査本部では、他殺の線が決定して、彼女の衣類を詳細に調べた。服装は、下宿の主婦が申し立てた通り、紺のスーツにグリーンのオーバーだった。このオーバーは、八幡《はちまん》橋《ばし》のすぐ下の川に落ちていて、両袖《りょうそで》が内側に少したくれている。ちょうど、着ているところを後ろから他の者が無理に脱がせた時になる状態だった。外出当時持っていたパラソルも、オーバーの捨てられてある近くから発見された。

犯人の指紋は衣類についていなかった。この指紋を検出するために、下着の全部を綿密に調べた。このとき、発見された新事実は、彼女のパンティに付着していたものだった。

鑑識課員が捜査主任にこの旨《むね》を耳打ちした時、捜査主任は顔色を変えた。

「君、それは、間違いないね？」

と念を押したものである。

「間違いはありません」

「もう一度、調べてくれないか。それが間違いの判定だったら、被害者に対して大変気の毒なことになるし、また、事実だったら捜査の上に重要な方向指示になるからね」

しかし、鑑識課員は自信があった。というのは、鑑識の方でも、事件の内容を知っていたので、これは精密な検出をやったのだった。

そのことを報告すると、斎藤捜査主任もようやく納得した。

「こうなると、いよいよ新聞社側に洩らしてはいけない。絶対に誰にも云うな」

と部員に厳重な箝口令《かんこうれい》を敷いた。

最初、所轄《しょかつ》の高久良署が自殺の線に低迷していたときは、さほどまで大きく扱わなかった社会面も、他殺と決定すると、俄《にわ》かにトップ記事にして、毎日大きく報道しはじめた。それで、捜査本部詰めの各社の取材記者は懸命になって追い、刑事たちの私宅にまで朝晩やって来る始末だった。

なお、四月三日の夜十一時頃、八幡橋の近くで、灯を消したルノーが一台止っていたのを届け出た目撃者は、その自動車番号まで憶《おぼ》えていて、これを捜査本部に報《し》らせている。

その人は、その近くに住む或る会社の工員だったが、夜勤の帰りに、偶然見たというので、記憶している番号は「り5―1734」であった。

本部では、早速、陸運局に問い合わせた。「り」というのは外人用の車である。ところが、外人用のナンバーは、「り5―1300」しかない。従って、目撃者の申し立てる「1734」はあり得ない番号だった。

だから、同日夜半の兇行《きょうこう》時間と思われる時刻に、現場付近に駐車していたという目撃の事実は、捜査本部を一旦《いったん》よろこばせはしたが、この番号の点で失望させた。

捜査は、専《もっぱ》ら、被害者生田世津子の足取りに向けられた。

まず、彼女の下宿していた××町の家の主婦に当ると、主婦は、このように述べた。

「その日、三時頃、生田さんは、ひどくおめかしをして、何か浮き浮きとした様子で家を出て行かれました。何処《どこ》にいらっしゃいますのと訊《き》いたら、イトコに会いに行きますと云って出掛けられました。そうそう、その前に、生田さんが外出から帰られた時、生田さん宛《あて》の速達が来ていました。わたしが、ちょうど洗濯をしていたものですから、濡《ぬ》れてはいけないと思って、封筒の端をつまんで、階段のところに置きました。その裏をちょっと見たのですが、差出人のところは片仮名で、グリなんとかという名前でした。その全部の名前は憶えていませんが、変った名前だなという記憶はあります。しかも、それがひどく下手な字でした」

さらに生田世津子は、その下宿を出てから、百メートルと離れていない近所の煙草屋《たばこや》に立ち寄っている。付近の聞込みをしていた刑事は、この煙草屋の老婆《ろうば》から、次のような聞込みを得た。

「生田さんは、出勤の途中、何時もうちの前を通られます。外国航路のスチュワーデスというので、近所でも、最近越して来たばかりの生田さんに、何となく興味を向けていましたし、わたしも、可愛《かわい》いお嬢さんだなと思っていました。それで、よくあのひとの顔を知っています。

二日の午後三時過ぎでした。わたしがここで店番をしていると、生田さんがやって来て、店の前にある赤電話を使いました。その時、何気なく聞いたのですが、何でも、叔母さんの家にお祝いがあるとか、急用が出来たので少し遅くなるとかいうような話の内容でした」

この聞込みは捜査本部を歓《よろこ》ばせた。すでに、彼女が最初から叔母の家に行く気のなかったことは、ほぼ決定的な推定になっていたから、このイトコのことは重視された。

そこで、捜査員は、すぐに、彼女の叔母の家に、そのイトコが誰であるかを確かめに行った。

叔母という人は、この質問に答えた。

「世津子のイトコといったら、うちの男の子だけですよ。息子は十二歳で、今年、中学に入ったばかりです」

中学一年生と聞いて、刑事はがっかりした。それでも、念のために、同夜のアリバイを調べてみた。すると、その男の子は、その日の午後からずっと両親と一緒にいて、それには、同席していた近所の人の証言もあった。翌日も、その次の日も、学校に行っている。

十二歳の従弟《いとこ》ではどうにもならなかった。その他、彼女の身辺には、従姉妹《いとこ》と名づけるようなものは一人もいなかった。

捜査班の一部は、彼女が上京前にいた大阪にも行った。此処《ここ》では、その頃の彼女の素行を、主に調べたのである。ところが、生田世津子に、当時、恋愛関係の事実は二、三あったが、それは、現在は無関係で、相手の男からはいずれもアリバイがとれた。上京以前の関係からの糸は、事件に何も繋《つな》がっていなかった。

生田世津子の周囲から殆《ほと》んど有力な線が出ない以上、彼女が失踪《しっそう》した四月二日の午後から四月四日の午前零時（解剖時死亡推定）までの二日間、一体、彼女はどこにいたのか、ということに捜査本部の焦点は絞られた。

最も自然な考え方は、彼女が愛人の家にひっそりと隠れていたのではないかということである。これは、いつも何かあると叔母の家に電話連絡している彼女の習慣からみて、二日間も無断で居所不明になるのはおかしいからである。それと、四月三日は、彼女がEAALの勤務日だった。当然、会社に連絡しなければならないのだが、そのこともなかったのだ。

だから、彼女は、何処にも連絡せずに、愛人と二人きりでこっそり二日間を過していたのではないか、という推定が強くなる。が、同時に、これは誘拐、檻禁《かんきん》されていたのではないか、ということにもつながるのだ。連絡をしなかったという線からの推測である。

捜査本部は、この二つの線を同時に追うことにした。

そのために、二人が過した場所として個人の家よりも、最も考えられる都内のホテルや旅館に、彼女のモンタージュ写真を配り、該当の者が宿泊または休憩した事実はないかと手配した。それには、家出当時の彼女の服装が細かく書かれたものを添えた。

モンタージュ写真は、彼女の顔写真と、家出当時の服装とを想定して組み合わせたものである。これを、彼女の勤務していたEAAL会社の同僚に見せると、誰もがそっくりだという感想で、捜査本部としては確信を持った写真だった。

捜査本部が、絶対に新聞記者に秘密にしていたことが、もう一つあった。

それは、グリエルモ教会に関連したことだった。

彼女は、スチュワーデスになる前に、バジリオ会の経営するダミアノ・ホームの保姆《ほぼ》をしていた。これは新聞社側がすぐにキャッチして、各社の記者たちはダミアノ・ホームに彼女のことを頻繁《ひんぱん》に訊きに行っている。そこまではいいのだ。捜査本部として秘密にしておきたいのは、同じバジリオ会に属するグリエルモ教会に対する内偵だった。

ダミアノ・ホームには、このグリエルモ教会の神父が毎日来ていることを、捜査本部では知っていた。そこで、グリエルモ教会をこっそり調査すると、そこには七人の神父がいることが判った。

この七人の中の誰かが、ダミアノ・ホーム時代の生田世津子と特に親しかったのではないかと調べた。まず、ダミアノ・ホームに勤めている日本人の保姆について訊いたのだが、彼女たちは、生田世津子の同僚でもあった。警察側の質問に保姆たちは、口を揃《そろ》えて答えるのだ。

「わたしたちは、みんな、バジリオ会の信者です。ですから、グリエルモ教会の神父様とはみんな親しくしています。特に、どなたといって親しくしているのではなく、みんな同じように宗教的な結びつきで親密にしています」

しかし、この教会関係では新しい発見があった。

本部の久恒《ひさつね》、住吉両刑事が、専ら、このグリエルモ教会の調査を内密に担当していたのだが、彼らは、或る日、本部に帰って、耳よりな報告をした。

「グリエルモ教会には、ルノーが二台あります。一台は小豆《あずき》色で、一台は青色です。その青色のルノーの番号が、『り5―1184』です」

耳よりの報告とは、この番号のことで、目撃者の云う「り5―1734」とひどく似ている。いや、似ているというよりも、これは目撃者が見誤りやすい番号なのだ。まず、7と1とは間違いやすい。次に、3と8も、ちょっと見ると、やはり間違いやすいのである。だから、当夜、現場付近にあった青色のルノーの番号は、このグリエルモ教会にあった「り5―1184」ではないか。それを目撃者が、「り5―1734」と見誤ったのだろう。これは、極《きわ》めて自然に考えられることだった。

捜査本部は、この報告でにわかに活気づいた。そこで、ルノーは、一体、誰が使うかということを調べた。すると、この番号のルノーを主に使うのは、グリエルモ教会のトルベック神父で、もう一台のルノーは、ルネ・ビリエ神父がよく使っているということが判った。

ルネ・ビリエ師は、年齢が五十九歳で、日本に来てから、既に二十五年になる。彼はグリエルモ教会の主任司祭だった。と同時に、聖書の翻訳にも携っている。

トルベック神父は、それに比べてずっと若く、年齢は三十歳、日本に来てから三年と少しである。しかし、捜査本部では、このトルベック神父の調査に力点を置いた。

その理由は、トルベック神父は現在グリエルモ教会の会計係をしているが、一年程前、彼は、ダミアノ・ホームへ毎日朝のミサを挙げに行き、日曜日には公教要理を説きに行っていた。その頃、被害者の生田世津子もそこで保姆をしていた。この事実と、三十歳の彼の年齢の若さを考えたからである。

そこで、本部では、再びダミアノ・ホームの保姆たちや信者たちについて、トルベック神父と生田世津子とは仲がよかったかどうかを、こっそり調べはじめた。すると、皆はまた一斉に答えるのである。

「トルベック神父様に限りません。わたしたちは、誰でも神父様とは仲が好《い》いんです。生田さんも同じことでした」

調べに行った久恒、住吉両刑事は、この証言を信用していいかどうか判らなかった。彼らはみんな宗教を信じているから、まさか嘘《うそ》は云《い》うまいとは思うものの、何か、彼らの中立てには割り切れぬものがある。神父だから絶対に依怙贔屓《えこひいき》はない、だから生田世津子とも特別仲好《よ》くしていたことはない、という云い方である。

その証言は、非常に信頼感があるようで、実は、考えようによっては信頼が置けないという印象が強かった。云うならば、信者同士でかばい合っているといった感じである。聖職者だから間違いようはない、という公式的な云い方なのだ。

捜査本部は、両刑事の報告を入れて、グリエルモ教会と、トルベック神父とに検討をはじめた。理由は幾つもある。

①　生田世津子の殺され方が、普通の扼殺《やくさつ》ではない。それは解剖医が云ったように、犯人は大男で強い膂力《りよりよく》の持主であること。

②　殺害現場には、自家用車でなければ到達できないこと。

③　被害者生田世津子がダミアノ・ホームに働いていた当時、トルベックも毎日そこへ行っていて、両人の交渉は考えられること。

④　兇行当時、現場に灯を消して置かれてあったというルノーの番号が、トルベック神父の使用するルノーの番号と極めて似ていること。

⑤　生田世津子のハンドバッグから出て来た封筒は、グリエルモ教会から出されたと

いう推定が強いこと。封筒の中身はないが、その速達の内容は、生田世津子を呼び出した誘いの手紙ではなかったかということ。

さらに、両刑事は、トルベック神父の経歴や性格などを調べていた。その報告によると、彼は、極めて明るく、それに好男子だった。教会の信者たちにも人気があり、彼は誰に対しても愛想がよいことで評判だった。彼は、その母国から日本に来ると、同会の神学校に入学し、そこを卒業して神父に叙階し、現在のグリエルモ教会にすぐに赴任した。はじめ、彼はダミアノ・ホームに「公教要理」を説いたり、ミサを挙げに殆《ほと》んど毎日行っていたが、一年前から会計を委《まか》されるようになった。問題のルノーは、彼がよく使っていた。——

一方、解剖によって生田世津子の死の直前の行動を推察する手がかりが一つあった。それは彼女の胃袋からやや未消化の松茸《まつたけ》が出てきたことだった。それも中華料理として食べたらしい。

中華料理に松茸を使用するのは高級料理である。だから、彼女は殺される数時間前に、或《あ》る人物と高級中華料理店で卓を囲んだことになる。捜査本部では、このことから都内の中華料理店を中心に片端から洗ってゆくことにした。

死体が発見されて早くも五日間経《た》った。

すると、ホテルや旅館関係の聞込みに廻っていた班が有力な手がかりを摑《つか》んで帰った。

すなわち、写真の被害者によく似た女性を見知っている旅館が突き止められたのである。都内H町にある「菊鶴《きくつる》ホテル」というのがそれだった。

この界隈《かいわい》は旅館が密集している。殆んどアベック用の旅館ばかりだが、この「菊鶴ホテル」もその一つだった。むろん、ホテルとは名ばかりで、少しこぎれいな設備というだけの普通の連込み宿であった。

刑事二人が聞込みに行ったとき、そこの女中は云った。

「この女の人なら、外人さんとうちに何回か見えております。つい、一カ月ぐらい前でしたか、ご休憩にみえて三時間ぐらいお過しになったこともございますよ」

「たしかに、この写真の顔に間違いないかね？」

刑事は訊いた。

「はい。全く瓜《うり》二つでございます」

「何という名前でここに来ていたかね？」

「ナカムラという名前でした。女の方がそう云っていました。外人さんの方は、ただ、にこにこしていて、日本語がよく分らないのか、あまり私どもには口を利《き》きませんでした。でも、とても、愛嬌《あいきょう》のある陽気なアメリカ人でした」

「なに、アメリカ人？」

「いえ、本当はどこの国の人だか分りませんが、私どもではアメリカ人だと思っていました。いつも茶色の背広でしたが、それがとてもスマートなんです」

刑事は、新聞記者が何か聞込みに来ても、このことは絶対に口外してくれるな、と頼み込んで帰ったのであった。

実際、このときまでは、捜査の秘密が保たれていて新聞社側は何も知ってはいなかった。

三

この事件が起ってからは、捜査当局は、新聞社よりもずっと先を歩いていた。いや、新聞社は何も知っていなかった、と云《い》ってよい。

被害者がEAALのスチュワーデスだし、その以前の経歴がダミアノ・ホームの保姆《ほぼ》だったことから、むろんこの方面の取材は各社ともやっている。

EAAL側では、生田世津子は入社して間がないので、詳しい事情は分らない、と云う一点張だった。

新聞記者は、その同僚からも詳細に話を取っている。

彼女の同僚たちは、それに答えた。

「生田世津子さんは、どちらかというと派手な感じのひとでした。しかし、無口な方で、わたしたちとはあまり一緒の行動はされなかったようです。そう云ってはなんですが、生田さんは、ちょっと、外国語の方が自信がなかったのではないでしょうか。それで、ご本人もそのことをひどく苦にされていたようです。まあ、いわば、ほかの人たちに対して、語学の弱さから一種のコンプレックスがあったように思います」

国際線に登場するスチュワーデスとして、語学の弱さは致命的である。それに感情の複雑な女性ばかりの職場で働いているのだから、この根本的な欠陥が彼女を懊悩《おうのう》させたということは分る。ここで、新聞記者たちの間には、最初自殺の線のときは、その語学の弱さからくるノイローゼが原因ではないか、という観測もあったくらいである。一部の新聞には、実際、その通りのことを書いている。

しかし、他殺となると、話は別だ。

新聞記者たちは、ダミアノ・ホームも訪問している。

「生田さんは朗かな方でした。ここに預かってる子供たちにも親切で、職務にも熱心でした」

とホーム側の職員は彼女を称讃した。

「噂《うわさ》されるような男性との関係は全然ありません。あの方は敬虔《けいけん》な信者です。そんな方が個人的な理由で、あのような不幸な事故を起すとは思われません。わたしの方は、ただ、熱心な求道者《ぐどうしゃ》としての生田さんしか知りません」

新聞記者たちは、次に彼女が前に寄宿していた彼女の叔母の宅を訪問した。

「世津子が何で殺されたか、全然分りません。思い当るところは何もありません。世津子はわたしのうちに来てから規律正しい生活をしていたし、原因はまったく心当りがないのです。男の友だちというのも全然知りません。世津子が下宿を変った理由は、勤務の都合で、わたしのうちよりもそちらに移った方が便利がいい、と云ったからです。しかし、下宿に移ってからも、始終、うちには遊びに来ていたし、何かあると電話でも連絡していました」

新聞記者たちは、彼女の下宿先に廻った。そこの主婦は答えた。

「生田さんは、ここに移られてからそう日が経《た》っていません。それで、あの方の気性を全部分ってるわけではありませんが、わたしたちの印象では、朗かな方でした。ちょうど、最後に出かけられるときも、少しも暗い翳《かげ》はなく、日ごろよりも念入りにお化粧して、愉《たの》しそうに出かけてゆかれました。生田さんがわたしのうちに来られてからは、男の友だちの訪問は全くありません。また、外泊されたことはありますが、それはちゃんと叔母さんのうちから電話で連絡があったし、無断で外に泊られるようなことはなかったのです」

新聞社の車は、彼女が属していたグリエルモ教会にも向っている。

ここでは主に主任司祭のルネ・ビリエ師が、新聞記者の質問ににこやかに答えている。

「イクタセツコさんは、わたしのほうの事業として経営しているダミアノ・ホームの保姆として勤めていたので、よく知っています。この教会にも、ミサのときにはときどき見えました。たいへんおとなしい女性で、熱心な信者でした。それ以上、個人的な関係はないので、よく分りません」

「彼女が不幸な目に遭《あ》った原因については、いろいろ取沙汰《とりざた》されていますが」

と新聞記者の一人が質問した。

「それは、彼女は東京に出て来る以前《まえ》に相当恋愛関係があり、その線からではないか、と云われているのです。教会では、彼女のその苦悶《くもん》といったことで、どなたかの神父さんにザンゲといったものはなかったでしょうか？」

「さあ、それはわれわれには分りません」

スポークスマンのルネ・ビリエ師は、やはり柔和に微笑しながら答えた。

「ザンゲは、それを聞いている神父たちに保たれている秘密で、ほかのわれわれでも、そのことには触れることは許されません。イクタさんがザンゲをしたかしなかったかは、何も知らないわけです」

「そうすると、今度の事件で、教会の方にもなんらの心当りはないわけですね」

「まったく何も心当りはありません」

新聞記者たちは、礼を述べて引き退《さが》るほかはなかった。

事件が起って十日経った。高久良署に置かれた捜査本部には、生田世津子の死が他殺と決って以来、各社の新聞記者が蝟集《いしゅう》していた。どの社もスチュワーデス殺しの班といったものが結成され、それには社会部のベテランや、警視庁詰の記者や、サツ廻りの者が選抜されて編成されていた。

しかし、新聞社側から見て、捜査本部の動きは緩慢だった。ほとんど、これという動きがない。

つまり、事件捜査が軌道に乗ったときの、あの活気というものは一つもなかった。それは、事件が迷宮入りになるときに見える、いつもの沈滞した怠惰な空気だったのだ。

新聞記者たちは、生田世津子の死が、まさか教会側と関係があるとは思っていなかった。神秘と敬虔とが立ちこめている教会の空気に彼らも圧倒されていたといってよい。会ってくれた神父の様子からしてそうだった。優《やさ》しくて慈愛に満ちた顔と表情なのである。それに、絶えず背景に動いている人々の様子が、神に仕える者の謙虚さと清浄さを身につけていた。グリエルモ教会でもそうだったし、ダミアノ・ホームでもそうだった。

ところで新聞記者たちの観測は二つに分れていた。一つは、生田世津子がダミアノ・ホームに勤める前の男関係である。一つは、彼女がスチュワーデスになってからの異性関係だった。だが、彼女の上京前における恋愛関係は、新聞社側も独自に調査して、その事実は摑《つか》んだが、彼女の死に直結する線は出なかった。

たとえば、彼女が東京に出る前まで恋愛関係にあった或《あ》る青年に目をつけたが、調べてみると、彼女の死亡当日には、彼のアリバイが成立していた。彼女が出京してからは、どうも、その関係は断ち切れているらしかった。

もう一つの線は、前よりもっと有力に考えられた。

国際線のスチュワーデスとなると、外人乗客からの誘惑が多い。殊《こと》に日本を離れて外国の勤務地に宿泊するときに、かなりその機会があるらしいことは、すでに、スチュワーデスという職業について噂されていた。だから、新聞社側ではこの点の追求に努力を注いでいた。

捜査本部は、新聞記者に何も発表してくれない。容疑者のおぼろな輪郭さえ云わないのである。

すでに、物盗《ものと》りや、突発的な変質者の兇行《きょうこう》でないことは判《わか》っていた。スチュワーデスの死が、彼女の痴情関係によることは、どの新聞社も観測が一致していた。ただ、どう努力しても、その具体的な線が摑めないのである。いちばん考えられる彼女と外人との関係も、少しも表に浮かんで来なかった。それに、不幸なことに、この頃、東京都内では殺人事件が数件続いて起っていた。そのため、警視庁の捜査一課が、全部出払って、ほとんど空《から》になる状態だった。

捜査本部が異常な多忙を極めていると同様に、新聞社も忙しくなっていた。いつまでも、ラチのあかないスチュワーデス殺しを追うことはできなかったのだ。このことは、偶然にも、かえってスチュワーデス殺しの捜査を秘匿《ひとく》している捜査本部に皮肉に幸いした。新聞社の精力は分散されたのである。

勢い、各新聞社とも高久良署に常駐させていたスチュワーデス殺し班から、人員を割《さ》いてほかに振り向けなければならなかった。新聞の紙面は、常に新しく発生した事件を追う。捜査の渋滞は新聞社側にも退屈を感じさせ、事件発生当時密集していた各社の社旗をつけた自動車《くるま》も、いつか数が少なくなっていった。

このようにして一カ月近く経った。

新聞記者の眼から見て、捜査本部の弛緩《しかん》した怠惰な空気の底には、実は、地道で狭い捜査が進められていたのだ。この点では、捜査本部が巧《うま》く新聞社側を騙《だま》しおおせたと云える。

事実、捜査一課長が新聞記者団の前に現われるときの顔は、憂鬱《ゆううつ》そのものだった。

「スチュワーデス殺しは、その後、何も有力な手がかりを摑めていない。いろいろ情報はあるが、確証のあるものは一つもない。今のところ、全くこれにはお手上げの状態だ」

いかにも困ったことだ、というような顔色だった。

「お宮入りの公算が大きいですな」

と新聞記者団の中で云う者がいた。

「迷宮入りには絶対にさせないつもりだ。こう長引くと、こちらも長期戦でいくつもりだからね。ところで、諸君の方もだいぶ活動してるようだが、何かいいネタがあったらくれないか」

眼鏡を掛けた捜査一課長は、そんな冗談まで云った。だが、新聞記者たちには、それが投げやりな暗い気持を紛らす軽口にしかうけ取れなかった。

捜査陣は、八組の班を作っていた。

その主力はグリエルモ教会に向けていた。一カ月に近い苦心の捜査の挙句《あげく》、捜査陣では、生田世津子と陽気なアメリカ人の関係を線上に浮かばせていた。

その一つは、菊鶴ホテルを陽気なアメリカ人と生田世津子とがしばしば利用していた事実である。捜査本部は、その若いアメリカ人をグリエルモ教会の神父に当てはめて考えていた。年齢の若い神父というと、いきおい限定される。それは、ただ三人しかいなかった。その捜査班は、三人の神父の顔をこっそりと撮影していた。

これを持って菊鶴ホテルに行き、女中に見せると、この人らしいと云って、その一人をさした。

だが、日本人には西洋人の人相がはっきりと区別が出来ない。菊鶴ホテルの女中の証言だけでは、確証とまでいかなかった。

しかし、ともかく、その指摘した人物は、トルベックという名前の神父だった。

その班は、藤沢という部長刑事と市村という刑事だった。藤沢はすでに頭の薄い四十過ぎの男だった。市村はまだ若かった。この二人が新たに専任となって、こつこつとグリエルモ教会の周辺を洗っていたのである。それも新聞記者の眼を掠《かす》めて、という注意だったので、目立たぬ行動には苦労した。というのは、相手が外国人だし、それに教会関係者だから、万一のことがあると重大な問題を惹《ひ》き起す惧《おそ》れがあり、捜査本部としても、大事の上に大事を取ったのだった。

藤沢と市村とはグリエルモ教会に行って、ルネ・ビリエ師に面会している。

このときの問題は、次のようなことだった。

「亡《な》くなった生田世津子さんのハンドバッグの中から出たんですが、こちらの教会の名前で速達が来ています。その消印を見ると、それは、ちょうど、生田さんが最後に家を出るちょっと前に来たものです。これについて、何かお心当りはありませんか?」

このとき、ルネ・ビリエ師は、ひどく愕《おどろ》いた顔をした。だが、その驚愕《きようがく》の内容が何か、まだ藤沢刑事たちには分っていなかった。

「その封筒には、中身がありましたか」

とルネ・ビリエ師は達者な日本語で訊《き》いた。

「中身はありません。封筒だけです。われわれは、多分、生田さんが中身だけを抜いて、どこかにしまったのだと思いますが、それはまだ出て来ないのです」

このとき、ルネ・ビリエ師の顔には、非常に安心した色が浮かんだ。

「その速達は、確かに当方で出したものでしょう」

と彼は落ち着いて答えた。

「それはどういう内容でしょう？　参考までに訊きたいのですが」

「何でもありません」

とルネ・ビリエ師は笑い出した。

「ちょうど、当教会の新しい神父が叙階しましてね。その祝賀会が神学校で行なわれたのです。それには信者たちが集まるので、多分、当教会の神父の誰かが案内状を出したのだと思います」

「ははあ。それはいつのことですか？」

「式は四月二日に挙げられました。この神父の叙階式は大切な儀式ですから、われわれ教会の者は全部出席しました。信者の方も、このお祝いにはたいてい集まることになっているのです」

四月二日というと、ちょうど、生田世津子の失踪《しっそう》した当日だった。だから、ルネ・ビリエ師の証言は、日付の点ではまさに符合するのである。

「生田世津子さんは、ダミアノ・ホームに勤めておられて、この教会とも深い関係があると思いますが、神父さんの誰かと特に個人的に親しい、ということはなかったですか?」

「何度も受けた質問です」

とルネ・ビリエ師は答えた。

「しかし、答え方は一つです。神父と信者の間は、ただ、神の教えを伝え、それを享受《きようじゆ》するだけの間柄です。個人的な感情はいっさい許されません」

「しかし、信仰上となると、とかくいろいろな悩みが信者にもあり、その相談を特定の神父さんに打ち明けるということはあると思いますが、どうでしょうか?」

藤沢刑事は訊いた。

「そういう点も、われわれの方は極《きわ》めて区別しています。神の伝道に個人的な感情を移入するのは許されていません。例えば、信者が何か訴えようとするときは、教会の特別な部屋で行なわれるだけで、これは絶対神聖なものです。誰にも漏らされません。そして、教会を一歩出ると、もうそのことはまるで嘘《うそ》だったように、無関係となってしまいます」

「それでは、神父さんと信者の方が、特に親しく個人的に付き合うということはないわけですね」

「絶対にありません」

ルネ・ビリエ師の答は、その厳粛な顔と口調で権威がありそうに見えた。

「われわれは、こちらの宗教のことには全然無知ですから、質問に失礼があったらお宥《ゆる》しください」

藤沢刑事は、前置きをして云《い》った。

「神父さんの外出には、今、あなたが着ておられるような、そのような聖職服を必ず着るものですか」

「神父は、どのような場合でも、これを着けることになっています」

ルネ・ビリエ師はやはり厳格に答えた。だが、このときの顔色を少しでも観察すると、そこには微《かす》かな動揺が走っていた筈《はず》だった。

「背広に着替えて外出なさる、ということはないわけですね？」

藤沢刑事がそう訊いたのは、菊鶴ホテルの女中の証言だった。女中は、その陽気なアメリカ人は茶色の派手な柄の背広を着ていた、と云うのだ。

だが、この点も、ルネ・ビリエ師はあたまから否定した。

「聖職者には、個人的な財産を持たされていません。すべて教会からの支給になっています。この服にしても」

とルネ・ビリエ師は、自分の黒っぽい聖職衣のはしを摘《つま》んで見せた。

「教会のものだし、教会のものは神さまのものです。ですから、私物の小遣銭《こづかいせん》も一文も持っていません。電車に乗るときも、いちいち教会が実費だけ支給することになっています。日用品にしても、この靴にしても、みんなそうです。われわれには、その必要がないわけです」

刑事たちの小遣いは少なかった。彼らはルネ・ビリエ師の説明を聞いて、世の中にはもっと小遣いに不自由している人があるものだ、と思った。

「ですから、いま云ったように、教会で支給される聖服以外、私物の背広を持って外へ出るということはないわけですね。いわば、教会で貰《もら》ったお仕着せの着たきりスズメですよ」

ルネ・ビリエ師は洒落《しやれ》を云った。外国人とは思われぬくらい日本語は巧みなのである。

ここで、藤沢刑事は、菊鶴ホテルのことをよほど云い出そうか、と思った。だが、その勇気がなかった。迂闊《うかつ》にそれを口から出したら、この神聖な神父から、どのように怒りが向けられるか分らなかった。

だが、そのことを出すのは、いつでも出来るのだ。それに、唐突にそれを出しては極めてまずい。もっと傍証を固めて、それからそのことを質問するのが効果的だった。

「それから、つかぬことを伺いますが、こちらの教会にはルノーがございますね。青色のやつです。番号は『り5―1184』です」

「よくご存じだ」

ルネ・ビリエ師は大笑いした。

「古ぼけたルノーです。新しいのを買いたいと思いますが、なかなか都合がつかないので我慢しています」

「あれは、どなたがおもにお使いになりますか」

「わたしです。それから、ほかの神父も使っています。なにしろ、教会のものはみんなの共有物ですからね、誰といって云えませんよ」

ルネ・ビリエ師は、柔和な瞳《ひとみ》の底に光を沈ませて、刑事たちを見つめた。

四

藤沢六郎刑事は四十二歳である。捜査一課一係（殺人）三号室に所属する。この仕事に携ってすでに二十年だった。

彼はこれまで、数々の事件に殊勲を立てていた。困難な事件になると、必ずと云《い》っていいほど、藤沢刑事は重要な役割に就いた。現代の捜査は科学的なチームワークによると云われているが、実情は必ずしもその通りではない。まだまだ個人的な才能による個別捜査の習慣が依然として残されている。

藤沢刑事は、今度の事件で、ルノーの線が捨てられなかった。

当初、現場の状況では、被害者生田世津子が車によって運搬されて来たという見込みが立ち、あらゆる点を洗ったのだ。深夜、その付近を通っていたという自動車について も、徹底的な裏づけを行なった。例えば、それが銀座や新宿辺《あた》りのバーの女給の帰りだったり、宴会で遅くなった会社員の帰りだったりして、それを一つ一つ潰《つぶ》して行ったのだが、最後に残ったのが灯を消して停っていたルノーである。

目撃者の話によると、その車の番号と、グリエルモ教会のルノーの番号と極めて似ている。車体の色まで同じだった。

藤沢刑事は、一応、グリエルモ教会に行って、ルネ・ビリエ師に面会したが、それ以上には突っ込めなかった。なんといっても相手が外人だし、殊《こと》に聖職者である。万一、捜査の行き過ぎということになれば、厄介な国際問題をひき起しそうな懸念《けねん》があった。そのことは捜査一課長からもくれぐれも注意があったのだ。

藤沢刑事は、先《ま》ず、グリエルモ教会そのものを放棄して、教会の周辺の地取りからかかることにした。

もし、グリエルモ教会のルノーによって生田世津子が死の現場に運ばれたとしたら、そのルノーは彼女の生前にも彼女のために使用されていたのではないか、という理論は成立する。

また、例の番号のルノーは、トルベック神父がよく使っていたことは、わかっている。藤沢刑事は、若い市村刑事といっしょに、ふだんからのルノーの行方を調べてみることにした。

グリエルモ教会は、ほとんど田圃《たんぼ》の中に高々とそびえている。最近界隈《かいわい》が開けて、新しい家が周囲に建ってきたが、それでもまだ畠《はたけ》が到《いた》るところに展《ひろ》がっていた。付近にはほとんど商家というものがない。教会の尖塔《せんとう》の聳《そび》える西側は、広い畠を隔てて小さな素人家《しもたや》ばかりが集まっている。せまい道がその間に南北についていた。

教会の門がいちばん見えやすい場所は、その畠をおいた小住宅地の一軒だった。藤沢刑事は、その家を訪ねた。

出てきたのはサラリーマンの女房だったが、

「青色のルノーなら、しょっちゅう教会の門を出ていますよ」

と微笑して答えた。

「どっちの方角に行きますか？」

「いろいろですわ。この前の道を通って広い国道に出るのは同じですが、それから西に行くこともあれば、東の方に行くこともあり、そのつど違いますわ。でも、そうたびたび気を付けているのではありませんから、よく分りません」

教会の門を出て、南北に走る畠の間の狭い道を通り、国道に出るまでは同じだという。

藤沢刑事は、その国道の出合う場所に行った。そこも小さな家ばかりである。

「さあ、いろいろですな」

出て来た中年男が答えた。

「しかし、主にどっちの方に多く行きますか?」

「そうですね、あっちの方ではないでしょうか」

と指さしたのは東の方角だった。

「夜間はどうです?」

「この辺は、夜早くやすみますからね、夜まで気を付けませんよ」

「しかし、車の音がするでしょう。お宅の前でどっちに曲りますか?」

「そうですね」

男は考えていたが、

「やっぱりあっちの方です」

と云ったのがやはり東だった。

刑事たちは東の方に向った。

広い国道の北側は一面の畠だ。その涯《はて》に雑木林がつづいていた。畠は青麦と、黄色い菜の花の盛りだった。

反対側は、人家が跡切《とぎ》れ跡切《とぎ》れにつづいていた。その人家の間も、家の背後も、やはり麦や野菜が見えていた。

藤沢刑事は、小さな八百屋に入った。

「青色のルノーは、よくこの前を通りますよ。教会の神父さんが運転してるので、よく知っています」

八百屋《やおや》のおかみさんは答えた。

「どこまで行くんでしょうな?」

藤沢刑事は店先に突っ立ち、出ざかりの筍《たけのこ》に眼を落しながら訊《き》いた。

「さあ、行く先まで分りませんね。とにかく、この前を頻繁《ひんぱん》に通ることは確かです」

藤沢刑事は礼を云って出た。

人通りの少ない道である。新開地ののんびりした風景が、かえって刑事たちの心を弛《し》緩《かん》させるようだった。畠には陽炎《かげろう》が立っている。しばらく行くと、ガソリンスタンドがあった。いい所にあった、と喜んだ。商売柄、自動車には縁故が深い。

「さあ」

ガソリンスタンドの若い男は、首を傾《かし》げた。

「グリエルモ教会の車は、たびたび見かけますがね。一度もわたしのところで給油したことはありませんよ」

その男は、儲《もう》けさせてくれないグリエルモ教会に不満そうに答えた。

「お宅は、夜かなり遅くまで起きていらっしゃるんでしょう?」

藤沢刑事は訊いた。

「ええ、大体、夜の十時すぎまでは起きていますがね。これでも、最近、この道路を通るタクシーやトラックなどが増えましたからね」

「それなら分るでしょう。どうです、グリエルモ教会のそのルノーは、夜でも頻繁にここを通りますか?」

「通るようですね。いつも、外人の神父さんが運転していますよ。猛烈なスピードを出していますね。どうして、あんなにスピードを出すのですかね」

「なるほど、では、この道を真直《まっす》ぐに行くわけですね。これをずっと行くと何処《どこ》に出ますか?」

「真直ぐどこまでも行けば、M駅方面に行きますがね、途中、道が岐《わか》れてO駅になるのです」

O駅というのが、藤沢刑事の耳を咎《とが》めた。スチュワーデスが殺されたのは、O駅から南に二キロの地点である。

「ありがとう」

彼はそこを出た。

しばらく行くと左側に小学校があった。運動場に子供が群れて遊んでいる。刑事は立ち止った。

「藤沢さん」

今まで黙ってついて来た市村刑事が、はじめて口を利《き》いた。

「藤沢さんのお子さんは大きいのですか?」

「そうだね」

歩き出しながら本庁の老練な刑事は応《こた》えた。

「これでも、高校生の女の子一人と、中学生が一人、小学生が一人いますよ」

このときばかりは、藤沢刑事の顔がなごんだ。頭髪の前が少し薄い、頰骨《ほおぼね》の尖《とが》った、眼つきの鋭い刑事だったが、子供のことを云うとき、一瞬、人相が変って見えたくらいだった。市村刑事の方はまだ独身で三十歳だった。彼は地元の高久良署に所属していた。殺人事件が起きて、捜査本部が所轄《しょかつ》署に置かれると、きまって本庁から来た捜査一課の刑事と、所轄署の刑事とが組合せになる。

市村刑事は、この本庁から来た年輩の刑事が、かねて老練だという噂《うわさ》を聞いているので、はじめから尊敬していた。実際、一緒になって歩いてみて判《わか》ったことだが、藤沢刑事は何一つ市村に相談しないのだ。一人で訊き廻って一人で合点《がてん》し、一人で歩いている。伴《つ》れの刑事は、ただ、彼の後をてくてくついて歩くだけだった。

しかし、不満はなかった。それは、本庁の刑事だからというだけでなく、いかにも昔《むかし》気質《かたぎ》な、この先輩刑事に、かえって信頼感を持っていた。無口な先輩のその仕事の方法を、若い所轄署の刑事は黙って見習っているような気持だった。

小学校の前に学用品を売る小さな店があった。藤沢刑事は、一応、内をのぞいて、

「ごめんなさい」

と挨拶《あいさつ》して入った。

こういうところで話す藤沢刑事の顔は、それまでの鋭さが消えて、ひどく柔和になり、もの腰も世馴《よな》れた外交員みたいになるのだった。

「その神父さんの乗っている小型の自動車《くるま》ならよく見かけますよ」

と出て来た店番の老婦が答えた。

「この前をよく通ります。あっちの方角へ行きますよ」

指差したのも、やはり東だった。

「毎日、この前を何回ぐらい通りますか?」

「そうですね、数えたことはありませんが、十回ぐらいは通っているようですよ」

「十回ね。一体、この前の道を通って何処に行くのでしょうな?」

「さあ、それまではわかりませんが。ずっと行くと、ダミアノ・ホームがありますからね。神父さんはそこに行ってるんではないでしょうか。夜遅くまで走っていますよ」

「分りました。ありがとう」

腰をかがめて出た。

「毎日、十回ぐらいか」

歩きながら藤沢刑事は呟《つぶや》いた。

「ちょっと多すぎるかな。ダミアノ・ホームには、朝と晩と一回ずつと聞いたが」

「すると、その余分は、何処かに用達しというわけですね」

藤沢の呟きを聞いて、市村は思わず口を出した。

「………」

藤沢刑事は返辞を与えないで、むつかしい顔になる。市村ははぐらかされたような気持になった。一緒にこうして歩いているのだが、いつまで経《た》ってもこの本庁の刑事は、彼に協力的ではなかった。何もかも一人で判断して勝手に動くのである。

小学校が過ぎると、また、田圃が展《ひろ》がり、それからまた寂しい家並みになった。尤《もっと》も、この広い道沿いには、途中で幾つもの小さな路地が岐れている。藤沢刑事が路地の奥を眺《なが》めると、いかにも郊外の住宅といったような杉垣で囲んだ家が、両側に続いていた。閑静な区域である。

「おい」

急に藤沢の眼が前方に光ると、市村の袖《そで》を引っ張った。

「隠れるんだ」

市村は、訳が分らずに狼狽《ろうばい》して、藤沢について路地に走り込んだ。

とたんに眼の前を新聞社の社旗をつけた自動車が疾駆して過ぎた。

「やれやれ、すんでのことで見つかるところだった」

広い道路に戻った藤沢は、自動車の後《あと》を見送って舌うちした。

「あれはR社ですね？」

「うっかりこんなところで見つかってみなさい、今晩、早速、家に来て喰《く》い下られるよ」

　この事件の捜査が進んでいる途中のことだが、或《あ》る日、捜査一課長のところに一つの参考情報がもたらされた。その吹き込みは、現在、或る地区の署長をしている人からだったが、この人は、元M署の捜査主任をしていた。

　彼は捜査一課長に会って、こんなことを云った。

「今度の事件についてご参考までと思ったのですが、本部の方は、グリエルモ教会を洗っているそうですね？」

「とくに洗っているというわけではありませんが」

　捜査一課長は、あいまいに答えた。

「ちょっと引っかかりがないでもないのです。何かそれについて変ったことがあるのですか？」

このときまでは、グリエルモ教会を警視庁が洗っていることは一般に秘密になっていた。

尤も、新聞社側でも、早くからグリエルモ教会には眼を着けていた。すでに、同教会から生田世津子に宛《あ》てた速達が来ていたのを記者たちが探知していたのである。事件が起ってからは、新聞社の夥《おびただ》しい車が生田世津子の下宿に殺到した。グリエルモ教会から来た速達の事実は、その下宿の若い主婦が遂《つい》に漏らしたのである。

しかし、グリエルモ教会と生田世津子の関係については、新聞社側では信仰の上としてしか考えていなかった。事実、新聞記者の何人かは、グリエルモ教会の神父たちに会っている。尤も、ビリエ師をのぞく他の神父たちは日本語が自由でないという理由によって教会に働いている日本人が間に立ち会ったのだ。

新聞記者の印象として、神父はこよなく立派に見えた。ネクタイのないカラーの襟《えり》も破れるぐらい粗末だったし、聖職服も裾《すそ》が切れそうなくらいである。万事が質素なのだ。記者たちが神父に会って受けた印象は好《よ》かった。聞くことも生田世津子についての意見というに止《とど》まっていた。まさか、警視庁が教会をこっそり洗っていようなどとは、誰も本気に考えていなかった。

しかし、この署長は、うすうすそれを察していたらしい。同じ警察内部のことだから、この情報を察知するのは不自然でなかった。

「グリエルモ教会ということで、ふと浮かんだことですがね、これはご参考になるかどうか分りませんが」

という前置で捜査一課長に署長は話した。

「あの教会は、終戦直後にヤミの取引きをやって、わたしの方で挙げかけたことがあります。なんでも、その砂糖は、海外のバジリオ会関係からの救援物資でしたがね、当時、すごい量を送って来たものです。それを教会の連中がヤミに流していたんですよ」

「ほう。それは初耳ですね。で、そのときの連中は、現在教会にいる神父と同じですか?」

「同じだと思います。尤も、その砂糖を流したのは、神父が直接ではなかったのですがね。信者の中の不心得者が勝手に横流しをした、という弁解でした。弁解というのは、わたしは、これは神父がもちろん関係していたと睨《にら》んでいるからです」

「で、その落着《らくちゃく》はどうなりました?」

「それが妙なことになりましてね。挙げたのは田島喜太郎という信者ですが、それには密告があって、岡村正一という男がタレ込んだのです。どうやら、この二人が実行者で、横流しに当ったようです。無論、共犯はそのほかにも大勢居たと思いますよ」

捜査一課長は、田島喜太郎と岡村正一の名前をメモに取った。

「大分、その横流しの数量が大きいので、わたしの方で事件にしようとしたのです。すると、これはちょっと云い辛《づら》いのですが、本庁の方から妙な指示がありましてね、遂にウヤムヤになりましたよ」

「そりゃどういうことですか?」

「揉《も》み消しをやったんです。噂《うわさ》ですからよく分りませんが、あとで聞くと、上の方で、同じ会の熱心な信者がありましてね、その人のところに教会の神父が頼み込んだという話です。その真偽は分りませんが、いずれにしても、途中でウヤムヤになったのは事実です」

「田島と岡村というのは、どうしました?」

「たしか、田島だけは起訴になったと思います。当座、逃げていましたが、遂に、あとで自首したように思いますがね。何もかも、本人が一人でやったように背負い込みました。詳しいことは、もう十年も以前《まえ》ですから忘れました。M署には、まだ記録が残っているかも分りませんよ」

「有難う。参考になりそうです」

捜査一課長は署長に感謝した。

グリエルモ教会にそのような過去があったとは、捜査本部が初めて知った事実だった。M署にはまだ当時の担当刑事もいるという話である。その記録も調べてみたい。捜査本部はこの係を久恒《ひさつね》忠次郎刑事に受け持たせた。

しかし、スチュワーデス殺しと、十年前のヤミ砂糖事件とは、直接に繋《つな》がるとは思われない。だが、グリエルモ教会の性格を知るうえに、一応、洗ってみる必要はあった。

そんな参考情報があった二日後の夕方のことである。S新聞の車が、偶然、M署の前を通りかかったものだ。乗っていたのは、佐野と山口という社会部の記者だったが、佐野の方が何を認めたのか、山口の肘《ひじ》をつついた。

「おい、見ろ。妙なところを忠さんが歩いてるぜ」

山口という記者も指された方向に眼を注いだ。車が走っている前方である。

「あれ、本当だ。珍しいな。M署なんかから出て来やがって」

久恒忠次郎刑事の特徴のある後ろ姿が、人通りの間に見えた。

「あいつ、たしか、松茸《まつたけ》を洗っていた筈《はず》だがな。ちょいと車を停めて訊《き》いてやろうか?」

「待て待て」

佐野が止めた。

「こんなところで降りて訊いても、奴《やっこ》さん、絶対、口を割りっこないよ。今は見逃してやれ。今夜は、おれがロクサンのところに廻ったついでに、ヤツのところにも夜討ちをかけてやろう」

車は、久恒刑事の歩いている人混みを後に流して走り過ぎた。

五

捜査本部のある高久良署は、S道路のそばにあった。

江戸時代から水源地となっているZ池から、現在も水道が敷設されて東京都心の配水を行なっている。この鉄管を埋めた上に、一直線にS道路が伸びている。

この高久良署から、スチュワーデス生田世津子が殺された場所まで、一キロと離れていなかった。S道路から北に入ると、閑静な住宅街になって小さな道が通っている。現場は、その道が川を渡る橋際《はしぎわ》になっていた。水の中である。

事件発生後、すでに一カ月に近い。ようやく、世間には捜査の迷宮入りの声が囁《ささや》かれるようになっていた。捜査本部に集まっていた新聞社の車も、一頃よりはずっと減っている。

しかし、各社とも警戒は怠らなかった。いずれにしても、最近の衝動的な事件である。当時、都内に殺人事件が続発していたが、やはりスチュワーデス殺しは世間の印象に強かった。捜査が行き詰まったといっても、いつ、どんな形で、この事件が解決するか分らないのである。新聞社の警戒が緩《ゆる》まないのは、そのせいであった。

S新聞社の佐野が捜査本部に帰って来たのは、その夕方だった。

すると、サツ廻りの同僚が、こっそり、佐野を呼び止めた。

「佐野さん」

と彼は低声《こごえ》で云《い》った。

「どうも、ロクサンの動きがおかしいようですよ」

新聞記者に愛称〝ロクサン〟と呼ばれているのは、藤沢六郎刑事のことである。本庁の捜査一課一係きっての老練刑事だった。大きなコロシがあるたびに、この男が活躍しないことはない。事件の動きを知るには、ロクサンの身辺に気を付けたがいい、と新聞記者たちは心得ていた。

捜査会議は、大体、決って毎日午後五時から本部で開かれる。このときは、八方に散った刑事たちが本部に帰り、その握った情報を提出して、捜査方針を検討するのだった。しかし、藤沢六郎刑事だけは例外だった。彼は、五時になってもアガって（帰署すること）来ないことが多い。

「ロクサンぐらいに偉くなると、やはりわが儘《まま》が利《き》くんだな」

記者たちは、そう云い合っていた。

それだけの仕事はする男だ。近代的な捜査からはズレると云えばそれまでだが、やはり警視庁にはそのような古い名人タイプが一部には残っていた。

「ロクサンがどうしたというのかい？」

佐野がサツ廻りに訊《き》いた。

「何かやってるらしいですよ。近ごろ、さっぱり五時にアガって来ることはありません。どうもおかしいというので、よその社も気を付けていますがね」

「何をやっているんだろう?」

「それですよ。R社のやつが、きのうだったか、あとを追っかけたそうですがね。すると、ロクサンはジープに乗っていたものだから、すぐに尾行に気づいて、狭い道に逃げ込んだそうです。こちらは大型ですから、その道に入ることが出来ず、まごまごしているうちに取り逃したそうです。ロクサンが撒《ま》いて逃げるぐらいですから、こりゃ相当臭いと思います」

「あの男はトボケているからな」

佐野は云った。

「何でもないのに、わざとブン屋を揶揄《からか》うこともあるんだよ。逃げ込んだからといって、あんまり当てにはならないね。しかし、今度は、確かに変だな」

「どうします?」

「どうしますって、君、何もすることはない。いいよ、今夜あたり、ぼくが夜討ちをかけようと思っていたところだ。尤《もっと》も、あのおやじはトボケの名人だから、夜討ちをかけても、あんまり効果はないと思うがな」

新聞記者たちは、始終、刑事の動きを見ていた。

捜査が白熱化して忙しくなると、刑事たちは決って帰りが夜更《よふ》けになるのだ。ところが、何もないとなると、出先から早くアガって来て、さっさと帰宅してしまう。

こんなときには、何を訊いても、先方で持札がないので、無駄だった。

とりわけ、各社とも、藤沢六郎刑事には監視を怠っていない。

事実、それは、その晩、夜討ちをかけた佐野にも分った。

九時を廻って、佐野が、目黒にある藤沢刑事の自宅を襲ったのだが、その路地の表に、早くも他社の車が二台も着いていた。佐野は、それを横眼で睨《にら》んで、車をそのまま通り過させた。他社の連中が夜討ちをかけているところに、わざわざ出むくことはない。顔を出すだけ無駄だった。

「どちらへ廻ります?」

運転手は訊いた。

「雑司《ぞうし》ヶ谷《や》の方に行ってもらおうか」

佐野には、それが予定だった。どうせロクサンの方は諦《あきら》めている。だが、これから行く雑司ヶ谷の久恒刑事のところでは、何かが聞けそうな気がした。昼間、この刑事がふらふらとM署から出て来たのを目撃している。

久恒刑事の家は、雑司ヶ谷の入り組んだところにあった。近くに鬼子母神《きしもじん》の境内があるので、それが目標だった。車で行けるだけ行って、あとは路地を伝わって歩いた。

時計を見ると、十時を過ぎていた。帰って来てるかな、と思いながら、その家の前を窺《うかが》った。他社の連中が来ている様子はなかった。

「今晩は」

佐野は、狭い格子戸《こうしど》から呼んだ。

小さな玄関に来たのは、久恒忠次郎本人だった。着流しで帯を捲《ま》きつけている。

「なんだ、君か」

久恒は渋い顔をして新聞記者を見た。

「ちょっと通りがかりに寄ってみたのです。上ってもいいですか?」

「仕方がない。通りがかりでも、寄ったものならお客だ」

「すみません」

佐野は、子供の下駄の並んでいる、狭い玄関に靴を脱いだ。

「いらっしゃい」

何度か、この家に来ているので、久恒の妻女とも顔なじみだった。妻女は、まだエプロン掛のままだった。

「お邪魔します」

奥の六畳で、久恒は酒を呑《の》んでいた。佃煮《つくだに》を肴《さかな》にして、銚子《ちょうし》が二本並んでいる。

「まあ、一ぱい呑めよ」

久恒は、盃《さかずき》を佐野に出した。

「今日は早くあがったんですか？」

「まあね。早く御用が済んだときは、こうして一ぱい呑んでるわけさ」

久恒は、赤くなった顔を掌《て》で撫《な》ぜた。

「お前さんなんかも、遅くまでウロチョロしないで、どこかの屋台で呑んだ方がいいよ」

「そうしたいんだがね。なにしろ、ここんとこモヤモヤしてるので、さっぱり気持が晴れないのですよ」

佐野は、盃を返した。

「なんだ、事件のことか」

久恒は苦笑した。

「そりゃ尤もだ。お前さんがモヤモヤしているように、おれの方もすっきりしていない。こうして酒を呑んでいるのも、その憂《う》さ晴らしさ」

「しかし、忠さん」

佐野は、刑事の顔をじっと視《み》た。

「あんた、今日、妙なところを歩いていたね」

「妙なところ？」

久恒は、ちょっと、ドキリとしたようだった。

「いろんなところを歩くからね。はて、今日はどこへ行っただろう？」

彼は、とぼけた顔をした。

「いろんなところを歩く？　忠さん、何を探《さが》して歩いてるんですか？」

佐野は、一応、目的を引っ込めて訊いた。

「そりゃいろいろだ」

久恒は、鼻をこすった。

「お前さんの方だってそうじゃないか。このごろのブン屋は、油断がならない。お前さん方の行ったあとを、おれたちがほじくって歩くようなことがあるぜ」

「そりゃあるかも知れないな。だが、今度のスチュワーデスは、全く降参だ。全く何も手に入りませんよ」

「そうでもないだろう。ブン屋さんの方では、松茸《まつたけ》をさかんに聞き廻っているそうじゃないか」

「そうらしいな」

「おいおい、胡麻化《ごまか》しちゃいけない。お前さんだって松茸組の一人だろう」

「そうではない、とは云いませんがね。しかし、あれはどうやら分らずじまいだな。他《よ》社《そ》さんの方では一生懸命やってるようだがね。初めは、松茸を使うのは上等の中華料理と聞いたので、方々の高級中華料理店ばかりを探して歩いたがね。お蔭《かげ》で、油でゲップが出そうになった」

「何か分ったかい？」

久恒はニヤニヤしていた。

「それが、さっぱりでね。なにしろ、魚河岸《うおがし》の問屋に聞いたら、一番上等なのが生松茸、その次が罐詰《かんづめ》だそうです。本部の発表では、罐詰だという話だったから都内の罐詰屋さんをコツコツと洗いはじめたわけでさ。なにしろ、松茸の罐詰は高くて、売り先も少ないというのがこっちのつけ目だったが、やってみると、思い通りにならぬもんで、さっぱり手がかりが摑《つか》めません」

佐野はそう云いながら、じっと久恒を視た。

「まあ、おれの顔を、そうじろじろ見るなよ。そうだ、お前さんはその猪口《ちよこ》よりコップの方がいいんだろう？」

「いやいや」

佐野は手を振った。

「せっかく、忠さんが疲れて帰ったところを、お邪魔しては悪い。すぐ退散しますよ」

「そう遠慮するな。尤も、ここでねばったところで、おれの方はこれだからな」

久恒は、両手を叩《たた》いて見せた。

「そうでもないな。ぼくは、忠さんが何か筋を摑んだ、と見てるがな」

「おれがかい？」

「忠さん、M署に行ったのは、何の用事だったんです？」

佐野がいきなり云うと、久恒は、ドキッとした顔をした。

「お前さん、見ていたのか？」

久恒は、隠しおおせぬと見たか、苦笑していた。

「そりゃ、こっちは商売だからね。忠さんが動いた先は、みんな分ってますよ」

「おい、おどかすなよ。M署に行ったのは、事件に関係のないことだ」

「シラばっくれたらいけないね。この事件にかかりっきりの忠さんが、別の用事でM署なんか泳いでるわけがない。何です筋は？」

「おれの知合いが、自動車の事故を起してね、なんだか免許証を取り上げられそうになったので、おれに口を利《き》いてくれと頼まれたんだ。仕方がねえから、ちょっと、顔を出してやったまでだ」

佐野は、しばらく久恒刑事の顔から眼を離さなかったが、やがて笑い出した。

「巧《うま》いことを考え出すもんだね。まあ、いいや。今夜は退散しよう」

「帰るのかい？」

「ああ、ぼくも今の話で思い出しましたよ。やはり友だちでね、事故を起して困ってる奴《やつ》がいた。偶然、それもM署です。忠さんにいいことを聞かせてもらったから、あした、M署に行って、係に頼んで来よう」

久恒刑事は、苦い顔をした。

雨が三日つづいた。

グリエルモ教会の近くは、雨が降ると、道が泥濘《でいねい》と化す。赤土だから余計に始末が悪かった。舗装した道路は、幹線が一本通っているだけだった。畠《はたけ》から流れ出た泥が道を浸すのだ。

ズボンの裾《すそ》にハネを上げないように気をつけて歩いていた藤沢刑事が、グリエルモ教会の尖塔《せんとう》を見上げて腕を組んだ。

「どうもおかしい」

例によって独《ひと》り言の呟《つぶや》きだった。

おかしい、と云ったのは、ここ四、五日、トルベック神父の姿を見かけないからである。

教会には、毎朝、ミサがある。これには熱心な信者が詰めかけるのだが、藤沢刑事がわたりをつけた或《あ》る信者に訊いても、

「トルベック神父さまのお姿は、ここんところお見かけしないようです」

と云うのだった。

藤沢刑事は、最近、グリエルモ教会にかかりきっていた。尤も、教会の中に入ることは遠慮した。先方に警戒されないためだけではなく、相手が外人だし、聖職者だから、厄介な問題を起さないための用心からだった。

グリエルモ教会の神父たちは、よく建物の外に姿を出す。また、付近に、教会付属の幼稚園があるので、そこにも出かける。例のルノーに乗って街にゆく姿も見られる。

その中に、今まではトルベック神父の顔も見えた。ところが、二、三日前から、ぷっつりと姿がないのである。

これは二通りの考え方があった。トルベック神父が病気になって、部屋から外に出て来られないということ。もう一つは、こちらの気配をさとって姿を見せないということである。

いずれにしても、おかしい。血色はいいし、体格の大きいトルベック神父だった。俄《にわ》かに病気になるとは思われない。ぴんと来たのは、こちらの気配を知って、何か策動をはじめているのではないか、ということだった。ミサにさえ姿を出さないというのは、こちらを警戒したにしてはあまりに大事を取り過ぎている。

これまで、教会に対して、藤沢刑事は一度も訊問《じんもん》らしいことをしたことはない。ただ、一度だけ、生田世津子のもとに教会から速達が来たことで、聞合せに行ったくらいだった。それも、ほんの参考という程度で、先方が警戒する必要のないものである。実際、そのときに会った年輩の神父さんは、にこやかに藤沢刑事に応対して、親切に送り出してくれたものだった。

藤沢刑事の任務は、二つあった。グリエルモ教会を警戒することと、青色のルノーの行方を突き止めることだった。ルノーの方は、どうも行方が掴めない。国道を東の方に行ったことまでは分ったが、それから先の地取りがどうにも取れないのである。

教会への警戒は絶えず行なっているつもりだが、それでも、はっきりした犯人《ほし》を張り込んでいるような厳重さではなかった。トルベック神父がちょっとおかしい、と思った程度の段階だから、それとなく気を付けているくらいである。

トルベック神父と、被害者の生田世津子との間には、ただ、聖職者と信者という関係だけしかあるまいと、このときまでは、まだ捜査側では思っていた。これまで調べたことがみんなそうだった。だが、それでは割り切れぬ妙なことが幾つかある。例えば、生田世津子が旅館にいっしょに行った外人は、トルベック神父らしくもある。尤も、それには確認はない。旅館の女中に写真を見せても、このひとに似ているが、本人だと云《い》いきる自信はない、と云う。

トルベック神父を見張ることを考えたのは、藤沢刑事のカンだった。ほかの者に話しても、まさか、と云って相手にしてくれない。事実、その通りだった。神への奉仕を、ただ一途《いちず》に踏んで来た聖職者だった。外出するにも、その聖職服を脱ぐことを許されない、という厳《きび》しい戒律のなかに生活している神父が、派手な背広を着て、女を連れ、温泉マークにシケ込むとは思われない。だが、藤沢刑事は、心に残るものがあった。そして、これを捜査一課長にまで、意見を具申したことである。課長は同意した。

こちらの意図を、教会側では見破ったのか。そのためにトルベック神父が姿を見せないとなると、いよいよ、おかしな感じがしてくる。藤沢刑事はいつもホシと直感するときに覚える、あの興奮が、このときも彼に起ったのである。藤沢刑事は、それから入念に聞込みをした。グリエルモ教会の近所について当ってみても、トルベック神父を知った人間が、そう云えば、あの人を近ごろ見かけないというのである。信者もほかの人間に二、三人当ってみたが、これも同様な返辞だった。ここんところトルベック神父さまはずっとミサを休んでいる、と云うのだった。

藤沢刑事は、顔色を変えた。

逃げた、と感じたのである。

彼は捜査本部に戻ると、このことをこっそり、主任警部に耳打ちした。

主任警部の顔も、それを聞いて緊張した。しまった、という表情が流れた。主任は、すぐに本部を出て、本庁に行き、捜査一課長に報告した。課長も眼を光らせた。

新田捜査一課長は、早速、三階に上って、刑事部長室に入った。

## 六

青山刑事部長は、来客と話し中だった。捜査一課長が入って来たのを見て、ちょっと、こちらに顔を向けたが、すぐ来客と話をつづけた。刑事部長は小肥《こぶと》りの男で、眼鏡を掛けている。

捜査一課長は、落ち着いた態度に戻って立っていた。勢い込んで来たことを客に覚《さと》られてはならなかった。だから、刑事部長が、

「急ぎますか？」

と彼に声をかけて訊《き》いたとき、

「いいえ。なんでしたら、出直して来ます」

と答えた。

客は白髪の紳士だったが、話の具合からすると、或《あ》る団体の役員で、陳情に来ているらしかった。刑事部長は、そのままそこに待っているように捜査一課長に合図した。

刑事部長室は広い。大きな事務机とは別に、会議用のテーブルと椅子《いす》が傍《かたわ》らに並べられてあった。捜査一課長は、新聞綴込《とじこ》みを出して、漫然と眺《なが》めていた。

来客の方でもそれと察したらしく、話を切り上げ、挨拶《あいさつ》をして出て行った。

「待たせたね、新田君」

新田捜査一課長は、新聞綴込みを元に戻して、部長の机の前に坐《すわ》った。

その矢先、生憎《あいにく》と電話が鳴った。部長は受話器を取り上げた。

話が長い。捜査一課長は、少しいらいらした。

やっと電話が終ると同時に、刑事部長室付の秘書が入って来た。名刺を二枚、部長の前に差し出し、小声で何か囁《ささや》いた。

いろいろな障害があるものだ。捜査一課長は、自分を落ち着かせるのに苦労した。

「あとにしてくれ給《たま》え」

刑事部長は、秘書に云った。

「待たせた。どうも忙しい」

青山刑事部長は、眼鏡の奥の眼を細め、煙草《たばこ》を取り出した。

「聞きましょう」

と向うから促した。

「例のスチュワーデス事件ですが」

新田捜査一課長は、やっと切り出せた。

刑事部長は、僅《わず》かに顎《あご》をうなずかせた。丹念に煙草の先を机に叩《たた》いている。

「いちばん有力な容疑者と思っていた、グリエルモ教会のトルベック神父が、逃げました」

「え、逃げた？」

刑事部長は、眼を光らせて顔を上げた。

「はあ、まず、逃げたと考えていいようです。ずっと教会を警戒させていたのですが、この四、五日、トルベック神父の姿が教会の中から見えなくなったそうです」

刑事部長は、黙って火をつけた。

「君」

と両肘《ひじ》を突いて煙を吐いた。

「それは確認が出来たのか？」

「ご指示のように、教会の中には捜査員を張り込ませてはおりません。しかし、その周囲には監視をつづけさせています」

捜査一課長は話した。

「捜査員の話では、トルベック神父の姿を見ないばかりか、信者の方にも聞込みを行なったところ、トルベック神父がミサにも出ないことを確認しました。教会の中にいなくなったことは確かのようです」

「先方に、こちらの動きを気取られたのかな」

「そういうことはないようにしましたが、かなり先方でも神経過敏になっていたようですから、あるいはそういう惧《おそ》れがないともかぎりません」

「その神父に対する傍証は、その後、相当に固まったのかね？」

「それは着々と出来ています。これが日本人でしたら、すぐに引っ張ってもいいような状態です。だから、もし神父が逃げたとなると、早急に手当てをする必要があります」

「というと？」

「つまり、海外に脱出される惧れがあります。この際、思いきって、入管の方に手配した方がいいと思いますが」

「しかし、君」

と刑事部長は、一応、それを押えている。

「本人が教会の中から姿を消したということは、確認が出来てるのかね？　普通の張込みでなく、外側からの監視では、はっきりとは分るまい。ああいう教会の中は複雑だからね。例えば、病気で寝込んでるのかも知れないし、何かの理由で閉じこもっているかも分らない」

「いや、それはないと思います」

捜査一課長は、穏やかに駁論《ばくろん》した。

「トルベック神父が病気の場合を考えて、こちらで医者の方に手を廻してみました。あの教会には、かかりつけの医者が決っているんです。やはり同じ会で、××町に聖愛病院というのがあります。そこから、いつも病気のときにはグリエルモ教会に診察に行っていますが、病院の方を調べてみて、その事実がないのです」

「なるほど」

「閉じこもっているということはあり得ないと思います。ミサは、あの会にとっては毎日の大切な儀式だそうですから、どんな理由があるにせよ、教会の中にいるかぎりは、それに出席しないということは絶対にないのです。最近になって、信者がミサのときトルベック神父を見なかったのは、まず彼がいなくなったと推定していいと思います」

刑事部長は、しばらく黙った。

「で、傍証の方は？」

と考えた末に訊いた。

「生田世津子との関係が非常に濃いのです。例の旅館に行ったのも、この神父と確定していいようです」

捜査一課長は答えた。

「のみならず、トルベック神父を洗ってみると、彼が実際に日本に来たのは、登録される五年以前からです。つまり、彼はれっきとした密入国者なんです。それに、グリエルモ教会自体にもいろいろおかしなことがあります……」

捜査一課長は話を続けた。

「それに、生田世津子の殺害された状態を見ても、日本人の殺しの手口にないものです。

これは前にもご報告しました」

「うん」

青山刑事部長はうなずいた。

「それから、生田世津子が殺される前に下宿を出るとき、直前に速達が届いております。彼女はそれを見て出掛けたわけですが、それがグリエルモ教会の名前だったことは、教会側もこれを認めております。しかし、それは叙階式に参列するようにという案内状だと、先方では強弁しております。手紙の内容はわれわれの想定では、そんなものではないと考えています。というのは、ほかの信者に訊いてみても唯《ただ》一人として、そんな案内状などを速達で貰《もら》ってはいません。つまり、教会側はその手紙の内容をひた隠しに隠しているのです。こちらの見込みでは、それは、トルベック神父が生田世津子に誘いの手紙を出したと考えております」

「手紙で誘い出して殺したというのだな？」

「まず、その辺だろうと思います。ここで考えていいのは、叙階式の祝賀会があった場所とグリエルモ教会を結ぶ線のちょうど中間に生田世津子が殺された現場があったことです。だから、この線はたいそう強いと思います」

「アリバイの方はどうだな？」

「その後、彼のアリバイは鋭意調査しております。まだ本人に会っては確認していませんが、当時、祝賀会に出席していた信者たちについて、こっそり調査させております。あところが、他の人間たちと違ってああいう信者は、その調査が非常に困難なんです。あの信者はその宗教に凝り固まっておりますから、教会側に不利なことは絶対に云いません。真相を摑《つか》むのがむつかしいですな。それに、われわれが、そういう内偵をしているのを、なるべく教会の方に知られないようにやってるものですから、よけいに困難なんです。しかし、部長、いずれ後でその点はもっと詳しく報告しますが、今の段階では、彼のアリバイは曖昧《あいまい》だという印象です」

「それから？」

「それから、あの教会を洗って判《わか》ったことは、終戦直後に砂糖の相当な闇《やみ》をやってM署に挙げられております。尤《もっと》もそのときは、神父の方には犠牲者が出ずに日本人の信者がその罪を背負《しょ》って自首しております。だが、私の考えでは、二年ばかり前に起った新橋のY教会の例も考え合わせて、グリエルモ教会もそれ以来ずっと闇の連中と取引きがつづいているんじゃないかと思いますね。目下、その点を調べております。考え方によっては、生田世津子が、東京・ホンコン間の定期空路のスチュワーデスだったという事実も、何かこれに絡《から》み合いがあるように思われます」

「密輸のことだね？」

「そうです。麻薬《ペイ》のホンコン・カントンルートです。勿論《もちろん》、これはまだ想像の段階で、確認はしておりません。だがY教会の闇ドル事件を考え合わせてみても、グリエルモ教会が同じことをやっていないとは、云いきれないのです。すでに、終戦直後、グリエルモ教会は砂糖だけではなく、ララ物資も横流ししておりますし、当然、当時の因縁で今でも闇の連中と取引きをしているように考えられます」

「なるほど、それは想像できるね」

「部長、いま云ったようなことは、目下、調べさせておりますが、とにかく、いま本人に逃げられては、万事休すです。この際、思いきって、入管の方にトルベックの手配をした方がいいと思います」

「よかろう」

青山刑事部長は、その処置に賛成した。

「今まで、特殊な環境の人間だと思って、こちらで手加減していたが、先方が逃げ出したとなると、かえって都合がいいな」

「そうです。かえってこちらの方がやり易《やす》くなります。特別な人間だと思って遠慮しながら洗っていたのですが、こうなると、思いきったことができます。捜査の連中も今まではこぼしていましたから、これでほっとするでしょう。これが普通のホシだったら、泳がせておいて、だんだん締めて行くところですが、ああいう一種の治外法権みたいなところに隠れられると、どうにも手の出しようがなかったんです」

「ところで入管の方の手配はどういう名目にするかね」

「さし当り、不正入国者ですから、その名目で出したらどうでしょう」

「いや」

刑事部長の方が積極的だった。

「こうなったら、どちらでも同じようなものさ。その不正入国と、スチュワーデス殺し容疑とをはっきり指示したらどうだな?」

「けっこうです」

捜査一課長は喜んでいた。

「では、早速、そういう手配をとります」

「そうして下さい」

刑事部長は手を組み合わせて云《い》った。

「昔は船だけだったから、まだ簡単だった。今は飛行機という厄介なものがある。文字どおりホシに飛ばれてしまったらお手上げだからね。処置は早いとこやった方がいいよ」

「いま、日航と、外国航空会社とに問合せしたのですが、トルベックの名前では座席をリザーブしておりません。しかし、変名という場合がありますから、大急ぎで入管に手配をします」

捜査一課長は、刑事部長に敬礼して大股《おおまた》で部屋を出て行った。

それから五日くらい経《た》ってのことである。

S新聞社社会部の佐野記者は、その日の夕方、珍しく早く帰った。これは、刑事部長と捜査一課長との打合せには関係ないことである。

佐野がアパートに帰ったのは、七時ごろだった。妻がびっくりした。

「まあ、ずいぶんお早いのね！」

事件が起ると、一週間でも十日でも家に帰れないのが、社会部記者の宿命だった。平生でも、夜中の十二時過ぎに帰って来ることが多い。子供のある連中は、それでよく愚痴をこぼす。

「どうなさったの？」

たまに早く帰って来ると、女房の方が心配して、病気でもしたのかと、思い違いをする。

「ここんところ、何もないのでね、しばらく楽が出来そうだ」

佐野は洋服を脱いで着替えると、ごろりと寝た。

「よかったわ」

妻は嬉《うれ》しそうな顔をした。

「では、今からご馳走《ちそう》しますわ。その間に、お風呂《ふろ》でも行ってらしたら?」

「そうするか」

実は、今日、帰りに呑《の》み屋に誘われたのだが、今日に限って気が進まずに帰って来た。あとで、虫が知らせたとはそのことであろうと佐野は思っている。

妻の勧めで、彼は銭湯に行った。銭湯につかるのも久し振りだった。

いつもは社の風呂に入る。ここでは、印刷部の人も、発送部の人もいっしょだった。やはり銭湯の方が社と離れた解放感があって、のんびりとした。

スチュワーデス事件は行き詰まっていた。捜査本部はほとんど動きがない。各社とも、しばらく鳴りを潜めていた。刑事たちの動きにもさしたる特徴はなかった。警戒はしているが、しばらくは安泰というところだった。

部屋に戻ると、女房が刺身を買って来て、一本つけていた。

「おう、ご馳走だね」

佐野は、タオルを女房に渡して、食膳《しょくぜん》の前に坐《すわ》り込んだ。

「久し振りだからよ。毎晩だったら、こうは出来ないわ」

窓から見ると、対《むか》いの棟《むね》の窓にみんな灯がついている。遅くなって帰ると、その窓がほとんど灯を消しているのだった。こんな賑《にぎや》かな窓を見るのも、いかにも早い時間に帰って来た感じがして、佐野を満足させた。

佐野は、ゆっくりと酒を呑む方の性質《たち》である。食膳が片づいたのは、九時近かった。差当りすることもない。テレビでも見ているほかはなかった。

ダイアルを廻すと、スリラー劇だったので、佐野はすぐほかの方へ切り替えた。事件ばかり追っている人間にとっては、そういう見ものには、興味がない。切り替わったところは、チャンバラだった。

「何をそんなものを面白そうに見ているの？」

後片づけをした女房が、横に坐り込んだ。

「子供みたいだわ」

この方が罪がなくてよかった。何となく眺《なが》めているうちに、いつの間にか睡《ねむ》ってしまった。

揺り起されたときは、三十分ぐらい経っていた。テレビの画面は変っている。睡っている間、女房がダイアルを変えたらしい。画面は演奏会になっていた。指揮者の身振りが面白いので、佐野は起き上ってしばらく見ていた。

「あなた、お疲れになってらっしゃるから、おやすみになったら？」

妻は床を延べている。

「もう少し、これを見ているよ」

三十分だけだったが、一寝入りしたので、ちょっと眼が冴《さ》えていた。指揮者が阿修羅《あしゅら》のように両手や首を動かしているのがひどく面白かった。

だが、それは惜しいことにすぐ終った。

佐野がスイッチを切ろうとした途端に、画面にタイトルが出た。

「現代の表情」——音楽がタイトルの後ろに起った。

佐野はスイッチを切るつもりの手を引っ込めた。彼はこの番組を愛好している。

「現代の表情」は今の社会の各層の実態を捉《とら》えて、評判だった。ほとんどドキュメンタリイな構成で、かなり問題の深部まで、突っ込んでいることが多い。

今日は何だろうと思っていると、

「不良外人」

とタイトルが出た。

佐野は思わず眼を据えた。

画面は面白かった。さまざまな角度から、日本にいる不良外人の実態を捉えている。

こうして見ると、日本は完全に外国租界化《そかいか》されていた。ナイトクラブ、バー、怪しげなビル、そこにちらちらと出入りする外人の姿が、適切な編集と解説で展開した。佐野はまたたきもしなかった。

その最後に、入国管理局からの発表として、不良外人の写真つき一覧表が画面に写った。

「これら外人の写真は、目下、当局の嫌疑《けんぎ》を受けて、海外に脱出する危険のある手配人物ばかりであります。日本には、このように不良外人が巣喰《すく》っています。入管事務所では、絶えずこれらの外人に対して、その出入国に鋭い監視の眼を光らせています……」

外人の顔が出て、解説が付いた。その嫌疑の内容を見ると、日本の現在置かれている四等国的地位が分るのである。まるで昔の中国と同じだ。外人の犯罪は密輸が最も多い。詐欺《さぎ》、傷害などの罪名と外人の顔とが、カメラの移動につれて画面に流れて来る。

実は、この手配一覧表は、近ごろ公開捜査と称して当局が一般に貼《は》り出している日本人犯罪者のような公《おおやけ》の性質ではなかった。入管事務所の営業台の内側に、係員の心覚えとして掲示されたものである。時たま、そこを取材に訪れたテレビ局員が、思いつきとしてカメラに収めたにすぎなかった。だが、これが思わぬ事態を惹《ひ》き起したのだった。

カメラは、それらの不良外人の顔を次々に移動させて、最後に或《あ》る人物の顔に停止した。そこには、美男の若い外人がにこやかな表情で写っている。

「この外人は、トルベックという名であります。グリエルモ教会の所属神父ですが、日本には五年以前に密入国した者であります。目下、スチュワーデス殺しの容疑者として、捜査の対象になっている者であります」

佐野は、その解説の声と写真に、飛び上った。女房が何か云ったが、耳に入らなかった。

佐野は跳《は》ね起きると、猛烈な勢いで洋服に着替えた。女房が叫んだが、彼の方が血相を変えていた。

七

佐野は、公衆電話のボックスに入った。

手帖《てちょう》を出して、最初、青山刑事部長の自宅のダイアルを廻した。話し中だった。

佐野はまた手帖を繰って、新田捜査一課長の自宅にかけた。だが、これも話し中だった。佐野は、ボックスの中で足踏みをした。両方とも話し中というのは、明らかに新聞社からの問合せ電話がかかっているのだ。

佐野がテレビを見て、スチュワーデス殺しの容疑者を知ったように、他社でもこれを知ったに違いない。

佐野の眼には、刑事部長と捜査一課長の自宅に、各社からの電話が一斉に殺到している状態が見えるようだった。

一分おいて、刑事部長宅へダイアルを廻した。耳にはジージーと蟬《せみ》の鳴くような音が嘲《あざけ》るように伝わるだけである。捜査一課長の家にもかけ直したが、ここも話し中だった。

佐野は舌打ちした。

気が焦《あせ》ってくる。じりじりするのだ。もう一度両方にかけた。結果は同じだった。

話し中がこのように続くのは、明らかに各社からの電話が間断なくかかって来ているのだ。だが、もしかすると、先方のほうで面倒に思って、受話器を外《はず》しているのかもしれなかった。

とにかく、ここでは埒《らち》があかなかった。もう、一分の時間も惜しかった。佐野は諦《あきら》めて、ボックスを飛び出した。

折りから、タクシーが空車の標識をかけて通りかかったので、佐野は停めた。

「どちらへ?」

「目黒の方だ」

運転手は途端に気の乗らない顔をした。

「旦那《だんな》、すみませんね」

運転手は断わった。

「何だ?」

「もうキロがないんです。あたしのガレージは浅草の方でしてね、これから帰りたいんですよ」

佐野は運転席に首を伸ばした。

「おい、何とかならないか。急病人なんだよ」

と云《い》ったが、駄目だった。

「勘弁して下さいよ」

言葉も終らないうちに、タクシーは走り出した。

あとから三、四台続いた車は、生憎《あいにく》と、全部客が乗っていた。佐野は、自分の脚《あし》で走り出したいくらいだった。

ようやく空車が来て、今度は簡単に乗せてくれた。

「少し急いでくれ」

いつもは、タクシーに乗ると、事故を恐れて、ゆっくりやってくれ、と注文をつけたものだが、今度だけは事故覚悟でも飛ばしたかった。

車は二十三分で目黒の奥に来た。

「そこでいい」

佐野が料金を払おうとして、ふと前方を見ると、路《みち》の傍《かたわ》らに車が七、八台もずらりと列《なら》んでいた。こっちのヘッドライトの光の中に各車とも赤い社旗が垂《た》れ下っている。だが、今度は引き返せなかった。大股《おおまた》で路地の中を入って行った。風呂屋が目標である。

藤沢六郎刑事の家は、風呂屋の裏側だった。平家の狭い家である。辺《あた》りは暗かったが、その家の戸口だけは灯がついていた。

黙って格子戸《こうしど》を開けたが、狭い玄関に靴が隙間《すきま》なく並んでいる。仕方がないので、佐野は格子戸の外に靴を脱いだ。他人の靴の上をはだしで伝わって玄関に上った。座敷に詰めかけているのは、殆《ほと》んど佐野の顔なじみの記者ばかりだった。佐野はそっと皆の後ろに坐《すわ》った。

藤沢刑事が着物をきて坐っている姿が肩越しに見えた。少し禿《は》げ上った額に、電灯の光が当っている。ところが、刑事の表情はひどく呑気《のんき》そうだった。

新聞記者たちとの話合いは、先ほどから続いているらしい。が、話の様子で、そう長い時間が経《た》っているとは思われなかった。佐野自身がテレビを見てすぐに飛び出して来たのだから、それほど暇がかかってはいない筈《はず》である。各社ともほとんど同時に、ここに押し寄せたらしいのだ。

「ロクサンが知らんというのは、おかしいな」

と一番前にいる他社の記者が云っていた。

「知らねえものは知らねえよ。おれたちは何も聞かされていないからな」

藤沢刑事は胡坐《あぐら》をかいて煙草《たばこ》を吸っていた。

「しかし、テレビにちゃんと出たんだからね、これは一般に発表したとおんなじことだ。もう教えてもいいんでしょう、ちゃんと家庭向きのテレビに出てたんだから」

「生憎とうちにはテレビがないんでね」

藤沢刑事は平気だった。

「そんなものが映ったかどうか、おれは知らないよ」

「あんなこと云っている。ロクサン、後生だから、一言だけ答えてもらいたいね。教会の神父は、どの程度濃いのかね？」

「知らないね、濃いか、浅いか」

「あそこまで追い込んだのはロクサンだろう。ロクサンしかいないよ」

「煽《おだ》てても駄目だね。おれは何も分らないんだから、上の方に訊《き》いてくれよ」

「青山さんも、新田さんも、出て来ないんだ。逃げてるんだよ」

「そうかい。そいつは気の毒だな。しかし、おれはえらい迷惑だ」

「入管の方が勝手にあんなことをテレビに出す筈がない。入管の手配は警視庁からの依頼でやっている。それをロクサンがとぼけるのは殺生《せっしょう》だな」

「何と云っても、おれは知らないからな、さあさあ、もういい加減に帰ってくれ、女房が隣で欠伸《あくび》してるからね」

うしろにいた佐野が坐り直して、煙草を探った。

翌日の警視庁はテレビのことで一騒動だった。

各社の新聞記者たちが大挙して、刑事部長室に押しかけた。

彼らは憤慨していた。これまで、警視庁では、事件捜査のことをひた匿《かく》しにしていたのだ。新聞社は完全に当局に裏をかかれていたことになる。

スチュワーデス殺しの事件捜査は新聞記者たちの眼から見て行き詰まっていたのだ。捜査本部を覗《のぞ》いても、これという動きがなかった。本部の空気は沈滞していたし、事実、捜査一課長が記者団に発表することも、捜査に新たな発展はない、と云いつづけて来たのである。

それがこの事態だった。人もあろうに、グリエルモ教会の神父をスチュワーデス殺しの容疑者として当局が手配したのだ。しかも、これをテレビで放送したのである。新聞記者たちは、自分自身を蹴《け》りたいぐらいに憤慨した。己《おの》れが無能にも腹が立ったし、デスクには面目を失った。これまで捜査経過をひた匿しに匿してきた警視庁が、新聞社側にとって完全に知能犯だったのである。ただ、唯一《ゆいいつ》の慰めは、これに無知だった点では、各社とも同じ条件だったことである。誰もが盲目にされていたのだ。

刑事部長室には、新田捜査一課長も刑事部長と同席していた。

新聞記者たちの質問は、当然のことに、激しかった。

ところが、青山刑事部長の答弁は、のらりくらりとしていた。急所に来ると、

「知らない」

の一点張りになった。

「知らない筈はないでしょう。入管に手配したのは警視庁の筈です」

口を揃《そろ》えて、その点に質問が集中した。

捜査の段階では発表出来ないことがたくさんある。これは新聞記者たちも了承していた。しかし、これほど完全に秘匿《ひとく》されると腹が立つのだ。新聞社側でも、これまで警視庁の捜査方針に協力して来た実績がある。当局が、マスコミの力を利用して協力を頼んだことも一再ではないのだ。だが、今度ほど完全に新聞社が当局に出し抜かれたことはない。

「テレビに出たことは誤解がある」

と刑事部長はしぶしぶ弁解した。

「当方の依頼で、入管側が警戒していたのは事実だ。しかし、間違えないで欲しい。あれは捜査を公開したわけではない。テレビ会社が勝手に手配書を写し取って、勝手に解釈しただけだ。つまり、先走ってやったことだからな。その辺が諸君の誤解を買ったと思うが、当局としては、はっきり神父を容疑者として捜査しているわけではないのだ」

「しかし、入管側に、外国逃亡の惧《おそ》れがあるものとして警戒を依頼したのは、やはり容疑者扱いではないですか?」

記者団側は追及した。

「容疑者と思い違いしたのは、入管側の手落ちだ。当局ではそのような手配の仕方をしていない。ただ、その神父がスチュワーデス事件の参考人として、こちらでいろいろ訊きたいことがあった。それで、黙って外国に出られては困るので、万一を警戒しただけだ」

「参考人と云われますが」

と新聞社側は云った。

「参考人にもいろいろ段階があると思います。トルベックという神父の場合は、どの程度のものですか?」

「被害者の生田世津子は、グリエルモ教会の信者として、その教会に始終出入りしていた。また教会所属のダミアノ・ホームにも保姆《ほぼ》として就職していた。これは諸君の知っている通りだ。当局としては、生田世津子とかなり親しかったと思われるトルベック神父に事情を聴《き》きたいと思っていた。だが、これは、当局が生田世津子さんの生活を知り、それから犯人を割り出そうとするためであって、神父自体に嫌疑をかけているというわけでは決してないのだ」

「その神父に、これまで訊問《じんもん》を行ないましたか?」

「いや、それはまだやっていない」

「それはどういう理由からですか?」

「最近になって、神父に参考として聴きたい必要が起ったのだ。だが、今までは神父に聴いてみるということはなかった」

「それでは、捜査は新しい段階に入ったわけですね？」

「まあ、そういうことです」

「新しい段階というのは、どういうことですか？」

「それは現在のところ申し上げられない」

「捜査が進展したという意味になりますか？」

「われわれは、事件発生以来、絶えず綿密な捜査を行なっている。諸君は、この事件が早くも迷宮入りのように考えているかと思うが、当局としては、極めて地味な捜査を行ない、ある程度絞りつつある。だから、進展といえば、事件発生以来からずっと進展しているのだ。捜査には、華々しく発展する場合と、このように極めて地味な捜査になることと、二通りある。いつの場合でも、われわれは絶えず努力を続けていることに変りはない」

「すると、その神父が参考人として浮かんだのは、最近の線ですね？」

「その辺のところは微妙だから、何とも答えられない」

「その神父は、参考人として重要人物ですか」

「そう重要ではない。ただ、外国人だから厄介に見えるだけだ。当局の方としては、あまり期待をかけていないんだよ。実は、どっちでもいいことなんだ」

「では、はっきり訊きますが、トルベック神父は容疑者ではなく、参考人なんですなったのだ」

「その通りだ。入管の方が何も知らないものだから、勝手に先走って、ああいうことに

ね？」

警視庁で青山刑事部長が記者団に攻められているとき、佐野は山口と一緒に車に乗って、グリエルモ教会に向っていた。どうせ警視庁の発表は公式通りだと踏んでいた。で、その方は同僚に任せておいた。

グリエルモ教会は、以前に一度、ルネ・ビリエ師に会っているから、一応の顔だと心得ていた。

見憶《みおぼ》えの教会の門が見えるところまで来ると、山口が佐野の肘《ひじ》を突ついた。

「佐野君、ロクサンが来てるぜ」

「ええっ」

佐野が車の中で指された方角を向いたときだった。教会の長い塀《へい》の角を素早く走り込んだ男がいる。紛れもなく藤沢刑事の後ろ姿だった。

「なるほどね」

佐野は思わず微笑が出た。

「奴《やっこ》さん、ウチの社旗をつけた車が来たものだから、愕《おどろ》いて隠れたんだろう」

「こいつは、いよいよ本筋ですよ」

山口も急に興奮した。

藤沢刑事がここに来ていれば、いよいよ教会は本筋に間違いなしと信じた。昨夜《ゆうべ》、各社の連中が押しかけたとき、徹頭徹尾、とぼけきったロクサンだ。その当人が張込みをやっているのだから、正体を自分で暴露したようなものである。

門を入って、出て来た日本人に、ルネ・ビリエ師への面会を申し込むと、新聞記者は応接間に通された。最初は拒絶されるかと思ったが、案外、素直だった。

応接間は、この間来たときと同じ部屋である。椅子《いす》も机も変った恰好《かっこう》で、周囲の壁に掛けられた絵も宗教関係ばかりだった。この部屋の異国めいた装飾は、重苦しい気分に訪問者を浸した。

ルネ・ビリエ師は、最初、ニコニコ顔で入って来た。年老いているが、赭《あか》ら顔である。掛けなさい、と日本語で云って、自分は机を隔てて対《むか》い合った。やはり頸《くび》のカラーが擦《す》り切れている。着ている黒い聖服も色褪《いろあ》せていた。

「何の御用ですか?」

向うから質問を催促した。外国人だから、その事務的なやり方がこちらには都合が好《よ》かった。

「実は、こちらの教会のトルベック神父さんにご面会したいんです。お忙しいでしょうから、僅《わず》かの間で結構です。ほんの五分か十分ぐらいで」

「トルベック神父？」

ルネ・ビリエ師は、顔から微笑《わらい》を消して、茶色い瞳《め》を佐野の顔に据えた。

「そういう名前の神父は、ここにいませんよ」

「えっ、何ですって？」

今度は、佐野と山口がルネ・ビリエ師の赭ら顔を凝視する番だった。

「トルベック神父さんは、この教会の所属ではないんですか？」

「そういう名前の人は知りません」

佐野は、穴のあくほどルネ・ビリエ師を見つめた。茶色の瞳《ひとみ》はいささかの動揺もない。日本人の黒い瞳と違って、実際の表情を読むのに勝手が違った。とにかく、対手《あいて》は瞳をこちらの顔に据えて動じないのである。

「そ、そんなバカな」

佐野は思わず叫んだ。

「トルベック神父さんというのが、確かにこの教会におられる筈です。あなたがご存じない筈はない。信者の人もそう云っています。毎朝、ミサに見えているそうです」

「わたしの答は一つです」

対手は平気なのだ。

佐野は呆《あき》れて次の言葉が出なかった。嘘《うそ》もここまで正々堂々だと、こちらが圧倒される。

ほかの人間ではない。神の道を説き、自らも厳《きび》しい戒律に生活している神父なのだ。それが嘘を吐《つ》いている。しかも、これは、見えすいた嘘なのだ。

神父のその表情には、微塵《みじん》も、狼狽《ろうばい》がなかった。狼狽したのは、こっちの方だった。だが、ここで引き退《さが》れるものではない。

「トルベック神父がこの教会にいらっしゃるのは、われわれの方で調べて知っているのです。どうぞ、お匿しにならないで、神父さんに、僅かな時間だけ、面会を許して下さい」

「そういう名前の神父は当教会にはおりません」

ルネ・ビリエ師はおごそかに突っ刎《ぱ》ねた。開《あ》いた口が塞《ふさ》がらないとはこのことである。

呆然《ぼうぜん》としていると、ルネ・ビリエ師は、やおら起《た》ち上った。どうするのかと見守っていると、テーブルの上から一冊の本を持って来た。

自分でページを開いて二人の前に見せた。

これは外国語だから、すぐには眼になじめなかった。

「一九五三年の教会報です。あなた方は大学教育を受けているから、お読みになれば分るでしょう」

神父は訓《さと》すように云《い》った。

「ここには、イギリスの新聞が、われわれの会の或《あ》る神父のことを中傷しました。この記事がそうですが、根も葉もないことです。これを書いたエディターは、どうしたと思いますか？　われわれの会の本部に呼ばれて、宗教裁判にかけられましたよ」

明らかに威嚇《いかく》だった。

佐野と山口とは思わずルネ・ビリエ師の顔を見た。すると、神父は激しい勢いで椅子から起ち上った。はじめて、その茶色い瞳に怒りが露骨に出た。

「お帰んなさい！」

神父は、自分で大股《おおまた》で入口のところに歩き、ドアを真一文字に開けた。

西洋映画では見たことがあるが、実際の場面に当ったのは、佐野も山口も同じだった。

神父は扉を一ぱいに開けたまま、番人のようにそこに立っている。

（出て行け《ゲツラウト》！）

神父は無言だが、その激しい表情から、佐野の耳には、洋画で聞いた台詞《せりふ》が強烈に耳を搏《う》った。

八

佐野と山口は、這々《ほうほう》の態《てい》で教会を逃げ出した。

ルネ・ビリエ師の怒った顔がまだ眼にちらついている。相手は外人だけに、一まわりも図体《ずうたい》が大きい。その大男が激しい顔つきで追い出したのだから、少々横着な佐野も手も足も出なかった。完全に威圧されたと云った方がいい。車を待たせてある所まで歩いて来たのも夢中だった。

思わず振り返って教会の方を見た。するとどうだろう、窓にぴたりと張り付いたようにルネ・ビリエ師の顔がある。その怒りを込めた形相《ぎようそう》は、佐野の方へ無言で吠《ほ》えているようだった。

佐野はM署へ廻る山口と別れて、

「社へ」

と運転手に云った。そして、後ろ窓から振り返ったが、その窓からはまだ神父の顔が消えていなかった。執念深いのである。

それにしても、なんという嘘《うそ》つきだろう。トルベックなどという男は知らない、とは、嘘もヌケヌケしすぎて、あいた口が塞がらない。佐野の耳は、それが数分前のことだが、あたかも、自分の錯覚ではなかったかと疑うくらい思いがけなかった。

車は狭い通りから大通りに出て、少し速度を落した。佐野が、おや、と思ったのは、前方に人だかりが見えたからである。巡査の姿が三、四人動いていた。

「やったな」

運転手は、人だかりの横をゆっくりと車をすり抜けさせながら云った。佐野が窓に顔を押しつけて覗《のぞ》くと、道の端の並木に小型自動車が衝突して止っていた。

それと、四、五間向うに、トラックが停止している。

巡査は巻尺で地面の距離を計ったり、白いチョークで丸を描いたりしていた。

小型自動車は前部が潰《つぶ》れてひどい恰好《かっこう》になっている。運転手は病院にでも収容されたらしく姿は見えなかった。

「えらい事故だな」

佐野は顔を元の位置に戻して自分の運転手に訊《き》いた。

「一体、どうしたんだろう？」

「小型トラックを追い越そうとして、ハンドルを切り損《そこ》ね、樹《き》にぶつかったんですよ」

運転手は事故の現場を離れて速度を出しながら、背中で答えた。

「それにしてもひどいものだな」

「小型車は弱いんですよ。あれは軽く出来ているから前部がひどく脆《もろ》い。あんな事故になると一たまりもありませんよ」

運転手は背中を見せながら説明した。

佐野の頭にルノーのことが閃《ひらめ》いた。

事故の小型車の話ではない。スチュワーデスの死体の浮かんだ現場の近くで駐《とま》っていたルノーのことである。

そのルノーが、事件に関係があるかどうかは、捜査本部では発表していない。決定的なことは云《い》えないといっている。佐野の頭に浮かんだのが、それだった。

佐野は眼を閉じた。

社に帰ると、真直《まっす》ぐにデスクに行った。

「どうだった？」

次長は吉岡という男だったが、いかつい肩を佐野に向けた。

「話にも何にもなりませんよ」

佐野はぼやいた。ルネ・ビリエ師に会って追い出されたことを説明した。

「そりゃちょっとひどいな」

吉岡も話を聞いて笑い出したが、しかし、意外そうだった。神父が嘘をつくというのは、彼にも信じきれないようである。

「そんなことを教会側で云ってるようでは、いよいよ臭いな」

デスクは云った。

「トルベックが居ない、などと云うところは、どうも合点《がてん》がいきません。そのくせ、ぼくらが行ったときには、ロクサンがちゃんと張り込んでいたんですからね。少し教会をほじくってみた方がいいと思います」

佐野は意見を云った。

「よかろう。あの教会はずいぶん妙なことがあるらしい。ああ、そう云えば、山口君から、今、報告があったよ。例のM署のことだがね」

いつぞや、佐野と山口がM署の近くで久恒刑事を見かけて以来、山口がM署に当りをつけていた。

「あ、どうでした?」

「あの教会は、以前に闇《やみ》砂糖をやって、M署に挙げられたことがあるそうだ。なんでも、その時は外国からの救援物資を横流ししたんだそうだがね」

「へえ、そんなことがあったんですか」

佐野は初めて聞くので眼を丸くしていた。

「山口君の探ったところによると、その時は教会側では、日本人の信者が罪を背負い込んで喰《くら》い込んだそうだがね。そういう前歴がある。忠さんがMあたりをうろうろしたのも、それを調査に署に行ったんだろう」

「今度の事件と何か因縁がありそうですな」

「佐野君」

吉岡次長は抽斗《ひきだし》から煙草《たばこ》を取り出した。

「どうやら各社ともグリエルモ教会に動いてるらしいよ」

煙を吹き出して云った。

「本当ですか？」

佐野はデスクを見つめた。

「そういう情報がここんところしきりと入って来てるね。油断がならないよ。警視庁に各社とも出し抜かれたので、みんな、今のところ、ほとんど同じ条件でスタートしている。だから、ウチが知ってるぐらいはヨソも知ってるに違いないよ」

「そうですな」

「ところが、どこもそうだとみえて、相手が外人だし、宗教団体だから、二の足を踏んでるんだ。いつも先走りをするQ新聞がおとなしくしてるのも、そのためだ。これが何かのきっかけでもあると、わあっと一時に湧《わ》いてくるような気がする。その時に遅れをとらないように、今のうちからしっかり頼むよ」

「分りました」

佐野の眼が輝いた。

次長の話を聞いて、彼に新しい闘志が起った。よその社に負けてなるかと思った。

佐野はグリエルモ教会のルノーを洗うことにした。偶然、それは藤沢刑事と同じ仕事になった。

やり方まで同じ方法である。まず、グリエルモ教会の近所の聞込みから始まった。教会のルノーがどちらの方角に向ってよく外出していたかである。

「あんたと同じことを、この間、警察の人が来て聞きましたよ」

と、聞込みのどの家《うち》も云った。

「あっちの方角ですよ」

これも刑事に答えたように、指さして教えるのである。

佐野はがっかりしたが、また勇気も出た。警察の後から、てくてくと同じ線を洗って行くのは、芸のない話だった。

新聞記者の功名心は、警察の先を走って行くところに妙味がある。ところが、警察で一度洗った跡を、しかも、相当遅れてとぼとぼと追うのは間が抜けた話だ。しかし、捜査当局がこのことを隠しているのだから、別の意味では彼らの鼻を明かすことにもなる。近ごろは捜査当局と新聞社側との競争になっていた。

この辺《あた》りには森と畑が多い。新しい家の間に古い百姓家がぽつんと残ったりして、いかにも郊外の風景らしい。

佐野は、その辺の肉屋、食料品店、煙草屋、ガソリンスタンドなどを、次々と聞いて歩いた。それは藤沢刑事の足跡を辿《たど》るようなものだった。

少し、うんざりしたが、この聞込みを繋《つな》いで行くと、グリエルモ教会のルノーは、この国道を真直ぐに東に向って行っていることになる。ところが、その先は繁華街となって、都心方面に向うのである。ここまで来て、佐野は当惑した。藤沢刑事と同じ当惑だった。これから先の聞込みがさっぱり取れないし、また、刑事の痕跡《こんせき》も畑のようにこの辺から断たれている。

繁華街の付近で、佐野は熱心に聞いて廻ったが、教会のルノーのことを知っている家はなかった。この辺は車の交通がずっと多くなる。そのために注意が散漫になっているせいもあるのだろう。

だが、ここまでの途中は、はっきりとどの家も問題のルノーを指摘している。尤《もっと》も、「り5—1184」の番号までは分らない。

考えようによると、教会からここまでの途中でルノーは横道に逸《そ》れたという推測も起きる。事実、このひなびた国道の両側から狭い道がいくつか岐《わか》れているのだ。その奥は落ち着いた住宅街になっていた。

佐野は国道を元の方へ引き返した。春の終りから夏に移りがけのころで、陽射《ひざ》しも強く、歩いていると汗が滲《にじ》んだ。

佐野は、その岐れている小路を一つ一つ往復した。この辺は素人家《しもたや》ばかりなので、ものを訊くのに不便である。いちいち、玄関のブザーを鳴らしたり、声をかけたりしなければならない。厄介で、手数がかかった。だが、面倒でも、これは丁寧にやらなければならなかった。

しかし思わぬ幸運が彼を待っていた。

田圃《たんぼ》の中に学校がある。運動場では子供が群れて遊んでいた。その筋向いが小さな径《みち》になって入り込んでいるが、その角に、ワイシャツだけの青年が運動場の方を眺《なが》めてぼんやりと立っていた。この若い男に佐野が質問したのは、彼の仕合せであった。

「ルノーですか?」

立っている青年は質問をうけて佐野を見返した。

「そうです。グリエルモ教会のルノーですがね。始終、この道を走ってるそうですが、あなたは見かけませんでしたか?」

青年の顔は動いた。それはものを知っている人間の表情だった。

「教会のルノーなら、しょっちゅう、ここに来ていましたよ」

青年はあっさりと答えた。

「えっ、この道をですか?」

佐野は、狭い径を思わず見直した。両側には杉や柊《ひいらぎ》で囲んだ垣根が続いている。典型的な住宅街だった。

「この径を奥に入ると、どこに行くんです?」

佐野の頭に来たのは、教会のルノーが大通りをわざと外《はず》して、人目に立たぬ路地から迂回《うかい》した、という考え方だった。

「この径はね、畠《はたけ》の中を通って、ずっと都心の方へ出る道に繋るんですが、教会のルノーは、そっちの方に行ったんじゃないんです」

その男は教えた。

「すると、どこへ行ったんでしょう?」

「すぐ、そこですよ」

青年が指したのは、垣根の続いている真中辺りだった。

「そこに江原ヤス子さんという家《うち》があります。教会のルノーは、もう何年も以前から、その女《ひと》の家に始終出入りしていましたよ」

「車体の色はどうですか?」

「小豆《あずき》色と青色です」

青年は即座に答えた。

「車体番号は?」

「さあ」

これには、青年は頭をかいた。

「青色のは、り5—1184ではないですか?」

佐野が手帖《てちよう》を見てヒントを与えると、

「そうですな、そんなような番号でしたな」

と彼は考えるような顔だったが、うなずいた。

佐野は、しめたと思った。遂《つい》に突き止めた。

「あなたは、よくそんな事実を知っていますね?」

と云ったのは、その青年の話を信用していいかどうかを確かめたのだった。

「そりゃ知ってますとも」

青年は妙な笑い方をした。

「ぼくの隣の家《うち》ですからね」

佐野はそれを聞いて、嬉《うれ》しさを抑《おさ》えることが出来なかった。もう間違いはないのだ。

彼は俄《にわ》かに胸が弾《はず》んできた。

「その江原ヤス子さんというのは、どういうひとですか?」

「なんだかよく正体が知れませんよ。なんでもグリエルモ教会の仕事をしてるという話ですがね。今でも、近所でははっきりしたことが分っていません」

「では、信者ですか?」

「信者には違いないでしょう。よく教会に行きますからね」

青年は、江原ヤス子にあまり好意を持っていないらしかった。だが、教会の信者と神父となら、ルノーに乗って神父が信者の家を訪問するのはおかしくはない。佐野は、ちょっとがっかりした。

「その江原さんという家《うち》には、どんな神父さんが来ますか？」

「いろいろですよ。一番よく来るのは、ルネ・ビリエという神父さんですがね。毎日、昼か夜、必ず一回はやって来ますよ」

青年は大学生だった。彼の妙な微笑は、かつての高等学校受験時代の思い出が蘇《よみがえ》ったからであろう。勉強していると、夜ごとに、江原ヤス子の家《うち》から奇妙な声が聞えたもので、それに悩まされて試験をしくじり、望みの高等学校に入れなかったのだった。

だが、佐野は、ルネ・ビリエ師という名前を聞いただけで眼が光った。自分を追い出した神父の憤怒《ふんぬ》の形相《ぎょうそう》が鮮やかに浮かんだ。

「トルベック神父も来ていましたか？」

佐野は急《せ》き込んで訊《き》いた。

「さあ、いろいろ来ていたようですからね、名前までは分りませんが、若い神父も来ていましたよ」

大学生は答えた。

「いちばん眼に立つのは、ルネ・ビリエさんです。この人が、もう何年も以前《まえ》から江原さんの所に入りびたりでしたよ」

「何をやってるんですか？」

「さあ、本人は、聖書の翻訳を手伝ってる、と云うんですがね。どんなものでしょうか。江原さんがラテン語を解するとは思われませんがね。近所では、相当悪口を云っています。なにしろアクの強い女《ひと》ですから」

「へえ、どんな悪口ですか?」

「ビリエさんの妾《めかけ》だ、と云うんです。いや、ひどい云い方に聞えるか分りませんが、そう云われても仕方のないところが江原さんにあるんです。不思議な女ですよ、あの家《うち》には誰が行っても、絶対に家の中に入らせませんよ。いつも門の外で用事を済ませるんです。厳重に鍵《かぎ》を掛けましてね。犢《こうし》ほどもあるセパードが四頭もいるんです」

「その江原さんという女は、独《ひと》りでいるんですか?」

「ええ、独り者です。三十七、八ぐらいになるでしょうか。とにかく変った女《ひと》です。以前《まえ》には近所を歩いていましたが、今では、すっかり誰からも敬遠されてしまいました。なんでも初めの頃は、外国のものを闇で流していましたがね」

この言葉が佐野にぴんと来た。グリエルモ教会の闇砂糖事件と江原ヤス子の闇商売である。

「それは砂糖ですか?」

と当然の連想で、すぐに訊いた。

「砂糖だけには限りません。衣料もありましたね。それから罐詰《かんづめ》だの、いろいろです」

「現在もやっていますか」

「今はどうでしょう？　わりに落ち着いてるようですがね。人の話だと、銀座の方に貴金属の店を出してる、という噂《うわさ》ですが、そいつはどうでしょうか。なにしろ、あの家《うち》は伏魔殿みたいな所です。中にぎっしりと闇の品が倉庫みたいに詰まってるそうですよ」

「そんな所に、グリエルモ教会の神父さんたちが行くんですか？」

聞き手は、不思議な話と受け取った。

「ええ、しょっちゅうです。あそこで聖職服を脱いで、背広に着替え、外出するのをよく見かけます」

佐野はまた、雀躍《こおど》りしたくなった。

「警視庁の方で、そういうことを探りに来なかったですか？」

と念を押した。

「いいえ、一度も来ませんでした。あの江原さんのことを訊《たず》ねられたのは、あなたが最初です。ぼくは余計なおしゃべりをしたかも分りませんが、なにしろ不思議な家《うち》なので、つい云いたくなっちゃったんです。だが、これは黙っていて下さい」

「分りました」

佐野は、同じことをこちらからも云いたい。事実、ほかの新聞社の連中が来ても教えないでもらいたい、と熱心に頼んだ。

江原ヤス子の隣家の学生の証言だから、これは確実である。いい加減な噂ではなかった。だが、肝心のトルベックが江原ヤス子の家《うち》に来ていたということは、彼の口からは聞けなかった。しかし、グリエルモ教会の神父たちが何人か、入れ替り立ち替り彼女の家に寄り、背広に着替えて出て行ったということは、トルベックもその中に含まれていることを確信させた。

この会の神父は、外出する時も背広のような私服を着ることを許されない。どのような外出にも必ず、あの黒い、裾《すそ》の長い聖職服を着て、二人連れで出ることに規定されていた。信者がそう教えてくれたのだから間違いはなかった。実際、そんな光景を、佐野もたびたび街で見かけている。しかし、殺された生田世津子と神父との間に特別な関係があったとすれば、まさか神父は聖職服を着て済ませるものではなかろう。殊《こと》に、警視庁では確認していないが、菊鶴ホテルに生田世津子と一緒に入った男は、アメリカ人のように派手な背広を着ていたというのだ。

佐野は勇躍した。

彼はすぐ、大学生に教えられた江原ヤス子の家の前まで歩いた。

表に柊の垣根が続き、中には植込みの木が雑然と茂っている。家は素人家《しもたや》風に見えるが、つくりにどこかバタ臭いところがある。

門扉《もんぴ》は固く閉ざされていた。標札も何もない。

その低い門扉を越して、佐野は大声を上げた。だが、こそとも反応はなかった。裏手で激しく犬が吠《ほ》えはじめた。

佐野は、横手に廻ろうと思って、生垣《いけがき》に沿って歩いた。そこにも小さな門があった。道路から入った径が茂みの下についている。そこから家を眺めたが、戸は固く締ってい た。留守かな、と思ったが、もう一度、大きな声を出した。新聞記者の無遠慮さで、今度は戸を激しく叩《たた》いた。

すると、家の中からも犬の唸《うな》り声が起り、それはすぐに獰猛《どうもう》な吠え方に変った。犬の姿は見えないが、いまにもどこからか飛びついて来そうな声だった。

九

夜になって、佐野は江原ヤス子の家に出直した。

彼女は事件の何かを知っているらしい。彼女に会えば、事件のヒントは取れるかもしれない。佐野は、ぜひ彼女に会いたかった。

夜の八時ごろだった。昼間来たので、道順の勝手は分っていた。今度は、佐野は山口と一緒だった。わざと自動車《くるま》を大通りのところで停め、あとは二人で小さな径《みち》を歩いた。

佐野は、角から杉垣に沿って五軒目の柊《ひいらぎ》の垣根の家まで歩いた。

「ここだ」

佐野は戸を叩いた。

「ごめんなさい。江原さん、江原さん」

その声が終らないうちに、犬が吠えはじめた。

「君、ここには凄《すご》い犬がいるんだよ。しかも四頭だ」

「四頭ですって？　セパードですか？」

「そうだ」

「凄い唸り声ですね。ぼくは犬は嫌《きら》いでしてね、大きなセパードだと苦手なんですよ。喰《く》いつくでしょうか？」

「分らん。とにかく、女一人にセパードを四頭も飼っているんだから、只《ただ》ごとではない。自分の防衛ではなく、彼女は何か秘密を持っている。犬に衛《まも》らせているのがその証拠だ」

「もう一度やってみますか？　しかし、犬がいやに吠えますね」

「かまわん。きっと居るだろう」

二人は声を揃《そろ》えた。

「江原さん、江原さん」

「今晩は、今晩は」

戸も叩いた。

急に、犬を叱《しか》る声が聞えた。犬の唸りは熄《や》んだ。

下駄の音がして人の影が映ったのは、それからである。

「どなた？」

そこに立ち停って、外の方を覗《のぞ》いているようだった。

「江原さんですか？」

佐野はほっとして云《い》った。

「こちらはS新聞社の者です。夜分伺って申しわけありません」

しばらく返辞はなかった。

「どんなご用？」

声がけわしくなった。

「ちょっと伺いたいんですが、ほんの僅《わず》かで結構です」

佐野は云った。

「何だか知らないけど、あまり大きな声を出さないでよ」

女の声は答えた。

佐野は、その云い方に度胆《どぎも》を抜かれた。初対面の挨拶《あいさつ》ではない。

「はあ、すみません」

と思わず云ったものである。

下駄の音は歩いて来た。当然、門扉《もんぴ》を隔てて当人と対《むか》い合った。美人という程の顔ではないが、小肥《こぶと》りの女であった。

「あなたが江原さんですか？」

「そうです。何ですか」

男のような声だった。

「いや、ちょっと」

佐野は思わず辺《あた》りを見廻した。あまり他人に聞かれては具合が悪いのである。

「実は、スチュワーデスの生田世津子さんのことで、ちょっとお伺いに上ったんです。ほんの十分か二十分で結構ですから、お話を聞かしていただけませんか？」

声を低めて云った。

「困ります」

と即座だった。彼女の声の方が大きかった。

「夜分ですから、家に入るのはお断わりします」

「そ、そんなら、ここで結構です」

と佐野はあわてた。

このまま家の中に入られては、元も子もなくなる。それに、江原ヤス子の様子は普通でなかった。昂奮《こうふん》しているようだった。

「何なのよ？　早く云ってちょうだい」

彼女は突慳貪《つっけんどん》に云った。

「では、早速、ここで訊《き》きます。江原さんは亡《な》くなった生田世津子さんをご存じですか？」

「知らないわよ、そんな人」

「でも、グリエルモ教会の信者だったんでしょう。信者同士で……」

「信者は多うござんすからね。そういちいち若い人の顔まで憶《おぼ》えていませんわ」

ニべもなかった。

「それでは、江原さんは、教会の信者の中でも、神父さんと殊《こと》のほか接触が多いそうですが、教会ではどういうお仕事をしていらっしゃるんですか？」

「聖書の翻訳をしているのよ。今もそれをやってたとこだわ」

「そうですか。それは大変ですな。つかぬことを伺いますが、ここにルネ・ビリエさんがよくいらっしゃるそうですな」

「ええ、来るわよ。あの人とわたしと、聖書の共同翻訳をやっていますからね、仕事の打合せに見えるんです。それがどうかしましたか？」

江原ヤス子は、最初から挑戦的だった。

「そうですか。それは失礼しました」

と新聞記者は一歩後退した。

「ところで、ルネ・ビリエさんがお見えになれば、当然、ほかの神父さんたちも見えるでしょうね？」

佐野は云った。

「ええ、いろいろと連絡がありますからね。そりゃ見えないことはありませんわ」

江原ヤス子はやはり同じ調子で答えた。

「その中に、トルベック神父さんもいらっしゃいますか？」

佐野は、暗い中から江原ヤス子の顔つきを窺《うかが》った。

「トルベックさん？　そうね」

急に、考えこんだものである。二人の新聞記者は、これを彼女の狡猾《こうかつ》とうけとって、彼女の様子をじっと見た。

「ときどき、来るわよ」

彼女は決心したように答えた。佐野は、その言葉に力を得た。

「そうですか。トルベックさんという神父さんは、どういう人ですか？」

「あんた方、何を訊きに来たの？」

彼女は反問した。

「ええ。分っていたら教えていただきたいんです」

「どういう理由で?」

佐野は、ちょっと考えた。だが、この女の前で匿《かく》しても無駄だと分った。

「実は、亡くなった生田世津子さんと、トルベック神父さんとが、かなり親しかったそうです。いや、それはほかで聞いた噂《うわさ》ですが、ご承知のように、スチュワーデス殺しは、目下、容疑者のカケラすら浮かんでいません。われわれもそれを探《さが》しているんです。で、被害者の生田世津子さんと親しかったトルベックさんに聞けば、生田さんの生活といったものが分ると思います。なにしろ、スチュワーデスというのは世間に少ない職業ですからね、どうしても特殊な印象を与えます」

「だったら」

江原ヤス子は早速云った。

「教会に行って、トルベックさんに直接会って訊いたらいいわ。その方がいちばんいいじゃないの」

「いや、それはですね」

と佐野はちょっとうろたえた。

「教会の方に行ったんですが、お会い出来ないんです。てんで会わせてもらえません。そこで、いちばん信者としてそういうことをご承知な江原さんをお訪《たず》ねしたんですよ」

「わたしもよく知らないわ」

彼女は答えた。

「第一、その生田世津子さんなんか、どんな人だか、話し合ったこともないんですもの」

「いや、生田さんが分らなければ、それでいいんです。われわれの知りたいのは、トルベック神父さんですよ。つまり、生田世津子さんのことをよくご承知のトルベック神父さんに会う前に、まず予備知識として知っておきたいのです。会うのはなかなか厄介なようですから、われわれも大事を踏んでるわけです。お宅にときどき見えるのでしたら、トルベック神父さんの性格といったものを聞かしてくれませんか?」

「そうね、おとなしい人だわ」

「はあ。それから?」

「それだけよ。真面目《まじめ》な神父さん、と云う以外に云いようがないわ」

「そうですか。ところで、トルベック神父さんと生田世津子さんは、ほんとに親しかったんですか?」

江原ヤス子の声は休んだ。

「そうね」

しばらく考えたようだったが、

「そりゃ神父と信者だから、誰でも親しくするわ。でも、誤解しないでよ。それは個人的な親しさではないんですからね。ここにルネ・ビリエさんが毎晩来ているけれど、それも共同翻訳という神への奉仕です。それを近所の人がとかく変な眼色で見ているようだけど、とんでもないわ」

江原ヤス子は怒ったような調子で云った。

「いや、世間には、いろいろな誤解があるものです」

と佐野は如才がなかった。

「だからこそ、ぼくらは、なるべく真実を報道しようとしているんです。トルベック神父さんと生田世津子さんのことを、もっと詳しく話していただけませんか?」

「お気の毒ですが、もうこれ以上話すことないわ」

彼女は拒絶した。

「では、お訊きします。トルベック神父さんと生田世津子さんとは、二人だけで教会外のところで過すということはなかったのですか?」

「とんでもない、絶対にそんなことないわ」

強い言葉だった。

「でも、生田さんがスチュワーデスとしてロンドンに行っている間に、トルベック神父さんからたびたび手紙が行っていたそうですが」

「そりゃ信仰のことでトルベックさんが手紙を書いたのでしょうね。信者の悩みに対して神父が答えるのは、義務だわ」

「ただ、それだけのことでしょうか？」

「それ以外に何があるというの？　あんたたち、また変なカングリをするのね」

「いいえ、決してそんなんじゃありません。ただ、そういう噂があるので、その真偽を確かめただけです」

「噂なんか当てにならない、と云ったばかりでしょ。世間の口はいろいろとうるさいわ」

彼女はつづけた。

「世間の人がどんなことを云っても、もう気にかけないわよ。それは、その人の口に任せるより仕方がないでしょ。そんなことを気にしていて、わたしたちが一日でも暮せると思うの？　世間の人は、わたしたちが困っているとき、一銭の金でもくれますか？　百円でも貸してくれる？　みんな、いい加減なことばかり云っているのよ」

どういうものか、彼女は、ふいと、しんみりとした調子になった。

「そりゃ人間って、この世に生きていると、どんな思いもかけないことに出遇《であ》うかも分らないものだわ。自分でも思ってもみなかったことがね。どんな境遇にだって遇うんです。人のことをとやかく云うのは間違いよ」

この言葉の正確な意味が、この時にはまだ新聞記者に分らなかった。佐野があとで思い出して、そうか、と考えたくらいである。

「帰ってちょうだい」

彼女は腹立たしそうに云った。

「もう、そこにねばらないでよ。早く帰らないと、うちに大きなセパードがいるからね。犬を嗾《けしか》けるわよ」

新聞記者は思わず二足退《さが》った。

「えらい女だな」

佐野は車に乗って山口に云った。

「あれでも耶蘇《やそ》の信者かい？」

「まるでひでえ女だな。あの家も、あの女も、得体が知れないね」

「ほんとだ。あんな家にグリエルモ教会の神父たちが出入りしているのをみると、やっぱり何か臭いね」

「確かに臭い。だが、もう正面からはぶつかっても駄目だ。あんな女じゃとても話も何も取れやしない。少し近所でも洗ってみるか」

「それもよかろう。しかし、実際のところは近所でも知っていないんじゃないか。あの大学生も云っていたろう。絶対にどんな人間でも家の中には入らせない、とね。今、ぼくたちが会った調子だ。門口で話を済ませるんだね」

「そうすると、大学生の云う通り、あの中には闇物資《やみ》が山になっているんだな？」

「教会と闇とのつながりは、こうなるといよいよ臭い。その中に、ああいう女傑みたいな女が介在している。そしてそこに神父が通う。なあ、山ちゃん。ぼくは思うがね、あの女、トルベックを知ってるような気がするよ。何とかあの女から話が聞けないものかな」

「そうしたいね。しかし、ちょっと面白いことがある」

「何だい？」

「ロクサンだよ。ほれ、ぼくたちはルノーの行方を辿《たど》ってみたが、到頭、途中で消えてしまった。ロクサンもきっとそうだろう。ところが、ぼくたちは幸運なことに、あの大学生に遇った。そして、あの江原ヤス子という女の家を突き止めた。ところが、さすがのロクサンも、まだ江原ヤス子の家を知らない。奴《やつ》は諦《あきら》めてるのかも知れないよ」

「面白いね。ロクサンはくやしがるだろうな」

「そうだ。ぼくたちが警察よりいいスジを摑《つか》んでることになる。あの家のことは絶対ほかに洩《も》れぬよう、大事にしようぜ。これからは、あの家を警戒する必要がある。ひょっとすると、あれがトルベックのアジトかも知れないよ」

「そうだね、それは大いにあり得るな」

車に揺られたが、二人の新聞記者は興奮していた。今夜、直接の収穫はなかったが、江原ヤス子という人物を突き止めたのは手柄であった。

この新聞社の車は、大通りから東に走って社の方に向ったから分らなかったが、反対の方角、つまり、グリエルモ教会の方角からルノーが走って来た。もう二、三分、新聞社の車が遅れていたら、二人は小豆色のルノーに気づいたかも知れない。

このルノーは、大通りから狭い径《みち》を入って来て、暗い寝静まった両側の家の間を通って、江原ヤス子の家の横手の木立の茂みの下に隠れるように停った。

黒い聖職服を着た男が車から降りた。暗い闇に黒い服だから、こっそりと行動するのに都合が好《よ》かった。犬が唸《うな》りかけたが、この男の一声を聞いて鳴き熄《や》んだ。戸をコトコトと叩《たた》いた。

今度は、内側から咎《とが》める声もなく、裏口の戸が忍びやかに開いた。灯がその隙間《すきま》からこぼれた。その光の中に入った姿は、赭《あか》ら顔のルネ・ビリエ師であった。

「早く入りなさいよ」

江原ヤス子が気ぜわしく促した。

「どうしたんだね？」

ルネ・ビリエ師は、不審そうに女の顔を見つめた。

「いま、新聞記者が来たわよ。そこで遇わなかった？」

ルネ・ビリエ師は、茶色い瞳《め》をむいた。仰山な身振りで手を拡《ひろ》げ首を振った。

「新聞記者？」

「ここにも来たか。畜生《マンマ・ミア》」

瞬時に見せた怒りの形相《ぎょうそう》は、教会で新聞記者と会ったときに見せたのと同じだった。

江原ヤス子は、神父の顔を見据えた。

「あんた、わたしのことを新聞記者にしゃべったんじゃない？」

女も怖《こわ》い顔をしていた。

「とんでもない。おれがそんなことをしゃべるもんか。あいつらが嗅《か》ぎつけたのだ」

ルネ・ビリエ師は拳《こぶし》を握って宙に振った。

「そうか。とうとう、ここまでやつらは嗅ぎつけて来たか」

厚い唇《くちびる》を噛《か》んだ。

「ね、ベックさんはどうしているの？」

江原ヤス子は、冷たい眼《まな》ざしでルネ・ビリエ師を見た。

「あいつは、ゆうべ、大阪からかえった！」

ルネ・ビリエが苛立《いらだ》たしそうに答えた。

十

ルネ・ビリエは夜が更《ふ》けて教会に帰った。ルノーで教会の門を入るとき、鋭い眼を配った。

ヘッドライトの当らないところに、黒い影が浮かんだようだったが、それは素早く物蔭《ものかげ》に隠れた。ルネ・ビリエは、内に走り込んだ。

ガレージに車を入れ、宿舎の寝静まった階段を上った。午前一時を過ぎていた。

階段を昇りきったとき、廊下の向うに人影が立っていたので、ぎょっとした。これは喘息《ぜんそく》のために夜も熟睡できない老神父だった。二人は暗い廊下で目礼して擦《す》れ違った。

病身の神父が不安定な歩き方で、その個室に消えるのを見届けて、ルネ・ビリエは一室のドアをノックした。内からすぐに声があった。この部屋の主は睡《ねむ》っていなかったらしい。

「ルネ・ビリエだ」

彼は低い声で名乗った。

内側から鍵《かぎ》を開ける音が聞えた。細目に開いて、部屋の主がルネ・ビリエを覗《のぞ》いた。低い声が相手の口から洩《も》れた。

ルネ・ビリエは黙って入り、自分で戸を閉めた。その様子をトルベックは不安げに立って見戍《みまも》っていた。

ルネ・ビリエは、勝手にトルベックの椅子《いす》に坐《すわ》った。

トルベックは蒼《あお》い顔をしている。寝ていないことは、血走った眼で判《わか》った。神経質に顔が尖《とが》っていて、これが以前の元気のいいトルベックと同じ人間とは思えなかった。落ち着きがなく、ルネ・ビリエを見ても、眼の焦点が決らなかった。

「トルベック」

ルネ・ビリエは呼んだ。トルベックは恐れるようにルネ・ビリエの前に坐った。

「江原ヤス子のところに、今夜、新聞社の者が訪《たず》ねて来たそうだ」

トルベックは低い呻《うめ》きを上げた。

「何処《どこ》で聞いて来たのか、油断のならない話だ」

ルネ・ビリエはむつかしい顔になってつづけた。

「むろん、あの女のことだから、適当にあしらって帰したらしいがね。しかし、江原ヤス子のところへ来るようでは、新聞社も相当なところまで嗅《か》ぎつけたらしい」

「ああ」

トルベックは両手で拳《こぶし》を前に組み合わせて打ち振った。

「ルネ・ビリエさん、ぼくはどうしたらいいでしょう。破滅です」

椅子からずり落ちそうなくらい、トルベックの身体が前に傾いた。

「落ち着くがいい」

とルネ・ビリエは云《い》った。

「この間もわしのところに記者が来た。いろいろと聞くから、おどかしてやったがね。新聞ならまだいい。手強《てごわ》いのは、日本の警察がどう出てくるかだ」

辺りは寝静まっていた。暗い光の加減でトルベックの影が壁に長く伸びていた。粗末な寝台は乱れていて、彼の寝苦しさを物語っていた。

「日本の警察はどこまで知っているのでしょうか?」

トルベックは、おどおどして訊《き》いた。

ルネ・ビリエは、じろりと見返して云った。

「わしに、こっそり報《し》らせてくれた人の話では、君は、セツコの殺人容疑者として手配されているそうだ」

「ああ」

若い神父は口の中で叫んだ。額から汗が流れ出た。

「君が、大阪のゴルジ神父のところへ行ったのを、警察では君が逃げたものと思って、慌《あわ》てたらしい。国外に出たのではないかと心配したのだ。それで空港にもその手配が廻ったらしい。それだけではない。悪いことにそれがテレビに出たそうだ」

トルベックはまた呻いた。彼は身体《からだ》を椅子に落ち着けることが出来ず、床の上に崩《くず》れ落ちて膝《ひざ》を突いた。短い言葉は、無意識に神への祈りになった。

「ルネ・ビリエさん」

トルベックは叫んだ。

「どうしたらいいでしょう？　このままだと、ぼくは破滅です。おそろしいことです」

眼も、唇も、細い草のように、ふるえていた。

その顔を、ルネ・ビリエは意地悪い眼で凝視した。鳥のような眼だった。

「落ち着くんだ、トルベック」

彼は対手《あいて》の肩を叩《たた》くようなしぐさをした。

「そんなことでどうする。うろたえてはいけない。しっかりするんだ」

「しかし……」

「ほかの者が云っているのではない。このわしがそう云ってるのだ。安心するがいい。

いいかね、トルベック君」

傲慢《ごうまん》に説教した。

「こんどのことは、君だけの問題ではない。君に万一のことがあると、この教会の、いや、この会全体の没落を意味する。われわれは永いあいだ、布教につくしてきた。ようやく、日本にも芽が出てきたというところだ。なにしろ、日本は野蛮国だからね、われわれも苦労した。ところがだね、こんどの一件がまずい方向に行くと、これまでの努力が水の泡《あわ》になってしまう。これは大変なことだ。もう君だけの問題ではなくなっている。バジリオ会全体の浮沈にかかってきた……」

トルベックは、肩を竦《すく》めて身悶《みもだ》えした。

「ルネ・ビリエさん、おそろしいことです」

祈りの言葉を吐いて、十字を切った。

「管区長に会ったか?」

ルネ・ビリエは反問した。

「はい、大阪から帰ると、すぐに管区長に会いました」

「ゴルジ神父の条件のいっさいも伝えたか?」

「伝えました。管区長もひどく心配していました」

「みんなでこんどのことを心配している。だが、もう見通しはついた。わしは、日本の政治家も役人も知っている。みんな信者だ。これは強い。ナニ、警察がどうもがいても、最後は、この人たちが助けてくれる。トルベック。君は、当分、この部屋から外に出てはいけない。ミサにも出てはいけない。君がとり乱した様子をしていると、かえって外の者の眼についてうるさい。わかったね。ここに居るんだよ。病人のようにじっとしているんだ」

「はい、ルネ・ビリエさん」

トルベックは、急いで十字を切った。

トルベックはまだ怯《おび》えていた。

「ルネ・ビリエ神父」

不安そうに呼び掛けた。

「警察が詳しく調べ始めたらどうしましょう？」

「どういうことだ？」

ルネ・ビリエは、いらいらしていた。

「警察は、私とイクタセツコとの関係を調べていると思います」

「それは、神父と信者の立場で説明すればいい」

「いや、そんなことではありません。あの晩のわたしのアリバイです。警察では、いろいろと訊き出すでしょう。そうすると、わたしが神学校での叙階祝賀会から脱け出たことも、夕方からいなくなったことも判ってしまいます。この説明をどうしたらいいでしょう？」

ルネ・ビリエは床の上を歩き回った。手を後ろに組み、むつかしい顔でトルベックの前を往復した。

「目撃者を作るのだ」

ルネ・ビリエは吐いた。

「目撃者ですって？」

「そうだ、証人を作るのだ。警察ではアリバイを調べるのに、第三者の証言をとらねばならぬ。その証人をこちらで作るのだ」

トルベックは、まだのみ込めないような顔をしていた。ルネ・ビリエは、トルベックの真正面に立った。

「われわれには、信者という味方がある。これは強い。親、兄弟よりも強い。信仰のために、皆が一致して防衛してくれる」

ルネ・ビリエは云った。

「いいかい、トルベック。君のアリバイは、ちゃんと、みんなが立ててくれるのだ。少しも心配することはない。それも、一人や二人ではない。信者の全部が一緒になって云ってくれるのだ。何十人、何百人が口を揃《そろ》えて云ってくれる。警察もこれには手が出まい。そうだ、そうすると、君が不在の時間どこにいたか、そして何をしていたかを、こちらで細目を作る必要があるね。その作ったものに信者の証言を合わせるようにするのだ、いいな」

トルベックはうなだれて聞いていたが、急に顔をあげた。

「しかし、ルネ・ビリエさん。日本の警察は優秀です。何をやるかわかりません。わたしは、まだ、不安です」

「君の神経は、まるで細い針金のようだね。警察がどのようなことをいっても大丈夫だ。君さえ、しっかりしていれば、わたしが引き受けるといっている。今も説明したことだ」

ルネ・ビリエは自信をこめて云った。

「わたしには、日本の上層部に知合いが多い。高い地位の役人の夫人たちは、われわれの会を信仰している。わたしは信頼をうけている。わたしがたのみ込めば、たいてい大丈夫だ。警察がどのように騒いでも、上層部からの命令がくると、これは一たまりもあるまい。日本の警察は、権威筋には、極《きわ》めて弱いのだ。判ったな？」

「はあ」

トルベックは、しかし、それでも、そわそわしていた。ビリエ師を見たが、その瞳《ひとみ》がかすかに慄《ふる》えていた。

「新聞記者が江原ヤス子の家に訪ねて行ったとなると、新聞社の方が騒ぎを起しませんか？」

「そうだな、しかし、江原ヤス子はああいう女だから、何もしゃべりはしない。ただ、彼女の家を新聞記者に発見されたのは、まずかった」

ルネ・ビリエは顔をしかめて、両手を拡げた。

「日本の新聞記者どもは煩《うるさ》い。この間から、この門の前をうろうろしている。だがね、日本人のと違い、われわれのことには、さすがに慎重だ。これが、日本人の場合だと、もう、とっくに新聞で騒いでいるはずだ。それが、まだ黙っているところをみると、われわれの特殊な立場を知って、面倒を恐れているからだ」

「もし、新聞が思いきって騒ぎ出したら、どうしましょう。日本の新聞は、警察の云うとおりになるとは限りません」

「証拠のないことを騒ぐかね。トルベック君？」

ルネ・ビリエは逆問した。

「もし、臆測《おくそく》記事なんかで騒ぎ出したら、こちらで手きびしい抗議をするだけだ。われわれの会は迫害に慣れている。まるで、迫害の歴史といっていい。新聞が書いたら、こちらで猛獣のように闘うのだ」

ルネ・ビリエの言葉が戦闘的になった。見えない敵にむかっているように顔の色まで赤くなった。

「安心しなさい。めったなことは云わせないから。われわれの教会だけではない。いざとなると、われわれ会の者が全部立ち上る。何しろ、われわれには本国がついているからね。これは、煩くなる。日本政府でもこちらの出方次第では手を挙げることになるよ」

トルベックの顔に、やや安らぎの色が見えた。ルネ・ビリエの説得が、少々だが、彼を落ち着かせたらしかった。

「おやすみ」

ルネ・ビリエは起《た》ち上った。遅い時間だったし、これでトルベックを寝かせることができる、と思った。

「ルネ・ビリエ神父」

トルベックは、愁《うれ》いの眼《まなこ》を向けた。

「あなたに感謝します」

ルネ・ビリエは、それを柔らかい微笑で見返した。

「心配することはない。君は、何もしなかったのだからね」

ルネ・ビリエが部屋を出てゆこうとしたとき、トルベックは後ろから小声で呼んだ。

「ルネ・ビリエさん」

この顔を振り返って見て、ルネ・ビリエは眉《まゆ》をひそめた。たった今落ち着いた彼の眼が、また動揺しているのである。絶えず不安がっている男だ。

「アチラの方は、どうなったんでしょう?」

アチラの方――ルネ・ビリエは、その意味をすぐ了解した。

「向うでも、今度のことを心配している。この間から始終連絡しているのだ。あの人も利口だから、いろいろと助言してきているがね」

「わたしがアチラに行かなくてもいいでしょうか?」

ルネ・ビリエは肩をすくめた。

「何を云うのだ。たった今、聞かせたではないか。滅多なところに君がのこのこと姿を出してみろ。一体、どんなことになるか」

ルネ・ビリエの口調は急に激しいものになった。無知な若者の無分別を叱《しか》っているような調子だった。

「君は今どんな立場になっているか、よく考えてみなさい。君の身辺には、日本の警察の眼が光っている。この教会から一歩でも外に出ると、警官が君の後ろにぴたりとくっ付いていると思いたまえ。まるで自分の影のようにね」

トルベックはまた吐息をついた。

「アチラでは、わたしのことをどう云っていますか」

「余計なことだ」

やはりルネ・ビリエはぴしゃりと云った。

「とにかく、君はしばらく何も考えぬことだ。この部屋にじっと籠《こも》っているんだね。窓から顔をのぞくこともやめた方がいい。外の誰に見られてもならないのだ。この面倒は、われわれで処理する。君はただ、わたしの指示通りにしていればいい。トルベック」

「分りました」

「しかし、ルネ・ビリエさん。もう一つ伺ってもいいでしょうか？」

「…………」

トルベックは、おそるおそる訊いた。

「何だね？」

「オカムラです。あれはどうなったでしょうか？」

「そのことなら、オカムラ自身がもう処置している」

トルベックがその意味を解《げ》しかねた顔つきをすると、

「あの家はもうないよ」

「…………」

「イクタセツコが二日間を過した家は、もうオカムラのものではない。彼はすでに移転をしたよ。さすがにオカムラだ。そういうことは早い」

ルネ・ビリエは自分で手を出した。トルベックは、それをしがみつくように握った。

いつもバラ色をしていた彼の顔が土色になっていた。

十一

佐野は、朝刊を寝床の中で披《ひら》いた。

新聞は三つほど取っていた。一つは彼自身が所属しているS新聞、あとの二つはその競争紙だった。

朝七時になると、きまって佐野の眼は自動的に開く。朝刊に眼を通さないと、あとの睡《ねむ》りが落ち着かないのである。

入社当時から社会部だったので、一番に社会面を開くのがくせだった。よその新聞に大きな記事を抜かれていないか、抜かれなくとも扱いに手ぬかりはなかったか、それが気にかかる。

先《ま》ず安心だと判《わか》ると、それから政治面や経済面を他人事のように眺《なが》める。読んでいるうちに深い睡りに陥るのだった。

朝の新聞は、きまって佐野が玄関に取りに行く。何かあるな、と予感すると不思議なもので何処《どこ》かで抜かれていた。不安はほかの新聞を見終るまで去らない。

この気持は、本社の社会部育ちだけでは生まれない。佐野は、かつて地方の通信部にいたことがある。ここでは、記者の数が少ないから、抜かれたとなると責任が強くなってくる。近ごろは、各社が互いに協定しているが、それでも大きなものになると、ポカポカとスクープされてしまうのだ。この不安な癖が未《いま》だに続いて、どんなに遅く寝ても、朝刊がパサリと玄関に音を立てるころには、眼を覚ますのだった。

その朝も、佐野には妙な胸騒《むなさわ》ぎがあった。何時《いつ》もとは気持が違う。彼はR紙を一番に抜いた。途端に、大きな活字が彼の視角を殴《なぐ》った。あっと声を立てた。トップに五段抜きで大きな活字が並んでいる。

「外人神父に嫌疑《けんぎ》深まる。スチュワーデス殺し事件」

やったな、という衝撃が、胸に来た。予感があったが、間違いはなかった。佐野は腹這《はらば》いになった。落ち着くために枕《まくら》もとの煙草《たばこ》を引き寄せた。マッチの火がすぐ点《つ》かないくらい昂奮《こうふん》した。

やった、という感じは、もしやという予感があったからだ。スチュワーデス事件は、各社が追っている。テレビでグリエルモ教会の神父が、容疑者として出たときから、どの社もグリエルモ教会に、秘《ひそ》かな内偵を進めていた。

だが、それはすぐには記事にはならなかった。これが、日本人の場合だとすぐに書き立てるのだが、対手《あいて》が悪いのだ。外国人だし、特殊な宗教団体である。めったなことは書けなかった。いや、書いてもデスクでおさえられていた。

佐野の社がそうだった。慎重にやった方がいいというのが、社会部長や整理部長の意見である。

警視庁が真っ向うから否定しているのだ。クサイとは思ったが、表面上でも当局に否定されると、裏付けなしに記事に出す勇気がない。

臭いことはこの上なかった。新聞記者の眼をかすめて、刑事がしきりと動いている。

それがみんな教会関係だった。

だが、それにしてもそれだけでは記事は書けなかった。各社とも、紙面にグリエルモ教会関係が一字も出ないのだから、どこも臆病《おくびょう》なのである。

その中で、R新聞だけはこの間から活潑《かっぱつ》に動いていた。嫌《いや》な予感があった。何かやるのではないかと、デスクに云《い》ったことがあるが、なに向うだってこっちと同じ考えだろうと軽く抑《おさ》えられた。

それが、この有様なのだ。

佐野は、ちらつく眼を無理に据えるようにして、活字を追った。

内容は、さほどのことはない。要するにスチュワーデス殺し事件に、被害者と生前親しかった或《あ》る教会の外人神父が、有力な参考人として、捜査線上に浮かんでいるという意味を、かなり無理した長い文章で書き流しているだけだった。

しかし、これは重大だった。佐野は慌《あわ》てて別の新聞を披いた。そこには、自社の新聞と同じように何事も出ていなかった。

やったな、とまた思った。

佐野は、その記事を睨《にら》みつけた。明らかにR紙が観測気球を上げたのだった。その魂胆は知れている。一つは捜査当局の反応をこれで打診し、一つは他紙を引き離して、主導権を握ろうとしているのだ。内容の弱いのに較《くら》べて五段抜きの活字がそれを物語っていた。

佐野は身顫《みぶる》いした。スチュワーデス事件は彼が任されている形だった。こんな形でR紙に抜かれたとしても、別にこちらには文句のくるところはない。そのためにデスクにも警戒の念を押してあるのだ。それでも抜かれたという感じは、どう慰めようもなかった。佐野は部長やデスクの怯懦《きょうだ》が口惜《くや》しかった。

いつもは、もう一寝入りするのだが、睡気が何処かに飛んでしまった。

彼は寝床を蹴《け》った。急いで寝巻きを普段着に着替えた。

裏で朝飯の支度《したく》をしていた妻が、びっくりした顔を覗《のぞ》かせた。

「どうしたんですか?」

佐野は返辞もせずに玄関から外に飛び出した。

道路の遠くには、白い朝靄《あさもや》が立っている。どの家もまだ戸を閉めていた。佐野は馳《か》けた。電話ボックスのあるところまで、五十メートルはたっぷりとある。佐野はボックスに飛び込むと、社会部長の自宅の電話にダイアルを回した。

女の声が出た。女中らしかったが、すぐにそれは部長の声に代った。

「今朝のR紙を見ましたか?」

佐野は呶鳴《どな》った。

「もう、じっとしてはいられませんよ。ぼくは、これからロクサンの家《うち》へ朝駆けします」

佐野が目黒の藤沢六郎刑事の家に行くと、藤沢は門口で歯を磨《みが》いて立っていた。

「お早う」

佐野は云った。

刑事は口の中に歯磨きの泡《あわ》を立てているので、ものを云うことが出来ず、眼で笑った。

「ちょっと、そこいらに用事があったので、朝早いとは思ったが、寄りましたよ」

刑事は、歯ブラシを咥《くわ》えて手真似《てまね》で、まあ上れ、と合図した。

幸い、他《ほか》の社の者は誰も来ていなかった。佐野は狭い座敷に通った。奥さんがお茶を出してくれたが、それと入れ違いに顔を拭《ふ》きながら刑事が入ってきた。

「バカに早いじゃないか」

藤沢刑事はあぐらをかいて前に坐《すわ》った。

「今も云ったとおりね、ちょっと、そこまで来たついでに、朝のご機嫌《きげん》奉仕に寄ったんですよ」

「ご機嫌は悪いね」

刑事は煙草をくわえた。

「今朝のR新聞を見たかね？」

佐野は早速切り出した。

「見たよ」

刑事は悠々《ゆうゆう》と煙草を吹かしていた。

「ちょっとひどいな。本庁はR新聞社に、特別な手心を加えたのじゃないかな?」

「バカなことを云うな」

刑事は云った。

「何も、特別扱いにするわけはないよ」

「しかし、R新聞社がこれだけ自信を持って記事を出しているのだからね。何かあったに違いない」

「そうかんぐりなさんな。向うで勝手にやったことだ。おれたちは知らねえな」

「この外人神父というのは、グリエルモ教会のことだろう?」

「そいつは、R新聞社の方に訊《き》いた方が早いよ」

「寝起きが悪いのか、ロクサンもおとぼけだな」

佐野は刑事の顔を見まもった。

「捜査本部で、グリエルモ教会を洗っていることは、どの新聞社でもみんな知っている。それを書かないでいるのは、そのうち、何とかお上の発表があると思うからこそだ。こんなに堂々とR新聞社に先走られては、こっちの立つ瀬がないよ。これで社に出たら、デスクから、ひどい剣突《けんつく》だ」

「おいおい、朝っぱらから、おれに文句を云いに来たのかい」

藤沢刑事は煙草の烟《けむり》を勢いよく吐いた。

「だいぶん、よそのデタラメ記事で頭に来たらしいな」

「デタラメとは思えないな。これはこれで筋が通っていると、ぼくは思うんだ。第一、ロクサンなんか、グリエルモ教会のルノーを、だいぶん探して歩いていたようだからな」

刑事の顔色が動いた。しかし、それで素直になる男ではなかった。

「何のことだね?」

「あきれた人だ。まだ、とぼけているんだな。ぼくらも商売だからね。やっぱり、教会のルノーを追ってみたよ。するてえと、みんなロクサンの歩いている後から後からと追っているような恰好《かっこう》になった」

「それは、ご苦労だったな」

刑事は烟の輪を吹いた。

「ああ、本当だ。実際、苦労したな。あの辺をシラミつぶしに歩いたもんな。そして、やっと先方を見付けだした」

え、というように刑事の眼が動いた。さり気なく装《よそお》っているが、こういうとき、眼の動きが承知しない。刑事は明らかに虚をつかれたようだった。

「ひどい家《うち》でね。犬に吠《ほ》えられてロクに向うとは話が出来なかったが」

「…………」

「しかし、その家に教会のルノーがとまっていたことは、隣に住んでいる人のはっきりした言葉もあって確かなんだね。第一、庭にこんもりとした立ち木があるんだよ。その空地《あきち》にいつもルノーを駐《と》めていたらしいタイヤの跡が、地面にくっきり付いていた」

佐野は刑事の顔を正面から見てしゃべった。対手《あいて》の表情が次第に変って来た。

煙草はくわえたままだが、顔色が変っている。眼がいちばん落ち着きを失っていた。刑事はすぐに何か問いたそうにしていたが、それをやっと抑えていた。

これが筋を摑《つか》んでいないとなると、刑事は、にやにやと笑って鼻の先であしらうのが普通だった。こちらで的確なものを握って少しでも匂《にお》わせると、刑事は、割合、正直者だからすぐに顔色に出してしまう。

「ぼくは隣の人にいろいろ訊いてみたよ。すると、何と、グリエルモ教会の神父たちが、毎晩その家に来て、あの黒っぽい裾《すそ》の長い服を脱ぎ、背広に着替えて外出するのだそうだ。しめた、と思ったね」

しめた、と思ったのは、実は、藤沢刑事の顔色が蒼《あお》くなって、指先がふるえ出したことだ。もう我慢も何もなかった。

「おい！」

いきなり向きを変えて、飛びつくような眼付きで佐野を凝視した。

「ど、どこだ？」

佐野は心の中で凱歌《がいか》を挙げた。完全に警視庁は知っていないのだ。藤沢刑事の眼は、佐野の顔に喰い入るようだった。

「あれ、ロクサン。まだ知らなかったのか？」

佐野は、わざと焦《じ》らせた。

「おい、教えてくれ。一体、それは何処だ？」

す早い計算が佐野の頭に働いた。それは、何処の新聞記者にも警視庁が発表していないネタとの交換である。

「愕《おどろ》いたな、警視庁はすっかり知っていると思ったんだがね」

「降参したよ、佐野君。教えてくれ、頼む」

刑事は昂奮して佐野を拝んだ。

「止《よ》してもらいたいな」

佐野はそれを制《と》めた。

「警視庁が本当に知らなければ、捜査の協力になることだから、もちろん、悦《よろこ》んで教えますがね」

「そうか、有難い」

藤沢刑事は、肩で呼吸《いき》をついた。

「しかしね、ロクサン。条件があるよ。そういえば判るだろうが、何しろ、ぼくらの方でもその家を突き止めるのには、これで骨を折ったからね」

「ううん」

と藤沢刑事は眼を瞑《つぶ》って唸《うな》った。瞑目《めいもく》しているのは、この取引きに応じるべきかどうかの思案である。あるいは、見返りとして何を新聞記者に与えていいか、考えているのかもしれなかった。

佐野は、藤沢刑事の顰《しか》め面《つら》をじっと眺《なが》めた。

佐野は、その足で自動車《くるま》を飛ばして、O駅の方に行った。

藤沢刑事が、江原ヤス子の宅を教えてやった見返りとしてくれたものは、「松茸罐詰《まつたけかんづめ》の出所」だった。

事件が起って以来、被害者のスチュワーデスの胃の中から出て来た松茸は、各社の探索の中心になっていた。これこそ、事件の決め手の第一歩だと考える者が殆《ほと》んどだった。

被害者生田世津子は、二日間監禁されている。もし、ここで彼女の食べていた松茸の出所が判《わか》ると、彼女が死の前夜どこにいたか見当がつくのだ。

警視庁では、松茸に関しては一切発表していない。その出所を突き止めたのか、突き止めないのか、それすら見当がつかなかった。刑事たちは、絶えず新聞記者たちの眼を晦《くら》ましては行動している。

松茸の罐詰は高価な品だった。しかし、卸元《おろしもと》に行って聞くと、配給は都内の全部に渡っている。新聞記者は手分けして片っぱしから調べて回ったが、その手懸《てがか》りはなかった。

こういう松茸を材料にする以上、相当、贅沢《ぜいたく》な料理に違いないのだ。

当初、その松茸が中華料理に使われたものとして、調査の中心は高級中華料理店に置かれたものであった。殊《こと》に、外人が食事をする店が重点的となった。

だが、その後の調べで、事情は少し違って来た。松茸は薄切れでなく厚切れになっていた。切り方も料理人の手になったとは思えないくらい素人《しろうと》くさい。そこで専門の料理店ではなく、普通の家庭で使用されたものとの推定が強くなった。

松茸の出所を突き止めるために、各社は特にその班を作って探索を続けているくらいだった。

佐野が交換条件として、藤沢刑事から耳打ちされて得たものは、その松茸の出所だった。佐野は雀躍《こおど》りした。

中央線O駅の前に着いたとき、まだ朝が早かった。折りから出勤時間で駅前は乗客で混み合っている。しかし、駅前から小さな路地を入った市場の中は閑散だった。殆《ほと》んどの店が、その日の準備に忙しがっていたが、客の姿は疎《まば》らだった。

市場は狭い店がごたごたと並んでいる。佐野は真直《まつす》ぐに「いずみや」を訪《たず》ねて行った。

それは間口も奥行も狭い食料品店だった。表には罐詰や壜《びん》などが賑《にぎや》かに積み上げてある。佐野はそれを一目見て、まさに間違いなしと思った。罐詰は日本のものよりも外国のレッテルのものが多い。

この店も、その日の商売の準備のために、男一人と女一人とが、しきりと品物の整理をしていた。

「お早うございます」

佐野は店の前に立った。こう云わないと、お客さんに間違われて、あとでつっけんどんな態度に変ってくるのだ。

女が佐野を振り向いた。保険の勧誘員か何かと思ったらしく、別に頭も下げずに、じろりと彼の風体《ふうてい》を観察した。

「ぼくは新聞社の者ですが」

佐野は名刺を出した。すると、罐詰を積み上げていた中年男が、手を休めて名刺を覗きにやって来た。

「実は、警視庁の方から調べに来てご存じでしょうが、松茸の罐詰のことで伺いに来たんです」

「ああ、そうですか」

二人の男女は顔を見合わせて、意味ありげな目つきをした。

「警視庁では、こちらの店で四月三日に松茸の罐詰を二個売ったように云っていますが、ほんとうですか?」

佐野がそう訊くと、二人の顔には躊躇《ちゅうちょ》が浮かんだ。

「さあ、そのことなら誰にも云わないで欲しいと、口止めされているんですがね」

男は、迷いながらもやはり、にやにや笑っていた。

「それは判っていますが、実はご存じでしょうが、例のスチュワーデス殺しで、われわれも必死に犯人探しをやっているわけです。その松茸の罐詰が目下のところ重要な手懸りになっているわけですが、何とかご協力願えませんでしょうか?」

「そうですね」

男は、この家の主人とみえた。口止めされているが、やはり話したいらしく、その気持が顔にいっぱいに出ていた。

「まあ、せっかく、お見えになったのだから、内証でお話ししましょう」

「どうも有難う」

佐野は思わず丁寧に頭を下げた。

「その罐詰が売れたのは、はっきり、四月三日の夕方と判っていますか?」

「ええ、それは、はっきりしているんです。何しろ、松茸の罐詰というのは、高いので普通はそう売れません。それに、あの日に買いに来たお客さまは、一個買ったのでよく記憶《おぼ》えているんです」

「それを買った客は、どういう人ですか?」

「あまり、この市場にお買物に来ない人です。三十恰好《かっこう》の婦人でしたがね」

「それでは、この店にはあまり馴染《なじ》みがないわけですね?」

「はあ、初めてのお客さまだと思います」

女店員が代って返事をした。

「ここは夕方になると、買物客が混雑しますが、始終来る人はお客さまでなくても、見ていると、自然に顔を記憶《おぼ》えるものです。ところが、その人ばかりは今まで見たことがないのですよ」

「服装はどうですか?」

「そうですね、中以上の暮しの人ではないでしょうか。着ているものも上等でしたわ。あんなものを普段に着ているのですから、相当な家庭だと思います」

普段着で市場に買物に来るとなると、遠いところから来た客ではない。すると、その女は少なくともO駅を中心にした近いところに居住しているのだ。

(生田世津子が、殺される前に二日間監禁されていたところは旅館でもホテルでもなか

った。O駅近くの普通の家庭だった）

佐野は狭い市場から出て考え込んだ。

十二

その朝、グリエルモ教会に異変が起った。

朝から、新聞社の派手な社旗を立てた車が、教会の前庭に蝟集《いしゆう》したのだった。

教会の門を入ると、広い前庭になっているが、車は秩序なくそこに駐《とま》った。ところで、車から飛び出した男たちは、真っ先に教会の内部に入ってゆくのだが、必ず大きなカメラを担《かつ》いだ男が、その横に従っていた。

「トルベック神父さまにお会いしたいのです」

乗り着けた者は、例外なく、一番にそう云《い》った。

教会の正面入口には、日本人の傭《やと》い人と、外国人の神父とが、いかめしい顔つきで壁の一部のように立っていた。

「そういう名前の神父は、当教会にはおりません」

この返答もさきほどから判を捺《お》したように同じだった。

「そんな筈《はず》はない」

と、どの新聞記者も叫んだ。

「トルベック神父は、確かにこの教会の所属と聞いて来たのです」

新聞社の者らしく、強調して押し返しても無駄であった。

「そういう者はいない」

という一点張りだった。

もちろん、それでそのまま引き退《さが》る人種ではなかったが、対手《あいて》は、兵士のように攻撃を刎《は》ね返した。

「出て行って貰《もら》おう」

と、しまいには、神父に突き出されんばかりの始末だった。

だが、それで諦《あきら》めて帰る連中ではなかった。このような扱いを受けた記者たちが社に帰ることも出来ず、車をそこに置いたまま、何となく教会の前に屯《たむろ》しているのであった。

――R新聞が、今朝、突然に、「スチュワーデス殺しに外人神父が容疑者として登場」という観測気球を揚げてから、どの新聞社も、蜂《はち》の巣を突ついたようになったのだ。

これまで、教会関係の面倒さと、外国人だというので二の足を踏んでいたのだが、このアドバルーンが、進軍の旗を掲げたように各社をして教会に一斉に踏み切らせたのであった。

警視庁が、グリエルモ教会のトルベック神父を重要参考人としてマークしていることは、各社とも、うすうす感づいていた。しかし、どの社でも思い切って、それを記事に出す勇気を欠いていた。つまり、R新聞の記事が出てから、各社とも眼が醒《さ》めたように飛び上ったのである。

新聞記者たちは、教会側の言明する「トルベック神父というのは知らない」の言葉を信じなかった。しかし、押し問答しても、前面に立ち塞《ふさが》った背の高い神父は、その言葉を平気で繰り返すだけだった。日本語は自由に熟達している、と聞いたのだが、この場合、当面の外人神父は、面倒な言葉を解さないように見えた。主任司祭ルネ・ビリエはこちらが矢継早《やつぎばや》に質問しても、聾《つんぼ》のような顔をしている。そばに日本人の傭い人がいたが、これは、いちいち神父の顔色を見ながら代弁するのだった。

そんな、馬鹿《ばか》な、と記者は急《せ》きこんだ。問答は手間取り、こちらが苛立《いらだ》つほどである。その挙句《あげく》に怒り出すのは教会のほうだった。とにかく、問答無用というところで閉め出されるのだった。しつこくするのだったら、警官を呼んで追っ払わせる、と凄《すご》い剣幕で入口から去った。

退却した連中は、前庭に未練気に残って、何となく教会の方を凝視していた。そのうち、何かが起ったら、もう一度押し寄せるつもりなのである。素直に引き取る連中ではなかったし、殊《こと》に問題が事件の焦点に来ているので、取材に熱が籠《こも》っていた。それに、R新聞に先を越されたという意識がそこに屯《たむろ》している各社の連中の闘志を燃えさせている。

各社が十数台の車を装甲車のように並べて、三十人もの記者たちが建物の正面を遠巻きにしているのだから、壮観であった。教会には、日頃にない殺気立った光景である。近所の人も、何が起ったのか、と家から出て見物する始末だった。

この時、二度目の異変が起った。

教会は二階建だったが、その一つの窓が開いて、黒服の神父が二人、姿を現わした。彼らは、下に群がっている新聞記者たちを、窓から身体を乗り出すようにして眺《なが》め回した。しかし、これは、神父が民衆に神の祝福を与える宗教的な仕草ではなかった。その一人が、カメラの少し大型なのを構えて、上から舐《な》めるように撮《うつ》しはじめたのである。

小さな唸《うな》りが聞えた。

「アイモだ！」

初め、何事かと思って窓を見つめていた記者たちは、自分たちが小型撮影機で写されていると知って、愕然《がくぜん》となったのである。

何のために自分たちを撮《と》るのか？

その目的は、すぐに察しがついた。教会側は、ここに集まっている新聞記者たちをフィルムに収めて、記録にしようとしているのだった。

一人の神父が指をさして、しきりと撮影方向を指示している。アイモは、さらに望遠レンズを使って、克明に一人ひとりの顔を画面に収めている様子だった。

撮影は終ったらしい。二人の姿は、窓から消えた。

新聞記者たちが思わず顔を見合わせた時だった。今度は正面入口から、やはり二人の神父がゆっくりした足取りで現われたのだった。どちらも外人神父である。一人は鳶色《とびいろ》の瞳《め》をし、一人は茶色の瞳を持っていた。変らないのは、どちらの眼つきも、猛禽《もうきん》のそれのように険《けわ》しく鋭かったことだ。

この二人の神父が入口に現われたとき、新聞記者たちは、初め、自分たちに何か話してくれるものと勘違いした。

気の早い一人が、その神父のところに頭を下げて走り寄ったくらいだった。

「トルベック神父さんは、何処《どこ》に居ますか?」

と、にこやかに訊《き》いた。最初に断わられたときと同じ質問の繰返しである。

すると、背の高いルネ・ビリエの方が先刻と打って変って微笑をみせて、手を出した。

「あなたの、メイシをください」

悦《よろこ》んだ当人は早速、ポケットをまさぐって名刺を出した。談話がとれるものと思って勢い込んだのである。

これを見て他社の連中もその神父に殺到した。自然とそれは記者団会見のようになった。二人の神父を中心にして記者たちは半円形に取り囲み、気早な者はメモと鉛筆とを構えた。

「あなたの、メイシをください」

神父は、自分を取り捲《ま》いている記者連中の顔を眺めて、一人一人から名刺の提出を求めた。相変らず、にこやかな顔なのである。

「神父さん、トルベックさんは……？」

待ちきれない質問が始まったのだが、背の高い神父は微笑を続けるだけで、返辞がなかった。ただ、あなたの名刺を下さい、と次々に対手《あいて》から名刺を出させる作業を続けていた。神父の大きな掌《てのひら》には名刺が積まれていった。

すると、その神父の後ろに控えた男が、記者から名刺を受け取るや否《いな》や、間髪を入れず、カメラでその顔を撮っていることに記者たちは気づいた。

「メイシを……」

と云って、対手からそれを奪い取ると、すぐに後ろからシャッターの音が落ちるのだった。

記者たちはたまげた。神父は名刺と、当人の顔写真とを同時に捕獲しているのであった。

先ほど窓から撮された十六ミリと同じだった。いや、これは、もう一度それを丁寧にしたのだ。おそらくアルバムにでも顔写真と名刺を同時に貼《は》りつけるつもりらしい。明らかに教会側は、この無礼な訪問の「証拠」を蒐集《しゅうしゅう》しているのだ。

すると、もう一つのことが、記者たちの気づかない間に起っていた。別な神父が駐《と》まっている各社の自動車の間《くるま》を丹念に歩いているのだったが、それは、車のナンバーがその神父の手帖《てちょう》に記録されているのだった。

記者連中は、呆気《あっけ》にとられた。

取材に行った連中が、逆に教会側から取材されているのだ。これまでの経験になかったことだ。連中には相当な猛者《もさ》がいたが、これも口を開けたまま、しばらくぼんやりとしたくらいだった。

「何をするのだ？」

やっと、一人が腹を立てたように叫んだ。が、このときは殆《ほと》んどの新聞記者の名刺と写真との蒐集が終っていた。

ルネ・ビリエは、この作業が完了して入口の方に何歩かすざった。それから改めて一同の顔を順々に見廻していたが、突然、

「おまえたちを訴えてやる！」

と流暢《りゅうちょう》な日本語で喚《わめ》いた。拳《こぶし》をつくった手を空《くう》に振り上げたものである。

「悪魔め、帰れ。お前たちの名前も顔もこちらにみんなとってしまった。いつでも証拠は出せるのだ。宗教裁判にかけてやる。お前たちの一人一人をわれわれの本国に召喚す

る」

拳をうち振るたびに赤い髪毛が揺れた。朱を注いだ顔は、とんと西洋の赤鬼だった。

「帰れ。これ以上、門の中におると警視庁に電話をして、お前たちを逮捕させる。われわれの外交機関から警視庁にかけ合って、みんなを牢獄《ろうごく》にぶち込んでやる」

新聞記者たちは笑い出さなかった。

先《ま》ず、十六ミリで上から撮《うつ》され、名刺を取られ、顔写真も同時に記録されたことだ。何となく無気味だった。敵のやり方が科学的で、権力的なのだ。

対手が悪いのだ。日本人相手とは調子が違っていた。外国人だし、権力をもっている宗教団体なのだ。この勝手の違った条件が、記者たちを無意識のうちに劣等感に陥《おとし》れていた。

対手の剣幕に降参して、記者たちは自動車《くるま》の中にすごすごと入った。この状態では太刀《たち》打《う》ちできなかった。

一台去り、二台去るようにして車は教会の中から追放されて行った。

その中でも勇敢な記者は、仁王立ちになっている神父に捨てゼリフを吐いた。

「ウソつきめ、人を導く神父が、そんな嘘《うそ》をついて恥ずかしくないか。トルベックがいないなどとは、よくもヌケヌケと云えたものだな、偽善者め！」

この悪態が神父に通じたかどうか、さだかには分らなかった。ルネ・ビリエ神父は、眼を剝《む》いて立っているだけである。彼は勝利を見届けて満足し、そんな憎たれ口など歯《し》牙《が》にもかけなかったのかも知れない。

新聞社の車が一台もいなくなると、ルネ・ビリエ師は、初めて向きを変えた。不機嫌《ふきげん》な顔色で廊下を歩き、二階に上った。

彼は管区長室のドアを叩《たた》いた。

中から、小さな声で応答があった。ルネ・ビリエは、ドアを押して身を入れた。

マルタン管区長が背中を向けて窓際《まどぎわ》に立っていた。手を後ろに組み、外の景色をのんびり眺めているような恰好《かっこう》だった。

「奴《やつ》らは帰ったね」

マルタン管区長が入室者を振り向いて云った。

「退散しました」

ルネ・ビリエは、管区長と並んで、外を眺めた。もはや、広場には社旗を立てた忌《いま》わしい車は一台も見えなかった。遠くに木立ちがつづき、白い道が走っている。教会の周辺は、再びもとの平和を取り戻していた。

「これからも、奴らがやって来たら」

と管区長は云った。

「今の手を使って、どしどし追い返すがいい。都合によっては、こちらで押えた証拠を楯《たて》に取って、本気に告発を考えてもいいな」

マルタン管区長は、片手を脇《わき》に挟《はさ》み、片手で頰《ほお》を撫《な》でていた。

そのころ、佐野は、東京都の西北部の地図を拡《ひろ》げていた。まず、O駅に赤鉛筆で印をつけた。

次に、グリエルモ教会の位置に印をつけた。これはO駅から北に当り、約二キロぐらいの所である。道は四通八達で繫《つな》っている。

今度は、江原ヤス子の家の地点に印をつけ、最後に、生田世津子の死体の発見された玄伯寺川の現場に印を入れた。

こうして見ると、グリエルモ教会、江原ヤス子宅、O駅、玄伯寺川の現場と、大体、一直線である。それに神学校の位置を入れると、南北にわたって直線の上に、それらの点が繫っていた。

O駅をマークしたのは、そこで、生田世津子の死体の解剖時に発見された松茸《まつたけ》の罐詰《かんづめ》を売った店が発見されたからだ。

佐野は、その罐詰を買ったのが女客だというので、最初、江原ヤス子ではないか、という考えが頭に浮かんだ。しかし、いろいろ人相を訊いてみたが、年齢といい、特徴といい、江原ヤス子とは思えなかった。

いちばん肝腎《かんじん》なのは、生田世津子が家を出た四月二日午後三時ごろから、死亡推定時刻の三日午後十時から午前一時までの間、彼女がどこで過していたかという問題である。その間、彼女はどこにも連絡していないし、誰も彼女の姿を目撃したものがいないから、彼女はトルベックによってどこかに監禁されていたという推定が強い。

この場合、キメ手になるのは、彼女が死の直前に食べた罐詰の松茸だった。それが料理屋のものでないとすれば、彼女が監禁されていた場所で食べさせられたことになる。

佐野は、地図を眺《なが》めながらその場所の割り出しに、懸命になっていた。

現場の目撃者の言葉が間違いでなかったら、問題のルノーは八幡橋際に停っていて、O駅の方角に車体が向いていたという。これから考えると、その車は、O駅付近から玄伯寺川の現場に向ったのではなく、逆に、反対の方角から走ってきて、O駅の方に向う途中だったことになる。

一体、犯人は、この道をそれほどよく知っていたのであろうか。ここはいわば間道といったような道で、たまにしかバスも通らないし、タクシーもそれほど頻繁《ひんぱん》に利用しない。

これをトルベックに当て嵌《は》めて考えてみよう。彼は神学校にしばしば車で通っていた。だから、グリエルモ教会と神学校の中間にあるこの地帯は、当然、彼も何度か通って知っていたに違いない。彼が、もし、現場に車を停めたとしても、それは偶然ではなく、いわゆる土地カンがあったものと考えられる。

佐野は、問題のルノーが、現場でO駅方面に車体を向けていたところから、現場と神学校を結ぶ中間に生田世津子の監禁場所を考えてみた。この中間地帯は、東京の郊外もずっと外《はず》れになっていた。間には、人家よりも田圃《たんぼ》が多い。人家も、最近、開けた所で、寂しい住宅地だった。もし、生田世津子を隠匿《いんとく》するとなると、まず、恰好の場所と云《い》えよう。

ところが、O駅付近の市場で、松茸の罐詰が二個売れている。これが果して生田世津子の体内から出たものと同一かどうかは分らないが、しばらく、それを同じものだと仮定して推定を進めてみた。すると、玄伯寺川の現場と神学校の間では、いかにも遠いのである。罐詰を売った店の者の証言では、買いに来た女客は普段着で、いかにも近い所から来たという印象だった、と語った。もし、それが思い違いでなく、また、対手《あいて》の方が偽装のためわざわざ遠い所に買物に行ったということでなかったならば、生田世津子の監禁場所は、O駅から極《きわ》めて近い所にあったと云えよう。それなら、玄伯寺川の現場と神学校との中間に、その場所を設定するのは不自然になる。

江原ヤス子の近所には、食料品店はあるが、それほど高級な品は売っていない。ちょいとした買物ならば、やはりO駅付近のマーケットに行くであろう。

同様なことは、O駅の南方、つまり玄伯寺川の現場と結ぶ中間にも考えられないだろ

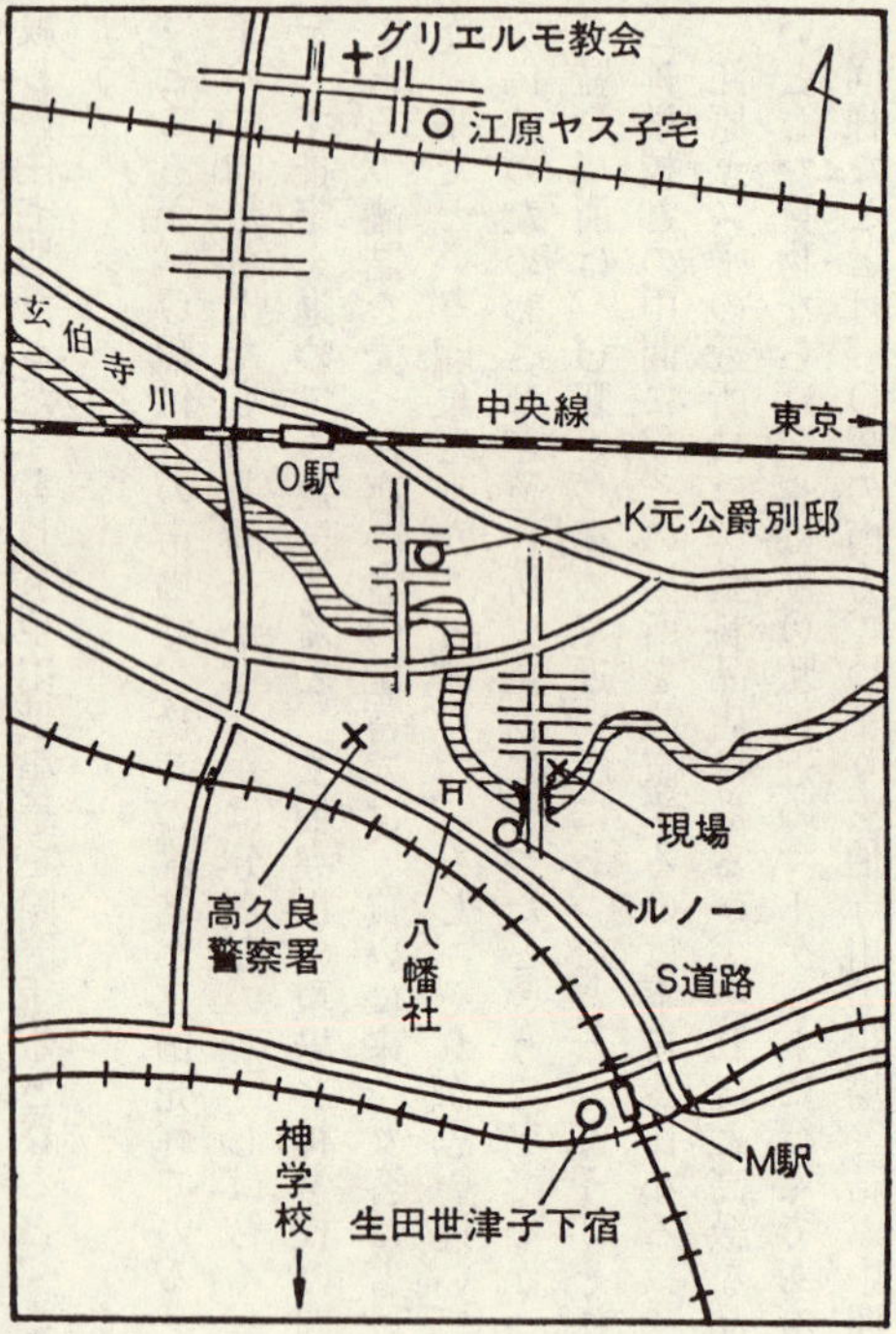


うか。この辺にも食料品店はある。しかし、それは当座の間に合うものだけであって、少し珍しい品となると、どうしてもO駅付近のそのマーケットに行かざるを得ない。なにしろ、新開地では、それほど揃《そろ》った品を持っている店はないのである。

佐野は、O駅の南口からしばらく歩くと、かなり大きな邸宅のある住宅街を知っていた。そこには、戦争中の宰相だったK元公爵《こうしゃく》の別荘もあった。

それぞれの家が、長い塀《へい》と、深い植込みの中に守られていた。道を歩いていても、覗《のぞ》き見すら許されないような大きな邸《やしき》がつづいている区劃《くかく》だった。

佐野は、地図を見て、この辺をひとつシラミ潰《つぶ》しに歩いてみてやろう、と決心した。これといって手がかりのない、雲を摑《つか》むような話だった。困難なことは覚悟だったが、努力してみたかった。それだけのやり甲斐《がい》のある仕事だった。

十三

佐野は、O駅付近の詳細な地図を買って来た。

彼は、その地図を拡《ひろ》げて丹念に研究した。問題は、O駅の南口とS道路との間の住宅地である。

被害者のスチュワーデス生田世津子の殺された現場は、S道路より五百メートルばかり北寄りにあった。従って、住宅地が玄伯寺川付近で終った所が現場となっている。K元公爵の別邸は、その住宅地の外れにあった。

佐野の見当は、この元公爵邸を基準にして考えている。ところで、この辺は戦災に遭《あ》っていないので、旧《ふる》い区劃がそのままに残っている。奥まった家が多く、もし、犯人が生田世津子を隠匿したアジトとすると、恰好《かっこう》な場所だった。

佐野は、地図を懐《ふとこ》ろにして、一日、その近辺を歩いた。

現場に行って改めて思ったことだが、この辺《あた》りは城塞《じょうさい》のように家が塀の中に隠れている。ちょっとものを訊《き》こうにも簡単でなく、面倒だった。

商店街は、O駅の南口にかたまっていて、住宅地の中には殆《ほと》んど店がない。その界隈《かいわい》を通っている人に訊《たず》ねても、殆んどが通りがかりの人で、近所の事情を知らなかった。また、たとえ近所であっても、すぐ隣のことを知らない人が多い。

佐野は、調査の方法を、まず頭の中で考えた。どうせそのようなアジトだから、古くからいる人ではない。次に、はっきりとした職業を持たないのを想定した。

こういう考えで歩くと、どの家もみんな、スチュワーデスを隠匿するのに恰好な構えばかりのように思われた。家の中で少々大きな声をしても、道路に洩《も》れることはない。殊《こと》に夜だと、殆んど人通りがないくらいに寂しい地域であった。

佐野は、その住宅地に接した商店街で、食料品店、八百屋《やおや》、魚屋、肉屋を一軒一軒、丁寧に訊いた。しかも、質問があまり露骨にならない程度で、要領よくとり繕わねばならないから、容易な仕事ではなかった。

しかし、どの店からも、これという手がかりは得られなかった。

生田世津子は、二日間、監禁されている。当然、二日の間、食料がふえていることになる。現に、O駅の前では鑵詰の松茸を買っているくらいだから、彼女は優待されていたに違いない。するなら、急にご馳走《ちそう》の材料を買った家はないか、という目算を立てたのだが、これは甘かった。僅《わず》か二日間では外部に目立ちようがなかった。

佐野は、ご馳走のことを考えて、すし屋に飛び込んだ。腹も減っていないのに、ニギリを口の中に押し込みながら、問題の日に出前はなかったか、ということも訊いた。このすし屋は、住宅街を得意としている。

だが、これも無駄であった。毎日毎日、数十日も続けてすしを配達するなら別だが、僅か二日間では、すし屋も頭を傾《かし》げるだけだった。無理もない話で、漠然として摑《つか》みどころがない質問である。それに、すでに相当経《た》った以前のことだし、生田世津子が必ずしもすしを食べさせられたとは限らない。

松茸が中華料理の材料に使われていることから、佐野は、商店街の中華料理店も歩いた。

しかし、結果は同じだった。

佐野は、足を棒にして、その辺一帯をぐるぐると歩いた。だんだん絶望的になってきた。

すると、眼の前に花屋が見えた。相当な地面を持っていて、それには温室のガラスが幾棟《いくむね》か陽《ひ》に輝いている。

垣の外から覗《のぞ》くと、バラをはじめ美しい花が、透明な家の中に綺麗《きれい》な彩《いろど》りを見せていた。

佐野は、そこで働いている中年の男を見付けて声をかけた。

「あなたの方は、相当長くこのご商売をやっていらっしゃいますか?」

佐野は、自分の名刺を出したあとで訊いた。

「はあ。この辺がこんなに開けない前からやっていますよ。もう、ここには十四、五年もいます」

花屋の主人が佐野を見返して云《い》った。

「相当お得意さまがこの辺にあるでしょうね?」

佐野は、そんなことから訊きはじめた。

「はあ。こういう邸町《やしきまち》ですから沢山ありますよ。花を買って頂くだけでなく、バラの植込みや球根などをお願いしているので、肥料やその後の手入れなど、定期的にお伺いしている先もあります」

「そうでしょうね」

佐野はうなずいた。

「ところで、みんな、それぞれちゃんとしたお邸ばかりでしょうが、この辺は引越しなどということはあまりないでしょうね?」

「それはありませんね。もう、ずっと以前《まえ》からここにいらっしゃる方ばかりで、殆んど出入りがありません」

「どうでしょう、あなたがいろいろお廻りになって、お得意さんでなくとも、噂《うわさ》で、妙な家《うち》だというのはありませんか?」

「妙な家といいますと?」

「つまり、何をしているか分らないという家です。まあ、表向きは然《しか》るべくやっているが、何か得体の知れない職業を持ってるという家はありませんか?」

「いや、そんな家はありませんよ。みんなちゃんとしたお邸ばかりです」

バラの栽培人は即座に答えた。

男は蹲《しゃが》み込んで、バラの蔓《つる》をいじっている。

佐野はそこに佇《たたず》んで、何となくそれを眺《なが》めていた。手がかりが失われて、彼も意気が沈んでいた。

「一体、何をお訊ねなんですか?」

花屋の主人は背中を屈《かが》めて手入れをしながら訊いた。

「ちょっと探していることがあるんです。それは、この界隈に住んでいる人と思っているんですが、どうも、こちらが雲を摑むような話で、参っているんです」

佐野は答えた。

「さっきのお話だと、妙な職業を持ってる人だ、と云いましたね?」

男は背中越しに訊いた。

「そうです。推定はそうなんですが、表向きは、恐らくちゃんとした人だろうと思います」

佐野は、スチュワーデスのことを話したかったが、それを呑《の》み込んだ。正直に云えば、もっと分りいいに違いないが、これが洩れる場合を考えて、自分を抑《おさ》えた。新聞社が訪《たず》ねてきて、こういうことを訊いたというのがこの男の口から洩れると、その噂が他社の耳に入らないとも限らない。

今のところ、この界隈に目ボシをつけているのは、佐野ひとりだった。他の社に気づかれてはならない。

「この辺は、みんな素姓《すじよう》の知れたお邸ばかりですがね」

と、花屋の男は器用な手つきを蔓に動かしながらぽつりと云った。

「なかには途中で入った人もあります。なにしろ、戦争前と後とは、この辺の邸にも生活の変動がありましてね。古くからいらした方でも、やむなく邸を明け渡して出てゆかれた人もあります」

「あとから入った人は、やはりみんな立派な方ばかりですか?」

「そう云いたいのですがね」

と、バラ屋の主人が云った。

「近ごろのことですから、そうとは限りません。まあ、そう云ってはなんですが、この辺に住むお人柄でない人も、大分入っています。奇妙に、そういう人は永く居つきませんね。始終、邸の持主が変るようです」

佐野の頭に閃《ひらめ》いたのは、もし、スチュワーデスを匿《かく》まっていたとすると、その家に、いつまでもそのまま居坐《いすわ》っているだろうか、という考えだった。そういう後ろめたいところがあれば、案外早く転居するのではなかろうか。

佐野は、ここに見えない手がかりに触れた。

「そうすると、最近、この辺で引越しのあった家がありますか?」

佐野は、自分も背中を屈めてバラいじりの男に問いかけた。

「さあ、それはあるかも知れませんね」

男の言葉は、急に曖昧《あいまい》になった。

「どうでしょうか。決してご迷惑はかけませんが、そんな家をご存じでしたら教えてくれませんか」

佐野は頼んだ。

「それは、どの家でしょうか?」

しばらく返辞はなかった。迷っているような顔付きが、その男の背後からでも想像できた。黙ったまま、せっせと根の土を手で固めている。

「ここでお聞きしたことは、絶対に誰にも云いません。われわれの方は、警察官の前でもそんなことは云わないことになっています。決してこちらの名前は口外しませんから、そんな家があったら、ぜひ教えて頂きたいのです」

「さあ」

男はうつ向いたまま考えるように云った。

「これは、あなたの参考になるかどうか分りませんよ。あんまりご熱心に云われるので、つい、しゃべってしまうのですが、もちろん、わたしの得意先ではないので、よく分りません。そのつもりで聞いて下さい」

佐野は、口の固いこの男が遂《つい》に教えてくれるのだと思うと、彼に並んで、そこに蹲《しゃが》んだ。

「いや、違っていても、それは諦《あきら》めます。とにかく、教えて下さい」

「最近、越して行った家といえば、すぐ歩いて五百メートルばかりのところですがね。この道をずっと行って、角を左に曲った所です。二階家ですから、すぐ分ります」

男はとうとう云ってくれた。

「どうも」

佐野は礼を云ってそこを離れた。とにかく教えられた場所に行ってみることにした。その家は四ツ角からまた別に岐《わか》れた小さな道に沿っていた。表はコンクリートの塀が続いている。やはり立ち木があって家はかなり奥にひっ込んでいた。立ち木の間から二階家が見えたが、ガラス戸にはカーテンが一ぱいに張られてある。

佐野は門札を読んだが、「吉田」としてあるだけだ。もちろん、前住者が引っ越したあとに来た人の名前である。

佐野はその前を暫《しばら》くぶらぶらと歩いていた。彼の頭には生田世津子が監禁された場所が、漠然と考えられている。それが、この家かどうかは判《わか》らない。外の様子から見てそうであるようでもあり、ないようでもある。

佐野はその家を確かめて、一番近い商店街の方に行った。八百屋があった。

彼はそこに入って、吉田という家の前住者のことを訊いた。

「さあ」

と八百屋の親父《おやじ》は答えた。

「あの家は、わたしの方で入っていなかったので、様子がよく判りませんよ」

「では、ほかで出入りする店がありましたか?」

「そうですな、この近所から余り行っていないようです。実は、あの家にはずっと前に何度か伺ったことがありますがね。だが、とうとう取ってくれませんでしたよ。何でも遠いところから品物をとっているようです。それも始終店を替えていたようですよ」

佐野はそれを聞いて乗り出した。

「以前《まえ》に居た人は何という名前ですか？」

「そうですね、門標がなかったので名前はよく判りません」

「何年も居たのでしょうか？」

「さあ、その辺のところは、はっきり憶《おぼ》えていませんが、四、五年は居たのではないでしょうか。そんなに委《くわ》しく訊くのなら家主さんに行ってみたらどうですか？」

「家主さんはどちらですか？」

八百屋の主人は家主の名前を教えてくれた。


戸が激しく叩《たた》かれた。

「また来たわよ」

江原ヤス子は、ルネ・ビリエに云った。夜更《よふ》けだった。

ルネ・ビリエは、ベッドの中で天井を睨《にら》みつけている。

先ほど、この近くで車が停った音がしていたが、やがて外の方で、

「此処《ここ》だ、此処だ」

と云う声がしていた。靴音が五、六度も往復した挙句《あげく》である。江原ヤス子とルネ・ビリエは並んで寝たまま、これに耳を澄ましていたのだった。

果して、

「江原さん、江原さん」

と云う声といっしょに戸が叩かれた。

「うるさいわね」

と江原ヤス子は舌打ちして云った。

「昨日《きのう》から、これで三度目だわ。みんな新聞社や週刊誌の人ばかりよ」

最初に新聞社の者が来てから、しばらく何もなかったが、昨日から突然だった。次から次にやって来る。

「どうしてここが分ったのかしら？　誰か新聞社に云いふらした者があるかも知れないわ」

江原ヤス子はぶつぶつ云いながらベッドから降りた。ルネ・ビリエは何も云わないで、自分の考えをまとめるように眼を上に向けていた。江原ヤス子はガウンのままで戸を開《あ》けて外に出た。外の男たちとの問答が寝室まで聞えて来る。

「江原さんですか？」

「そうです。あんた方は何？」

「新聞社の者ですが……」

「新聞社の人には用がないわ。今、寝てるところですから、帰ってちょうだい」

「ちょっとでいいです。ちょっとだけお話を聞きたいことがあります」

「失礼じゃないの、今ごろ叩き起したりして」

「すみません」

「そこをいくら開けようっても駄目よ、鍵《かぎ》が掛ってるから」

「では、ここでもいいです。実は、グリエルモ教会の神父さんのことでお訊《き》きしたいのですが」

「それだったら、教会に行けばいいでしょう」

「いや、教会に行くよりも、教会の有力な信者の江原さんに伺いたいことがあるのです。実は、トルベック神父さんのことですが」

「それだったら、なおさらご本人に訊いて下さい。わたしは何も知らないから」

「しかし、江原さんは教会で、特に神父さんたちとお親しいと聞いています。トルベックさんとも心やすいんじゃないですか?」

「知らないわよ。とにかく、そんなことはお答えできないから、帰ってちょうだい」

「いや、もう少し質問させて下さい。ここに始終トルベックさんが遊びに来るという話ですが、そうですか?」

「誰が一体そんなデマをしゃべったの?」

「誰がということでもありませんが、それを聞いて来たのです」

「とんでもないわ。うちなんかに神父さんが来る理由《わけ》がないじゃないの。どうせ、そんな碌《ろく》なことしかしゃべらないのは、近所の人でしょ。みんな勝手な想像で云いふらしているんだわ」

「今度のスチュワーデス殺しをご存じでしょう？」

「新聞に出たから、読むことは読んだわ。だが、それがどうしたのさ？」

「被害者の生田世津子さんもグリエルモ教会の信者だし、以前《まえ》にはダミアノ・ホームの保姆《ほぼ》でした。そんなことで、江原さんは生田さんとも親しかったんじゃないですか。この家に始終来ているようなことはありませんでしたか？」

「何も云うことないわ。そんなくだらんことばっかり、夜中に押しかけてきて云ってると、誰か呼びますよ」

「けれど、ぼくたちは……」

「何でもいいから、帰ってちょうだい。うちには、牛ほど大きいセパードが四頭もいますからね、あんまりそこにねばってると、喰《く》いつくか分らないよ。さあ、早く帰って。女ひとりだと思ってばかにしないで」

「しかし、江原さん」

新聞記者たちがねばる様子がつづいた。すると、江原ヤス子は、犬の名前を短く呼んだ。

突然、けたたましい吠《ほ》え声が起った。

しばらくして、江原ヤス子が蒼《あお》い顔をして戻ってきた。このとき、ルネ・ビリエは、自分の支度《したく》に戻っていた。

「あら、帰るの？」

江原ヤス子は見上げた。

「帰る」

神父は不機嫌《ふきげん》な表情で答えた。

「もう、ここには来れないかも知れないよ」

「あら、どうして？」

「新聞記者がたびたび来たのでも分るだろう」

ルネ・ビリエは苦い顔で云った。

「トルベックが警視庁に召喚されたんだ」

「まあ！」

「警視庁は、とうとう踏み切った。まさかと思ったが、遂に、やりおった。新聞記者がたびたび来るのも、そのためだ」

ルネ・ビリエは、狭い畳の上を興奮して往復した。

「しかし、めったに負けはせぬ。こちらにも打つ手はある。これからは、日本の警察との戦いだ」

ルネ・ビリエは立ち停ると、見えない敵に対《むか》っているように、壁に眼を据えた。

十四

外は小さな雨が降っていた。

夜のことで、自動車《くるま》の光線が下の方で行き交うていた。三階から見下ろすと、舗道《ほどう》も、低い屋根も、暗く濡《ぬ》れていた。

S・ランキャスターは、煙草《たばこ》を吸いながら窓のブラインドの隙間《すきま》から下を見下ろしていた。部屋は電気を消しているので、外からは留守と思われている筈《はず》だった。

ランキャスターは、もう、かなり長い間そこに立っていた。下の舗道に当てた視線は強かった。

このアパートのむかいは、普通の家が並んでいる。すぐ横は十字路になっていて、一方の角が中華料理店だった。もう一つの角が銀行の建物で、このアパートの角とむかい合った位置は小さな会社の建物だった。だから、中華料理店を除けばいずれも暗かった。高級中華料理店は、軒に赤いホオズキ提灯《ちょうちん》を並べて、店の中も誘蛾灯《ゆうがとう》のように眩《まぶ》しかった。内の客の姿が小さく動いている。店の表に高級車が四台列《なら》んでいた。

ランキャスターの眼は、しかし、その店に向いているのではなかった。すぐ前の暗い道端に、先ほどから一人の男が立っている。彼は傘《かさ》を持っていなかった。家の軒の下に入っているので、とりようによっては、雨やどりしているようにも見える。ずんぐりした、身体《からだ》の短い日本人だ。

ランキャスターは煙草を吸いながら、この男と部屋の中で対峙《たいじ》していた。男は幾度も通るタクシーを別に止めるでもなかった。さりとて待合せをする人があるでもなかった。ぼんやり立って顔をこちらに上げている。

ランキャスターは、そこから離れ絨毯《じゅうたん》の床《フロア》を歩いて椅子《いす》に坐《すわ》った。部屋には誰もいなかった。このアパートは、いつでも静かである。まだ時間は早いのに、深夜のように人の足音がなかった。

ランキャスターは、その静かな廊下にしばらく耳を傾けた。何も聞えなかった。煙草が短くなった。彼は灰皿にそれを捨て、椅子から立ち上った。

今度は別な窓に佇《たたず》んだ。さっきとは方角が違う。彼の部屋は角になっているので、今度は十字路の一方が真正面だった。

灯を消しているし、カーテンを下ろしているので、こちらの姿は安全だった。広い道路を越して向う側に骨董屋《こっとうや》の店舗がある。陳列には金泥《こんでい》の屛風《びょうぶ》が背景のように立っていて、その前に日本の古い鎧《よろい》や、壺《つぼ》や、鷹《たか》が翼を拡《ひろ》げている置物や、シナの皿などが列べられてあった。

雨はまだ降っている。

その骨董屋の陳列を、やはり一人の男が先ほどから眺めて立っていた。痩《や》せて、日本人にしては背の高い男である。よれよれのレインコートを被《き》ていた。ランキャスターの眼は、その男にも注意深く吸いついていた。この通りにも車の往来が激しい。ヘッドライトの光の交叉《こうさ》する川の向う岸に、その日本人は動かないで立っていた。先ほどから計算すると、もうたっぷり一時間は立ち続けている。ランキャスターの眼が皮肉に嗤《わら》った。

彼は、その窓からも身体を離した。新しい煙草に火を点《つ》け、それから受話器を取り上げ、廊下に耳を奪われながら指先で低くダイアルの音を立てた。電灯を消した中での操作である。

先方が出た。

彼は掌《てのひら》で送話器を壁のように囲った。

「ランキャスターだが」

彼は抑えた声を出した。

「ルネ・ビリエさんは居るかね？」

受話器の答えの声は近かった。

「ルネ・ビリエさんは今お留守ですよ」

「いつごろ帰るかね？」

「さあ、よくわかりませんが、あと、あと……」

あと、と云《い》った瞬間に、受話器の声は急に声量を落した。すぐ近くでものを云っていたのが、俄《にわ》かに遠くに離れた感じだった。

ランキャスターは、どきっとしたように黙った。

「もしもし」

と向うは云った。

「ルネ・ビリエさんは、いつ帰って来るのかわかりませんが、多分、十時か十一時になるのではないかと思います。帰って来たら、ランキャスターさんからお電話のあったことをお伝えしておきましょうか?」

声は遠いところで云い続けていた。ランキャスターは返辞をやめていた。

眼を一カ所に据えて、じっと、自分の聴覚を試《ため》している表情だった。

「もしもし」

先方は返辞がないので呼び続けた。

ランキャスターは、突然、断わりなしに受話器を措《お》いた。切っても、手はしばらくそれから放さなかった。怕《こわ》いくらい厳《きび》しい顔つきになっていた。

電話の声が途中で遠くなった――。

その意味を、ランキャスターは知っていた。いや、彼が考えているのは、盗聴している対手《あいて》が何者かという穿鑿《せんさく》だった。

こんなことが、今までになかったか。――ランキャスターは、それを反省している。迂濶《うかつ》なことだった。これまで、彼は、グリエルモ教会の連中とは、他人に聞かれてはならない会話を電話で何度も交して来ている。確かに、今から思えば途中で電話が遠くなったときがあるような気がする。が、それは最近になってからだ。誰かが聞いているのだ。

ランキャスターは椅子から腰を上げた。

彼はまた、窓に大急ぎで行った。

外をのぞくと、骨董屋の店先には、レインコートの男がまだ立っていた。陳列の中を眺めて、両手をポケットに入れている。

骨董品は高い。そんな高い品物を買いそうな男ではない。では、古美術品が好きなのか。いや、それにしては、ひどく退屈そうだった。

階段を昇ってくる足音が聞えた。大勢の靴音である。声も高かった。

ランキャスターはそのままの位置で、ドアを凝視していた。

靴音は廊下を歩いている。笑い声が交っていた。話は日本語だった。女がいた。

ランキャスターは、手を組み合わせ、自分の指を一本ずつ折った。

靴音と話し声とは廊下を遠ざかって別の部屋に入った。ドアが閉《し》まる音が、その後につづいた。

このアパートには、日本人の高名な女優夫婦が部屋を借りていた。夜中に戻ってくることが多く、それも友だちを連れているからうるさいことだった。

ランキャスターは位置を変えて、前に覗《のぞ》いた窓のブラインドの隙間を開けた。雨宿りの男はいなかった。

彼は、ドアの方へ歩いた。すぐには開けずに、少し隙を作り、外に耳を傾けた。誰もいる気配はなかった。彼はいっぱいにドアを開いた。廊下と階段の一部が見えるだけだった。

彼は靴を鳴らして階段を降りた。

階下にステーキハウスがあった。彼はその店の内に入った。

外国人夫婦が一組と、他に日本人が三人いた。日本人の一組は若いアベックだったが、もう一人は中年の男で、これは隅《すみ》の方でひとり新聞を読みながらコーヒーを喫《の》んでいた。

ランキャスターは、その男に一瞥《いちべつ》を走らせると、あとは知らない恰好《かっこう》でカウンターの前に坐った。

「今晩は、ランキャスターさん」

バーテンがグラスを拭《ふ》きながら頭を下げた。この三階にいる貿易商は、ここでもいい顔だった。

「ハイボール」

彼は注文した。

「かしこまりました。あいにくのお天気ですね」

バーテンは外をちょいと眺めてお愛想を云った。ガラスのドアの向うには、暗い中に雨の筋が見えた。

ランキャスターは、ゆっくりと時間をかけてハイボールを呑《の》んだ。ボーイからあまり話しかけられない用心で、ポケットに畳んだ外国新聞を拡げた。

「今日は雨で、外にもお出かけにならないのですね？」

丸顔のバーテンは、両手を蛙《かえる》のようにカウンターの上に突いて云った。

ランキャスターは肩を竦《すく》めた。

「もう一ぱい」

貿易商は、空《から》になったグラスを差し出した。

ボーイが代りを作って、それをランキャスターの前に差し出した時、彼はボーイの方に首を伸ばし、その耳に囁《ささや》いた。

「むこうにいるお客さんは？」

と背中で隠して親指を立てた。

「しじゅう来るおなじみさんかね?」

ボーイは、ちらりと隅のお客に眼を向けた。が、忽《たちま》ち視線を貿易商の顔に戻した。彼は首を振った。

「お馴《な》染《じ》みさんではありません。知らない方です」

ランキャスターはうなずいた。

「はじめてきた客かね?」

ささやくような小声だった。

「いいえ、三日前からお見えになってるようです。あまりお金をお使いにならないお客さまですよ」

ボーイも負けずに低い声で答えた。

貿易商はそれからも、新聞を読むのと、グラスに口を付けるのとを、交代でつづけた。面白い記事があるわけではない。最後に漫画を読んで勘定を払った。たっぷりと四十分はカウンターの前にねばった。

「ありがとう」

とボーイに眼で笑いかけ、椅子から起ち上った。

今度は、隅の客の方を向かずに、階段へまっ直《す》ぐにむかった。階段とこの店とはガラスのドアで仕切られているから、店の中は金魚鉢《ばち》のように透いて見えた。

貿易商は、階段を昇りかけた。そして、四段目の所で、実に不意に振り返った。一瞬の動作である。

すると、彼の視線に映ったものは、店の隅でコーヒーを喫んでいる日本人があわてて顔を逸《そ》らしたことだった。ランキャスターは、唇の端に薄笑いを洩《も》らした。それからまっ直ぐに、自分の部屋へ歩いて戻った。

廊下にはやはり人影がなかった。部屋に入るとき、ふと、下の階段から足音がした。ランキャスターが上から覗くと、向いの部屋を借りているフランスの老婦人が、重い身体を上に運んでくるところだった。

「ボン・ソワール・ムッシュウ」

顎《あご》が二重にくくれた婆《ばあ》さんは、可愛《かわい》い声を出した。

「ボン・ソワール・マダム」

ランキャスターは、丁寧に挨拶《あいさつ》を返した。それを見送って、ドアを閉めた。

相変らず、自分の部屋はまっ暗だった。彼は窓際《まどぎわ》に歩いた。雨宿りの男の姿はなかった。別の窓に行ったとき、骨董屋の店に立っている男は、少し位置をずらせていた。ウインドウの骨董品に飽いたのか、人影は、その横の路地の入口に立っていた。ランキャスターは、肩をすくめた。

電話が鳴った。

突然だった。ランキャスターは机の前に歩き、鳴りつづけている電話を凝視《みつ》めていた。

思い切って手を出した。すぐに声を出さなかった。

先方の声は聞えた。ランキャスターが、はっとしたのは、その声に憶《おぼ》えがあったからだ。声は母国の言葉で呼びかけている。

「ランキャスターですが」

彼がやっと応《こた》えた。

「おう、ランキャスターさん。わたしだ、わかりますか。わたしは……」

「待ってくれ」

ランキャスターは相手を抑えた。

「判《わか》っている。名前を云わないでもらいたい」

先方の声は、ちょっと黙った。

「何かあったのですか?」

嗄《しわが》れた、重い声だった。この声だと、今、大阪にいる筈《はず》のゴルジ神父だった。渋谷の教会にいるときから組んで一緒に「仕事」をしている仲間だから、間違えよう筈がない。

「あとで説明する」

ランキャスターは口早に云った。

「いつ、東京へ？」

「たった今です。ぜひお会いしたい」

「こちらも」

と貿易商は弾《はず》んだ声で答えた。

「何処《どこ》で？」

「いつものところで」

とランキャスターは答えた。

「いつものところ？　海ですか、山ですか？」

先方は訊《き》き返した。

「海だ。三十分以内に行く」

「判りました、ランキャスターさん。雨が止《や》みましたよ」

電話はそれで切れた。

ランキャスターは手早く支度をした。あらゆる抽斗《ひきだし》には鍵《かぎ》を掛けた。やはり、暗い中での操作だった。立ち上ってレインコートを着て帽子の庇《ひさし》を下ろした。

ドアのところに来て耳を傾け、一気に押し開けた。誰もいなかった。ドアの錠も入念に下ろした。

彼は階段を降りた。ここでも誰にも出遭《であ》わなかった。降りきる前にステーキハウスの店を覗くと、日本人の例の客はいなかった。彼はすべすべした床を踏み、出口に歩いて、ガレージに廻った。

ガレージのすぐ前が骨董屋だった。金泥の屛風が美しくウィンドウに光っている。もう、例の男の姿は見えなかった。ランキャスターが出て来たので、どこかに隠れているらしい。

ランキャスターは自動車《くるま》を通りに出すと、いきなり速いスピードで走り出した。向うから来るタクシーが、危うげにハンドルを切ると、こちらに向って、大声で呶鳴《どな》った。

電車通りを北の方へ走った。それから横町に入り、しばらく、車をそこに駐《と》めた。バックミラーには、後ろから来る車は映らなかった。ランキャスターは煙草《たばこ》を一本喫《す》い、その狭い道を突っ切った。そして、別な通りに出ると、初めて目的地の南の方角へ向った。雨は上っていた。

自動車は暗い街から明るい街へ入った。ネオンの美しい街である。それがしばらく続くと再び暗い街になった。その道をもう一度横に入り、また元へ戻る操作を繰り返した。後ろから同じ道をついて来る車はなかった。

ランキャスターは、目的地にまっ直ぐに行った。橋を渡った。汐《しお》の匂《にお》いがかすかに漂って来て、遠くに船の灯がある。

黒い長い倉庫が続いていた。ヘッドライトの光がその角に立っている一人の男を映し出した。黒い帽子を被《かぶ》り、黒い服を着ていた。先方で手を挙げた。

車を停めると、男は、開いたドアに黙って身体《からだ》を屈《かが》めて入った。

どちらも、ものを云わなかった。

短い会話が始まったのは、また元の方角へ戻って、二キロも走ったころだった。

「電話の様子がおかしい」

ランキャスターは云った。

「誰かが盗聴している」

横に坐《すわ》ったゴルジ神父は、反射的に十字を切った。短い呪《のろ》いの言葉が出た。

「対手《あいて》は？」

ゴルジは、フロントガラスに映る景色の流れを凝視《みつ》めて訊いた。

「メトロポリタン・ポリス・ビュウロー（警視庁）」

ランキャスターが答えた。

信じられない、という顔をゴルジはした。髯《ひげ》の深い男である。黒い帽子を眼深《まぶか》に被っているから、その下に髯だけが流れているようだった。その髯の中の唇が動いて言葉が出た。

「そりゃァ、ランキャスターさん。ほんとうか？」

重大な、という口調だった。

「MPBは……」

と、ランキャスターは運転しながら日本の警視庁のことを云《い》った。

「われわれを狙《ねら》っている。わたしも日本を去らねばならぬだろう」

今度は対手に返辞がなかった。車は賑《にぎや》かな通りを抜け、寂しい道にかかった。今度は海ではなく山だった。両方に広い畠《はたけ》が展《ひろ》がり、車が少なく、人通りは絶えていた。黒い木立ちが深々と続いている。ヘッドライトの光だけが、悪い道を掃いていた。

車は、田舎道《いなかみち》を当てどもなく彷徨《ほうこう》しはじめた。

「トルベックがグラついている」

ランキャスターが云った。

「そのことだ」

と大阪から来たゴルジ神父が早速、憂鬱《ゆううつ》な声で応《こた》えた。

「わたしも心配だからやって来た。奴《やつ》は、この前わたしのところに相談に来たが、どうも心もとない。ドジを踏んだものだ」

ゴルジは、その後でトルベックを罵《ののし》る穢《きた》ない言葉を吐いた。

「わたしのところに入った情報では……」

とランキャスターは云った。

「MPBは、近くトルベックを呼び出す。彼らは何か握ったらしい」

「それは本当か?」

ゴルジが叫んだ。

「わたしの情報に嘘《うそ》はない。ところで、ゴルジさん、わたしはもう彼に会わないが、彼に会ってこれだけは仕込んで欲しい。一つ知恵をつけてやらぬと危い。奴は、女に会った時刻、記念写真の撮影に間に合わなかった。MPBは、それを武器の一つにして、彼を責め落そうとしている。だからこういうのだ。その写真は、トルベック自身がシャッターを切ったとね。これだと、彼が記念写真の中に入っていないわけだ」

「ぜひ伝える。ランキャスターさん、あんたはいつも知恵が廻る」

車は、野兎《のうさぎ》でも飛び出しそうな道を走り続けていた。

十五

警視庁は、グリエルモ教会のトルベック神父に出頭を求めた。

ここから、教会と捜査当局とのすさまじい闘争がはじまった。

教会では、はじめ、トルベック神父を出頭させることを拒絶した。もし、日本の警察がトルベックを取り調べるなら、教会に来てほしい、そこでの取調べなら応じてよい、と答えた。

警視庁には確信があったが、外国人だし、宗教関係の人間だから、普通の容疑者としての取調べは出来るだけ避けた。だから「重要参考人」という表現を用いた。

何度か折衝があった。遂《つい》に、教会側で折れて、トルベック神父を出頭させることにした。

この間に、相当な時間が経《た》っていた。この時間を教会側がどのように利用したか、捜査陣がトルベック神父を調べてはじめて気が付いたことである。

この事件には、物的証拠は何一つなかった。捜査陣がトルベック神父を自白させようとして主に狙ったのは、彼のアリバイの面からである。対手はその裏をかいたと云えよう。教会側では、トルベック神父の出頭を渋っている間に、悉《ことごと》く手を打っていたのである。

トルベックは、同じ会の日本人弁護士に付き添われて、捜査本部に現われた。

この時の問答の内容は、一切部外に洩《も》れていない。新聞記者もそれを窺《うかが》うことは出来なかった。しかし、或《あ》る程度のことは、どこからとなく彼らの耳に伝わった。

トルベック神父の警視庁出頭は、前後三日間にわたった。

警視庁では、まず、トルベックの出生から日本に来るまでの経歴を訊《たず》ねた。これは被疑者を調べるときに常套《じょうとう》的な訊問《じんもん》のやり方だったが、すでに、この辺からトルベックの供述は防禦《ぼうぎょ》的となっていた。

いよいよ事件当夜の彼の所在を確かめる段になると、トルベックは狐《きつね》のように臆病《おくびょう》になった。むずかしいところにくると、言葉が分らない、と云《い》って、いちいち辞書を出して引くのである。それから、その訊問に答えていいかどうかを、また弁護士に相談するのだった。

取り調べる側としては、いらいらする話である。明らかにこちらの言葉の意味が分っているのに、ゆっくりと辞書を繰るのだから、時間がかかるし、調べていてこちらの気持が焦《あせ》ってくるのである。

この訊問に関する限り、調べる方は逆に被疑者と同じ心理状態になった。焦ってはならぬと思いながらも、苛立《いらだ》ちが湧《わ》いてくるのだ。

取調室には、新田捜査一課長と、斎藤捜査本部主任がいるだけだった。取調べは主に捜査本部主任が当った。

アリバイのことになると、トルベックの答えは殊更《ことさら》に慎重だった。捜査側では、生田世津子が行方《ゆくえ》不明になってから現場で死体発見となるまでの時間に重点を置いた。その中でも、彼女の死亡推定時間が殊に重大だった。

これには、案外、すらすらとトルベックは供述するのである。それぞれ、自分といっしょだったという同伴者の名前を挙げた。しかし、それが悉く宗派関係の人間ばかりだった。聖職者もいるし、信者もいた。これは聖職者だから当然な話だが、普通人は一人も証言者の中に交っていなかった。

ところで、生田世津子との関係になると、トルベックの口はなかなか動かなかった。信者と神父との関係だけで、それ以外の意味はない、と云うのだった。

菊鶴ホテルの一件になると、もっと彼の口は慎重だった。辞書を片時も手から放さない。訊問の言葉を、まるで学習のようにゆっくりと探して、その意味を確かめるのである。結局、このホテルへは、ただ彼女と「話」をしに行った、というだけの弁解だった。

長い取調べだった。

その間に、刑事はトルベックにコーヒーを勧《すす》めた。が、奇妙なことに、神父は咽喉《のど》が渇《かわ》いているのにもかかわらず、一口もそれを啜らなかった。もとより、戒律の上から、外では煙草《たばこ》を吸わない男である。

何故《なぜ》、コーヒー茶碗《ぢやわん》に口も付けないのか。捜査側の狙《ねら》いの一つは、犯人の血液型を知ることであり、従って、この重要参考人の唾液《だえき》を採って検《しら》べてみたかったのである。一口でも、彼が茶碗の縁《ふち》に唇《くちびる》を付けたら、それを大事に保存して鑑識に廻す予定になっていた。これこそ事件の大事なキメ手になるのだ。

生田世津子の膣内《ちつない》からは、犯人のものと思われる精液が検出されている。血液型はそれで判明した。もし、トルベックの唾液から血液型が判明したら、両方のそれが一致するかどうか、その検査に調べる側では手ぐすねを引いていたのだった。

しかし、トルベックは、渇きのために声が嗄《か》れてきても、決して出された茶碗に口を付けることはなかった。勧めても無理なのだ。頭《かぶり》を振って、ありがとう、と云うだけだった。

そのうちに、トルベックがお茶を喫《の》まないのは、それだけの理由でないことを発見して、捜査陣は驚嘆した。調べは長い。ところが、トルベックは一度も手洗いに立たないのである。

被疑者の尿から血液型を調べようという手筈《てはず》は、用意されていた。が、三日間、彼を調べていても、茶をのまない彼は、一度も手洗いに立つことはなかった。聖なる恵みは、この哀れな被疑者の上に奇蹟《きせき》を起し給《たも》うたのであろうか。

トルベックの供述によって、警視庁では裏づけ捜査を行なった。これまで彼を攻略する唯一《ゆいいつ》の武器だった記念撮影の一件は、彼の姿のなかった理由を、写真は自分自らが撮影したと供述した。この云い抜けには、調べる方が、あっと思ったことである。

重大な時間には、或《あ》いは尼僧がいっしょだったり、他の同僚の神父がいっしょだったりした。そして、彼らは悉くトルベックの云い分に、間違いのないことを証明した。

証言はそれだけではない。信者たちも、神学校での祝賀会でトルベックは一度も中座しなかったことを一斉に証明した。実に一糸乱れない防禦なのである。

訊問する方が遂に手を挙げた。こうなると、裏づけはゆっくりと構えて取るほかはなかった。

すでに、新聞は、連日、これを大きく報道している。警視庁は、これ以上、何らのキメ手もなしに外国人を呼びつけることに困難を感じた。当分、泳がせて、新しい証拠を発見するほかは途《みち》がないように見えた。

最後の日、捜査一課長が、当分これで出頭を願わなくてもいいでしょう、と云うと、では、もう用事はないのですね、と弁護士がすかさず横から念を押した。これにうなずいたことが、不用意にもトルベックに逃げ道を与えた。

警視庁ではトルベックを調べてみて、本ボシに違いないと確信をつけた。これまでの経験で、被疑者の観察から、それだけの信念を持ったのである。

トルベックは始終落ち着かなかった。絶えず動揺し、顔色が真青だった。訊問が急所に来ると、彼は本能的に恐怖を現わした。筋肉がひきつり、無意識に十字を切るのである。

しかし、決め手はない。

実は、捜査側にも彼を犯人と確信する別な資料があったのだが、これを公開するわけにはいかなかった。決め手だが、その情報蒐集《しゆうしゆう》の方法が世間の非難を呼びそうだからである。

捜査陣は、グリエルモ教会の連中と、ランキャスターと呼ぶ外人との間に行なわれた交信を察知していた。その会話のなかには、オカムラだの、ムラカミだの、コヤマだのといった日本人の名前があったり、明らかに麻薬関係の隠語と思われる言葉があった。

生田世津子が殺されたのは、単なる痴情関係の殺人事件ではなかった。背後に大きな密輸が潜んでいる。しかも、それには生田世津子が勤務していたEAAL航空会社の従業員が関係し、グリエルモ教会のみならずバジリオ会所属の全宗団が関連していた。スチュワーデス殺し事件は予想のほか、国際的な規模を持っていた。しかし、残念ながら情報は犯人の決め手にはならなかった。その交信の捕捉《ほそく》方法が公《おおやけ》にできない以上、「証拠能力」に欠けていた。

トルベックについての第三者の証言もなかった。証言の悉くは同じ会の神父たちであり信者であった。会という一つの固い紐帯《ちゅうたい》に結ばれた共同利益の上に立つ発言だから、実際の信憑性《しんぴょうせい》は全くなかった。

しかるに、日本の法律は肉親の証言は信憑性を認めないが、他人のそれには信憑性を認めるのである。トルベックのアリバイについて証言した多くの人々は、トルベックに肉親的な連繋《れんけい》はなかったから、表面上、彼らは全部第三者なのだ。厄介な話である。

トルベックは、警視庁から帰ると、すぐにその足で入院してしまった。同じ会の経営する聖愛病院である。院長も、医者も、看護婦も、みんな日本人ではなかった。

取調べ中は辞書を引きながら答えに時間をかけ、それが済むや否《いな》や、忽《たちま》ち入院する。

その鮮《あざや》かな対手《あいて》の作戦に、捜査側が茫然《ぼうぜん》となったくらいである。

しかし、トルベックが入院した事実は、彼自身がいよいよ本ボシであるという確信を捜査側に持たせた。何となれば、外国人は事件で嫌疑《けんぎ》を受けた場合、入院するという行為自体が、自らの罪の告白を象徴するからであった。

この入院のことは、間もなく新聞記者に嗅《か》ぎつけられた。しかし、病院側では絶対にトルベックとの面会を許さなかった。病気が重いという理由からである。何の病気かと訊《き》くと、トルベック神父さまはたいへんお疲れになって、絶対安静の必要があるというのだ。

新聞社も雑誌社も、さまざまの人を介してトルベックに面会を申し込んだ。無理もない、いま、日本中でトルベックほど注目の的になっている人物はいないのであった。

この面会に成功した人が一人いる。その人は熱心な信者で、かつ、文化人であった。先方でも、その人が信心堅固な信徒だということを厳重な調査で確かめた上、やっと十数分間の面会を許可したのである。それも病院の内ではなかった。別の場所に、監視つきで、その面会はなされた。

会見者が当人に会って見て、彼がひどく憔悴《しょうすい》しているのに愕《おどろ》いた。蒼《あお》い瞳《ひとみ》が絶えず心配そうに動揺し、寸時も落ち着かない。外敵を惧《おそ》れる小動物のように、始終、おどおどしていた。

その文化人は、後で、会見記を書いた。

「トルベック神父さまにお会いした。神父さまは、今度の事件でたいへんなご迷惑をうけられた。私は日本の警察に抗議したい。神に奉仕する神父さまがそのような忌《いま》わしい罪を犯すわけはない。神に仕え、神の道を広める神父さまを、犯人扱いするなどとはとんでもない話である。しかし、私がお会いした神父さまは、少しもそのことについて捜査当局を非難されなかった。

すべては、自分が至らぬからだと謙虚におっしゃっていた。その瞳は清純に澄み、このよなく美しかった。私は感動し、同時に義憤を感じた。日本の警察は、どうしてこのような立派な人を疑わねばならないのであろうか。われわれ日本人は、このような迷惑をかけた神父さまに対して、謝罪しなければならない。マスコミは、今度の事件で興味的に騒ぎ立て、連日、大きな紙面にその記事をのせた。神父さまこそ最大の被害者である。しかし、トルベック神父さまは静かな態度で、絶えず私に真実を話された。その神のような謙虚さは、私の心を打たずにはおかなかった。神父さまは、自分はいま受難の試練を受けているのです、とおっしゃった。私は日本人として恥ずかしかった。そして、トルベック神父さまに心からお詫《わ》びした。神父さまの澄みきったきれいなお顔が、私にはいつまでも忘れられない……」

お可哀《かわい》そうにと、この筆者は懸命に書いていた。バジリオ会の神父だから、女とホテルで関係したり、人殺しなどするはずがない、というのがこの筆者を含むすべての信者の固い信念であった。

文化人の発言は、雑誌に掲載されて、当然、多くの信徒たちの喝采《かっさい》と賞讃《しょうさん》を博した。

――神に仕える神父がそんなことをする筈《はず》がない！

教会側では、それがもっと攻撃的だった、教会全体が逆毛を立てて、捜査側に身を構えていた。

こういう情勢の中に、ルネ・ビリエ師だけが、こっそり日本の高官夫人のところに、しきりと通っていた。

高官夫人は、バジリオ会の熱心な信者だった。夫も夫人と同じくらい敬虔《けいけん》な信者だった。

高官は、法治国日本の強力な発言者であった。ジャーナリズムにも、よくその名前や顔写真が出た。

高官夫人は、典雅な顔つきをしていた。高官もそうだったが、この夫人もその係累《けいるい》に日本の上層階級を持っていた。

ルネ・ビリエの狙いは、この権威者を動かして、危機の脱出を図ろうとしたのであった。

夫人は、殊のほか今度の事件に心を痛めていた。一破戒坊主《ぼうず》の安否だけではない。全会の存亡にかかわる問題であった。もし、この事件が発展して、実際に破戒坊主が犯人として挙げられた場合、営々として日本に根を下ろしてきた会の権威も勢力も、一挙にして倒壊するのである。これは同じ信徒として我慢のならないことだった。まさに一宗の法難である。

ルネ・ビリエは、夫人に懇願した。彼は、この危機を乗り越えるには、夫人の力に縋《すが》るよりほかにない、と云った。ヨーロッパの本部でもひどく憂慮している。迫害に馴《な》れた会だが、今度だけは断崖《だんがい》に立っていると深刻そうに愬《うった》えた。

夫人は、その懇願を聞き入れた。もとより、聡明《そうめい》な女《ひと》である。彼女は、それを夫に伝えた。

権威の地位にある夫は、夫人の頼みを聞き入れた。彼は云った。

——今度のことは、たまたま、腐ったリンゴが一個混っていたにすぎない。一個の腐ったリンゴのために、会全体が全滅するのは由々《ゆゆ》しき大事である。

高官は、その権威ある地位からいって警察方面にかなりの関係を持っていた。しかし、賢明な彼は、決って自己の発言が干渉や圧迫と思われるような直接手段を取らなかった。

折りから、総理大臣はヨーロッパに旅行の用意をしていた。

高官は総理に会って、説いた。

——たかが女ひとりの殺しではないか。こんなことで国際的信用を落してはならない。女一匹の死と一国の外交と天秤《てんびん》にはかけられない。どちらが大事か総理はよく考えていただきたい。目下、総理はヨーロッパ旅行を企図中である。或《あ》る大国との貿易交渉は、警視庁がこの事件を洗い立て、一人の神父を逮捕することによって、必ず悪化するであろう。殊に、ヨーロッパでは、この会の勢力が強い。もし、神父を殺人事件の犯人に決定するなら、日本は野蛮国と見られ、総理の望む外交交渉も失敗するであろう。そうなれば、総理の政治的生命も危殆《きたい》に瀕《ひん》することは必至である。

これを聞いて、総理大臣はうなずいた。顔色一つ変えず、にこにこして、その進言を諒解《りようかい》した。

この総理大臣は、ヨーロッパ訪問に異常な情熱を持っていた。むずかしい国際問題が堆積《たいせき》している。総理は、自らがヨーロッパに赴《おもむ》くことによって、この交渉の成功を信じていた。三代前の首相はアメリカに行って大事な交渉に成功した。その前の総理大臣は、ソヴェトに行って同じく重大な条約を締結した。いまの総理大臣の心境には、先輩首相の二つの「偉大な業績」が、たいそうな羨望《せんぼう》になっていた。

高官の進言は、野心的な総理大臣の心を他愛なく押しきった。

そのことがあって数日後である。

総理大臣の所属する政党の有力者から、治安関係の有力者に電話がかかって来た。何気ない電話である。雑談の末に、電話は最後に云った。

——時に、君の方は、スチュワーデス事件に、何故《なぜ》、それほど熱心なのかね？

十六

あとで思い合わせると、教会側でいろいろな工作をしていたことが判《わか》った。

例えば、トルベック神父のアリバイのことである。

グリエルモ教会の中に、住吉という日本人の雇い人がいる。彼は信者でもあるが、この教会の神父たちに信任が厚かった。以前、新聞記者たちが押し寄せたとき、ルネ・ビリエ神父の傍にいて、その答え方にさまざまと手伝った男なのだ。

警視庁では、トルベック神父の事件関係の行動を調べるために、そのアリバイを住吉の証言に求めた。グリエルモ教会にいる日本人で、住吉ほど内部のことに委《くわ》しい者はいない。

最初、藤沢刑事が住吉の自宅に行ったとき、眼を瞠《みは》った。

グリエルモ教会で日本人を安い給料で雇っているというのは評判になっていたが、この住吉だけは自家用車まで持っているのだった。それも真新しいのだ。家はさして広くないが、その生活が豊かなことは、刑事の眼から見て、家の中の調度や設備で分るのである。

薄給の住吉が、どうしてこのような贅沢《ぜいたく》な生活が出来るのか、と藤沢刑事は不審に思った。給料は自分たちとさして違わないのだろうが、自分の家の貧弱なことと思い合わせて不思議な気がした。それはともかく、藤沢刑事は、教会の勤務から帰ったばかりの住吉に会った。住吉は、三十四、五歳くらいの、額の広い、瘠《や》せた男である。

藤沢刑事は、彼に捜査の協力を求めた。トルベック神父をいちばん知っているのはあんただから、問題の四月二日、三日、四日の三日間における神父の行動を教えてくれないか、それには一覧表のようなものを作ってくれると有難い、と頼んだ。

この時は、住吉の顔は温和《おとな》しかったが、困ったような表情を見せた。

「刑事さん、これは急ぎますか？」

彼は訊《き》いた。

「たいへん急ぎます。どうでしょう、明日《あした》の午《ひる》過ぎまでに何とか作っていただけませんか」

藤沢刑事は依頼した。

「さあ、これはたいへん面倒なことで、調べるにも暇がかかると思います。とても明日の午《ひる》までというわけにはいきません」

「では、どのくらいかかります？」

「そうですな、三日間ぐらいは待っていただかないと、出来ないように思います」

「もう少し早く出来ませんか?」

「いや、それだけの日数は絶対に必要です。なにしろ、こういう面倒なことだし、それに大事なことです。念を入れて調査しなければなりません。万一、間違うと後で大変なことになりますからね」

藤沢刑事は、それも尤《もっと》もだと思って、とにかく、よろしく頼みます、と丁寧に云《い》って、彼の家を出た。

ところが、その翌日である。藤沢刑事が本庁に出勤すると、住吉から電話がかかった。頼まれたものが出来たから、すぐ取りに来てくれ、と云うのだった。

藤沢刑事は、変だなと思った。昨日の話はいくら急いでも三日間はかかるというのに、もう今日出来上ったという。しかし、早いのに越したことはない。刑事は、早速、渋谷の奥にある住吉の家を訪ねた。ちょうど、午を過ぎたばかりだった。

住吉は、一度教会に出て帰って来たらしく、家の表には例の新しい自家用車が置かれてあった。

「いらっしゃい」

住吉は愛想よく藤沢刑事を上にあげた。それから、鞄《かばん》の中から四つにたたんだ紙を取り出して、藤沢の前に拡《ひろ》げた。それは、方眼紙にぎっしり書き込まれたトルベック神父の行動表だった。

「いや、たいへん有難うございました。お手数をかけましたね」

藤沢刑事は丁寧に礼を云い、胸をおどらせながら、書き込まれた記事に眼を通した。なかなか詳細な内容だった。

ところが、それを見ていると、問題のアリバイ時間というのは、教会関係の人たちとトルベック神父とがいっしょなのだ。つまり、トルベック神父の行動には、必ず教会の他の神父か信者かが、同伴するか、居合わせるかしていた。

生田世津子が失踪《しっそう》した四月二日の午後三時ごろからのトルベック神父の行動を見ると、神学校での叙階式祝賀会に出席していて、余興や記念撮影に加わり、七時半には、そこから教会に帰って夕食を取り、十時に就寝している。

被害者の死亡に重大な関係があると思われる三日の行動を見ても、午前中は神学校で新任神父の初ミサの助祭をして、午後には中食会に出た後、信者二人を神学校から車で送ったり、神学校で儀式を司式したり、あるいは九時ごろから同僚の神父二人を渋谷の教会に送ったりしている。このように、トルベック神父が教会関係者以外の第三者と行動を共にした時間は一つもなかった。

藤沢刑事がそのことを指摘して、教会関係以外の第三者の証言はないか、と云うと、温和《おとな》しかった住吉の態度は俄《にわ》かに変った。

「あなたは、これほど立派な証人があるのに、まだそんな疑いを持っているんですか。

トルベック神父さまは、立派にアリバイが出来ています。神へ仕える神父さまたちや、信仰の厚い信者たちの証言以外に、何が大事だと云うんですか」

住吉は激しい声で云った。

「まあまあ、そうおっしゃらずに」

と藤沢刑事は初めはなだめた。

「あなたは、この表を作るのに三日もかかると云ったじゃありませんか。あんまり出来が早いので、この表が、もしかすると、教会側だけの云い分で出来たのではないかと思ったからですよ。それで、もう少し第三者の証人はないか、とお訊《たず》ねしたんです」

「なるほど、わたしは三日と云いました。けれど、あなたがたいへん急いでいて、一日でも早くと云うので、わたしは大急ぎでやったんですよ。そんなことまで警察では色眼で見るのですか？　神父さまが教会側の人間と行動するのは、当り前です。アリバイは、この通り立派ですよ」

住吉は、その紙の上を指で激しく敲《たた》いた。

「警視庁は、この捜査から手を引いて下さい。もう立派に、トルベック神父さまの潔白は証明されたんです。あの犯人は他《ほか》にいます。よけいなことに首を突っ込まずに、早くそっちを捜しなさい」

住吉は、藤沢刑事を追い返した。

このことがあって、教会側では至急に対策を講じた。

捜査当局は必ず、信者の有力者たちに聞込みを行なうであろう。その時になって、各自の間に証言の齟齬《そご》があってはならないのだ。

教会側のマルタン管区長や、ルネ・ビリエ神父や、当人のトルベックなどと相談して、住吉は改めて、詳細な「トルベック神父行動表」を作成し、これをプリントにした。

教会側は急遽《きゆうきよ》有力な信者たちを集めた。印刷の紙を持ったのはルネ・ビリエである。

「警視庁が今、トルベック神父に生田世津子殺しの嫌疑《けんぎ》をかけています。とんでもない話です。聖職者が人殺しをするなどと考える奴《やつ》らは、魂に悪魔が棲《す》んでいます。奴らはあなたがたの所にも、トルベック神父のアリバイのことで必ず訊きに行くでしょう。これはその時の参考です」

ルネ・ビリエは、手に持ったプリントを一枚ずつ信者に配りはじめた。教師が生徒に教材を配るような勿体《もったい》ぶった手つきであった。

「よく読んで下さいよ」

信者たちは貰《もら》ったプリントに読み入った。

読み終ったころに、ルネ・ビリエの言葉がはじまった。

「トルベック神父の行動は、ここに書かれた通りです。これには決して間違いありませ宅に送られた方もあります」

ルネ・ビリエはそう云いながら、並んでいる信者の一部に烈《はげ》しい眼を注いだ。トルベック神父に車で送られたと書かれている二人の信者の顔が、そこに在《あ》った。その信者二人は、ルネ・ビリエの燐火《りんか》の燃えるような眼つきに出遇《であ》って胸を顫《ふる》わせた。

「分りましたね？　では、必ず、この通りに証言して下さい」

宣言は終った。これは、教会側の、信者へむかっての「証言統制」であった。

ルネ・ビリエは、その後もくどくどと、この表《リスト》の通りに間違いなく云ってもらいたい、それぞれの間で不用意に喰《く》い違いがあってはならないからこれを暗記していて欲しい、と何度も繰り返した。

教会側の予想は当った。警視庁の刑事たちは、住吉が藤沢刑事に見せたリストによって、その信者一人ひとりに当りはじめたのである。

尤《もっと》も、些細《ささい》な手違いはあった。たとえば、信者たちにこの「行動表」が配布される以前に、刑事たちの質問を受けた信者もいたのである。

この時は、信者たちの云い方はしどろもどろであった。トルベック神父の行動を激しく追及されて、ただ、狼狽《ろうばい》と曖昧《あいまい》な答弁しか出来なかった。

それが、次に刑事が訪ねてきた時は、実に明瞭《めいりょう》に答えたものである。信者たちは、リストの全部を暗記していた。トルベック神父は何時から何時まで何処《どこ》にいた、というようなことを三日間にわたって明快に証言した。彼らの記憶が後になって急に明確に蘇《よみがえ》ったのであろうか。

どの信者に当っても、答えは一つの鋳型《いがた》から打ち抜かれたように全く同じであった。まことに見事な「証言統制」であった。

事実、捜査側は、これで手も足も出なくなったと云っていい。

本部では、この表に従って、詳細な検討を行なった。すると、曖昧なところが随所にあるのである。

四月二日の午後零時半にO電報局で祝電を打っているが、これにはトルベック神父の自筆の受付用紙があった。しかし、それ以後は、例えば午後一時半から叙階式祝賀会に神学校に行っているが、この会場に集まっているのは信者ばかりである。また、此処《ここ》では記念撮影をしているが、写真の中にトルベック神父の顔は見当らない。この点を追及すると、撮影者がトルベック神父自身だと云うのである。午後七時に祝賀会から教会に帰っているが、これとても同僚神父といっしょだと云うので、第三者は一人もいない。午後十時に就寝しているが、神父たちの寝る個室から、夜中にこっそりとルノーを駆って外出する可能性は、これまでの調べで充分に考えられたのである。

トルベック神父行動表

| | |
|---|---|
| 4月2日 | |
| 午前中 | グリエルモ教会で叙階式 |
| 午後0時半 | O電報局で祝電を打つ |
| 午後1時半 | 叙階式祝賀会のため神学校へ |
| 午後2時半 | 神学校で余興 |
| 午後3時半 | 記念撮影 |
| 午後7時 | 祝賀会より教会に帰る |
| 午後7時半 | 夕食 |
| 午後10時 | 就寝 |
| 4月3日 | |
| 午前5時 | 起床 |
| 午前5時半 | グリエルモ教会でミサ |
| 午前6時半 | 神学校へ　朝食 |
| 午前10時 | 新任神父によるミサの助祭 |

| | |
|---|---|
| 午後1時 | 昼食 |
| 午後3時 | S電報局から祝電を打つ |
| 午後6時 | 信者二人を神学校より車で自宅に送る |
| 午後6時半 | 神学校で儀式を司式 |
| 午後7時 | 夕食 |
| 午後8時 | グリエルモ教会に帰る |
| 午後8時50分 | 同僚神父二人を渋谷の教会に送る |
| 午後9時半 | グリエルモ教会に帰る |
| 午後10時 | 就寝 |
| 4月4日 | |
| 午前5時 | 起床 |
| 午前5時半 | ミサ |
| 午前6時 | 神学校へ行きミサ |

生田世津子が殺された日の四月三日の午後三時には、トルベックはS電報局から祝電を打っているが、その受付用紙には彼の自筆が見られた。しかし、そのあとの三時半以

後は、甚《はなは》だ信用の確率度が低い。午後六時に、信者二人を神学校から車で自宅に送っているが、これには第三者の目撃者はない。午後六時半、神学校で儀式を司式しているが、これはトルベック神父が出席しなくてもいい儀式であった。事実、彼はそこでの司式をしていないのである。七時、夕食、これも同僚神父といっしょだった。八時、グリエルモ教会に帰っているが、もとより同僚といっしょだったし、八時五十分に渋谷の教会に同僚神父二人を送って行ったことも同断である。

この日の午後九時ごろから午前一時ごろまでの時間は、最も捜査当局の注目するところだった。被害者生田世津子の死亡推定時刻が、三日の午後十時から午前一時の間となっているからだ。

ところが、トルベック神父は、午後九時半にはグリエルモ教会に帰ったと称し、十時には其処《そこ》で就寝したことになっている。これも前の場合と同じく、就寝と見せかけて、夜中にこっそりルノーで出かけた可能性は充分にあるのだ。

要するに、大事な時間は悉《ことごと》く教会側の証人だけで、アリバイの成立は確立しないのであった。

しかし、捜査当局は、教会側のこの鉄桶《てっとう》のような防備のため、遂《つい》に一歩もそれ以上に踏み込めなかったのである。

トルベック神父が警視庁の訊問《じんもん》に抵抗して、一滴の水も飲まず、一滴の尿も排泄《はいせつ》せずに病院に「入院」した後のことである。

純真な信者たちは、捜査当局のやり方に憤慨した。神父さまを殺人容疑者として捜査するとは、もっての外のことである。信者たちには、あの煉瓦色《れんがいろ》の警視庁の建物が、まるで何万という悪魔の棲む巣のように見えた。

しかし、総身の逆毛を立て、爪《つめ》を露《あら》わにしているグリエルモ教会側の捜査当局への攻撃は熾烈《しれつ》だった。訪ねてきた新聞記者にむかってさえ、

「裏のどぶ川に投げて、水を飲ませてやる」

と罵《ののし》った神父もあったくらいである。

教会側の代弁者、日本人の住吉は、今度の事件は警視庁の「デッチ上げ」であり「謀略」であると宣伝して廻った。彼はあらゆる場所に出かけ、その演説をぶった。

「警視庁はバジリオ会を迫害しているので、ありもしない密輪と結びつけ、一人の神父を殺人者に仕立てた。一つの証拠もなく、一つの裏づけもないのに、神聖な神父を警視庁に呼び、長時間苛酷《かこく》な取調べを行なった。訊問はいやらしく、かつ執拗《しつよう》であった。日本語を知らないトルベック神父は可哀《かわい》そうに、拷問《ごうもん》にも似た取調べに身心ともに疲労困《こん》憊《ぱい》し衰弱した。気の毒に、遂に入院するくらい彼は痛めつけられた。これは宥《ゆる》すべからざる人権蹂躙《じゅうりん》である」

けれども、教会側の打った手は、これだけではなかった。

或《あ》る日のこと、マルタン管区長は、教会でいちばん年若い神父を呼んで、すぐに本国へ帰るように命令した。理由は何も云わなかった。ただ、即刻出発するように、と云うだけだった。当人はまだ三十三歳で、日本の布教に熱意を持っていた。

命令は至上である。若い神父は、ただ次のことを云われただけだった。

「君が本国に帰ったら、間もなく、一人の日本婦人がそちらに送り届けられるであろう。君は、その時の身許《みもと》引受人になるのだ」

それ以外の理由は何も云われなかった。

グリエルモ教会から若い神父が一人消えた。信者たちには、彼は新しい任地に赴任するために転勤になったのだ、と教会側から発表された。任地の場所は判《わか》らなかった。

捜査当局でも、グリエルモ教会から急に一人の神父が帰国したことは確認した。しかし、このときは、べつに気にもかけなかった。トルベック神父とはおよそ関係のない人物である。しかし、後になって、これが教会側の打った巧妙な布石であることを知って驚嘆するのである。

尤《もつと》も、グリエルモ教会が所属神父を海外出張させることは、これまでたびたびあった。それも飛行機でホンコン経由の旅行なのである。これはずっと以前から行なわれていた。一体に、バジリオ会は貧しい教団として知られている。それが月に一回必ず、神父二人をホンコン経由で某国に往復させていたのである。他の豊かな会が真似《まね》の出来ない贅《ぜい》沢《たく》さだった。捜査当局は、後になって、その本当の意味を知った。

それだけではない。バジリオ会は、東京以外に、関西、西日本各地に、所属の教会を数カ所持っている。この教会の或る種の「事業」は、すべてこれらの支部と緊密な連絡の下に実行されていた。この「事業」の当面の実行者は、各支部の会計係であった。東京の責任者がルネ・ビリエ神父であり、関西がゴルジ神父であった。

教会は絶えず、その「事業」のために外部との接触を持っていた。しかし、外部からは誰も教会に足を踏み入れなかった。連絡は必ずと云っていいほど目立たない所で行なわれ、時には、神父が平服に変装して対手《あいて》方の所に出向いた。そのボスがS・ランキャスターという貿易商であることも、捜査当局は探知した。S・ランキャスター氏——さまざまの偽名を持った札付きの国際密輸業者だった。もとよりランキャスターというのも偽名の一つである。彼の勢力は某国大使館員にも及んでいた。

捜査当局は、足を入れれば入れるほど背後の拡《ひろ》がりの大きいのに唖然《あぜん》となったくらいである。

十七

夕方、佐野は、警視庁の近くに立っていた。

その前に同僚に偵察させると、藤沢刑事は定時に帰るような気配だ、ということだった。

警視庁の前は東京地検となっている。彼は、地検の赤煉瓦《あかれんが》の塀沿いに目立たぬように立った。マロニエの茂った葉が影を長く落している。どこの会社も帰りの時間なので、バスも電車も一ぱいだった。車の往来が激しい。

三十分も待ったころ、藤沢刑事の姿が警視庁の正門でない別の出口から現われた。貧弱な男で、此処《ここ》から見ると、保険の外交員といったところだ。半袖《はんそで》の白いシャツが萎《しお》れている。

刑事は、自動車の信号を待って、こちらに渡って来た。佐野が見ていると、藤沢のほかに誰も伴《つ》れがなく、後ろから尾行する新聞記者もいなかった。

一ころ騒ぎ立ったスチュワーデス殺しも、トルベック神父の喚問以後、捜査は中だるみの状態のようだった。

藤沢刑事は、佐野の立っている前まで来て、びっくりしたように顔を上げた。

「今日は。もう、お帰りかね？」

佐野は、何気なさそうに挨拶《あいさつ》した。

「なんだ、君か。まだこんな所にうろうろしてたのかい？」

藤沢刑事はにこりともしないで、不機嫌《ふきげん》そうな顔つきだった。

「ロクサン、もう、真直《まっす》ぐ帰るんかね？」

「ここんとこ用事がないからね。事件のない時は、早く帰って女房、子の顔を見たいよ」

「せっかくのところをすまないが、ちょっと五分間だけ、日比谷公園をつき合って貰《もら》いたいな」

「日比谷公園？　何だい？」

「冷たいジュースでもいっしょに飲もうじゃないですか。今日はまた、やけに蒸し暑かった」

「危ねえ危ねえ。お前《めえ》さんとなんかつき合ってたら、何をされるか分らない。おらあ真直ぐ帰るよ」

「まあ、そういわないで。今日は事件の話は止《や》めだ」

「嘘《うそ》つけ」

「まあ、何でもいいから、五分間でいいよ。気に入らなかったら、途中でぷいと帰っても構わないからね。どうせ、日比谷公園を突っ切れば田村町だから、あんたにはそう遠廻りではない筈《はず》だ。実はね、ロクサン、例のことで耳寄りなことを聞いて来たんだよ。そいつをあんたに吹っ込もうと思ってね」

「こいつ、まさかガサをかけるんじゃねえだろうな」

藤沢刑事は、警戒的な眼つきをした。

「まさか、ベテランのロクサンにガサをかけるほど、こっちは性質《たち》は悪くないからね。まあ、話だけ聞いてもらいたいね」

「しょうがねえな」

二人は、地検の塀沿いに西へ向った。

「お前《めえ》、ちょっと離れてくれよ。どうも、ブン屋が傍《そば》に付いてるのを見られると、うるさくてしょうがねえ」

「まさか、逃げるんじゃないだろうね」

「ばかな」

藤沢刑事は苦笑しながら先に歩いた。彼の云《い》うことも尤《もつと》もだと思い、佐野は、十間ぐらいの間隔をおいて、その後に従った。

日比谷公園の入口が見えてきて、藤沢の姿は、その中に消えた。佐野は、大股《おおまた》になった。

公園にはかなり人が歩いていた。木蔭《こかげ》にはまだ休んでいる連中が多い。配達途中の店員が自転車を並べて、木蔭やベンチに寝そべっていた。が、地面には夕焼けが反射して赤くなっていた。

佐野は、音楽堂の手前で追い付いた。

「ロクサン、向うに何か売ってるから、あそこで休もうよ」

佐野は、藤沢刑事を誘って、売店の中に入った。テントを張った下に、幾つものテーブルが置いてある。空《あ》いた席に、二人は腰掛けた。佐野は、ジュースをまず注文し、アイスクリームを二人分頼んだ。

「ばかにサービスがいいな」

藤沢はニヤニヤして煙草《たばこ》を吸っていた。

「断わっておくがね、これは割勘だよ。ブン屋におごられると、こっちの気持が悪いからな」

「そんなことはどっちでもいいよ。ところでロクサン。ぼくは、この間からちょいとした聞込みをやったんだがね。本部は知ってるかな?」

「本部は何も知ってないよ。おれみたいなボンクラなデカばかりだからな」

「ご謙遜《けんそん》でしょう。この間からあんたが捕《つかま》らなくて、こっちは大弱りだった。ところで、ぼくの聞込みというのを、ひとつ聞いてもらおうか。いや、怒られるかもしれないが、やっぱり例の事件のことだがね」

「そんなことは初めから分ってる。べつに腹も立たんよ」

「そいじゃ聞いておくんなさい。生田世津子の腹の中に入っていた松茸《まつたけ》の罐詰《かんづめ》は、O駅の北口のマーケットで売っていた。こいつは、ぼくがロクサンから教えてもらった。その代り、神父さんたちのアジトは教えてあげた筈だったな」

「ばかに恩に被《き》せるぜ」

「それから、彼女の死体が揚ったのは玄伯寺川だ。問題は、彼女が二日間どこに監禁されていたか、ということだがね。この間、本部はトルベック神父を引っ張って調べたが、神父は何も云わなかったそうじゃないか？」

「まあ、ね」

藤沢刑事は渋い顔をした。

「そこで、二日間の監禁場所は、こっちで捜し出すよりほかにしようがない。ぼくは、そこを、O駅と現場の玄伯寺川を結ぶ線の内だと、こう踏んだんだがね」

「そうかい」

藤沢刑事は、ただニヤニヤしていた。

「その結ぶ線の真ん中だと、まず、××町辺《あた》りが考えられる。あの辺は閑静な住宅地で、大きな家ばかりがある。ぼくはあの辺をシラミ潰《つぶ》しに歩いたよ」

「やれやれ、そりゃ暑いのにご苦労だったな」

佐野は、藤沢刑事の顔色を窺《うかが》ったが、刑事はジュースのストローに口を付けてうつ向いていた。反応は分らなかった。

「苦心の一席は省くがね。その中で、妙な家を一軒見つけたんだ。実は、これをロクサンに吹っ込もうと思ってね」

藤沢刑事は、子供のように音を立ててジュースの残りを吸っていた。

「あの辺は滅多に移転のない場所だ。なにしろ、古くからいる家が多いんでね。ところが、その中で一軒、ちょうど、あの事件のあった直ぐ後に、他所《よそ》に越した家があるんだ。こいつは偶然かもしれないが、ぼくはちょっと近所を当ってみたんだ。すると、どうも訳の分らない人間が前にいたんだね」

藤沢刑事は返辞もしないで、ジュースが済むと、アイスクリームをつついていた。やはり顔を上げないから表情が読めない。薄く禿《は》げた頭が佐野の眼の真正面だった。

「標札も何もないので、すぐ隣にいる人も名前を知らなかったんだそうだ。そこに出入りの牛肉屋をつかまえたところ、その家の名前は岡村ってとこまでは聞き出した」

佐野はじっと藤沢の顔を眺《なが》めた。藤沢刑事は赭《あか》ら顔で、鼻梁《びりよう》が高い。落ち窪《くぼ》んだ眼窩《がんか》に眼が鋭かった。頬《ほお》がこけているが、この精悍《せいかん》な顔つきが被疑者にどれだけ畏怖《いふ》を与えるか分らなかった。その顔も今はただ下唇を突き出して、クリームの匙《さじ》を運んでいるだけだった。

「ところが、牛肉屋も」

と先をつづけた。

「たった一週間でお払箱なんだね。いや、そこだけではない。次に出入りする牛肉屋も、その次も、その次も、一週間ごとでたいていお払箱なんだ。ねえ、妙な家じゃないかね。牛肉屋だけではない。ほかの出入りの商人も、たいていそんな目に遭っている。ところが、そんなことを向うは初めから考えていたらしく、勘定はその日払いだ。まあ、気に入らない店は取り替えることはよくあるが、初めから計画的に出入りを短くしているというのは、ちょっと妙じゃないかね。どうだな、ロクサン。これ、面白くないかな」

藤沢刑事は、唇を紙のナフキンで拭《ぬぐ》った。

「面白いね」

感動のない顔つきだった。眼が鈍い。

佐野は見当《あて》が違ったような気がした。藤沢刑事が一向に話に乗って来ないのである。尤も、表面は興味を示していないように見せかけながら、内心ではうずうずしている場合もあるが、それだとどこかで見破れるのである。が、今の藤沢刑事の表情は、実際に退屈そうだった。

「ロクサン」

と佐野が云った。

「あんた、こんな話、とびつかないのかい？」

「そうでもないがね」

と藤沢刑事は懶《ものう》い恰好《かっこう》で椅子《いす》の後ろに肘《ひじ》を掛けた。その様子がいよいよ睡《ねむ》たげだった。

「本部では、まだ、生田世津子が殺される前、何処《どこ》に監禁されていたか判《わか》っていないのだろう？」

「ああ、分っていないね」

「そうだったら、この話は耳寄りなことだと思うがな。ロクサン、一度、この家から出て行った人間を洗ってみたらどうだね？」

「そいつも方法だな」

とやはり刑事は煮えきらない。

「なあ、ロクサン。今も云った通り、グリエルモ教会と、この家と、玄伯寺川とは、一直線の筋を結んでいる。隠れ家《が》にしたら、こんな絶好な場所はないと思うがな」

佐野は熱心に水を向けたが、ロクサンは一向にそれにはっきりした反応を見せなかった。

「帰ろうか」

藤沢刑事は起《た》ち上った。佐野は舌打ちした。

「おれの分の勘定は払っておくよ」

藤沢刑事は蟇口《がまぐち》から金を出して、伝票を見ながら自分の分を置いた。

「水臭いよ、ロクサン」

と止めたが、

「ブン屋におごって貰うと、後が面倒だからな」

と藤沢刑事は笑った。

二人は、夕暮れの影の濃くなった日比谷公園を、表のほうへ向って歩き出した。自然と二人の肩は並んだ。

佐野は不機嫌になった。せっかく、勢い込んで、刑事にヒントを与えてやろうと思ったのだが、向うのほうで全く受け付けない。優秀な刑事だと思っていたが、佐野は、藤沢が案外平凡な男に見えてきた。

二人は黙ったまま、電車道の見える表門のほうへ近づいていた。電車通りの向うの空に、昏《く》れたばかりの残光が蒼《あお》く澄んでいる。ネオンが光を強くしかけていた。

「おい、ちょっと教えてやろうか」

と前を歩いていた藤沢刑事が、突然、佐野を振り返って耳もとで云った。

「…………」

「お前さんがさっき云った岡村のことだ。お前、岡村の正体をまだ知らないだろう？」

佐野がぼんやりしていると、藤沢はニヤニヤしてつづけた。

「岡村という男はね、バジリオ会の信者なんだ。以前《まえ》にM署で、あの教会の闇砂糖《やみざとう》が引っかかったことがある。その時の闇屋が岡村だ」

佐野が声を呑《の》んでいると、

「尤も、今は砂糖のほうは足を洗ってるがね、やっぱり闇稼《やみかせ》ぎをやっている。しかし、今は大物だよ。表向きは小さい工場を経営していることになっているが、実は、教会と結託して、麻薬を主に扱っているよ。現在では、もう、ちょっとしたボスだよ」

佐野が思わず棒立ちになっていると、刑事は、

「おれが君にこっそり教えるのは、これだけだ。じゃさようなら」

と手を挙げた。

佐野があわてて、

「ロクサン」

と呼んだが、刑事は振り返りもせず、電車の停留所のほうへ保険の外交員のように背を屈《かが》めててくてくと歩いて去った。

警視庁は、トルベック神父を重要参考人として三日にわたって召喚したが、その後は彼に対して何の働きかけもしなかった。

当人は入院して、報道関係陣が押しかけても絶対に面会をしないのだ。

このことは、グリエルモ教会の当事者も同じことで、新聞社の車は絶対に教会の門に近づけなかった。前回で懲《こ》りていることである。うるさい外国人関係だし、宗教団体だ

から、新聞記者たちもこれには二の足を踏んだ。

捜査当局に執拗《しつよう》に訊《き》いても、事件は目下捜査中ということだけで、具体的な回答は一つもなかった。いつも定例のように行なわれる捜査一課長の記者団会見も、この事件に関する限り、いつの間にか消え失《う》せてしまった。

この頃活躍したのは、新聞よりもむしろ週刊誌である。週刊誌の特集記事には、スチュワーデス殺し事件は恰好《かっこう》の餌《えさ》であった。雑誌記者たちは信者たちの伝手《つて》を求めて、材料の蒐集《しゅうしゅう》に狂奔した。

しかし、どの信者も口が固かったからこれという新しい材料は出なかった。記事は勢い臆測《おくそく》と噂《うわさ》とをまぜて飾り立てられた。

警視庁は相変らず、無気味な沈黙を守っている。教会側も積極的には抗議しなかった。しかし、依然として戦闘的であることには変りはなかった。この頃、教会の発行する機関誌には、スチュワーデス殺し事件についてのトルベックの潔白を言明する記事が掲載された。

ところが、その釈明記事の一つが、機関誌を発行する直前に抹殺《まっさつ》されたことがあった。何故《なぜ》、それをあわてて教会側が削ったのか分らない。また、何が書かれていたかも分らなかった。しかし、これは、教会側が捜査陣に対して依然として鎧《よろい》をつけていたことを意味するのである。

新聞社側は、しかし、いつ、この事件が突然解決するか分らないという惧《おそ》れがあったために、捜査当局を絶えず警戒していた。

刑事は相変らず捜査に従事して、こつこつと聞込みや地取りに当っている。その後を新聞記者たちは尾《つ》けたり、刑事の私宅を襲ったりした。

しかし、何も得られなかった。歩いている刑事自体がこれという収穫がなかったように見えた。

佐野はこうした動きの中で、ふと、もう一度、江原ヤス子の家に行ってみる気になった。

江原ヤス子に最初会った時は、さんざんな目に遭《あ》った。その後、幾多の新聞記者や、週刊誌の記者が彼女の家を襲っているので、彼女の態度はいよいよ威丈高《いたけだか》になっていた。佐野自身が他の記者たちから江原ヤス子に会った顚末《てんまつ》を聞かされ、さらに彼女の物凄《ものすご》い様子だったことを耳にすると、自分のときを考えて、ひとりでに笑いが出るのだった。

佐野は、江原ヤス子に直接会いに行っても無駄だと分っていたので、以前に知り合った彼女の隣の家を訪問することにした。そこで間接的に江原ヤス子の動静を知ろうと思い立ったのである。

佐野は、社の車を走らせて、江原ヤス子の家の近所まで行ったが、わざと路地の奥には車を乗り入れなかった。車をその辺で待たせ、彼は路地を歩いた。

それとなく彼女の家の前を往復してみたが、家は全部戸が閉まり声も聞えなかった。佐野の眼には、それが一種の砦《とりで》のように映った。

彼は、この間会った例の大学生の家を訪《たず》ねた。

玄関に出て来たのは、大学生の母親らしい初老の婦人だった。大学生のことを聞くと、彼女は息子を奥に呼びに行った。学生は佐野の顔を憶《おぼ》えていて、にやにや笑った。

「この間はどうも」

と佐野は頭を下げた。

「少しはお役に立ちましたか？」

大学生は母親の横に立っていて、玄関で佐野とむかい合った。

「たいへん、助かりましたよ」

佐野は礼を云《い》った。

「ところで、その後、変った様子はありませんか？」

佐野は大学生とその母親の顔を等分に見た。

「そうですね。何しろ、あれから新聞や雑誌がひどく騒ぐもので、江原さんもすっかり警戒して、余り外に出なくなりましたよ」

大学生は話した。

「いま表を通ってみたんですが、隣は留守のようですね」

佐野が云うと、

「ああ、あれですか。あそこは何時《いつ》も留守をしているのか、家にいるのか判りませんよ。何時もああして戸を固く閉めてひっそりと家の奥にいるんですからね。いないと思って大きな声で陰口を利《き》こうものなら、ひどい目に遭いますよ」

「やはり、例の聖書の翻訳は進行しているんですか？」

「さあ、どうですか。近ごろは例の神父さんも寄りつかないようです」

ルネ・ビリエ神父のことだった。

「以前《まえ》は、あれほど毎日毎晩のように来ていたんですがね。今度の事件で新聞が騒ぎ出して以来、ぴたりと来なくなったんです。ですから、彼女はいつも独《ひと》りですよ」

「独りでどうしているんです？」

「何だか、このごろ自分の品物を売っているようですよ」

母親が横から云った。

「前には、ずいぶん派手な生活をしていて、いろいろ調度など買っていましたがね。今では、すっかり鳴りをひそめて、かえって持っている道具を手放しているようですよ。あれは、きっと旦那《だんな》の神父さんが来なくなったからでしょうね」

「ははあ、そうすると、江原さんは貧乏になったんでしょうか？」

「さあ、どうでしょうか。でも豊かになってはいないでしょうね。何しろ、ああいう事件の後ですから、ルネ・ビリエさんが金を出すのも警戒しはじめたからでしょう。いわば、今は売り食いみたいなもんです」

佐野は、このとき江原ヤス子が品物を売っているのは、隣家の主婦の意見どおり、ルネ・ビリエが金を持って来なくなったので、急に貧乏したのかと思った。が、実はそうではなかったのだ。佐野はその時は何も気がつかなかった。

十八

ランキャスターはナイト・クラブで酒を呑《の》んでいた。

彼は此処《ここ》でも顔である。貿易商として金づかいもきれいなのだ。階下《した》が踊り場になっていた。音楽が階下《した》から風洞《ふうどう》を抜けてくるように聞える。階上は静かなレストランのような仕組みになっていて、彼のほかにも五、六人の客がばらばらにテーブルに着いていた。外人が多い。

この店は、もともと、外人の客が多いので有名だった。階下《した》の音楽が狂躁《きょうそう》的なのも、ダンスの合い間に口笛が聞えるのも、そのためだった。

隅《すみ》の電話が鳴った。ボーイが聞いていたが、受話器を静かに置くと、貿易商の傍にゆっくり歩み寄って来た。

「ランキャスターさま、お電話でございます」

ランキャスターはグラスを置いた。待っていたという風だ。胸のハンカチを取り出して唇《くちびる》の辺《あた》りを大切そうに拭《ぬぐ》うほど落ち着いた気取った動作だった。ありがとう、とボーイに会釈《えしやく》して、電話の所に歩いた。

「わたしだ」

と彼は送話器に云った。

「わしだ」

と受話器は応《こた》えた。ルネ・ビリエの声だった。ランキャスターはうなずいた。

「連絡を待っていた」

「遅くなった」

と先方は云った。

「トルベックの調子はどうだね？」

ランキャスターが小声で訊《き》いた。

「奴《やつ》は死んだ馬さ」

ルネ・ビリエは答えたが、途中で、

「おや、賑《にぎや》かな音楽が聞えるね」

と皮肉に呟《つぶや》いた。

「なにしろ、お前さんとこの電話は危いからな」

ランキャスターは応じた。

「とても、わたしのとこの電話と、お前さんとこの電話では話ができない。そこで、こちらに電話をしてもらったのだがね」

「いい思いつきだ」

とルネ・ビリエが云った。

「急ぐ用事かね?」

「この間の便りは届いたかね?」

ランキャスターは反問した。

「届いた」

と神父は答えて、

「君はいつ帰るのだ?」

と訊いた。

「今だ、これから行くところだ」

ランキャスターが答えると、ルネ・ビリエは愕《おどろ》いたような声を出した。

「今だって? そりゃ、また早い……」

と彼は叫んだ。

「早いのに越したことはない。なにしろ、こっちの身にも火がついて来たからな」

ルネ・ビリエはランキャスターのこの言葉にしばらく黙っていたが、

「どこへ?」

と、また訊《たず》ねてきた。

「多分、カイロだろう。少なくとも、わたしのパスポートはカイロと行先がなっている。あとは、自分の足を旅客機のタラップに乗せればいい」

ルネ・ビリエは沈黙した。声のない受話器は、先方の沈黙を当惑な表情に伝えた。

「いずれ向うに着いたら、こちらの指令を流す。いいな?」

ランキャスターは云った。

「分った」

「ところで、そっちの情勢はどうなんだ?」

「工作は巧《うま》く行っている。この調子だと、MPB(警視庁)が、どうぞトルベックを本国に帰してくれとこちらに頼みに来るだろう」

含み笑いが聞えた。

「知合いの或《あ》る長官がワタリをつけてくれたんでね、政府のお偉方は了解済みだ。もう二、三日したら、奴は帰国するだろう。こちらから外務省には通してある。堂々としてるのは、日本の警察でなく、われわれのほうだからな」

「その外務省の係役人は?」

「こちらの信者だ。しかも幹部さ。……主よ、信ずる者に幸いし給《たま》え」

神父は電話口で祈りを呟いた。

「ところで、トルベックは、本国に帰った後、そちらではどう処置つけるんだね」

ランキャスターが軽蔑《けいべつ》を含んだ声で訊いた。

「奴かい？　奴は、多分、宗教裁判にかけられるだろうな」

「宗教裁判か……」

「なにしろ、奴はひどいヘマをやったからな。それだけでも、被告になる値打ちはある」

「その裁判では、奴はどうなる？」

「日本のＭＰＢとは違う。トルベックも日本にいたようなわけにはいかないだろう。奴はわれわれに失敗を与えた。それだけでも大きな罪だ。多分、聖職の籍から追われるか、世界の涯《はて》に追っ払われるか、どっちかだろうな」

ランキャスターは受話器を持ったまま肩を竦《すく》めた。

「おまえさんのイロはどうなる？」

「ああ、あの女か」

ルネ・ビリエはこともなく云った。

「あいつの処置は出来ている。日本には置いておかれない。なにしろ、口の軽い女だからな、何をしゃべられるか分らない。それに、新聞社や雑誌社がこう追い廻していては、いつボロを出すか知れない危険がある」

「どこにやるんだ?」

「われわれの本国だ。その手続きも出来ている。日本人の女は海外に永住出来ないから、あいつは結婚という名目で渡航させることにした。おムコさんは先に帰って待っているよ」

「お前さんの愛人にか?」

とランキャスターは云った。

「そんなことをさせて、お前さんは平気なのか?」

「平気さ」

と受話器の声はせせら笑った。

「あの女は、わたしだけではない、つき合っている男が他にもいる。わたしもその名前を知っている。ただ、今まで黙っていただけだ」

「よろしい」

ランキャスターは最後に云った。

「いずれ、こちらの指令は、オカムラから伝える。上海《シャンハイ》から出すか、マニラから出すか、カイロから出すか、分らないがね。ルネ・ビリエさん、まあ、達者でいてくれ。世話になった。いずれまた、こっちに舞い戻るつもりだがね。それまでのお別れだ。何しろ、日本はいいからね、天国だ。お前さんとゆっくりパーティでも開きたかったが、それも出来なくて残念だ。しかし、これだけは憶《おぼ》えておいてもらいたい。これから先も、お前さんの教会はわたしと共同事業だということをね。さようなら」

ルネ・ビリエは受話器を掛けた。

使ったのは公衆電話だったが、彼はルノーに乗ると、急いでグリエルモ教会に向った。雨が降っていた。

教会に帰ると、ルネ・ビリエは忘れ物を取りに戻ったように急いで階段に向った。すぐ、管区長のドアを叩《たた》いた。

マルタン管区長は不興気にルネ・ビリエを迎えた。彼の顔色は不安そうだった。そういえば、この教会全体が怯《おび》えを持っているようだった。外側は蟹《かに》の甲羅《こうら》のように固く武装しているが、中味は絶えず怯えと不安とが混っていた。

ルネ・ビリエは、マルタン管区長の机に進んだ。

「ランキャスターから連絡がありました」

ルネ・ビリエは抑《おさ》えた声で報告した。

「奴は、今これから飛行機で日本を出るそうです」

「これから?」

管区長は眼をむいた。おう、と口の中で云い両手を拡げた。

「どうやら、奴も足もとが危くなってきたようです。しかし、こちらとしては、かえってよかったと思いますよ。警視庁もどうやら奴を狙《ねら》っていたようですから」

「……しかし、急だったな」

「奴はそういう男です。すばしこい商人ですよ。何しろ、国際的に札つきの男ですからね。手抜かりはない」

「何処《どこ》に行くと云っていた?」

「話の様子だと、どうやら、カイロ辺りらしいですね」

管区長の顔が愕いていた。

「ほかに何か云っていたか?」

「連絡はオカムラを通じて取ると云っていました。それから、奴はこうも云いましたよ。自分が何処にいようとも、君の教会は俺と共同事業だとね。奴はわれわれに儲《もう》けさせてくれたが、これからも、われわれを永遠に手下にしておくつもりです」

マルタン管区長は暗い顔になった。が、それは諦《あきら》めの表情だった。

「仕方がないだろう。われわれは貧乏だった。おかげで教会の建増しも出来たし、ほかの地方の教会もよくなった。ただ、これからもボロを出さぬことだと思う」

「トルベックのことを訊いていましたよ」

「そうだろう。あの男はトルベックを憎んでいる。トルベックがドジを踏まなかったら、こんなことにならなかったと呪《のろ》っているのだ」

「管区長さん、トルベックを早く出した方がいいですよ」

「わしもそう考えている。で、手続きの方はどうだ?」

「万事完了です。もう警視庁に指一本も指させません。これをご覧下さい」

ルネ・ビリエは新聞を取り出した。その日の夕刊だった。

管区長は日本字が読めない。ルネ・ビリエはそれを本国語に翻訳して読み上げてやった。

「これは、私がこの間、信者の新聞記者が来たので、話してやったのですが、その言葉ですよ。

『トルベック神父が人殺しをやるわけがない。叙階式や祈禱《きとう》などの重要な儀式の合間を縫って、神父が普通の人でもやれない殺人という大罪を犯すかどうか、考えてみただけでも判《わか》る筈《はず》だ。われわれの歴史は受難の歴史だった。今度の事件もその一つだが、警察と組んだ、マスコミのやり方など、われわれは迫害としか思えない。私は石に手を措《お》いても誓う。トルベック神父は潔白だ』」

管区長は何度もうなずいた。よく出来た作文を讃《ほ》める教師の態度だった。

「今度は捜査本部が云《い》っていることです。『中間発表はしない。被害者の二日間の足取りが判らないため、取調べは難航している。外国人神父だからといって、取調べに手加減はしないが、本部としては、無用な摩擦を避けるために必要以上に気を遣《つか》っている』と多くを語らない」

これにも、マルタン管区長は合点合点《がてんがてん》をした。

「お判りでしょう。捜査本部は、もうわれわれに手をつけることができないのです。警察では、もうトルベックを調べる必要がないから、何処に行っても自由だと、係官が云ったそうです。何処に行っても構わないというのは有難い話です。トルベックを本国に出しても文句はない筈だ」

「準備は？」

と管区長はルネ・ビリエに事務的に訊いた。

「出来ています。いつでも出せますよ」

「実は」

と管区長は云った。

「きょうも、本国の方からトルベックを早く帰すように云って来ている。向うでも、今度のことではたいそう悩んでいる。これ以上、ぐずぐずすると、わたしの責任になる。そうなると、わたしは破滅だ。朝鮮の山奥か、コンゴーの密林地帯に追放されるかもしれない。ルネ・ビリエ君、では、早速、計《はか》ってもらおうか」

「いつにします?」

「即刻だ、明日にでもいい」

「明日?　そりゃ急ですな」

ビリエは目をまるくした。

「君は準備は出来ていると云った。出来ぬことはないだろう?」

「わかりました。これから、トルベックに会いに行きます」

「そうしてくれ給え」

ルネ・ビリエは、管区長室を飛び出した。

彼は、またルノーに乗り、篠《しの》つくような雨の中を教会から走り出た。

雨が滝のようにフロントガラスに流れていた。ワイパーが動いていたが、雨を落すのが間に合わないくらいだった。

蒸し暑い梅雨《つゆ》なのだ。汗がひとりでに頸筋《くびすじ》からあふれ出る。

「ヤケに雨が降る。畜生《マンマ・ミア》!」

ルネ・ビリエは、ハンドルを動かしながら罵《ののし》っていた。

「トルベックめ、地獄へ行け!」

彼は唾《つば》を吐きかけたが、生憎《あいにく》と雨のために窓を閉しているので、忌々《いまいま》しそうにのみ込んだ。

ルネ・ビリエは、××町の坂道に沿った聖愛病院の門を入った。

彼は長い廊下を歩いて、奥まった場所にある病室のドアを叩いた。

応答はなかった。その代り、しばらくして、ドアのすぐ向うで名前を訊く声がした。

トルベックの声だった。

「ルネ・ビリエだ」

鍵《かぎ》を開ける音がした。ドアをまず細目に開き、トルベックの片眼が覗《のぞ》いた。怯えきった眼だった。

それから、急いでドアを開くと、ビリエを中に引き入れ、急速にドアを元に戻して錠を下ろした。

「元気かね?」

ルネ・ビリエは、勝手に部屋の奥に歩いた。机の上に聖書が開いたままになっている。

ルネ・ビリエは、それを覗《のぞ》いて十字を切った。

トルベックは暗鬱《あんうつ》な顔をして立っていた。暗いのは部屋のせいかも知れない。中庭にむかった部屋の窓も雨が流れ落ちていた。

「蒸し暑いことだ」

ルネ・ビリエは、ハンカチで頸筋を拭《ふ》いた。そして、自分でトルベックの坐《すわ》っていた椅子《いす》に腰掛けた。

「瘠《や》せたね」

ルネ・ビリエは、トルベックを見上げた。眼が笑っていた。

実際、壁際《かべぎわ》に突っ立ったトルベックは眼窩《がんか》が落ち込み、頬《ほお》が殺《そ》げていた。顔色も艶《つや》がなく、蒼《あお》黒いのである。瞼《まぶた》が絶えず神経質に顫《ふる》えていた。

「ルネ・ビリエさん」

トルベックは云った。

「何かありましたか？」

糸のような細い声だった。

「あった」

ルネ・ビリエは肩を張った。

「えっ、何ですか？」

トルベックは怯えながら訊いた。

「云おう。君はすぐ本国に帰らねばならない」

「おう」

トルベックは本能的に床の上に膝《ひざ》を突くと、胸で十字を切り、顔をうつ向けた。

「いよいよですか?」

彼は呻《うめ》いた。

「いよいよだ。マルタン管区長の命令だ。明日《あした》、君は国際旅客機で帰らねばならぬ。座席も取ってある」

「明日ですか?」

トルベックはさっと顔を上げた。

「明日だ。君にとっては都合の好い命令の筈だ。もう、小うるさい、無礼な、日本の新聞記者に悩まされることはない。分ったか。今日のうちに荷物の準備などしておいてくれ。しかし、君はこの病院から行くのだ。教会に帰ってはならぬ。教会に置いた君の私物は、後で届けさせる」

トルベックは沈黙していた。何か一心に物事を考えているような様子だった。

「わたしがこの雨の中を此処《ここ》まで来たのは、それだけの用事だ。分ったな?」

ルネ・ビリエが腰を上げたとき、トルベックはそれに縋《すが》り付くように膝で匍《は》って来た。

「ルネ・ビリエさん。ぼくは本国に帰ったら、どんな処分を受けなければならないのでしょうか?」

彼は空虚《うつろ》な眼をルネ・ビリエに向けていた。組み合わせた指が戦慄《せんりつ》していた。

「多分」

とルネ・ビリエは云った。

「君はいろいろと訊《き》かれるだろう」

「処分ですか、ビリエさん？」

「知らないね。それはわたしの権限外だ」

「ルネ・ビリエさん。まさか、本部はわたしを聖籍から追放するんじゃないでしょうね。わたしは、もしそうなったら、どこに身を置いていいか分らないんです」

トルベックは愬《うった》えた。

「わたしの家は貧乏です。おやじは貧乏な大工だったし、家族は貧乏で苦しんでいます。わたしは小さい時から、革の靴を穿《は》いたことがありません。聖職者になったことで、わたしは一廉《ひとかど》の出世をしたことになっています。おやじも、おふくろも、みんなわたしを誇りに思っています。そのわたしがまた貧乏の中に戻らねばならないとなると、わたしは絶望で眼が眩《くら》みそうです。おやじも、兄貴も、わたしを軽蔑《けいべつ》し、憎み、罵《ののし》ることでしょう。ルネ・ビリエさん。お願いです。どうか、あなたから管区長に云って、みんなで本国のほうへ嘆願書を出して頂けませんか。お願いです、ルネ・ビリエさん」

「君の希望通りにしよう」

ルネ・ビリエは冷たく云った。

「では、トルベック君、明日の飛行機だよ。出発は夕方の七時半だ。間に合うようにし給え」

「ルネ・ビリエさん。わたしは云いたい。こうなったのは、一つはあなた方の責任です。いや、わたしに会計係という仕事をさせたためです。万事はあれから狂って来た。わたしだけじゃない。そういう仕事をさせたあなた方がいけなかったのです」

「ふん、トルベック君。君はわれわれに文句を付けるのかね?」

「いや、お願いしているのです。どうか、わたしを助けて下さい! ビリエさん」

十九

羽田国際空港の建物の階下に、乗客の荷物《カーゴ》を検査する税関の事務所や、金の両替をする窓口などがある。真ん中が通路になっていて、両側は長いカウンターの垣になっていた。その区劃《くかく》の一つに、法務省入国管理局羽田出張所があった。

梅雨《つゆ》晴《ば》れの午後七時というと、まだ外には明るさが残っていた。一団の搭乗客《とうじょうきゃく》が列を作って、この通路を歩いていた。荷物の検査を受けたり、両替したり、査証を見せたりする忙しい一ときである。ここは乗客だけで、見送人は立入禁止になっている。

入管の職員は、乗客の差し出す査証に事務的に次々と眼を通していた。外国人が殆《ほと》んどである。

その中の若い職員が何枚目かの査証を受け取って、その名前を見て眼を剝《む》いた。

《グリエルモ教会所属神父トルベック》

査証には当人の写真が貼《は》ってある。新聞で見た通りの顔だった。職員は顔色を変えて、本人のほうを向いた。カウンターの向うには写真と同じ顔が微笑して突っ立っていた。愛嬌《あいきよう》のある笑い方だ。

職員は、この若い聖職者がいま新聞で騒がれている殺人事件の英雄であることを知っていた。目下、警視庁は彼を重要参考人として取調べ中の筈《はず》だった。刑事事件の重要参考人というと、殆んど容疑者にひとしい。当人の査証をこのまま無事に返していいものかどうか、職員は判断に迷った。

若い職員は、

「しばらく、お待ち下さい」

とカウンターの向うに突っ立っている背の高い神父に云《い》った。事実、その男は、ネクタイのない、カラーのふちだけ見せた特徴のある聖職服をきていた。

神父は、結構です、というように微笑のままうなずいた。

若い職員は、査証を持って係長のところに行った。

係長は、査証を手に持ち、少し離れているトルベックとを、見比べた。それでもひとりでは判断がつかず、二、三人を呼び集めて相談をした。後の責任問題を心配したのである。

査証の形式に欠陥はなかった。警視庁からも、グリエルモ教会の神父トルベックの出国禁止の通告は廻って来ていなかった。出国の手続きは完備したものである。

こうしている間にも、他の乗客は出口に歩いて去り、残り少なくなった。出発の時間が迫っているのである。若い神父は、催促するように、靴の踵《かかと》でこつこつと床を叩《たた》いた。それでも、入管の職員たちは入念だった。このまま当人を飛行機に送り込んでいいかどうか、何度も検討した。

一人の職員が係長の命令を受けて、蒲田《かまた》警察署羽田駐在所に電話をした。

査証その他の手続きに手落ちがないことを説明して、目下、騒がれている殺人事件の重要参考人を出国させていいものかどうか、念のために問い合わせるのだ、と云った。

警官の回答は簡単だった。当人に対して逮捕状も禁足命令も出ていないのだから止《や》むを得ないだろうというのである。

査証を返してもらった時の神父は、以前《まえ》より一段と愛嬌のある顔で会釈《えしやく》をして、手を振り、長いカウンターの端へ歩いた。その向うが出口になっていて、搭乗客だけが集まる待合室に通じる。入管事務所の職員全部が、問題の人物の後ろ姿を消えるまで見送ったことであった。

待合室に入った客はトルベックが最後だといっていい。そこでは七十人の搭乗客がクッションに寛《くつろ》いでいた。旅の前の興奮が漂っていた。それぞれの髪の毛の色が違うように、さまざまな国籍の人間が、さまざまな言葉で話し合っていた。

トルベックを聖職者と見て、わざわざ起ち上って席を譲った乗客もあった。神父はどこへ行っても尊敬されるのである。トルベックは、椅子《いす》に腰を沈め小型の本をひろげた。もとより、宗教関係の本だったが、静かなものである。

失礼ですが、どちらまでおいでですか、と訊《き》く者がいた。

神父は若い瞳《ひとみ》を上げて微笑《ほほえ》み、自分の行先を告げた。それはちょうどいい、ご一緒に旅が出来てうれしい、と喜ぶ人もいた。その人は、日本の印象の素晴しかったことを話した。トルベックは、全く同じ意見だ、と云って賛同した。

搭乗を報《し》らせるアナウンスが聞えた。乗客はざわざわと起ち上り、飛行機の待っている滑走路へ向うゲートを通過した。地上勤務員が整列して、お客さまに敬礼していた。

ここまで来ると、見送人の集まっている二階のロビーが眼に入る。乗客は思い思いに歩きながら、後ろを向き、ロビーに手を振った。上に突き出ているロビーからは、拍手と歓声とが起っていた。

空港の照明はあかあかと点《つ》いていたが、空の隅にはまだ太陽の光の端が残っていた。エール・フランス機は大きな胴体を据えて、客のために口を開けていた。トルベックは、機に近づくまで、二度ほど後ろを振り返って手を振った。

が、どこにトルベックの見送人がいるのか分らなかった。ロビー一ぱいに人が群れて、無数の手が風に乱れる草のように揺れているだけだった。

トルベックは、タラップを上りきった所で何秒か立っていた。が、彼の見送人を見付けるためではなかった。それなら彼の蒼《あお》い瞳《ひとみ》が何かを探す表情になる筈だった。だのに、その瞳は遠いところを見つめるような茫漠《ぼうばく》とした表情になっていた。瞳が潤《うる》んでいた。

トルベックの後から来た客は、彼がそこに立っているので入口の邪魔になり、身体《からだ》が擦《す》れた。

トルベックは、

「ごめんなさい」

と対手《あいて》に詫《わ》びて、はじめて機の中に身体を入れた。

それが日本の地上に残したトルベック神父の最後の言葉であった。

ルネ・ビリエは、見送人の群《むれ》の間に混って、旅客機が滑走路をのろのろと匐《は》って行くのを見つめていた。

大型旅客機は、第一滑走路に出るまで、何度もプロペラの廻転を速めたり止めたりしていた。それは、いかにも日本を去り難いといった風情《ふぜい》に見えた。

が、彼女は遂《つい》に決心をつけたように、最後の激しい震動をはじめた。その唸《うな》り声は、ここまで激しく聞えた。

見送人の間に声が揚った。長い胴体のエール・フランス機は、一気に滑走路を疾駆すると、その胴体を地上から離した。彼女は一たん海の上に出たが、やがて引き返すと、空港の上を斜めになって旋回した。見送人は頭上の機に最後のお別れの手を振った。機は再び海のほうへ向った。彼女の胴体の最後尾に点《つ》いた赤い灯が、ようやく昏《く》れた空に可愛《かわい》く光っていた。それはすぐ見えなくなり、やがて黒い胴体も見送人の視界から急速に小さくなって消えた。地上の人びとの眼に残っているのは、空一ぱいにたゆとう残光の暗い蒼い色だけだ。

ルネ・ビリエは、ロビーから離れた。他の見送人たちに挟《はさ》まって、彼も出口のほうへ歩いた。ゆっくりした足取りだった。

黒い聖職服を着ているので、人びとの眼がちらちらと彼に集まった。この服装は、今、日本中の人びとの注意の焦点になっていた。彼は堂々とこれを着て、トルベックを見送りに来たのだ。彼の顔には、薄い笑いが絶えず漂っていた。この黒っぽい服を着て何が悪い、と人びとの好奇的な眼に反逆しているような笑《えみ》だった。どうだ、手出しは出来まい、と何者かに向って嘲笑《ちようしよう》するような不敵な笑い方でもあった。おれがあいつを逃したのだと満足そうな薄ら笑いでもあった。

ルネ・ビリエは、駐車場に置いてあるルノーに乗った。青色に塗った車体である。ここまで歩いて来る彼の足取りも、自信の籠《こも》ったものだった。

ルネ・ビリエは、羽田から都心に車を走らせた。この時ほど彼の運転が正確だったことはない。自信と自負とが、彼の身体の中にみなぎっていた。

しかし、彼は真直《まっす》ぐにグリエルモ教会に帰ったのではなかった。東京の中心で一番賑《にぎや》かな一郭に車を乗り入れると、高い建物の窓に灯が溢《あふ》れるように点《つ》いている社屋の玄関に横づけした。新聞社だった。

彼は玄関の中に大股《おおまた》で入った。受付の前に進むと、そこに坐《すわ》っている若い女に、ポケットから出した封筒を手渡した。ここでも、彼は絶えず愛想笑いをしていた。

「社会部にこれを届けてください。大事な手紙ですから、ね、必ずデスクに渡してくださいよ」

受付の若い女がびっくりするくらい上手な日本語だった。

ルネ・ビリエは、それから自分のルノーを別な新聞社に向けた。

ここでは、女の子の代りに警備員が受付に坐っていた。

「大事な手紙です。必ずデスクに上げてください」

同じ封筒を差し出した。

彼の用事は、その二つの新聞社だけでは済まなかった。もう一つ新聞社が残っていた。

受付に立って云うことも同じだし、出した封筒の厚味も違わなかった。

三つの新聞社を廻ったルネ・ビリエは、絶えず顔から微笑《わらい》が消えなかった。会った人間は、愛想のいい神父さんだ、と思ったに違いないが、当人はおかしさが怺《こら》えきれなかったのである。

どの新聞社のデスクも、下から運ばれたその封筒を受け取った。

中身は、英文と和文の両方だった。ご丁寧にも日本語の翻訳まで付けてくれたのである。

デスクは、それに眼を通して、思わず大声を揚げた。

「当グリエルモ教会神父トルベックは、日本の警察に対してお話しすべきことはすべてお話ししましたが、事情聴取が長い期間にわたりましたので、持病の肝臓病が悪化し、疲労も甚《はなは》だしいので、一時、本国で休養させることとし、本日、帰国のため羽田を出発しました。

バジリオ日本管区長

フェルディナン・マルタン」

むろん、新聞社は噴火山のように沸《たぎ》り立った。

その時刻、警視庁では刑事部の首脳会議が開かれていた。

青山刑事部長、新田捜査一課長を中心に、スチュワーデス殺し事件の捜査関係者が、全部揃《そろ》って卓を囲んでいた。

会議は、その後トルベック神父について新しい事実が二、三出たので、それを中心に検討しているところだった。

トルベックを召喚して、一応取調べを済ませてから、すでに二週間経《た》っている。この間にも捜査一課の刑事たちは、こつこつと地取り捜査を続けていた。相手が外国の宗教団体だし、それに明らかに警視庁に反抗をみせているのだから、それは慎重だった。教会側を刺激しないように捜査はおとなしく、地味に続けられたのだ。

新聞社の眼も避けねばならなかった。この両方の苦労で第一線の刑事たちは、日ごとに瘠《や》せたくらいである。捜査陣の上に重苦しく圧《の》しかかっている一つの空気があった。総理大臣がこの事件をある国との外交取引きの犠牲にしようとしているという噂《うわさ》が流れていたのである。尤《もっと》も、それがどこまで真実か判《わか》らなかったが、この見えない脅迫的な雰囲気《ふんいき》は刑事たちの意気をひどく落させていた。

青山刑事部長は、このような気配をなるべく身体に感じないふうに無理につくろっているところがあった。事実、部長は、トルベックをもう一度喚《よ》ぼうという第一線の刑事たちの意見に、積極的に耳を傾けていたのである。

このときの捜査会議の内容も、トルベックの再出頭についての技術的な検討であった。教会側が逆毛を立てて牙《きば》を剥《む》いている今、これまでにない余分な配慮を重ねなければならなかった。外人相手の犯罪捜査の困難を、戦後の日本警察がこれほど思い知らされたことはなかった。

会議では、藤沢部長刑事が、トルベックをもう一度喚んで自分に二日間だけ調べさせて欲しい、必ず神父を落してみせると熱心に主張していた。前三回の取調べでは、質問の意味を一語一語辞書を引いては確かめ、ゆっくり考え込んだ末に答えるという戦術をとった容疑者である。午前十時に喚んでも、正午の一時間は憩《やす》み、三時は十五分ほど休憩し、五時になると訊問《じんもん》の途中でも、さっさと引き上げて行く対手である。付添いの弁護士が知恵をつけているせいもあったが、これは教会側の「遵法闘争《じゆんぽうとうそう》」であった。第一線の刑事たちは誰もが泪《なみだ》が出るくらい口惜《くや》しがった。正直、おのれ、と思ったことである。

それでこの捜査会議も互いに自然と激しい言葉になっていた。議論は文字どおり白熱化したといっていい。どの顔も興奮して赧《あか》くなっていた。

その途中である。——

刑事部の警部補がひとりドアを静かに開けて入って来た。

彼は新田捜査一課長のところに歩いて来た。

このとき、誰もが、普通の事務連絡だと思っていて、気にも留めなかった。

新田捜査一課長が警部補の差し出す一枚のメモに何気なく眼を走らせた。

捜査一課長は一読して顔色をさっと変えた。彼は隣にいる刑事部長にどもって云った。

「部長、トルベックが、羽田空港から七時三十分のエール・フランス機に乗って帰国したそうです」

その言葉が終ると同時だった。

「なに！」

叫びといっしょに、青山刑事部長が椅子《いす》をうしろに蹴倒《けたお》して起《た》ち上った。顔が見る見る真赧《まつか》になった。眼鏡の奥の眼が一ぱいに見開かれて、空間の一点を怕《こわ》いくらい凝視していた。

あッ、という声が出席者の全部の口から洩《も》れた。期せずして色を失ったとはこのことである。卓を激しく叩く音が聞えたのは、そのあとだった。

相手は遁《に》げた！

刑事たちは、空に消え去る飛行機の幻影を同時に見た。

青山刑事部長は嚙《か》みつきそうな顔になっていたが、

「総監室に行って来る」

と一言残しただけで、部屋を出て行った。興奮した足取りだった。

警視総監は部屋にまだ残っていた。

刑事部長はノックして、大股で入った。秘書が席から起って刑事部長を迎えたが、その顔色を見上げて、びっくりした。

総監は、奥まった場所で大きな机の前に坐っていた。こちら側に、長い卓と沢山な椅子が両側に並んでいる。総監の机の前にも、椅子が壁際《かべぎわ》に整列していた。総監は、書類から顔を上げた。頭の禿《は》げ上った面長な人相である。片方の眼鏡がスタンドに光った。

「総監」

青山刑事部長は、机の前に真直ぐに進んだ。

「トルベック神父が遁げました。たった今、羽田の入管から報告が入りました。七時半、エール・フランス機で本国へ飛び去ったそうです」

刑事部長は、云い放ったあと、警視総監の驚愕《きょうがく》を期待した。が、その反応は総監の顔からは現われなかった。茫漠《ぼうばく》とした表情で、瞬《まばた》き一つしなかった。静かに腕時計を見たのが唯一《ゆいいつ》の動作である。

「そう、出たか」

それだけをつぶやいたのだった。

総監の眼は睡《ねむ》たげだった。皆からシナの貴人に似ていると云われているその面貌《めんぼう》は、さらに茫洋《ぼうよう》とした表情になった。視線も刑事部長を見ないで、別な所に向いているのである。

刑事部長は、このとき、総監は何かを知っている、と直感した。

実際、警視総監に愕《おどろ》きはなかった。もとより興奮もなかった。落ち着いたものである。その次に吐いた言葉も、総監の沈着を示していた。

「仕方がないね。法的には根拠はないんだから。まだ容疑者の段階でもなかったんだろう。逮捕状もとれなかった。こりゃ遁げられても文句は付けられないね」

刑事部長は、総監の顔に射るような視線を当てた。彼は唇をふるわせていた。

刑事部長は、階級の上下をこの時ほど身に沁《し》みて感じたことはなかった。もし、これが同僚や下の者だったら、彼は突進して頸《くび》を締めたに違いない。

この刑事部長の興奮を警視総監が感じぬ筈《はず》はなかった。総監は、やはり部下から眼を逸《そ》らしたまま云《い》った。

「青山君」

と呼んだ。

「むずかしい事件だったね。ある意味では、この際、トルベック神父に帰ってもらったほうがこちらとしては助かったんじゃないかな。いや、これは君のためも考えて云ってることだ。事件がこじれて、悪くすると、君の命取りにもなりかねないからね」

刑事部長は呆然《ぼうぜん》として、総監の薄笑いの浮かんでいる口辺を見つめているだけだった。部長は、いや、日本の全警察が、グリエルモ教会に頭から灰を浴びせられたのである。

## 二十

事件は終った。トルベック神父の帰国ですべては消失した。

捜査当局は「捜査は済んだのではない、まだ継続中である」と云う。しかし、それなら他の容疑者が出て来そうなものだが、それもない。事実、捜査活動は終了し、捜査本部も解散された。誰が見ても、遁《に》げたトルベック神父が唯一の容疑者であり、警視庁が狙《ねら》っていた本ボシであったことが分った。

トルベックの逃亡は、世間に異常な衝動を与えた。日本人には不可能な芸当である。新聞も週刊誌も騒いだ。しかし、マスコミがどのように大声を揚げても、当人はこちらの手の届かない所に脱出したのだ。捜査は潰《つぶ》れるほかはなかった。

後に残る問題は、一体、誰がトルベックを海外に遁がしたか、ということだ。

警視庁の公式見解では、まだ逮捕状を取る段階には至っていなかったから、当人が帰国の手続きを取っても、これを阻《はば》めなかった、と云う。しかし、トルベックは事件の唯一の重要参考人だ。これは容疑者といってよい。取調べも完了していないのだ。その途中に当人が断わりなく帰国してもいいものかどうか。

いや、無断ではなかった、とグリエルモ教会側では強弁した。確かに、教会側からは外務省の当事者に宛《あ》て帰国の旨《むね》を通知している、と云うのだ。

調べてみると、なるほど、そのような事実はあった。外務省の某局長の手もとに、グリエルモ教会からの手紙が届いていた。ところが、その手紙は当の局長が見ていないのである。それは、封のまま局長の机の上の「未決書類」函《ばこ》の中に放り込まれてあった。偶然、その場に居合わせて始終を見ていた者がいた。局長は「未決」からその手紙を取り出すと、たいそうあわてたように、つい、忙しかったので、こんな所に紛れていた、と云い訳を云ったそうである。ついでながら、この局長も熱心なバジリオ会の信者だった。

このことから奇怪な噂《うわさ》が立ちはじめた。警視庁はトルベックの出国を事前に知っていて、わざと知らぬ顔をしていた、と云うのだ。もっと手きびしい噂は、警視庁当局が密《ひそ》かに裏で取引きを行ない、トルベックの出国を教会側に懇請した、と云うのであった。この噂に付け加えられた尤《もっと》もらしい理由は、上層部から政治的な圧迫を受けた当事者がトルベックの処置に困り、彼の出国を教会側に依頼すると同時に、その交換条件として、教会側が終戦後から現在に至るまで引き続いて行なっている「密輸」を一切追求しないことにして妥協した、と云うのだ。

警視庁の当事者は、これを強く否定している。そんなばかな話がある筈《はず》がない、と色をなして云うのだ。

まさにその通りである。そのようなばかげたことがあってはならないのだ。しかも、これらのとりどりの噂は、冬の空から静かに軽い重量をもって降りてくる雪のように、捜査当局の上に積み重なるのであった。その中のひと片《ひら》が、時の総理大臣が某国との外交折衝の思惑のために事件を潰した、という説である。タカが女ひとり殺されたからといって国際上の交渉を不利にすることはない、と首相に進言した高官があったという。もし、そうなら、「タカが女ひとり」という軽蔑《けいべつ》的な言葉で、捜査は国際信用という大義名分の下に潰れ去ったのだ。いや、潰れたのは、警視庁当局そのものだった。

とにかく、事件は終った。――

新聞記者の佐野は、トルベックが遁げた後、すぐに車で江原ヤス子の家に走った。

雑木林の見える、閑静な住宅街の狭い路《みち》の入口で車を停めた。

何度も来て、もう眼に馴染《なじ》んだ一部だった。サワラやヒバの青い垣根が両側につづいている。江原ヤス子の家は、角から五軒目だった。

佐野は、それを目当てに歩いた。

見憶《みおぼ》えの垣根の所に来て、佐野は眼を疑った。江原ヤス子の家が消失しているのだ。垣根からはすぐに空間が展《ひろ》がり、向うの森が背景のようにじかに描かれてあった。

佐野は、垣根に駆け寄った。すると、どうだろう。家はなくなり、解いた古材が地面に乱雑に積まれてある。

佐野は呆然《ぼうぜん》となった。

古材の下に礎石《そせき》がしらじらと覗《のぞ》いていた。

裏手になっていた広い空地《あきち》には、何をした跡か、あちこちに大きな窪《くぼ》みが草叢《くさむら》の中に見えた。

ただ、トルベックがルノーを隠していた、スギ、モチ、モミなどの木立ちだけが変らない姿で残っていた。

佐野は、すぐ隣に行った。出て来たのは例の大学生の母親だった。

「江原さんですか。あの方は、もう、日本にいらっしゃいませんよ」

彼女は答えた。

「なんですか、外国に行って結婚するんだそうです。近所にもろくろく挨拶《あいさつ》しないで、引き揚げてゆかれました。あの家ですか、あれは、すぐその後、グリエルモ教会の命令で土工が来て崩《くず》したんです。あの家は、教会の所有だったんですね」

佐野は、教会が早くも「唯一《ゆいいつ》の証人」を海外に遁したことを知った。江原ヤス子こそ、トルベックの秘密を確かに知っている女だった。

彼女を日本に置いては都合が悪いのである。佐野は、自分が前に迂闊《うかつ》に聞き逃していた教会の伏線工作に思い当った。

佐野は車に乗って元の道に引き返した。何から何まで教会側に先手を打たれているのだ。ナメられたのは、日本の捜査当局だけではない。日本の新聞が、いや、日本の全国民がこの外国宗教団体から完全にしてやられたのであった。

車は、畑と雑木林の間を走って行く。彼は窓に眼を上げた。林の間に白い尖塔《せんとう》が見えていた。鋭い三角形の頂上には、十字架が強烈な夏の陽《ひ》に輝いていた。静かな田園風景の中にたゆとうこの宗教的な雰囲気《ふんいき》は、西洋の古画でも眺《なが》めるようだった。白堊《はくあ》の建物の窓からは、聖なる歌が流れ、尖塔からは鐘の音が聞えそうだった。敬虔《けいけん》な風景である。しかし、この風景の絵具の下に、どのような下絵が匿《かく》されているか判らなかった。少なくとも、佐野の眼にはそれが地獄図として映っていた。

佐野はすぐ社に帰る気がしなかった。

ここからだと、生田世津子が殺されていた玄伯寺川の現場は、それほど遠くはない。

佐野は運転手にその方向に走るように命じた。

暑い陽ざかりだった。佐野は森の中に赤い鳥居が見える橋のところで車を下りた。

橋の上に立つと、相変らず濁った黒い水が澱《よど》みがちに流れていた。この下には、生田世津子のオーバーとパラソルが投げ捨ててあったのだ。

死体が横たわっていた位置は、もう少し下流だった。眼をやると、川はわずかに彎曲《わんきょく》を描いている。付近はやはり畠《はたけ》が多く、岸の一方は藪《やぶ》になっていた。太陽が葉を白く乾《かわ》かしていた。

佐野は向うに一つの人影を見つけた。その男は川の岸に立っていた。ずんぐりとした背である。佐野は大股《おおまた》になった。その男が誰かは、その特徴で判《わか》った。

「ロクサン」

彼は呼んだ。

しかし、一回では気がつかなかった。藤沢刑事は佇《たたず》んだまま、じっと水の面を眺めていた。

その放心したような様子が佐野の心を搏《う》った。

佐野は黙って近づいた。

「ロクサン」

二度目に云《い》ったのは、そのすぐ横に立ったときである。

藤沢刑事は、はじめて佐野の方を見た。

「君か」

彼はぽつんと云った。顔に汗が流れていた。

川にはいろいろな廃物が浮かんでいる。佐野も刑事の眼にならって水の見物にかかった。

藤沢刑事がどのような気持で此処《ここ》に来ているかを佐野は理解した。自分がやって来たと同様に、刑事も此処に来たかったのである。そうだ、ただ、この現場の川を見に来たかったのだ。

二人は十分間も黙っていた。濁った水はゆっくりと動き、澱み、また動いた。

「ロクサン」

新聞記者は刑事の方を見ないで云った。

「やっと済んだね?」

「済んだ」

刑事は短く答えた。

それから、二人は水を見ながらしばらくおし黙っていた。が、やはり先に声を出したのは佐野のほうだった。

「ロクサン、もう云ってくれてもいいだろう?」

「云えないね」

藤沢刑事は無愛想に云った。

「ホシは遁げたんだ。いくらロクサンでも、もう追っかけるわけにはいかない。もう諦《あきら》めて、ぶち撒《ま》けてくれよ」

「そうはいかないよ」

二人とも顔を合わせなかった。刑事はその特徴の鋭い眼を水面に据えたままだった。

「生田世津子は、どこで殺された？」

「知らないね」

「じゃ、ぼくから云おう。監禁されたのは、教会と結託している日本人の闇屋《やみや》岡村の家だ。それは、此処とＯ駅との間にある。岡村は元グリエルモ教会の信者で、ヤミの仲間といろいろ連絡がある。そうだ、こりゃロクサンから教えてもらったな。そいつの家に彼女は二日間監禁されていたんだね」

佐野は勝手にひとりでしゃべり出した。しゃべらずにはおられなかった。

「彼女がＥＡＡＬのホンコン線のスチュワーデスになったとき、すでに、殺される運命にあった、と云いたいね。トルベックは、グリエルモ教会の会計係だったが、会計係は、教会が各闇業者と折衝する役目をも兼ねていた。会計係に就任したときに、トルベックも生田世津子を殺す宿命を背負った、と云いたい」

ずっと向うの道を白いバスがゆっくりと走っていた。

「教会と結託してる闇のボスは、外国人だ。この男は、生田世津子を麻薬運搬の連絡員に仕立てるよう、トルベックに指図した。なにしろ、教会はこの男のために死命を握られている。繁栄の上にも、滅亡の上にもね。トルベックは愛人の生田世津子に、その役をひきうけるよう頼んだ。ところが、意外にも彼女は拒絶した。生田世津子は、神父の裏側を知らなかったのだ。彼女は単純に、愛人の神父が悪魔に魂を売ったことを悲しんだのだ。トルベックは、彼女の拒絶をボスに伝えた。ボスは怒って、トルベックに彼女を消すように命じた。秘密が知られているので生かしては置けない、と思ったのだ。こうしてトルベックは、ボスの至上命令で生田世津子を殺す約束をしたのだ」

農婦が鍬《くわ》をかついで、橋の上を歩いていた。

「岡村の家に二日間監禁することも、ボスがトルベックに指令したのだとぼくは思う。トルベックは、彼の云いなりになった。運命の二日は、ちょうど、トルベックが神学校で行なわれた同僚神父の叙階式の祝賀会に出席した日に当る。アリバイは、事情をトルベックから聞かされて仰天した教会側が後で工作したものだ。神学校に来たトルベックは、生田世津子を近くまで呼び寄せ、そこで簡単な打合せをした。彼女は何も知らないで、教えられたとおり、岡村の家に行った」

藤沢刑事が疲れたように土堤《どて》の上に踞《かが》みこんだ。佐野は話しつづけた。

「ところで、二日間の監禁中に、トルベックは何度か生田世津子に逢《あ》いに来た筈だね。K大病院での解剖には、彼女の膣内《ちつない》からOのMN型の精液が検出されている。これは死亡前数時間のものであった。つまり、彼女はその監禁場所から玄伯寺川に誘い出される前に、トルベックと情事があったわけだ。トルベックが警視庁で唾液《だえき》と小便とを拒んで、血液型の検出に猛烈に反対したのは、このためだと思う。ところが不思議なことに、彼女のパンティからもやや古い精液の汚点《しみ》が発見された。これは彼女の膣内から出たものとは違う血液型だった。これから考えると、彼女は監禁されてから二人の男と交渉を持っていたことになる。そのパンティの精液が、彼女の監禁された場所で付着したことは、彼女の習性からみてはっきり云えると思うね。つまり、彼女は、その場所で穿《は》き替えのパンティを持っていなかったのだ。聞くところによると、生田世津子は非常に潔癖な女だったというから、そのままそのパンティをはいていたのは、監禁状態にあったからだ」

藤沢刑事は草を挘《むし》っていた。

「なあ、ロクサン。問題は、そのほうの精液だ。これはぼくの想像だが、もしかすると、そのボスがやって来て、生田世津子を犯したのではないかと思っている。可哀《かわい》そうな女だ。彼女は多分、その後から来たトルベックに泣きながら愬《うった》えたかもしれない。しかし、世津子との情事と密入国の秘密を握られているトルベックにとっては、どうすることも出来なかった。のみならず、早く消せという絶対命令がその男からあったのだ。彼女は多分、トルベックの運転する車に乗り、この場所に深夜やって来た。それから、トルベックは、適当な機会に彼女を絞めつけようとした。世津子はびっくりして車から飛び出す。神父は後から追って来る。彼女は大声が揚げられなかった。何故《なぜ》なら、対手《あいて》は自分の愛している男だ。彼女の意識の底に、最後まで人を呼びたくない気持があったのではなかろうか。これが、当夜、誰も女の悲鳴を聞いていなかった理由だと思う」

藤沢刑事が膝《ひざ》の草を払っていた。

「彼女は遁げ惑った。すぐ前に川が流れている。彼女は低い崖《がけ》から飛び込んだ。川は浅かった。トルベックのほうも必死だ。つづいて水の中に飛び降りた。それが、その橋のすぐ下だ。女は遁げようとする。トルベックは彼女のオーバーのうしろ衿《えり》に手をかけた。オーバーから女の両腕がすっぽり抜けた。発見されたオーバーは袖《そで》の内側がまくれていた筈だ。それでも女は遁げた。二十メートルばかり下流のほうに。つまり、ロクサンが今見てる、すぐそこの地点だ。此処まで来て、到頭、女はトルベックの腕の中に捕えられた。長い腕だ。日本人のように短い手ではない。彼女の頸《くび》は、外国人一流の絞め方で、あっ、という間に圧縮された。……トルベックは車に引き返す。女のパラソルが座席に残っていた。彼は、それを川の中に抛《ほう》り投げた。それからルノーは一散に逃げた。まず、江原ヤス子の家に寄った。それは濡《ぬ》れたズボンをはきかえるためだった。だから、江原ヤス子は知っている。……どうだな、ロクサン、ぼくの推理は当ってるかね?」

藤沢刑事が膝を伸ばして起《た》ち上った。

「話の辻褄《つじつま》、一応合ってるね」

藤沢ははじめて答えた。

「が、話は出来過ぎていても、証拠がないよ。おい、証拠がないんだよ。……畜生、ぼくに、もう二日間トルベックを調べさせたら、必ず、あの男を自供に落して見せたんだがな」

藤沢刑事は云《い》った。

「証拠もなかった。対手も遁《に》げた。なるほど、お前さんのように話の組立ては巧《うま》く出来ても、それだけでは何もならない。ほら、見ろよ。川のすぐ上の草が揺れてるじゃないか」

藤沢刑事は指を突き出した。

佐野が、その方を透かして見た。暑い太陽が、この鈍く澱んだ川からも水蒸気を吸い上げていた。立ち昇る水蒸気が、その向うの草を陽炎《かげろう》のようにゆらゆらさせていた。

佐野の眼には、生田世津子の殺されたこの川の水が燃え上っているように映った。彼女の怨恨《えんこん》が燃え上っている。――

「ロクサン。じゃ、警視庁は全面的に敗北したんだな」

「いや、そうでもないよ。おれのほうはおれのほうで、また別な収穫があった。しかしな、どんな収穫があっても、それは他の課がやったことだ。おれたちには何も残らなかった」

刑事は水の上にしょんぼり言葉を吐いた。

藤沢刑事の言葉は、一カ月ばかりして佐野に思い当らせた。

いかなる理由か、ＥＡＡＬ会社の世界各地の従業員百名が、密輸関係の疑いで馘首《かくしゆ》された。新聞は、そのことを大きく報じた。これを読んだ者は、誰もが生田世津子の勤務していた会社を思い出し、この殺人事件と何か関連があるのではないかと想像した。

さらに、それから一カ月経《た》って、ごく一部の関係者筋に次のような情報が入った。

――スチュワーデス殺し事件を契機とし、ＥＡＡＬ会社の従業員百二十数名が密輸に関係していることが判った。これは日本の警視庁の捜査の結果、その端緒が掴《つか》まれたのである。このことは、パリに本拠のある国際警察委員会に極秘連絡のかたちが取られた。この折衝には、日本警察機関の某警視正が当った。さらに、日本警察機関は某国外務省および内務省に、この事件に関する通報を行なった。

某国はＥＡＡＬの名誉にかけて、この捜査を自国の内務省とＥＡＡＬ本社自体の調査で行なうかたちを取った。確証を徹底的に挙げて、二百名近い空前の密輸団の組織が判明したが、その取り扱われた物は、ホンコン・マカオをルートとする麻薬をはじめ、翡《ひ》翠《すい》、ダイヤ、プラチナ、金などの貴金属が含まれていた。

ＥＡＡＬ本社は、検事局並びに警察機関の指示で、数名の操縦士、数十名の従業員を正式に退職させたが、一応、百名までを限度として打ち切ることになった。これはＥＡＡＬ自体の名誉と、某国の国際的な名誉を考えてのことである。

このことに関して日本警察機関は、国際警察によってその捜査力を大きく評価された。

……

しかし、日本警察機関のこれらについての世界的称讃《しようさん》は、あくまでも陰の部分である。スチュワーデス殺し事件に敗衄《はいじく》した記録は、表の面では未来永劫《えいごう》に消え去らないのだ。

# 解　説

中島河太郎

本編は昭和三十四年三月に起った、いわゆるスチュワーデス殺人事件にもとづいて書かれ、著者一流の推理と解決を提示したものである。

この事件の概略を『朝日年鑑』（昭和三十五年版）の記事によって紹介しよう。

「三月十日早朝、東京都杉並区大宮町一六五九先善福寺川で女の死体が発見された。持ち物から世田谷区松原町四の三六四武川知子さん（二七）で英国海外航空（BOAC）のスチュワデスであることがわかったが、解剖結果から他殺と断定されて大騒ぎとなった。容疑線上に最後まで残ったのが知子さんの生前出入りしていたカソリック教会のベルギー人神父。捜査本部は相手が外人であるだけに国際問題にもなりかねないと慎重を期し、極秘の捜査を続けたのち同神父を直接調べようとして出頭を求めたが応じなかった。当人ばかりでなく、教会組織をあげての出頭拒否に警察部内のみならず一般からも批判の声があがった。

結局二、三回出頭して取り調べを受けたが黒白がつかず、まだ警察がこれからも調べたいといっていた矢先、問題の神父は当局へ何の連絡もせず羽田から飛行機で本国へ帰ってしまった。教会側は絶対の無実を主張、帰国したのは転任だといっているが、『それなら何故《なぜ》心ゆくまで日本警察に調べさせないのだ』の声が強く、後味《あとあじ》の悪い尾を引いた」

松本氏はこの事件に深い関心を覚えた。事件の資料を収集し、犯行現場にも出向くほどの熱意を示した。カトリック教団が宗教の壁に閉じ籠《こも》って、進んで疑惑を晴らそうとしない閉鎖権威主義と、事件の核心に迫りながら、もう一歩の追究のできなかった警視庁側の弱気、それは日本の国際的な立場が極めて弱かったことに起因するのだが、この二つが氏に真相究明を促し、作品化することにより、臭いものに蓋《ふた》する実態に、思いきったメスを振るったものである。

『黒い福音』は『週刊コウロン』の昭和三十四年十一月三日の創刊号から翌年六月七日号まで、引続いてその推理編は『燃える水』と改題され、六月十四日号から十月二十五日号まで連載された。

もちろん小説化に際しては、仮名が用いられている。バジリオ会はサレジオ会、グリエルモ教会はドン・ボスコ社、ダミアノ・ホームはオデリア・ホームであり、主要人物のトルベックはベルメルシュ、被害者の生田世津子は武川知子に相当する。場所や国籍はある程度ぼかしてあるが、物語には別に差支《さしつか》えはない。

著者は作品の構成を二部に分けて、犯罪編と推理編とし、わざわざ別題まで用意した。この形式は倒叙推理小説と呼ばれ、オースチン・フリーマンの一九一二年に刊行した中編集『歌う白骨』により創始された。従来の推理小説は誰が犯人かという点に興味を集中しているが、聡明《そうめい》な読者はむしろどうして解決に成功したかという点に興味をもっているとして、新形式に着目したものである。

まず犯罪編で犯人の側からの犯罪遂行を描き、次いで推理編で捜査推理の経過を描く二部建てになっているのだが、この形式は、すぐには受入れられなかったと見え、追随者がなかった。かえって二十年後になって、アイルズの『殺意』、クロフツの『クロイドン発12時30分』などの、精緻《せいち》な作品が現われるようになって、再び顧みられたのである。

著者がこの方式を採用したのは、実際の、しかもその年に起って、読者の耳目に親しい事件を取扱うのだから、犯人を明かし、かえってその背後にあってあやつっているものの存在に気づかせるほうを選んだからであろう。まったく絵空事《えそらごと》の小説よりも、ある程度新聞雑誌で予備知識を与えられている上に、新知識・新解釈を添えて事件が展開するのだから、読者を魅了したのは当然であった。

実際の事件は昭和三十四年六月十一日、重要参考人のベルメルシュ神父が、エア・フランスでベルギーに帰国したことで、歯切れの悪い結末をつけた。その帰国の理由は、持病の悪化と、故郷に残した父母に会うというのだが、ほとんど容疑者に近い人物が、これくらいの個人的理由で突然、日本を離れるというのは、たれしも諒解《りようかい》に苦しむところである。

しかもこの神父の所属している会からすれば、疑惑の的になっている者に、こんな行動をとらせることが、今後の布教上にどれほど障害となるか心得ていなければならない。それでもあえて、こういう処置をとったことに対して、いろいろな推測が行われたのは当然であった。

各雑誌でも諸氏による論評が例によって掲げられたが、新聞や週刊誌の記事の範囲を出るものではなかった。松本氏の鋭い分析は、カトリック教の閉鎖性を衝《つ》き、経営企業の法網をくぐりかねない危険性を剔抉《てつけつ》しているのである。

「一体、カトリックというものは、われわれ日本人の常識として、非常に神聖な、侵すべからざる戒律をもつ宗教である、というふうに思われている。

ことに外人の神父となると、この敬虔《けいけん》の気持、尊敬の念は、日本人の神父に対するよりはさらに一段と高いのではないかと思う。つまり、信者は無条件な信頼を外人神父にもっているとみてよい。

今度の事件でベルメルシュ神父が、容疑者的な重要参考人として浮かび上ったとき、日本人の信者はことごとく神父の潔白を強く信じ、捜査陣に非難の眼を向けたのである」(『黒い手帖《てちょう》』)

と氏は述べて、かれら信者の主観的、盲信的な点を批判した。殊《こと》にこの神父がローマ法王庁に直属していて、警視庁としてはやりにくい対象であったことに同情するとともに、神父の背後にあるものに注目している。

氏はドン・ボスコ社の性格について調査した。それによると社名はボスコという聖者の名にちなんだもので、社会事業団体の一つである。出版による布教が使命で、雑誌『カトリック生活』などの出版活動を行なっている。同社の所属するサレジオ会は、世界各国に教会、修道院、学校、社会事業団体をもって、イタリアのトリノに本部がある。この会は他のカトリックの各会、たとえばイエズス会やマリア会などのように、日本での宣教に長い歴史をもった修道会ではないが、戦後かなり強引な布教活動を行なって、急激に勢力を伸ばしたといわれる。

特に戦後の混乱期にはいろいろな噂《うわさ》があった。同社がララ物資や、サレジオ会本部から寄贈されたもので、当時日本国内で不足していた統制物資を、闇《やみ》ブローカーに流して、莫大《ばくだい》な資金を得て、教会や学校などをつぎつぎに建てたといわれるが、ベルメルシュ神父の性格は、「所属している修道会のこうした特殊性に多分に密着する」ことも指摘している。

司直の手にかかった比較的はっきりした事件では、二十六年の闇《やみ》砂糖事件が有名である。サレジオ会の教会幹部が黒幕だったが、当時は外人神父に捜査の手がのばせず、検挙することはできなかった。つぎに捜査されたのでは闇ドル事件があったが、不起訴となった。また闇金融事件ではきわどいところで逮捕を免れたといわれている。

「ベルメルシュ神父はドン・ボスコ社の会計主任であった。したがって、彼がドン・ボスコの経営の面にかなりたずさわっていたということは想像がつく。そしてドン・ボスコが、もしこのようないろいろな闇関係の商売をしていたとするならば、その方面の者と手を握らなければできないし、また彼らのもっとも恰好《かっこう》な手先に使われるという可能性の想像は成り立つ。会計係は危険な地位だった」(同前)

ドン・ボスコ社が社会事業の域を逸脱して、資本蓄積のためには法律違反を辞さない性格をもつ点まで見抜けたジャーナリストはあったが、氏の推理はこの神父をあやつれる第三の人物を想定した。さらに神父が犯人だと仮定しても、彼に殺意を抱かせたのは、この人物からの指示ではなかったかと、「空想的な想像」をするのだ。

松本氏は三十三年に小倉の黒人兵暴動に取材した『黒地の絵』を、過去の犯罪事件にのっとった『日光中宮祠《ちゆうぐうし》事件』や『額と歯』を、さらに『小説帝銀事件』を書いて、実際犯罪の新解釈へ関心を深めていた。

このスチュワーデス殺人事件が、八、九分通りの進展を見せているにも拘《かかわ》らず、信仰と政治力の厚い壁の前に、空《むな》しく鉾《ほこ》をおさめなければならなかったことに痛く刺激されたのである。

氏の推測が果して真相を射あてたかどうかは判《わか》らない。しかし、「明瞭《めいりよう》なのは、この事件の捜査が壁につき当ったのも、ベルメルシュ神父の帰国を警視庁が『知らなかった』のも、要するに日本の国際的な立場が極めて弱いからである。そして日本の弱さが、スチュワーデスという一個人の死の上にも、濃い翳《かげ》りを落している」という痛《つう》歎《たん》の念が、読者にはげしく訴えるのである。そのためにも一般の推理小説の手法を採らず、倒叙形式を選んだのがもっとも効果的であった。

氏はこの作品の発表後、一層ノン・フィクションの分野に意欲を示し、現代政治の病根を絶つべく、幅広い活動に進むのである。

(昭和四十五年十二月、文芸評論家)

たのは、この人物からの指示ではなかったかと、「空想的な想像」をするのだ。

松本氏は三十三年に小倉の黒人兵暴動に取材した『黒地の絵』を、過去の犯罪事件にのっとった『日光中宮祠《ちゆうぐうし》事件』や『額と歯』を、さらに『小説帝銀事件』を書いて、実際犯罪の新解釈へ関心を深めていた。

このスチュワーデス殺人事件が、八、九分通りの進展を見せているにも拘《かかわ》らず、信仰と政治力の厚い壁の前に、空《むな》しく鉾《ほこ》をおさめなければならなかったことに痛く刺激されたのである。

氏の推測が果して真相を射あてたかどうかは判《わか》らない。しかし、「明瞭《めいりよう》なのは、この事件の捜査が壁につき当ったのも、ベルメルシュ神父の帰国を警視庁が『知らなかった』のも、要するに日本の国際的な立場が極めて弱いからである。そして日本の弱さが、スチュワーデスという一個人の死の上にも、濃い翳《かげ》りを落している」という痛《つう》歎《たん》の念が、読者にはげしく訴えるのである。そのためにも一般の推理小説の手法を採らず、倒叙形式を選んだのがもっとも効果的であった。

氏はこの作品の発表後、一層ノン・フィクションの分野に意欲を示し、現代政治の病根を絶つべく、幅広い活動に進むのである。

（昭和四十五年十二月、文芸評論家）

松本清張著

わるいやつら（上・下）

厚い病院の壁の中で計画される院長戸谷信一の完全犯罪！　次々と女を騙しては金をまき上げて殺す恐るべき欲望を描く長編推理小説。

松本清張著

歪んだ複写
—税務署殺人事件—

武蔵野に発掘された他殺死体。腐敗した税務署の機構の中に発生した恐るべき連続殺人を描いて、現代社会の病巣をあばいた長編推理。

松本清張著

砂の器（上・下）

東京・蒲田駅操車場で発見された扼殺死体！新進芸術家として栄光の座をねらう青年の過去を執拗に追う老練刑事の艱難辛苦を描く。

松本清張著

ゼロの焦点

新婚一週間で失踪した夫の行方を求めて、北陸の灰色の空の下を尋ね歩く禎子がまき込まれた連続殺人！　『点と線』と並ぶ代表作品。

松本清張著

眼の壁

白昼の銀行を舞台に、巧妙に仕組まれた三千万円の手形サギ。責任を負った会計課長の自殺の背後にうごめく黒い組織を追う男を描く。

松本清張著

点と線

一見ありふれた心中事件に隠された奸計！列車時刻表を駆使してリアリスティックな状況を設定し、推理小説界に新風を送った秀作。

新潮文庫最新刊

早見俊著
高虎と天海
戦国三大築城名人の一人・藤堂高虎。明智光秀の生き延びた姿と噂される謎の大僧正・天海。家康の両翼の活躍を描く本格歴史小説。

永嶋恵美著
檜垣澤家の炎上
女系が治める富豪一族に引き取られた少女。政略結婚、軍との交渉、殺人事件。小説の醍醐味の全てが注ぎこまれた傑作長篇ミステリ。

谷川俊太郎
尾崎真理子著
詩人なんて呼ばれて
詩人になろうなんて、まるで考えていなかった——。長期間に亘る入念なインタビューによって浮かび上がる詩人・谷川俊太郎の素顔。

R・トーマス
松本剛史訳
狂った宴
楽園を舞台にした放埒な選挙戦は、美女に酒に金にと制御不能な様相を呈していく……。政治的カオスが過熱する悪党どもの騙し合い。

G・D・グリーン
棚橋志行訳
サヴァナの王国
CWA賞最優秀長篇賞受賞
サヴァナに〝王国〟は実在したのか？　謎の鍵を握る女性が拉致されるが……。歴史の闇を抉る米南部ゴシック・ミステリーの怪作！

矢部太郎著
大家さんと僕　これから
大家のおばあさんと芸人の僕の楽しい〝二人暮らし〟にじわじわと終わりの足音が迫ってきて……。大ヒット日常漫画、感動の完結編。

# 黒《くろ》い福《ふく》音《いん》

新潮文庫　　ま-1-13

昭和四十五年十二月二十五日　発行
平成十六年六月二十日　三十九刷改版
令和六年七月三十日　五十三刷

著者　松《まつ》本《もと》清《せい》張《ちょう》

発行者　佐藤隆信

発行所　株式会社　新潮社
郵便番号　一六二―八七一一
東京都新宿区矢来町七一
電話　編集部(〇三)三二六六―五四四〇
読者係(〇三)三二六六―五一一一
https://www.shinchosha.co.jp

価格はカバーに表示してあります。

乱丁・落丁本は、ご面倒ですが小社読者係宛ご送付ください。送料小社負担にてお取替えいたします。

印刷・錦明印刷株式会社　製本・加藤製本株式会社



ISBN978-4-10-110913-8 C0193